W9-BSM-436

F. CREPIN _ M. LORIDON _ E. POUZALGUES-DAMON
Agrégés de l'Université

Lycée Privé St. Maurice

FRANÇAIS

METHODES ET TECHNIQUES

NATHAN TECHNIQUE

Crédits photographiques

Page 19, sigles d'entreprises — Page 31, droits réservés — Page 35, Cabochons, droits réservés — Page 35, Magritte La légende des siècles. Col. Privé © ADAGP 1988 — Page 37, © Casterman — Page 61, Casterman — Page 79, Top Air Portugal, Photo Buiret/HDM-Gervais Danone, Dupuy-Saatchi et Saatchi-Compton — Page 80, © Casterman — Page 86, © Charles-Rapho — Page 128, Plantu dessin paru dans le Monde.

© Éditions Nathan, 1988.
ISBN 2-09-170671-X

Conception-Mise en page : C. Blangez

Sommaire

LES EXERCICES DU BACCALAURÉAT

Mode d'emploi

Le manuel contient trente-cinq modules qui comportent tous une page d'exemples, une page méthode et une série d'exercices. Ponctuellement, des fiches permettent de faire le point sur des connaissances (la versification, le texte poétique, le théâtre...). A la fin du livre on trouvera un index des auteurs, un index des notions ainsi qu'un tableau chronologique.

La page exemple.
Elle présente une documentation (texte d'auteur, exercice achevé...) qui illustre les explications de la page méthode.

Le titre du module.

L'introdúction. Elle situe la documentation, elle explique pourquoi elle a été choisie.

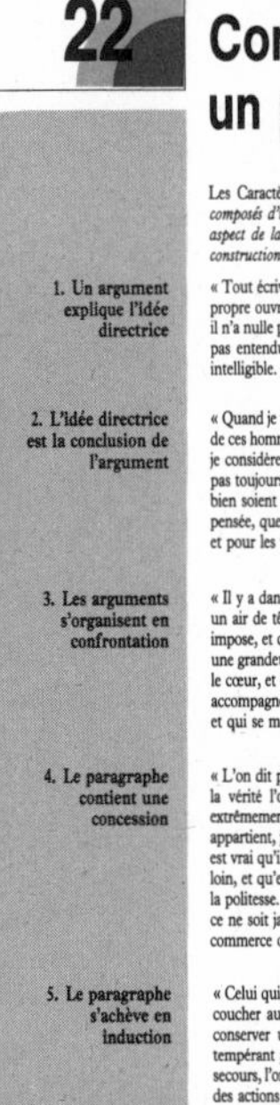

22 Comment construire un paragraphe

Les Caractères de La Bruyère (XVIIe siècle) se présentent sous la forme de dix sept chapitres composés d'une série de fragments numérotés. Chaque fragment a pour objectif de critiquer un aspect de la société et (ou) d'établir une vérité d'ordre général. La rigueur et la diversité des constructions contribuent à la force de persuasion de l'ouvrage.

1. Un argument explique l'idée directrice

« Tout écrivain, pour écrire nettement, doit se mettre à la place de ses lecteurs, examiner son propre ouvrage comme quelque chose qui lui est nouveau, qu'il lit pour la première fois, où il n'a nulle part, et que l'auteur aurait soumis à sa critique ; et se persuader ensuite qu'on n'est pas entendu seulement à cause que l'on s'entend soi-même, mais parce qu'on est en effet intelligible. »

Des ouvrages de l'esprit, I, 56

2. L'idée directrice est la conclusion de l'argument

« Quand je vois d'une part auprès des grands, à leur table, et quelquefois dans leur familiarité, de ces hommes alertes, empressés, intrigants, aventuriers, esprits dangereux et nuisibles, et que je considère d'autre part quelle peine ont les personnes de mérite à en approcher, je ne suis pas toujours disposé à croire que les méchants soient soufferts par intérêt, ou que les gens de bien soient regardés comme inutiles ; je trouve plus mon compte à me confirmer dans cette pensée, que grandeur et discernement sont deux choses différentes, et l'amour pour la vertu et pour les vertueux une troisième chose. »

Des Grands, X, 13

3. Les arguments s'organisent en confrontation

« Il y a dans quelques femmes une grandeur artificielle, attachée au mouvement des yeux, à un air de tête, aux façons de marcher, et qui ne va pas plus loin ; un esprit éblouissant qui impose, et que l'on n'estime que parce qu'il n'est pas approfondi. Il y a dans quelques autres une grandeur simple, naturelle, indépendante du geste et de la démarche, qui a sa source dans le cœur, et qui est comme une suite de leur haute naissance ; un mérite paisible, mais solide, accompagné de mille vertus qu'elles ne peuvent couvrir de toute leur modestie, qui échappent, et qui se montrent à ceux qui ont des yeux. »

Des Femmes, III, 2

4. Le paragraphe contient une concession

« L'on dit par belle humeur, et dans la liberté de la conversation, de ces choses froides, qu'à la vérité l'on donne pour telles, et que l'on ne trouve bonnes que parce qu'elles sont extrêmement mauvaises. Cette manière basse de plaisanter a passé du peuple, à qui elle appartient, jusque dans une grande partie de la jeunesse de la cour, qu'elle a déjà infectée. Il est vrai qu'il y entre trop de fadeur et de grossièreté pour devoir craindre qu'elle s'étende plus loin, et qu'elle fasse de plus grands progrès dans un pays qui est le centre du bon goût et de la politesse. L'on doit cependant en inspirer le dégoût à ceux qui la pratiquent ; car bien que ce ne soit jamais sérieusement, elle ne laisse pas de tenir la place, dans leur esprit et dans le commerce ordinaire, de quelque chose de meilleur. »

De la société et de la conversation, VI, 71

5. Le paragraphe s'achève en induction

« Celui qui, logé chez soi dans un palais, avec deux appartements pour les deux saisons, vient coucher au Louvre dans un entresol n'en use pas ainsi par modestie ; cet autre qui, pour conserver une taille fine, s'abstient du vin et ne fait qu'un seul repas n'est ni sobre ni tempérant ; et d'un troisième qui, importuné d'un ami pauvre, lui donne enfin quelque secours, l'on dit qu'il achète son repos, et nullement qu'il est libéral. Le motif seul fait le mérite des actions des hommes, et le désintéressement y met la perfection. »

Du mérite personnel, II, 41

122

La page méthode.
Sous forme de fiche, elle explique un procédé, une démarche, une technique d'écriture.

L'introduction. Elle définit le thème du module, elle explique le titre du module.

Les sous-titres : ils décomposent la méthode, ils décortiquent une technique.

Les renvois à d'autres modules permettent de combler d'éventuelles lacunes.

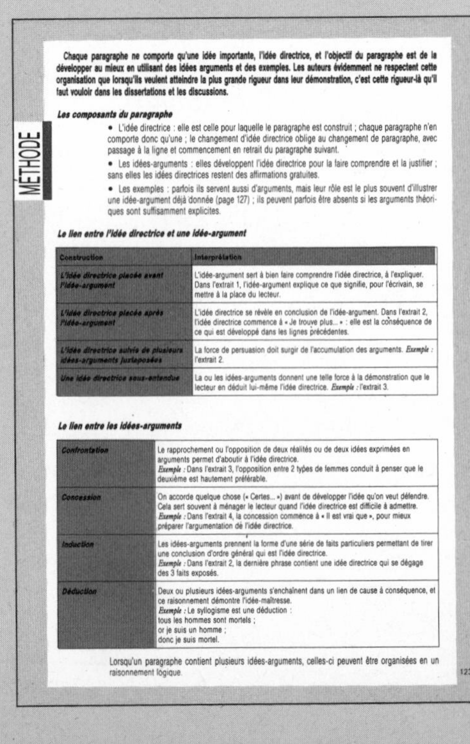

MÉTHODE

Chaque paragraphe ne comporte qu'une idée importante, l'idée directrice, et l'objectif du paragraphe est de la développer au mieux en utilisant des idées arguments et des exemples. Les auteurs évidemment ne respectent cette organisation que lorsqu'ils veulent atteindre la plus grande rigueur dans leur démonstration, c'est cette rigueur-là qu'il faut vouloir dans les dissertations et les discussions.

Les composants du paragraphe

- L'idée directrice : elle est celle pour laquelle le paragraphe est construit ; chaque paragraphe n'en comporte donc qu'une ; le changement d'idée directrice oblige au changement de paragraphe, avec passage à la ligne et commencement en retrait du paragraphe suivant.
- Les idées-arguments : elles développent l'idée directrice pour la faire comprendre et la justifier ; sans elles les idées directrices restent des affirmations gratuites.
- Les exemples : parfois ils servent aussi d'arguments, mais leur rôle est le plus souvent d'illustrer une idée-argument déjà donnée (page 127) ; ils peuvent parfois être absents si les arguments théoriques sont suffisamment explicites.

Le lien entre l'idée directrice et une idée-argument

Construction	Interprétation
L'idée directrice placée avant l'idée-argument	L'idée-argument sert à bien faire comprendre l'idée directrice, à l'expliquer. Dans l'extrait 1, l'idée-argument explique ce que signifie, pour l'écrivain, se mettre à la place du lecteur.
L'idée directrice placée après l'idée-argument	L'idée directrice se révèle en conclusion de l'idée-argument. Dans l'extrait 2, l'idée directrice commence à « Je trouve plus... » : elle est la conséquence de ce qui est développé dans les lignes précédentes.
L'idée directrice suivie de plusieurs idées-arguments juxtaposées	La force de persuasion doit surgir de l'accumulation des arguments. *Exemple :* l'extrait 2.
Une idée directrice sous-entendue	La ou les idées-arguments donnent une telle force à la démonstration que le lecteur en déduit lui-même l'idée directrice. *Exemple :* l'extrait 3.

Le lien entre les idées-arguments

Confrontation	Le rapprochement ou l'opposition de deux réalités ou de deux idées exprimées en arguments permet d'aboutir à l'idée directrice. *Exemple :* Dans l'extrait 3, l'opposition entre 2 types de femmes conduit à penser que le deuxième est hautement préférable.
Concession	On accorde quelque chose (« Certes... ») avant de développer l'idée qu'on veut défendre. Cela sert souvent à ménager le lecteur quand l'idée directrice est difficile à admettre. *Exemple :* Dans l'extrait 4, la concession commence à « Il est vrai que », pour mieux préparer l'argumentation de l'idée directrice.
Induction	Les idées-arguments prennent la forme d'une série de faits particuliers permettant de tirer une conclusion d'ordre général qui est l'idée directrice. *Exemple :* Dans l'extrait 2, la dernière phrase contient une idée directrice qui se dégage des 3 faits exposés.
Déduction	Deux ou plusieurs idées-arguments s'enchaînent dans un lien de cause à conséquence, et ce raisonnement démontre l'idée-maîtresse. *Exemple :* Le syllogisme est une déduction : tous les hommes sont mortels ; or je suis un homme ; donc je suis mortel.

Lorsqu'un paragraphe contient plusieurs idées-arguments, celles-ci peuvent être organisées en un raisonnement logique.

123

Les pages exercices.
Construites et organisées de façon progressive, ces pages mettent en œuvre les procédés, les démarches et les techniques exposés dans la page méthode.

EXERCICE 1

Dans le texte suivant, repérez l'idée directrice (I.D.), les trois idées-arguments (I.A.) et les trois exemples (Ex.). Écrivez ensuite le texte à l'intérieur du schéma suivant

I.D.
I.A. — I.A. — I.A.
Ex. — Ex. — Ex.

« Il y a plusieurs façons d'entendre le mot « génération ». Il peut désigner les gens ayant eu une expérience historique commune particulièrement frappante. Ainsi parle-t-on de la génération de la guerre de 1914 ou de la Résistance ou de celle de mai 1968. On peut aussi identifier la génération à une classe d'âge : tous les gens ayant eu vingt ans dans les années 50 ou 70. On peut enfin penser à l'expérience familiale : la génération des enfants, par opposition à celle des parents et des grands-parents (...) »

F. Gaussen.
Bac. (Acad. d'Orléans-Tours)

EXERCICE 2

Rendez, à chaque idée directrice, l'idée-argument qui lui convient. Justifiez votre réponse.

Les trois idées directrices

1) Les romans de science-fiction anticipent parfois les découvertes techniques.
2) L'auteur de science-fiction peut montrer beaucoup d'imagination.
3) La science-fiction permet de critiquer le présent.

Les trois idées-arguments

a) L'imagination est souvent au service d'une réflexion sur ce que peuvent engendrer notre organisation sociale et nos découvertes techniques ; de ce fait, nous pouvons voir quels sont dans notre monde les dangers que nous devons craindre et les réalisations prometteuses que nous pouvons louer.
b) Un auteur de science-fiction, en effet, pour donner de la vraisemblance aux inventions qu'il imagine, étudiera ce que ses contemporains commencent à être capables de construire, et c'est ainsi qu'il lui arrivera d'en saisir les perspectives plus lointaines.
c) La science-fiction n'est pas obligée de respecter les cadres étroits de la réalité, et l'auteur se permet donc de peindre des êtres, des découvertes techniques, des formes de sociétés qui n'existent dans aucun lieu du monde.

124

EXERCICE 3

Retrouvez l'idée directrice par laquelle commençait le texte suivant, et rédigez-la. Puis inscrivez le texte dans un schéma du type de celui de l'exercice 1.

« ...... D'abord, parce qu'elle permet au sourd de s'exprimer lui-même. Ainsi on a pu observer qu'un petit enfant sourd à qui on enseigne les signes se développe d'une façon tout à fait « normale » sur le plan affectif et intellectuel et l'on a vu des cas de jeunes sourds, complètement repliés sur eux-mêmes qui, les ayant appris, ont commencé à vivre et à s'épanouir d'une manière foudroyante. Ensuite, parce que la langue des signes française est une vraie langue, riche en nuances, dotée de sa syntaxe propre, qui représente pour nous la seule possibilité d'accéder à un enseignement de type intellectuel. Encore aujourd'hui, les sourds sont menuisiers, peintres en bâtiments ou relieurs : très peu ont pu passer le baccalauréat. »

propos d'un sourd rapportés dans *La Vie* n° 2135

EXERCICE 4

Justifiez par une accumulation d'arguments, dans un paragraphe bien construit, une ou plusieurs des idées directrices suivantes :

— En Français, il faut une réforme de l'orthographe qui la simplifiera.
— Les radios locales sont plus (ou moins ! à vous de choisir !) intéressantes que les radios nationales.
— Les fast-food sont (ou ne sont pas !) un excellent moyen de restauration.

EXERCICE 5

Dans le passage suivant, où se trouve exactement l'idée directrice ? De quel type de comparaison est-elle déduite ?

« Aux yeux de beaucoup, y compris de beaucoup de Français, la démocratie semblait, il y a cinquante ans, le contraire d'une « idée neuve en Europe », un symbole d'impuissance, une formule en voie de disparition. Aujourd'hui, grâce notamment à la hausse du niveau de vie et au développement de l'éducation, ce régime apparemment condamné n'a jamais été plus répandu. Plus personne n'envisage un retour de la dictature en Allemagne, en Italie, en Espagne, en Grèce, au Portugal. Elle a fortement reculé, au cours des dernières années, en Amérique latine et, maintenant, en Asie du Sud-Est. (...) »

André Fontaine, *Le Monde*, 9-09-1987

EXERCICE 6

Dans le paragraphe suivant, dégagez les idées-arguments et l'idée directrice. De quel raisonnement l'idée directrice découle-t-elle ? Quel schéma pourrait-on ici utiliser pour représenter graphiquement le paragraphe ?

« Quand d'une part le langage — et l'esprit — risquent d'être conditionnés par les mass media (dont les intentions peuvent être moins désintéressées que les nôtres) ; quand d'autre part le langage le plus parlé est celui des « bulles » de la bande dessinée, celui des clichés et des onomatopées, quand toute l'éloquence du doute et de la révolte se réduit à des « bof » et des « ralbol », quand la « littérature » se limite pour beaucoup au texte des chansons à la mode, des « tubes » ; devant l'indéniable pauvreté d'un langage qui n'a souvent de relief que celui de la violence ; alors les études littéraires, à tous les niveaux, doivent remonter le courant de la paresse verbale, enseigner la justesse et la nuance. »

Maurice Maucuer
Bac. (Acad. de Dijon)

EXERCICE 7

Construisez un paragraphe dans lequel vous exposerez un certain nombre de faits desquels vous induirez l'idée maîtresse suivante : ne pas savoir lire est un handicap grave dans la vie quotidienne.

EXERCICE 8

Dans le texte suivant, repérez les mots de liaison : de quel type de raisonnement s'agit-il ? Composez à votre tour un paragraphe sur la nécessité de (ou de ne pas) autoriser légalement l'avortement, en mettant en œuvre le même type de raisonnement que dans le texte.

« Le livre fut, du XVe au XXe siècle, l'instrument par excellence de la connaissance. Certes, son histoire ne commence pas avec l'invention de l'imprimerie ; il fut, dans l'antiquité, tablette d'argile enduite de cire, écorce d'arbre ou volume (rouleau) de papyrus, puis parchemin en forme de codex (c'est-à-dire de feuilles assemblées), puis, à partir du XIIIe siècle, papier. Mais l'imprimerie changea le rapport des hommes à la culture ; elle fit perdre au maître son statut privilégié de détenteur du savoir ; à terme, elle transforma les structures sociales en transférant le capital culturel des clercs à la bourgeoisie. »

Claude Abastado
Bac. (Acad. de Nouvelle-Calédonie, 1987)

EXERCICE 9

Dans le texte suivant, quel mot de liaison pourrait-on mettre entre la première et la deuxième phrase ? Quels sont les deux autres mots de liaison du texte ? Quel est en conséquence le type de raisonnement ?
Inscrivez le texte dans un schéma de type :

I.A. ⇒ I.A. ⇒ I.A. ⇒ I.D.

Sur le même modèle, écrivez un paragraphe développant l'idée directrice que les jeunes veulent avant tout vivre le présent (argument à utiliser : le phénomène de la crise et l'avenir incertain).

« L'homme ne peut observer les phénomènes qui l'entourent que dans des limites très restreintes ; le plus grand nombre échappe naturellement à ses sens, et l'observation simple ne lui suffit pas. Pour étendre ses connaissances, il a dû amplifier, à l'aide d'appareils spéciaux, la puissance de ses organes, en même temps qu'il s'est armé d'instruments divers qui lui ont servi à pénétrer dans l'intérieur des corps pour les décomposer et en étudier les parties cachées. Il y a ainsi une gradation nécessaire à établir entre les divers procédés d'investigation ou de recherches, qui peuvent être simples ou complexes : les premiers s'adressent aux objets les plus faciles à examiner et pour lesquels nos sens suffisent ; les seconds, à l'aide de moyens variés, rendent accessibles à notre observation des objets ou des phénomènes qui sans cela nous seraient toujours demeurés inconnus, parce que dans l'état naturel ils sont hors de notre portée. L'investigation, tantôt simple, tantôt armée et perfectionnée, est donc destinée à nous faire découvrir et constater les phénomènes plus ou moins cachés qui nous entourent. »

Claude Bernard, *Introduction à la médecine expérimentale*, 1865

EXERCICE 10

Vous comparerez, dans un paragraphe bien construit en trois arguments, voiture individuelle et transports en commun, et vous en déduirez une idée directrice. Puis vous écrirez votre paragraphe dans le schéma suivant :

I.A.1 1re comparaison — I.A.2 2e comparaison — I.A.3 3e comparaison
I.D.

125

Les fiches de travail.
Elles se répartissent en deux catégories :
— les fiches méthodes de travail
— les fiches connaissances

LA FICHE DE LECTURE

Pour préparer un exposé ou une dissertation, pour faciliter les dernières révisions avant le baccalauréat, il existe un outil commode : la fiche de lecture. Feuille de papier ou de bristol avec en tête le titre de chaque ouvrage, la fiche de lecture permet de se remettre en mémoire un ouvrage qu'on n'a pas le temps de relire ou qu'on ne possède pas chez soi.

Pendant la lecture : le brouillon de la fiche

• Indiquez, au fur et à mesure de leur apparition, le ... l'action pour chacune. Sinon, donner les références des

Ce que l'on peut aussi ajouter

• Intégrez à la fiche un morceau choisi, situez-le et caractérisez-le : style, intérêt dramatique, intérêt thématique... Étudier un extrait permet une meilleure prise de conscience du style de l'écrivain ; en outre, cela aide à mémoriser un épisode auquel on pourra se référer précisément (voire en le citant) à l'examen.
• Apportez une documentation complémentaire : information sur l'époque, les lieux de la fiction (pour une œuvre réaliste), la genèse de l'œuvre, les sources de l'auteur, l'accueil qui lui fut réservé...
• Rédigez une fiche auteur si c'est le premier ouvrage que vous lisez de cet écrivain.
• Complétez votre fichier vocabulaire.

Comment remplir la rubrique « thèmes » ?

• Faites la liste des principaux thèmes du livre et ... tive du thème, le nombre d'aspects ou de points de vue

LES GENRES THÉÂTRAUX

Le théâtre se veut imitation d'une action de la vie réelle : c'est l'art dramatique (drama = action). On parle d'ailleurs d'une « dramatique » pour une pièce de théâtre à la radio ou à la télévision.

Tragique, comique, dramatique

Le tragique naît toujours d'un conflit : l'homme est écartelé entre la liberté et la fatalité, il agit en même temps qu'il est manipulé par des forces qui le dépassent (les dieux, la raison d'état, son inconscient...).

Le comique provoque le rire en donnant au spectateur une supériorité sur le personnage : comique de situation (quiproquos...), comique de gestes (jeux de scène...), comique de paroles (répétitions...), comique de caractères.

Un effet dramatique, un moment dramatique vise à émouvoir, à toucher le spectateur, fait appel à sa sensibilité.

La règle des trois unités

Elle a été codifiée en France au XVIIe siècle. C'est une convention qui s'appuie sur le principe de vraisemblance : la représentation théâtrale doit au maximum imiter l'action réelle. **Unité de temps** : le temps de l'action ne doit pas dépasser une journée. **Unité d'action** : elle découle de l'unité de temps. En une journée, une seule action est possible. De même, elle sera saisie à un moment de crise. **Unité de lieu** : plusieurs personnages doivent pouvoir s'y rencontrer. C'est pourquoi le lieu est souvent une antichambre ou une place.

La tragédie

Les tragédies les plus représentatives ont été écrites au XVIIe siècle.

Composition	5 actes en vers.
Personnages	illustres, légendaires ou réels : héros antiques, bibliques, princes, rois...
Époque	en général, antérieure à celle de l'écriture : antiquité grecque ou romaine, époque de la Bible.
Lieu	un pays lointain, le plus souvent, des bords de la Méditerranée ; un palais.
Dénouement	« tragique » : la mort. Les héros sont soumis à des forces qui les dépassent.
Effet sur le spectateur	inspirer la terreur et la pitié pour le purifier de ses passions : c'est la catharsis.
Exemples	*Cinna*, Corneille, 1662. *Andromaque*, Racine, 1667. *Zaïre*, Voltaire, 1732.

La comédie

■ La comédie classique (XVIIe-XVIIIe siècles)

Personnages	de condition sociale plus modeste que dans la tragédie, des bourgeois, qui ont un métier.
Époque	la même que celle de l'auteur.
Lieu	un intérieur bourgeois, des pièces d'habitation : chambres, salon.
Dénouement	en général, heureux ; parfois, grâce à l'intervention *in extremis* d'un *deus ex machina*.
Effet sur le spectateur	le plaisir, le rire qui peut être moyen de critique, de satire, et même de combat.

■ **Une forme particulière de la comédie : le vaudeville (XIXe siècle)**

Il s'agit en général d'une intrigue amoureuse. Celle-ci est bâtie sur une série de quiproquos, de hasards extravagants, de rebondissements inattendus. Les personnages relèvent le plus souvent d'« emplois » figés : le cocu, le galant, l'ingénue... Le vaudeville témoigne du triomphe de la bourgeoisie prospère du second Empire (1850-1914). *Exemples* : Labiche, *Le Voyage de monsieur Perrichon*, 1860 ; Feydeau, *La Puce à l'oreille*, 1907.

Le drame

■ **Le drame bourgeois (XVIIIe siècle)**

Il se développe au XVIIIe siècle, à un moment où les spectateurs exigent un théâtre plus proche d'eux que ne l'était la tragédie. Il met en scène les membres d'une famille bourgeoise et prône le triomphe de la vertu. Il veut frapper le spectateur par la « vérité » des situations, le toucher, l'émouvoir, le faire pleurer ; le ton pathétique domine. *Exemples* : Diderot, *Le Père de famille*, 1758 ; Beaumarchais, *Les Deux amis*, 1770.

■ **Le drame romantique (première moitié du XIXe siècle)**

Personnages	personnages historiques (rois, reines, ducs...), nobles et roturiers, nobles déclassés.
Époque	dépend des personnages, antérieure à celle de l'auteur, mais limitée aux temps modernes (1453-1789).
Lieux	multiples, palais, riches demeures, salles d'apparat, jardins, terrasses, places publiques (description détaillée dans les didascalies).
Théoriciens	Stendhal, *Racine et Shakespeare*, 1824. Hugo, *Préface de Cromwell*, 1827.
Effet visé	atteindre plus de vérité par le mélange des genres (tragique et comique) et par le mélange des tons (sublime et grotesque).
Exemples	*Hernani*, Hugo, 1830. *Lorenzaccio*, Musset, 1834. *Chatterton*, Vigny, 1836.

Le théâtre au XXe siècle

Aucun genre n'impose ses règles, seul le théâtre de boulevard reprend les règles du vaudeville.

■ **Le théâtre de boulevard.** L'intrigue construite autour du triangle femme, mari, amant se déroule dans un milieu bourgeois. Les situations mises en scène sont généralement conventionnelles. Le dénouement est heureux. *Exemples* : *La Petite hutte*, André Roussin ; *Fleur de cactus*, Barillet et Grédy.

■ **La comédie** n'est plus codifiée, et même si sa visée est souvent satirique, chaque auteur impose son genre. *Exemple* : *Le Bal des voleurs*, 1958, Anouilh. *Exemples* : *Electre*, 1937, Giraudoux ; *Les Mouches*, 1943, Sartre.

■ **Le théâtre de l'absurde** : il met en évidence la désintégration de l'intrigue et du discours, seule importe la présence des personnages. *Exemples* : *La Cantatrice chauve*, 1950, Ionesco ; *En attendant Godot*, 1952, Beckett.

Les recherches du théâtre contemporain portent sur les thèmes, mais aussi et surtout, sur l'art scénique. Le metteur en scène, propose sa propre relecture du théâtre classique et joue sur le décor, l'éclairage...

63

Le mot

Exemples de mots empruntés à d'autres langues

■ D'origine allemande : bivouac, blockhaus, choucroute, sabre, trinquer, valse, etc. La langue allemande a fourni environ 200 mots à notre vocabulaire.

■ D'origine anglaise ou américaine : barman, box, hold-up, look, match, punch, record, sandwich, sketch, stock, toast, zoom, etc.

■ D'origine arabe : ambre, chiffre, gazelle, gourbi, matelas, nouba, sirop, zénith, zouave, etc. L'arabe a enrichi notre vocabulaire d'environ 300 mots.

■ D'origine espagnole : brasero, casque, cédille, cigare, conquistador, guérilla, maïs, moustique, romance, sieste, etc. L'espagnol a fourni environ 300 mots à la langue française.

■ D'origine italienne : balcon, banque, bouffon, boussole, brave, carnaval, concerto, confetti, crédit, dilettante, fiasco, graffiti, imprésario, incognito, opéra, scénario, solfège, etc. L'italien a enrichi notre vocabulaire d'environ 1 000 mots.

Les préfixes les plus courants

D'origine grecque

Le préfixe	Sa signification	Exemple
a-	négation, privation	*athée* (sans dieu)
ana-	à l'inverse	*anachronique* (qui ne respecte pas la chronologie)
anti-	opposition	*antivenimeux*
hyper-	à l'excès	*hypersensibilité*
hypo-	au-dessous de	*hypocentre* (centre situé à une certaine profondeur)
syn- sym-	avec	*sympathie* (fait de souffrir avec quelqu'un)

D'origine latine

ab-	loin de, séparation	*abjurer* (renoncer à une opinion)
ad-	vers	*admettre*
com-	avec	*combattre* (participer à la bataille)
in-	dans, sur	*inondé* (mis en eau)
in-	peut aussi signifier la négation	*inachevé* (qui n'est pas terminé)
sub-	sous	*subaquatique* (sous l'eau)

Les suffixes les plus courants

■ Ils donnent au nom un sens nouveau : lieu de l'action (parl**oir** = lieu où l'on parle), agent de l'action, sens péjoratif (puce**ron** = petite puce), etc. :
-age, -ade, -ace, -aison, -action, -ateur, -ature, -ance, -eur, -etée, -étée, -ette, -erie, -ement, -eron, -ie, -ite, -ité, -ier, -ière, -illon, -isme, -ose, -oir, -oire, etc.

■ Ils donnent au mot obtenu à partir de l'adjectif un sens nouveau : possibilité, origine, qualité (aud**ible**), sens péjoratif, etc. :
-al, -ard, -âtre, -able, -ain, -aire, -aud, -eux, -eur, -é, -el, -et, -elet, -if, -in, -ique, -ible, -iste, -ois, -ot, -u, -uble, etc.

■ Ils donnent au verbe obtenu un sens nouveau : l'action de faire, de mettre dans un état, une nuance péjorative, etc. :
-er, -eter, -eler, -asser, -ailler, -ir, -iller, -iner, -ifier, -iser, -icher, -ocher, -onner, -oter, -oyer, etc.

Le mot est l'unité de sens à partir de laquelle la phrase s'élabore syntaxiquement. Le rôle du mot dépend donc à la fois de sa signification et de sa nature. Mais les mots ont aussi une histoire : ils ont été construits de telle ou telle manière, et leur origine est à rechercher souvent dans diverses autres langues auxquelles ils sont empruntés.

L'étymologie

On appelle étymologie l'étude de l'origine et de l'histoire d'un mot.

Les mots issus du fonds primitif du vocabulaire français. Le celtique que parlaient les Gaulois *(chêne, charrue...)*, le germanique qu'utilisaient les Francs *(guerre, jardin...)* ont vu leur influence reculer au profit du latin (80 % du vocabulaire français est d'origine latine). Il s'agit là d'un latin populaire, celui du commerce et des armées, différent du latin classique.

Les emprunts à d'autres langues. Plus tardivement les clercs du Moyen Age empruntèrent au latin des mots que l'on appelle « les mots de formation savante » *(administrare → administrer)*. La présence de mots grecs est à la fois historique (un certain nombre de mots latins venaient du grec) et contemporaine (on a souvent recours au grec pour baptiser une découverte). Le français contient des mots arabes *(chiffre, matelas, alcool...)*, des mots espagnols *(casque, conquistador, sieste...)*, italiens *(banque, crédit, balcon...)*, anglais *(match, sketch...)* qui témoignent à leur manière des échanges comme des relations économiques ou militaires (*sabre* et *trinquer* sont d'origine allemande).

La formation des mots

Préfixe et suffixe. Situés avant (le préfixe) ou après (le suffixe) le mot de base ils modifient son sens ou le nuancent. La modification du sens peut être totale (*exporter* n'a pas le même sens que *importer*), ou simplement exprimer un aspect *(aristocratie, autocratie, bureaucratie, technocratie...)*.

Les mots composés. Formés de plusieurs mots associés sans trait d'union *(pomme de terre)* ou avec trait d'union *(station-service)* certains noms composés sont nés du besoin de ramasser en une expression brève le nom avec son complément *(un timbre-poste = un timbre pour la poste)*.

Polysémie, monosémie

Certains mots n'ont qu'un seul sens, ils sont monosémiques *(kilogramme, délai)* mais la plupart des mots sont polysémiques, c'est-à-dire que suivant le contexte dans lequel ils sont employés leur signification change (le verbe *faire* par exemple possède plus de 80 sens différents). Cette polysémie des mots fait la richesse de la langue car elle permet des transferts de significations.

Exemple : Fortune peut suivant le contexte signifier « richesse » ou « destin », c'est un mot polysémique. Elevé signifie « éduqué », ou dans un autre contexte « monté ».

Synonymes et antonymes

On appelle synonymes des mots de même nature, de même sens ou de sens voisin. On appelle antonymes des mots de même nature mais de sens opposé.
Exemples : synonymes : voir, regarder, observer, contempler...
antonymes : optimiste et pessimiste, victoire et défaite, mort et vie, nuit et jour.

Sens propre et sens figuré

Le sens propre d'un mot est d'ordinaire celui que donne l'étymologie. Le sens figuré est le sens que ce mot peut prendre en plus du sens étymologique. Le passage du sens propre au sens figuré s'opère par glissement de la réalité concrète à la notion abstraite [*lever la tête* (concret) → *garder la tête froide* (abstrait)].
A l'origine de ces emplois figurés, il y a le plus souvent une métaphore, c'est-à-dire une image, qui associe deux réalités entre elles en les comparant de façon sous-entendue.

EXERCICE 1

Relevez les verbes dans le texte suivant et dites quel effet produit leur accumulation.

« Il se met dans l'attitude d'un joueur de violon ; il fredonne de la voix l'allegro de Locatelli ; son bras droit imite le mouvement de l'archet, sa main gauche et ses doigts semblent se promener sur la longueur du manche ; s'il fait un ton faux, il s'arrête, il remonte ou baisse la corde ; il la pince de l'ongle pour s'assurer qu'elle est juste, il reprend le morceau où il l'a laissé : il bat la mesure du pied, il se démène de la tête, des pieds, des mains, des bras, du corps. »

Diderot, *le Neveu de Rameau*

EXERCICE 2

Relevez les adverbes dans l'extrait suivant d'une recette de cuisine. Pourquoi à votre avis sont-ils aussi nombreux ?

« Pour avoir un excellent résultat il faut absolument des Saint-Jacques en coquilles vivantes. Cette entrée se dresse directement sur les assiettes à servir et se prépare avant le repas, sauf les endives qui seraient fanées. Les mettre vraiment au dernier moment ainsi que le cerfeuil.
Verser un peu d'assaisonnement dans chaque assiette. Conserver le reste pour les endives que l'on aura émincées très finement. »

Pascale Roques et Hubert de Chanville, *la Cuisine du Nord*, Ed. Mame et Ed. Universitaire

EXERCICE 3

Relevez dans le passage suivant toutes les conjonctions et locutions conjonctives (=conjonctions à deux ou plusieurs éléments), sans les confondre avec les pronoms relatifs.

« au lieu de préparer, comme à l'habitude, mes classes du lendemain après-midi, mercredi, la deuxième leçon d'histoire pour la cinquième, l'effort de Justinien, la splendeur de Byzance, la troisième leçon de géographie pour vous, la représentation de la terre, les cartes et les projections, la troisième leçon d'histoire pour les philosophes, l'essor du capitalisme, le développement des chemins de fer et des villes noires,

j'ai commencé à rédiger ces notes sur notre classe, qui s'adressent à toi, Pierre, non point tel que tu es aujourd'hui, non seulement parce que tu serais sans doute incapable de les lire et de t'y intéresser, mais aussi parce qu'elles ne sont pas encore en état d'être lues, qu'il faut attendre qu'elles soient terminées, corrigées, ce qui peut prendre assez longtemps,

qui s'adressent à toi lorsqu'il te sera enfin possible de les lire, à ce Pierre Eller qui aura vraisemblablement oublié à peu près complètement cette journée du 12 octobre 1954, les événements qui y ont eu lieu, les connaissances que l'on a essayé de t'y enseigner, »

Michel Butor, *Degrés*. Ed. Gallimard

EXERCICE 4

Trouvez le plus grand nombre possible d'adjectifs se formant à l'aide des suffixes : -able ; -âtre ; -et ; -ien. Quelle est la signification de chacun de ces quatre suffixes ?

EXERCICE 5

Quel est le préfixe le plus souvent employé dans chacun des deux textes suivants ? A votre avis, pourquoi chaque auteur a-t-il choisi un emploi aussi fréquent de ce même préfixe ?

— « Tout d'abord, il y a le joueur qui triche — qui ne triche que parce qu'il joue. Qui le fait sans méthode, sans préméditation, d'une manière presque inconsciente, involontaire, et dont on sent bien qu'il est parfaitement honnête en dehors du jeu. Il y a l'homme qui joue incorrectement parce qu'il est incorrect d'un bout à l'autre de sa vie ». (...)

Sacha Guitry, *Mémoires d'un tricheur*. Ed. Gallimard

— « Je n'ai plus que les os, un squelette je semble,
Décharné, dénervé, démusclé, dépoulpé,
Que le trait de la mort sans pardon a frappé ;
Je n'ose voir mes bras que de peur je ne tremble.
Apollon et son fils, deux grands maîtres ensemble,
Ne me sauraient guérir, leur métier m'a trompé ;
Adieu, plaisant soleil ! Mon œil est étoupé,
Mon corps s'en va descendre où tout se désassemble ». (...)

Ronsard, *Derniers Vers*. Ed. Gallimard

EXERCICE 6

Recherchez la construction des mots en italique dans le texte suivant. (Vous pouvez vous aider du dictionnaire).

« J'écrivais mes premières *Confessions* et mes *Dialogues* dans un souci *continuel* sur les moyens de les dérober aux mains rapaces de mes *persécuteurs* pour les *transmettre* s'il est *possible* à d'autres *générations*. La même *inquiétude* ne me tourmente plus pour cet écrit, je sais qu'elle serait *inutile*, et le désir d'être mieux connu des hommes s'étant éteint dans mon cœur n'y laisse qu'une *indifférence* profonde sur le sort et de mes vrais écrits et des monuments de mon *innocence* qui déjà peut-être ont été tous pour jamais anéantis. »

Rousseau, *Les Rêveries du promeneur solitaire*. Ed. du Seuil

EXERCICE 7

Dans la liste suivante, certains noms sont monosémiques, d'autres polysémiques ? Lesquels ?
Dans les cas de polysémie, recherchez tous les sens possibles du nom.

Liste : Bélier, lion, canard, puce, abeille, cafard, chien, loup, koala, paresseux.

EXERCICE 8

Quelles sont les trois définitions possibles du mot « appréhender » ? Composez trois phrases employant successivement le mot dans chacune de ses acceptions.

EXERCICE 9

Même les prépositions peuvent être polysémiques. Quel sens exact a la préposition *avec* dans chacune des phrases suivantes ?

— J'aime beaucoup le vieux port avec ses mouettes et ses bateaux.
— Je suis allé me promener avec mon chien.
— Je suppose que tous les syndicats seront avec nous et que nous pourrons ainsi défendre nos droits avec force.
— Avec le retour du beau temps, nous pourrons de nouveau pique-niquer le dimanche avec les amis.
— Avec de la patience, on peut tout réussir.

EXERCICE 10

Le texte suivant comporte un certain nombre de répétitions du même mot, auxquelles s'ajoute la répétition d'un mot de la même famille. Quelles sont ces répétitions ? Par quels synonymes l'auteur aurait-il pu les remplacer ? Pourquoi ne l'a-t-il pas fait ?

« Ce matin-là, Henri IV attendait son ministre Sully dans un petit cabinet de l'appartement royal. Le ministre avait sollicité cette entrevue, nécessaire à la suite des confidences que lui avait faites, la veille, le chevalier de Pardaillan.

Celui-ci, dévoué à la personne royale, avait laissé entendre à Sully que la vie du roi était en danger. Ses avertissements précisaient que, d'après les renseignements recueillis, on projetait de tuer Henri IV à l'occasion de la cérémonie du couronnement.

Le ministre Sully rapprochait ces avertissements des intrigues menées contre le roi par l'entourage néfaste de Marie de Médicis, la reine ; il n'ignorait pas, en effet, la funeste influence qu'exerçaient sur l'épouse du roi le Florentin Concini, favori sans scrupules, et sa femme, Léonora Galigaï.

A peine introduit auprès du roi, Sully essaya de lui faire accepter l'idée suggérée par Pardaillan, qui était de paraître céder au désir de la reine et de fixer une date ferme pour la cérémonie du couronnement. Mais le roi n'était pas homme à se contenter de vagues explications. »

Zévaco, *Pardaillan*

EXERCICE 11

Chacun des extraits suivants (sauf un, qu'il faut repérer) comporte un ou plusieurs antonymes. Retrouvez-les et expliquez l'intention de l'auteur.

— « Tout a commencé lors de la dernière lune d'hiver par un avertissement de mon principal astrologue, Barka Maï. C'est un homme honnête et scrupuleux dont la science m'inspire confiance dans la mesure où lui-même s'en méfie. »

Michel Tournier, *Gaspard, Melchior et Balthazar.* Ed. Gallimard

— « J'ai toujours détesté la foule. J'aime les déserts, les prisons, les couvents. »

Jean Giono

— « *Cassandre :* Moi, je suis comme un aveugle qui va à tâtons. Mais c'est au milieu de la vérité que je suis aveugle. Eux tous voient, et ils voient le mensonge. Je tâte la vérité.
— *Hélène :* l'avantage, c'est que nos visions se confondent avec nos souvenirs, l'avenir avec le passé ! on devient moins sensible... »

Jean Giraudoux, *la Guerre de Troie n'aura pas lieu.* Ed. Grasset

— « Le bruit de deux sabots traînants, que la terreur ou le mauvais temps semblaient hâter dans leur marche mal assurée, troublait seul le silence de la place des Capucins, déserte et morne alors, comme la *lande du Gibet* elle-même. Tous ceux qui connaissent le pays n'ignorent pas que la *lande du Gibet,* ainsi appelée parce qu'on y pendait autrefois, est un terrain, qui fut longtemps abandonné, à droite de la route qui va de Valognes à Saint-Sauveur-le-Vicomte, et qu'une superstition traditionnelle la faisait éviter au voyageur... »

Barbey d'Aurevilly, *le Chevalier des Touches*

EXERCICE 12

Voici un certain nombre de mots grecs. Trouvez le plus de mots possible, pris dans les lexiques spécialisés, composés à l'aide de deux ou même trois de ces mots (aidez-vous du dictionnaire).

Philia : amour ; phobos : crainte ; xeros : sec ; phyton : plante ; zoon : animal ; psyché : âme ; thérapeuein : soigner ; pathos : souffrance ; logos : étude, discours : sur ; phagein : manger ; anthropos : homme ; télé : à distance, au loin ; phônè : son, voix ; graphein : écrire.

LES ABRÉVIATIONS

Les abréviations permettent de gagner du temps. Leur utilisation repose toutefois sur l'habitude. Au départ on hésite un peu : comment faire pour abréger tel ou tel mot, quel signe utiliser pour remplacer telle ou telle idée ? Puis, peu à peu, on en vient à écrire de plus en plus vite. Il n'y a pas de règles, c'est à vous de construire votre propre système en puisant dans les idées de cette page. Mais attention : n'utilisez aucune abréviation dans vos copies. Ce genre d'erreur est sanctionné.

Les abréviations syntaxiques

C'est la suppression de tous les mots qui ne sont pas essentiels à la compréhension, en particulier d'un certain nombre d'indices grammaticaux : pronoms personnels sujets, déterminants du nom, partitifs, auxiliaires être et avoir..., en faisant attention qu'aucune ambiguïté n'en découle.

C'est la transformation de certains groupes syntaxiques en d'autres plus courts, tout en faisant attention de ne pas transformer le sens de l'expression.

C'est l'utilisation fréquente du signe = pour marquer l'équivalence, et du signe ≃ pour l'approche de l'équivalence.

Exemple :

De leur vivant, certains écrivains n'ont pas beaucoup de succès : ceux-là sont découverts et lus surtout après leur mort. Souvent, ils sont alors l'objet de polémiques : les uns pensent qu'ils sont mauvais, les autres les trouvent merveilleux. De toute façon, pour se faire une opinion sur un écrivain, la meilleure solution est de le lire soi-même !

Vivants, certains écrivains pas bcq succès : découverts et lus surtt après †. Svt, st alors obj. de polémiques : pr les 1, = mvais, pr les autres, = merveilleux. De tte façon, pr se faire opinion sur écrivain, meilleure soluθ = le lire soi-m̂ !

Attention :

Quels que soient les avantages que l'on trouve à cette pratique, il ne faut pas employer trop systématiquement l'écriture en abréviation syntaxique. Cela peut nuire à l'acquisition d'une meilleure expression. Il faut savoir l'abandonner quand le temps le permet.

La sténographie

Si vous l'apprenez en option, utilisez-là pour noter l'intervention orale de quelqu'un qui parle trop vite pour que les autres moyens soient efficaces.
Mais attention : elle encourage à noter intégralement ce qui est entendu, alors qu'il ne faut retenir que l'essentiel ; elle suppose ensuite un long et fastidieux travail de réécriture en alphabet latin.

Faites votre choix

Votre objectif doit être de parvenir à un système d'abréviations personnel qui vous conviendra bien.
C'est ainsi que vous renoncerez à l'abréviation syntaxique si vous craignez qu'elle accentue vos difficultés d'expression.
En ce qui concerne l'abréviation des mots, vous pouvez ne pas adopter tous les principes proposés ; vous pouvez aussi chercher, au-delà de la liste donnée, d'autres mots à abréger selon tel ou tel principe. Si par exemple vous êtes gêné par l'utilisation des signes, alors vous écrivez « h » et « diff^t » au lieu de ♂ et ≠^t...

Et sachez qu'il vous faudra un peu de temps et d'entraînement pour stabiliser votre propre système d'abréviations.

Utilisation de signes

— pour désigner un mot

et : α
plus : ⊕
avoir pour conséquence : ⇒
un, une : 1
moins : ⊖
Dieu : △
paragraphe : §
plus ou moins : ⊕ ou ⊖
homme : ♂ (bouclier et lance de Mars)
travail : W
augmenter : ↑
femme : ♀ (miroir de Vénus)
mort : †
diminuer : ↓
attention : ⚠

— pour désigner préfixes, radicaux ou suffixes dans un mot :

-logue : λ
psychologue : ψλ
-tion : θ
psycho- : ψ
philo- : φ
-ment : ^{t}

Omission de lettres à l'intérieur d'un mot

— du graphème ou

nous : ns
vouloir : vloir
tout : tt
vous : vs
pouvoir : pvoir
jour : jr
pour : pr
souligner : sligner...
toujours : tjrs

— des voyelles nasalisées (on, en, an...)

avant : avt
temps : tps
sans : ss
dont : dt
long : lg
sont : st
donc : dc
longtemps : lgtps
font : ft...

— de toutes les voyelles (et même, ici ou là, quelques consonnes)

développement : dvpt
mouvement : mvt
parfois : pf
problème : pb
nombreux : nbx
quelqu'un : qqn
rendez-vous : rdz-vs
nouveau : nv
quelque : qq
gouvernement : gvt
parce que : pcq
quelque chose : qqch.

Écriture interrompue de mots usuels

sc. phys., sc. nat., écon., ch., pers., p. (page), s. (siècle), ch. (chapitre)...
Mais attention, n'utilisez pas trop cette possibilité, elle peut mener à des confusions quand le contexte n'est pas suffisant pour retrouver le mot (ex. ch : = chose et chapitre). L'usage vous apprendra à en user intuitivement à bon escient.

Quand tout un texte ou un cours porte sur un même sujet désigné par un terme, écrivez une première fois le terme en entier, puis désignez-le ensuite par sa seule lettre initiale (ex : dans le cours sur Apollinaire, son nom sera désigné par la seule lettre A).

Combinaisons multiples signes/réduction

Elles permettent souvent de mieux identifier la nature du mot par rapport à d'autres mots de la même famille :

différent : $\neq^{t}$
psychologue : ψλe
phénomène : φen
différence : ≠ce
psychologie : ψλie
philosophe : φe
différemment : $\neq^{t}$
psychologique : ψλique
philosophie : φie

2 La phrase

Une période

« Tant que les hommes se contentèrent de leurs cabanes rustiques, tant qu'ils se bornèrent à coudre leurs habits de peaux avec des épines ou des arêtes, à se parer de plumes et de coquillages, à se peindre le corps de diverses couleurs, à perfectionner ou embellir leurs arcs et leurs flèches, à tailler avec des pierres tranchantes quelques canots de pêcheurs, ou quelques grossiers instruments de musique ; en un mot tant qu'ils ne s'appliquèrent qu'à des ouvrages qu'un seul pouvait faire, et qu'à des arts qui n'avaient pas besoin du concours de plusieurs mains, ils vécurent libres, sains, bons et heureux autant qu'ils pouvaient l'être par leur nature et continuèrent à jouir entre eux des douceurs d'un commerce indépendant ; mais dès l'instant qu'un homme eut besoin du secours d'un autre, dès qu'on s'aperçut qu'il était utile à un seul d'avoir des provisions pour deux, l'égalité disparut, la propriété s'introduisit, le travail devint nécessaire et les vastes forêts se changèrent en des campagnes riantes qu'il fallut arroser de la sueur des hommes et dans lesquelles on vit bientôt l'esclavage et la misère germer et croître avec les moissons. »

J.-J. Rousseau, *Discours sur l'origine de l'inégalité*

Décomposition de la période

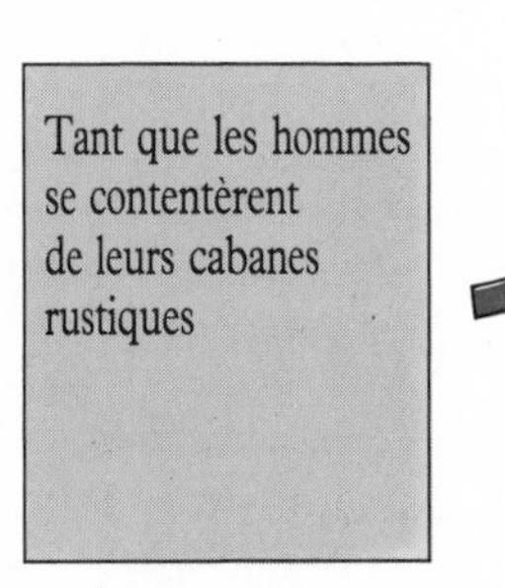

tant qu'ils se bornèrent
à coudre leurs habits (...)
à se parer de plumes (...)
à se peindre le corps (...)
à perfectionner ou (...)
à tailler avec des pierres (...)

tant qu'ils ne
s'appliquèrent
qu'à des ouvrages (...)
qu'à des arts
qui n'avaient pas
besoin du concours
de plusieurs mains

ils vécurent libres, sains, bons et heureux autant qu'ils pouvaient l'être par leur nature
et continuèrent à jouir entre eux des douceurs d'un commerce indépendant

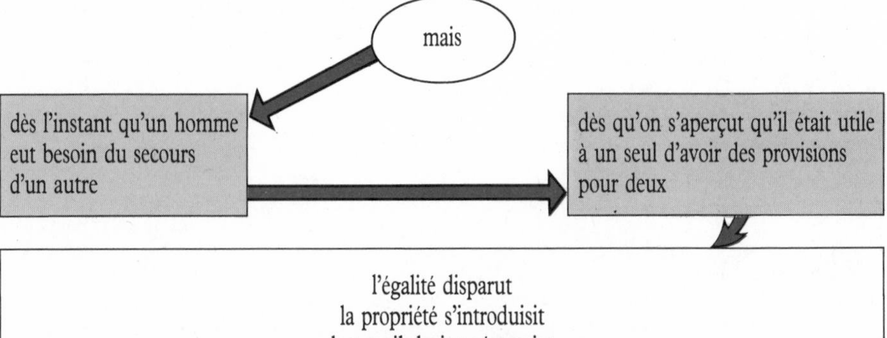

l'égalité disparut
la propriété s'introduisit
le travail devint nécessaire
et les vastes forêts se changèrent en des campagnes riantes
qu'il fallut arroser de la sueur des hommes
et dans lesquelles on vit bientôt l'esclavage et la misère germer et croître avec les moissons.

La phrase possède un rythme, c'est-à-dire une certaine rapidité ou lenteur, un balancement, des ruptures, des développements, des reprises, qui aident à l'expression des idées ou des sentiments.

La phrase simple

Elle s'organise en général autour d'une information en suivant la structure simple : groupe sujet + groupe verbal + complément (ou phrase nominale, si elle ne comporte pas de verbe). Présente dans tous les types de textes, sa fréquence est néanmoins plus grande dans les écrits de vulgarisation : article de journal, mode d'emploi, titres, slogans, publicité.

La phrase complexe

Elle s'organise autour d'une information principale sur laquelle se greffent tous les éléments indispensables à sa compréhension. La structure de la phrase complexe, malgré quelques variantes, respecte le schéma : proposition principale + propositions subordonnées.
Utilisation : Présente dans tous les types de textes ; mais la phrase complexe est une des constantes du style littéraire.

La période

On appelle période une phrase longue, composée de plusieurs propositions, dont l'ensemble respecte un équilibre de contenu et de construction.
Utilisation : En général dans les discours d'argumentation. La difficulté pour un lecteur consiste à saisir, au fur et à mesure de sa lecture, la relation d'une proposition à une autre sans perdre de vue la signification de l'ensemble.

Exemple :

L'extrait du « Discours sur l'inégalité » est une période qui se déroule en 17 propositions, articulées autour du « mais » (ligne 8). Elle peut se décomposer en ensembles suivant le schéma ci-contre.

Les rythmes de la phrase

Rythme binaire	Les deux membres de la phrase ont la même longueur et la même construction. On obtient une symétrie qui permet le parallélisme ou l'opposition des idées. *Exemple :* « Elle a vu ta blessure et n'a pu la fermer. » (Musset)
Rythme ternaire	Les trois membres de la phrase ont la même longueur et la même construction. On obtient un effet de parallélisme ou de simultanéité. *Exemple :* « Je n'ai plus rien à apprendre, j'ai marché plus vite qu'un autre, et j'ai fait le tour de la vie. » (Chateaubriand)
L'accumulation	Une série de mots ou de propositions se succèdent pour donner une impression de foisonnement ou d'accablement. *Exemple :* « Quand elle s'est assurée que le silence règne aux alentours, elle retire successivement des profondeurs de son nid, sans le secours de la méditation, les diverses parties de son corps et s'avance à pas comptés vers ma couche. » (Lautréamont)
La progression	A l'intérieur de la phrase les propositions d'abord courtes deviennent de plus en plus longues : effet d'amplitude (l'ivresse : descente vers la chute).
L'alternance	A l'intérieur d'une même phrase, des propositions courtes alternent avec des propositions longues. Les propositions courtes insistent sur les données catégoriques du discours, les longues sur les méandres du sentiment, de l'idée.

EXERCICE 1

Analysez puis justifiez le choix du type de phrase fait par les auteurs des citations suivantes.

Les expulsés rentrent par la fenêtre

Le Provençal

L'abonnement peut prendre cours à tout moment. Environ un mois avant l'échéance, une offre de renouvellement sera adressée à nos abonnés.

Les heures sont des fleurs l'une après l'autre écloses
Dans l'éternel hymen de la nuit et du jour ;
Il faut donc les cueillir comme on cueille les roses
Et ne les donner qu'à l'amour.

Ainsi que de l'éclair, rien ne reste de l'heure
Qu'au néant destructeur le temps vient de donner
Dans son rapide vol embrassez la meilleure,
Toujours celle qui va sonner.

Gérard de Nerval, *Le Ballet des heures*

□ **Vous connaissiez donc bien le sujet que vous avez traité. Ce rapport vous aura-t-il appris quelque chose ?**

■ Plusieurs choses. Avant tout, j'ai eu la confirmation que la France est un pays tolérant. Et même de plus en plus tolérant... Ensuite, j'ai pu noter une formidable méconnaissance des problèmes des autres. Chaque communauté ignore quasiment l'autre. Cela est vrai des immigrés par rapport aux Français et réciproquement.

Interview de Michel Hannoun dans *Le Figaro-Magazine* du 19 déc. 87

Rillettes d'oie et de canard

1. Hachez assez finement les chairs d'oie et de canard.
2. Faites fondre la graisse.
3. Mettez les chairs des oies et canards dans une cocotte avec un doigt d'eau ; couvrez et laissez cuire à feu très doux pendant 4 h.
4. Au bout de ce temps les chairs se défont. Écrasez-les à la fourchette.
5. Mélangez-les à la graisse et faites cuire ensemble pendant 30 mn.

(Conserves maison)

L'UNIVERSITÉ A LA HAUSSE

Les effectifs augmentent, les projets sont nombreux mais, côté locaux, les facs sont au bord de la congestion

EXERCICE 2

Repérez, dans le passage suivant, toutes les propositions enchâssées. Analysez et expliquez la construction de chaque phrase.

« Le premier de ces jours — auxquels la neige, image des puissances qui pouvaient me priver de voir Gilberte, donnait la tristesse d'un jour de séparation et jusqu'à l'aspect d'un jour de départ, parce qu'il changeait la figure et empêchait presque l'usage du lieu habituel de nos seules entrevues, maintenant changé, tout enveloppé de housses — ce jour fit pourtant faire un progrès à mon amour, car il fut comme un premier chagrin qu'elle eût partagé avec moi. Il n'y avait que nous deux de notre bande, et être ainsi le seul qui fût avec elle, c'était non seulement comme un commencement d'intimité, mais aussi de sa part — comme si elle ne fût venue rien que pour moi par un temps pareil —, cela me semblait aussi touchant que si, un de ces jours où elle était invitée à une matinée, elle y avait renoncé pour venir me retrouver aux Champs-Élysées. »

Marcel Proust, *Du côté de chez Swann*

EXERCICE 3

Dans la période suivante, recherchez la proposition principale, soulignez-la, puis séparez d'une barre verticale chaque groupe subordonné. Reproduisez ensuite sous forme de schéma toute la période.

« Si la campagne et la société rurale sont des conservatoires où se perpétuent et s'épanouissent les modèles de civilisation, les modes de vie et les formes de culture les plus traditionnels, hérités souvent d'un très antique passé, où les évolutions sont lentes et les nouveautés regardées avec méfiance, voire avec hostilité, où seuls les usages et les pensées couronnés de la garantie de la tradition paraissent suffisamment solides et sains pour mériter l'attention et l'observation rituelle, où la continuité est gage de sagesse, où la « culture » en un mot est de possession immémoriale, un patrimoine transmis à travers les siècles et soigneusement conservé, choyé comme tout ce qui vient des ancêtres et assure au village sa continuité, à la famille sa légitimité, à la vie sa sécurité ; si l'immobilisme fige dans une permanence rassurante la civilisation rurale, à la ville, au contraire, le mouvement semble perpétuel. »

Chaussignaud-Nogaret, *Histoire de la France urbaine.*
Bac 85, Amérique du Nord

EXERCICE 4

Analysez les trois phrases complexes de cet extrait.

« C'est au mois de Marie que je me souviens d'avoir commencé à aimer les aubépines. N'étant pas seulement dans l'église, si sainte, mais où nous avions le droit d'entrer, posées sur l'autel même, inséparables des mystères à la célébration desquels elles prenaient part, elles faisaient courir au milieu des flambeaux et des vases sacrés leurs branches attachées horizontalement les unes aux autres en un apprêt de fête, et qu'enjolivaient encore les festons de leur feuillage sur lequel étaient semés à profusion, comme sur une traîne de mariée, de petits bouquets de boutons d'une blancheur éclatante. Mais, sans oser les regarder qu'à la dérobée, je sentais que ces apprêts pompeux étaient vivants et que c'était la nature elle-même qui, en creusant ces découpures dans les feuilles, en ajoutant l'ornement suprême de ces blancs boutons, avait rendu cette décoration digne de ce qui était à la fois une réjouissance populaire et une solennité mystique. Plus haut s'ouvraient leurs corolles çà et là avec une grâce insouciante, retenant si négligemment, comme un dernier et vaporeux atour, le bouquet d'étamines, fines comme des fils de la Vierge, qui les embrumait tout entières, qu'en suivant, qu'en essayant de mimer au fond de moi le geste de leur efflorescence, je l'imaginais comme si ç'avait été le mouvement de tête étourdi et rapide, au regard coquet, aux pupilles diminuées, d'une blanche jeune fille, distraite et vive. »

M. Proust, *A la Recherche du temps perdu*

EXERCICE 5

Dans chacune des phrases suivantes, quelle est la relation logique entre les deux propositions ? Quel est l'intérêt du rythme binaire ?

— « Les voisins tapaient dans le mur, il était dix heures. » C. Rochefort

— « Il se refuse aux embrassements de sa femme et de ses enfants, il s'en croit indigne comme un vil esclave. » Diderot

— « Toutes les sociétés n'en font qu'une, tout devient commun à tous. » Rousseau

— « La culture n'est rien ; c'est l'homme qui est tout. » Le Clézio

EXERCICE 6

Dans les deux phrases suivantes, analysez les effets produits par les accumulations.

— « Il est dix heures, ou peut-être onze, car comment être sûr que tu as bien entendu, il est tard, il est tôt, le jour naît, la nuit tombe, les bruits ne cessent jamais tout à fait, le temps ne s'arrête jamais totalement, même s'il n'est plus qu'imperceptible. »

G. Perec

— « ... Ce n'est pas seulement par plaisanterie que Paris a été nommé un enfer. Tenez ce mot pour vrai. Là tout fume, tout brûle, tout brille, tout bouillonne, tout flambe, tout s'évapore, s'éteint, se rallume, étincelle, pétille et se consume. »

Balzac

— « ... Le protée des eaux, l'alcyon, prend toute forme et toute couleur. Il joue la plante, il joue le fruit ; il se dresse en éventail, devient une haie buissonneuse ou s'arrondit en gracieuse corbeille. Mais tout cela fugitif, éphémère, de vie si craintive, qu'au moindre frémissement tout disparaît, rien ne reste... »

Michelet, *la Mer*

EXERCICE 7

Dans les phrases suivantes de Diderot, repérez les variations de longueur des membres de phrase, et les rythmes binaires et ternaires, et expliquez les effets produits.

— « C'est surtout dans la passion de l'amour, les accès de la jalousie, les transports de la tendresse, les instants de la superstition, la manière dont elles partagent les émotions épidémiques et populaires, que les femmes étonnent, belles comme les séraphins de Klopstock, terribles comme les diables de Milton. » *(Sur les femmes)*

— « Si le petit sauvage était abandonné à lui-même, qu'il conservât toute son imbécillité et qu'il réunît au peu de raison de l'enfant au berceau la violence des passions de l'homme de trente ans, il tordrait le cou à son père et coucherait avec sa mère. » *Le Neveu de Rameau*

— « Tenez, mon ami, si vous y pensez bien, vous trouverez qu'en tout, notre véritable sentiment n'est pas celui dans lequel nous n'avons jamais vacillé, mais celui auquel nous sommes le plus habituellement revenus. » *Entretien entre d'Alembert et Diderot*

— « N'en déplaise au ministre sublime que vous m'avez cité, je crois que si le mensonge peut servir un moment, il est nécessairement nuisible à la longue, et qu'au contraire la vérité sert nécessairement à la longue, bien qu'il puisse arriver qu'elle nuise dans le moment. » *Le Neveu de Rameau*

3 Dénotation et connotation

Ces trois textes évoquent la ville de Parme, en Italie :

« Les mots nous présentent des choses une petite image claire et usuelle comme celles que l'on suspend aux murs des écoles pour donner aux enfants l'exemple de ce qu'est un établi, un oiseau, une fourmilière, choses conçues comme pareilles à toutes celles de même sorte. Mais les noms présentent des personnes — et des villes qu'ils nous habituent à croire individuelles, uniques comme des personnes — une image confuse qui tire d'eux, de leur sonorité éclatante ou sombre, la couleur dont elle est peinte uniformément, comme une de ces affiches, entièrement bleues ou entièrement rouges, dans lesquelles, à cause des limites du procédé employé ou par un caprice du décorateur, sont bleus ou rouges, non seulement le ciel et la mer, mais les barques, l'église, les passants. Le nom de Parme, une des villes où je désirais le plus aller depuis que j'avais lu *la Chartreuse*, m'apparaissant compact, lisse, mauve et doux, si on me parlait d'une maison quelconque de Parme dans laquelle je serais reçu, on me causait le plaisir de penser que j'habiterais une demeure lisse, compacte, mauve et douce, qui n'avait de rapport avec les demeures d'aucune ville d'Italie, puisque je l'imaginais seulement à l'aide de cette syllabe lourde du nom de Parme, où ne circule aucun air, et de tout ce que je lui avais fait absorber de douceur stendhalienne et du reflet des violettes. »

Proust, *Du Côté de chez Swann*, 1913. Éd. Gallimard

« Parme. Colonie romaine depuis 183 av. J.-C. Ville importante au Moyen Âge à cause de ses tissages de laine et de son université. De 1346 à 1512, sous la domination de Milan, elle finit par faire partie des États de l'Église. De 1545 à 1731, elle est la propriété des Farnèse puis, à quelques interruptions près, elle reste aux Bourbons jusqu'en 1859. »

Guide Nathan. Italie

« Parme, le fief des Farnèse, ville moderne qui a moins d'unité que Bologne, n'est pas cette cité imaginaire au nom « compact, lisse, mauve et doux » que Proust colorait de douceur stendhalienne et du reflet des violettes. Pourtant c'est un peu dans le monde du rêve que nous transporte Corrège. L'admiration suscitée par Antonio Allegri, dit Corrège, a été presque un lieu commun, depuis l'émotion d'Annibal Carrache, devant la coupole de Parme jusqu'à l'émerveillement de Verdi, écho de celui du président de Brosses ou de Delacroix. »

Extrait de l'article « Émilie », N. de La Blanchardière, *Encyclopaedia Universalis*, Éditeur

Un texte est fait de mots. Ceux-ci ont un sens explicite, objectif, constant : la dénotation, mais ils peuvent également avoir des sens implicites et subjectifs : les connotations. Comprendre en même temps la dénotation et les connotations d'un texte permet une lecture efficace et agréable.

La dénotation : le sens premier du mot

Un mot est fait de lettres et de sons qui renvoient à une réalité. Ce sens explicite du mot est donné par le dictionnaire, il est compris par tous les utilisateurs de la langue française. C'est le sens qui serait traduit par une machine automatique de traduction.
Exemples : Parme = 4 phonèmes, 5 lettres / ville d'Italie. Mer = 3 phonèmes, 3 lettres / vaste étendue d'eau salée.

Les connotations : les sens seconds du mot

1) Un mot évoque d'autres réalités par association. *Exemples :* Nom de Parme = « *compact, lisse, mauve et doux* », « *douceur stendhalienne et reflet des violettes* » (Proust, lignes 10 et 15). • mer = immense - infini - liberté / = vagues - mouvement - tempête - passions - colère / = eau - vie - origine de l'homme - la mère / = naufrage - ténèbres des profondeurs - mort / = vacances - loisirs - liberté

2) Les connotations sont secondes car elles ajoutent, en plus de la dénotation, du sens au texte ; ce deuxième sens peut d'ailleurs être aussi important, sinon plus, que le premier. *Exemple :* mer / liberté.
Elles sont occasionnelles car elles dépendent du contexte, de l'auteur, du lecteur. Pour un gastronome, le nom de Parme évoquera des couleurs et des odeurs différentes... Parfois difficiles à cerner, elles doivent alors, pour fonctionner, être identifiées. C'est le but de l'explication de texte.

Nature des connotations

	Fonction	**Moyens**
Connotations thématiques	Développer un thème : mort, amour, passion, temps...	Établissement d'un champ lexical, emploi d'images. Sons (cf. page 24).
Connotations de caractérisation	Caractériser un personnage. Indiquer son origine géographique, son milieu, sa profession, son lien de parenté. *Exemple :* caractérisation par le milieu social. « une maison dans laquelle je serais reçu » (Proust, ligne 11).	Prononciation, accent. Emploi de termes spécialisés, savants. Lexique affectif. Registre de langue.
Connotations appréciatives	Indiquer l'appréciation — positive ou négative — du locuteur sur ce dont il parle. *Exemple :* connotation positive : Parme / « lisse, mauve et doux » / « plaisir ».	Suffixes (-ette, -asse, -âtre, -u...). Champs lexicaux (haut / bas, jour / nuit...). Certaines figures de style (euphémismes, hyperbole, antiphrase...).
Connotations stylistiques	Introduire dans un autre milieu, une autre époque, un autre pays, dans un autre genre.	Registre de langue. Archaïsmes. Termes étrangers.
Connotations culturelles	Indiquer des liens avec d'autres textes contemporains ou antérieurs, avec d'autres arts. *Exemple :* connotation littéraire, Proust ligne 10.	Réemploi de mots, d'expressions, de noms propres, de thèmes, de situations. Comparaisons, métaphores.

Texte dénotatif et texte connotatif

1) Le texte dénotatif apporte une information de façon neutre : mode d'emploi, dépêche d'agence, énoncé de mathématiques, article scientifique, article de dictionnaire. *Exemple :* le texte du guide touristique.

2) Le texte littéraire, polysémique, est toujours connotatif. La densité des connotations en fait la richesse. Un écrivain emploie les mots d'une manière qui lui est propre, qui n'est pas celle de tous les utilisateurs de la langue. Consciemment ou non, il fait jouer les mots entre eux.
Le lecteur apporte ses propres connotations : il pourra relire *La Chartreuse de Parme* en ayant en tête le texte de Proust, il nourrira sa lecture de ses propres souvenirs de voyage.

EXERCICE 1

Voici des phrases avec des noms d'animaux. Tantôt, ces mots ont une simple valeur dénotative, tantôt ils portent une connotation. Répartissez les phrases suivant ce critère.

1) « Nous avons couru côte à côte, deux beaux chevaux à un même char. » Montherlant

2) « La lande devait avoir trois ou quatre lieues dans le sens où ils la traversaient. Du haut des chevaux, ils dominaient la végétation basse. » Giono

3) « Et d'abord les yeux de Fabrice furent attirés vers une des fenêtres du second étage, où se trouvaient dans de jolies cages, une grande quantité d'oiseaux de toute sorte. Fabrice s'amusait à les entendre chanter, et à les voir saluer les derniers rayons du crépuscule du soir, tandis que les geôliers s'affairaient autour de lui. » Stendhal

4) « Les oiseaux qui explorent l'eau peu profonde ont des pattes très allongées. » M. Cuisin

5) « On n'imagine pas le nombre de chiens qu'il peut y avoir en France. » Lacarrière

6) « Ah ! garce, je t'en donnerais moi des chiens-chiens, des robes Chanel, des airs de ne pas s'apercevoir que j'existe !... » Boudard

7) « Nous pouvions tuer une mouche, un taon, une guêpe ; mais quand une abeille entrait dans la pièce, familière et pareille elle-même à une goutte de miel, nous la suivions d'un regard ravi. » Arland

8) « Elles (les mouches) pendent du plafond comme des grappes de raisins noirs, et ce sont elles qui noircissent les murs ; elles se glissent entre les lumières et mes yeux, et ce sont leurs ombres qui me dérobent ton visage. » Sartre

EXERCICE 2

Écrivez la dénotation du mot « tour ». Puis, à l'aide des mini-contextes suivants, dites quelles connotations nouvelles prend alors le mot « tour ».

paille, rats
attaché-case, cigare
Citroën, Exposition Universelle
clé, sang
poulaine, faucon
cheval, roi...

EXERCICE 3

L'amour est souvent représenté par un chérubin ailé qui recherche ses « victimes », un arc à la main. Relevez d'une part les termes qui évoquent la recherche, d'autre part ceux évoqués par la flèche du désir amoureux. Quel procédé fait l'intérêt de ce texte, la dénotation ou les connotations ?

« La fille du mareyeur ne joue plus à courir. Elle a quatorze ans et en revenant de l'école, belle et forte comme une femme, elle fouille dans le casier roulant du libraire.

Ce soir que je cherchais aussi, ses yeux se sont plantés si droit que j'ai choisi sans trop savoir un traité sur l'acupuncture. Elle sur les avions. Nous avons payé des livres sans titre et j'ai tenu la porte. Elle m'a remercié d'un sourire. Nos chemins ne peuvent aller qu'en sens inverse. Mais je marche comme un homme soûl. »

Georges L. Godeau, *Votre vie m'intéresse.* 1985. Éd. Le Dé bleu

EXERCICE 4

Deux bonnes, Claire et Solange, s'apprêtent à empoisonner leur patronne. Le poison est dans la tasse de tilleul. Relevez toutes les connotations funéraires. À qui sont-elles destinées ? Quel est leur effet ?

« CLAIRE, *seule, avec amertume.* Madame nous enveloppait de sa bonté. Madame nous permettait d'habiter ensemble, ma sœur et moi. Elle nous donnait les petits objets dont elle ne se sert plus. Elle supporte que le dimanche nous allions à la messe et nous nous placions sur un prie-Dieu près du sien.

VOIX DE MADAME, *en coulisse.* Écoute ! Écoute !

CLAIRE. Elle accepte l'eau bénite que nous lui tendons et parfois, du bout de son gant, elle nous en offre !

VOIX DE MADAME, *en coulisse.* Le taxi ! Elle arrive. Hein ? Que dis-tu ?

CLAIRE, *très fort.* Je me récite les bontés de Madame.

MADAME, *elle rentre, souriante.* Que d'honneurs ! Que d'honneurs !... et de négligence. *(Elle passe la main sur le meuble.)* Vous les chargez de roses, mais n'essuyez pas les meubles.

CLAIRE. Madame n'est pas satisfaite du service ?

MADAME. Mais très heureuse, Claire. Et je pars !

CLAIRE. Madame prendra un peu de tilleul, même s'il est froid.

MADAME, *riant, se penche sur elle.* Tu veux me tuer avec ton tilleul, tes fleurs, tes recommandations. Ce soir...

CLAIRE, *implorant.* Un peu, seulement...

MADAME. Ce soir je boirai du champagne. *(Elle va vers le plateau de tilleul. Claire remonte lentement vers le tilleul.)* Du tilleul ! Versé dans le service de gala ! Et pour quelle solennité ! »

Jean Genet, *Les Bonnes.* 1947. Éd. L'Arbalète-Marc Barbezat

EXERCICE 5

La prononciation connote un personnage. Quels renseignements sur les personnages pouvez-vous déduire des trois énoncés suivants ?

« J't'ai pas vendu, mé, j't'ai pas vendu mon p'tiot. J'vends pas m's éfants, mé. J'sieus pas riche, mais vends pas m's'éfants. » Maupassant

« Le *duende* ? Mé mon cher, zé oune peu jitano, oune peu zorzier. Zé dire qué za ni zapprend pas. On meurt avec *duende*, on attrape la vérole avec *duende*, ecco ! Zé oune truc... » Combescot

« Quand elle s'est libérée de la crochue, z'étais caché dans sa penderie. Z'entrebaîlle. Ze zyeute. Elle commence à se déshabiller. Ze biche. Et zut ! Ze bouge. Elle me voit. Elle rouzit. Elle rebaisse sa robe vite, vite, vite. Et après ! Z'aime mieux pas le dire. C'est trop cuisant. Z'ai reçu des zifles, mais des zifles ! » Vautrin

EXERCICE 6

Le paysage décrit dans ce texte, d'abord connoté positivement, devient soudain angoissant. Relevez les deux séries de connotations. Indiquez où se fait la transition.

« C'était la saison où pendant quelques jours la campagne charentaise est parsemée de taches blondes : carrés de blés mûrs d'un seul bloc jaune, champs d'avoine, dont la surface de pâle mousseline laisse voir en transparence des dessous roses ou verts, et que surmonte un bel arbre rond qui baigne dans les épis. Et puis des peupliers au bord d'un pré, des champs de vigne et leurs longues tresses de feuillage bien ordonnées, des routes blanches comme les maisons. Plaine variée, onduleuse, qui fait surgir d'un mouvement harmonieux des échappées bleuâtres sur les coteaux.

Après Angoulême, le train sembla haleter sur une voie montante. M. Pommerel quitta la banquette de son compartiment de seconde classe et, se tenant debout, sa main gantée sur le barreau de la portière où le vent agitait des rideaux fanés, il regarda la campagne montueuse, toute couverte de prairies entourées de haies et d'arbres ébranchés, réduits à un tronc tordu, au panache effiloché, où les feuilles repoussent comme une maladie : et il suivit un moment des yeux une étroite rivière luisante et sombre entre les prés. »

Chardonne, *Les Destinées Sentimentales*. 1947. Éd. Grasset

EXERCICE 7

L'image de marque d'une entreprise se retrouve souvent dans son logo. Celui-ci, parfois stylisé à l'extrême, doit être connoté pour pouvoir être compris. Expliquez les significations des logos suivants.

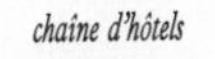
chaîne d'hôtels

Centre de conférences et de séminaires

Produits photographiques

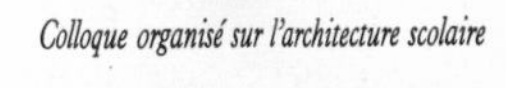
Colloque organisé sur l'architecture scolaire

Compagnie d'aviation

Fabrication de macaroni

EXERCICE 8

Voici un texte connotatif. De quelle nature sont les connotations ? Quelle est leur fonction ?
Trouvez un texte dénotatif sur le même thème.

« Nous connaissions Saint-Pétersbourg, Moscou, mais nous ignorions Nijni-Novgorod. Et comment peut-on vivre sans avoir visité Nijni-Novgorod ? (...)

Nijni-Novgorod exerçait depuis longtemps déjà cette inéluctable influence sur nous. Aucune mélodie ne résonnait plus délicieusement à notre ouïe que ce nom vague et lointain : nous le répétions comme une litanie sans en avoir presque la conscience ; nous le regardions sur les cartes avec un sentiment de plaisir inexplicable ; sa configuration nous plaisait comme une arabesque d'un dessin curieux. Le rapprochement de l'*i* et du *j*, l'allitération produite par l'*i* final, les trois points qui piquent le mot comme ces notes sur lesquelles il faut appuyer nous charmaient d'une façon à la fois puérile et cabalistique. Le *v* et le *g* du second mot possédaient aussi leur attraction, mais l'*od* avait quelque chose d'impérieux, de décisif et de concluant à quoi il nous était impossible de rien objecter. — Aussi après quelques mois de luttes, nous fallut-il partir. »

Gautier, *Voyage en Russie*

4 Les réseaux lexicaux

A l'aube du XIXe siècle, la jeunesse romantique se caractérise entre autre par l'exaltation des sentiments amoureux, le vague à l'âme, le goût pour la nature qui console l'homme. Chateaubriand, dans son récit autobiographique, se souvient de cette époque. Pour la décrire, il a recours à un certain nombre de moyens lexicaux qui insistent sur divers aspects de son délire et de son contact avec la nature.

Deux années de délire. — Occupations et chimères

« Ce délire dura deux années entières, pendant lesquelles les facultés de mon âme arrivèrent au plus haut point d'exaltation. Je parlais peu, je ne parlai plus ; j'étudiais encore, je jetai là les livres ; mon goût pour la solitude redoubla. J'avais tous les symptômes d'une passion violente ; mes yeux se creusaient ; je maigrissais ; je ne dormais plus ; j'étais distrait, triste, ardent, farouche. Mes jours s'écoulaient d'une manière sauvage, bizarre, insensée, et pourtant pleine de délices.

Au nord du château s'étendait une lande semée de pierres druidiques ; j'allais m'asseoir sur une de ces pierres au soleil couchant. La cime dorée des bois, la splendeur de la terre, l'étoile du soir scintillant à travers les nuages de rose, me ramenaient à mes songes : j'aurais voulu jouir de ce spectacle avec l'idéal objet de mes désirs. Je suivais en pensée l'astre du jour ; je lui donnais ma beauté à conduire afin qu'il la présentât radieuse avec lui aux hommages de l'univers. Le vent du soir qui brisait les réseaux tendus par l'insecte sur la pointe des herbes, l'alouette de bruyère qui se posait sur un caillou, me rappelaient à la réalité : je reprenais le chemin du manoir, le cœur serré, le visage abattu.

Les jours d'orage en été, je montais au haut de la grosse tour de l'ouest. Le roulement du tonnerre sous les combles du château, les torrents de pluie qui tombaient en grondant sur le toit pyramidal des tours, l'éclair qui sillonnait la nue et marquait d'une flamme électrique les girouettes d'airain, excitaient mon enthousiasme : comme Ismen sur les remparts de Jérusalem, j'appelais la foudre ; j'espérais qu'elle m'apporterait Armide.

Le ciel était-il serein ? je traversais le grand Mail, autour duquel étaient des prairies divisées par des haies plantées de saules. J'avais établi un siège, comme un nid dans un de ces saules : là, isolé entre le ciel et la terre, je passais des heures avec des fauvettes ; ma nymphe était à mes côtés. J'associais également son image à la beauté de ces nuits de printemps toutes remplies de la fraîcheur de la rosée, des soupirs du rossignol et du murmure des brises.

D'autres fois, je suivais un chemin abandonné, une onde ornée de ses plantes rivulaires ; j'écoutais les bruits qui sortent des lieux infréquentés ; je prêtais l'oreille à chaque arbre ; je croyais entendre la clarté de la lune chanter dans les bois : je voulais redire ces plaisirs, et les paroles expiraient sur mes lèvres. Je ne sais comment je retrouvais encore ma déesse dans les accents d'une voix, dans les frémissements d'une harpe, dans les sons veloutés ou liquides d'un cor ou d'un harmonica. Il serait trop long de raconter les beaux voyages que je faisais avec ma fleur d'amour ; comment main en main nous visitions les ruines célèbres, Venise, Rome, Athènes, Jérusalem, Memphis, Carthage ; comment nous franchissions les mers ; comment nous demandions le bonheur aux palmiers d'Otahiti, aux bosquets embaumés d'Amboine et de Tidor ; comment au sommet de l'Himalaya nous allions réveiller l'aurore ; comment nous descendions les *fleuves saints* dont les vagues épandues entourent les pagodes aux boules d'or ; comment nous dormions aux rives du Gange, tandis que le bengali, perché sur le mât d'une nacelle de bambou, chantait sa barcarolle indienne.

La terre et le ciel ne m'étaient plus rien ; j'oubliais surtout le dernier : mais si je ne lui adressais plus mes vœux, il écoutait la voix de ma secrète misère : car je souffrais, et les souffrances prient. »

Chateaubriand, *Mémoires d'outre-tombe, III, 11.* 1850

Étudier le vocabulaire d'un texte, c'est d'abord s'arrêter sur certains mots et les analyser. C'est aussi regrouper les mots du texte en séries appartenant à un même thème, ou à une même signification : les réseaux lexicaux. On met ainsi en évidence les préoccupations de l'auteur.

L'importance des répétitions de mots

La répétition est à interpréter, non seulement pour comprendre l'importance du mot, mais aussi pour analyser le champ sémantique de ce mot, c'est-à-dire les différents sens qu'il prend successivement. On peut ainsi découvrir des évolutions intéressantes.

Exemple : « Le ciel et la terre » (ligne 22) sont des éléments naturels. Mais le ton est religieux dans le dernier paragraphe (ligne 38), le ciel devient alors le lieu de Dieu et la terre le lieu des mortels.

Qu'est-ce qu'un réseau lexical

On appelle réseau lexical l'ensemble des mots qui désignent des réalités ou des idées appartenant au même thème (= le champ lexical) auquel s'ajoutent tous les mots qui, à cause du contexte et de certains aspects de leur signification, évoquent aussi le thème.

Exemple : Dans le texte ci-contre, les mots soulignés appartiennent au réseau lexical de la hauteur ; « cime », « au haut de » font partie du champ lexical ; mais « ciel », « toit », « combles », sans signifier eux-mêmes la hauteur, l'évoquent aussi et appartiennent au même réseau.

Les thèmes de recherche et le réseau lexical

DOMAINES	RÉSEAUX POSSIBLES
Les quatre éléments : ***eau, feu, terre, air***	Les quatre réseaux possibles correspondent aux quatre éléments. Un ou plusieurs d'entre eux peuvent être évoqués avec insistance et sous de multiples formes.
Les cinq sens : ***vue, ouïe, toucher, odorat, goût***	Il est fréquent que, dans une description, un des sens prenne plus d'importance que les autres. *Exemple :* dans le texte ci-contre, l'ouïe a beaucoup d'importance, d'où l'existence d'un réseau lexical du bruit (les termes encadrés ▭).
Le déplacement : ***mouvements et immobilité***	Un récit peut décrire une action plus ou moins mouvementée ; une description peut être statique. Selon le cas c'est le réseau lexical du mouvement ou celui de l'immobilité qui l'emporte. *Exemple :* ici, le réseau lexical du mouvement se retrouve au début de chaque paragraphe.
L'appréciation : ***le positif ou le négatif***	Un texte peut être parcouru de termes indiquant manques et défauts, ou au contraire insister sur les connotations positives. *Exemple :* dans le premier paragraphe, le négatif l'emporte, « peu », « plus », « jetai », « symptômes »...

L'étude des réseaux lexicaux révèle les thèmes d'un texte. Si aucun thème n'apparaît au premier abord, et à condition de ne pas utiliser systématiquement la même grille, on peut effectuer des recherches dans les domaines ci-dessus.

Interprétation des réseaux lexicaux

Le repérage d'un réseau est lui-même un renseignement : il signale ce à quoi l'auteur donne le plus d'importance. Si le réseau est particulièrement fort, il peut parcourir tout le texte et en former le thème principal. Mais le passage d'un réseau à un autre est aussi très fréquent : il est le signe d'une progression qu'il faut alors expliquer. Et si plusieurs réseaux sont concomittants, leur comparaison révèle les associations mentales de l'auteur.

Exemple : Ici, dans tout le texte triomphe la recherche du mouvement ascendant. Mais dans les 1er et 2e paragraphes, tourment (« creusaient », « maigrissait », « triste ») puis joie (« délices », « jouir », « radieux »), puis retour au tourment (« serré », « abattu ») marquent bien l'instabilité du délire. Et le 1er paragraphe unit folie et extrêmes dans une même définition.

EXERCICE 1

Dans le poème suivant, recherchez combien de fois le verbe faire est employé. Quels sont les différents sens qu'il prend successivement ? Est-il employé au sens de fabriquer quelque chose ? Dites pourquoi, en vous appuyant sur ce que Prévert semble penser de l'école.

Le terme d'oiseau-lyre est un terme-clef : qu'évoque-t-il exactement ?

Page d'écriture

« Deux et deux quatre
quatre et quatre huit
huit et huit font seize...
Répétez ! dit le maître
Deux et deux quatre
quatre et quatre huit
huit et huit font seize.
Mais voilà l'oiseau-lyre
qui passe dans le ciel
l'enfant le voit
l'enfant l'entend
l'enfant l'appelle :
Sauve-moi
joue avec moi
oiseau !
Alors l'oiseau descend
et joue avec l'enfant
Deux et deux quatre...
Répétez ! dit le maître
et l'enfant joue
l'oiseau joue avec lui
Quatre et quatre huit
huit et huit font seize
et seize et seize qu'est-ce qu'ils font ?
Ils ne font rien seize et seize
et surtout pas trente-deux
de toute façon
et ils s'en vont
Et l'enfant a caché l'oiseau
dans son pupitre
et tous les enfants
entendent sa chanson
et tous les enfants
entendent la musique
et huit et huit à leur tour s'en vont
et quatre et quatre et deux et deux
à leur tour fichent le camp
et un et un ne font ni une ni deux
un et un s'en vont également ;
Et l'oiseau-lyre joue
et l'enfant chante
et le professeur crie :
Quand vous aurez fini de faire le pitre !
Mais tous les autres enfants
écoutent la musique
et les murs de la classe
s'écroulent tranquillement.
Et les vitres redeviennent sable
l'encre redevient eau
les pupitres redeviennent arbres
la craie redevient falaise
le porte-plume redevient oiseau. »

Jacques Prévert, *Paroles*, Éd. Gallimard. 1972

EXERCICE 2

Les trois séries suivantes évoquent chacune un thème, lequel ? Elles comportent chacune un intrus, trouvez-le.

— Puits ; crevasse ; plonger ; gouffre ; descendre ; caverne ; abîme ; chute ; dévaler.

— Printemps ; nid ; nourriture ; naissance ; aube ; début ; berceau ; commencement.

— Compact ; foule ; dense ; successif ; serré ; nombreux ; multitude ; entasser.

EXERCICE 3

Ce court extrait décrit la présence de la mort. Relevez tous les termes qui l'évoquent directement ou non. Comment s'organise leur répartition ?

« Des pierres plates étaient clairsemées entre des caveaux en ruine. On trébuchait sur des ossements de morts ; de place en place, des croix vermoulues se penchaient d'un air lamentable. Mais des formes remuèrent dans l'ombre indécise des tombeaux ; et il en surgit des hyènes, tout effarées, pantelantes. »

Flaubert, *La Légende de Saint Julien l'hospitalier*

EXERCICE 4

Dans le texte suivant, relevez tout ce qui, directement ou indirectement, évoque le rouge et les couleurs voisines du rouge. Quelle impression donne une telle description ?

« La chambre était tendue de satin rose broché de ramages cramoisis, les rideaux tombaient amplement des fenêtres, cassant sur un tapis à fleurs de pourpre leurs grands plis de velours grenat. Aux murs étaient appendus des sanguines de Boucher et des plats ronds en cuivre fleuronnés et niellés par un artiste de la Renaissance.

Le divan, les fauteuils, les chaises, étaient couverts d'étoffe pareille aux tentures, avec crépines incarnates, et sur la cheminée que surmontait une glace sans tain, découvrant un ciel d'automne tout empourpré par un soleil couchant et des forêts aux feuillages lie-de-vin, s'épanouissait, dans une vaste jardinière, un énorme bouquet d'azalées carminées, de sauges, de digitales et d'amarantes. »

Huysmans, *A Rebours*. 1887

EXERCICE 5

Dans ce texte de Montesquieu, quel est le réseau lexical le plus important ? Relevez tous les termes qui s'y rapportent. Qu'en déduire sur ce que pense le persan (l'auteur !) de la société parisienne ?

« Les habitants de Paris sont d'une curiosité qui va jusqu'à l'extravagance. Lorsque j'arrivai, je fus regardé comme si j'avais été envoyé du Ciel : vieillards, hommes, femmes, enfants, tous voulaient me voir. Si je sortais, tout le monde se mettait aux fenêtres ; si j'étais aux Tuileries, je voyais aussitôt un cercle se former autour de moi : les femmes mêmes faisaient un arc-en-ciel, nuancé de mille couleurs, qui m'entourait ; si j'étais aux spectacles, je trouvais d'abord cent lorgnettes, dressées contre ma figure : enfin jamais homme n'a tant été vu que moi. Je souriais quelquefois d'entendre des gens qui n'étaient presque jamais sorti de leur chambre, qui disaient entre eux : "Il faut avouer qu'il a l'air bien persan." Chose admirable ! Je trouvais de mes portraits partout ; je me voyais multiplié dans toutes les boutiques, sur toutes les cheminées : tant on craignait de ne m'avoir pas assez vu. »

Montesquieu, *Lettres persanes*, lettre 30. 1721

EXERCICE 6

Relevez les réseaux lexicaux en étudiant les 2 domaines de la nature, et les 2 domaines sensoriels dont il est question. Comment sont-ils répartis dans le texte ? Rédigez un paragraphe expliquant clairement comment la description est organisée dans cet extrait.

« Les souvenirs affluaient par longues vagues : toutes les odeurs des bois, l'âcreté du terrain mouillé sur quoi fermentent les feuilles mortes, les effluves légers des résines, l'arôme farineux d'un champignon écrasé en passant ; tous les murmures, tous les froissements, toutes les envolées dans les branches, les fracas d'ailes traversant les futaies, les essors au ras des sillons ; et tous les cris des crépuscules, la crécelle rouillée des coqs-faisans, les rappels croisés des perdrix, les piaulements courts des tourterelles, et déjà, dans la nuit commençante, ce grincement qui approche et passe à frôler votre tête avec le vol de la première chevêche en chasse. »

Maurice Genevoix, *Raboliot*, Éd. Grasset. 1925

EXERCICE 7

Sur le modèle du texte précédent, décrivez une grande usine en utilisant le réseau lexical du bruit, et le réseau lexical des couleurs (adjectifs, noms, verbes, adverbes).

EXERCICE 8

Dans l'extrait suivant d'un article de la page des sports, quels sont les deux réseaux lexicaux dominants ? Pourquoi à votre avis l'auteur de l'article les a-t-il choisis ?

RUGBY ... RUGBY ... RUGBY ...

DES « ROUGE ET NOIR » INQUIÉTANTS

Le souffle du boulet biterrois qui a failli couler le vaisseau toulonnais, le 14 août à Mayol, n'a pas manqué sa cible, mercredi soir, à Sauclières.

Cette fois, le bateau « rouge et noir » a sombré corps et biens, les fiers corsaires ont été débarqués dans le canal du Midi, tout proche, par une armada héraultaise qui a bien failli les humilier de surcroît.

Que dire de ces champions de France qui, une fois à l'eau, n'ont même pas su nager !...

Var-Matin, 28 août 1987

EXERCICE 9

Le poème suivant décrit une eau-forte. Essayez d'y repérer le plus grand nombre possible de réseaux lexicaux. Qu'en déduire sur la vision présentée par ce poème ?

Effet de nuit

« La nuit, la pluie. Un ciel blafard que déchiquette
De flèches et de tours à jour la silhouette
D'une ville gothique éteinte au lointain gris.
La Plaine. Un gibet plein de pendus rabougris
Secoués par le bec avide des corneilles
Et dansant dans l'air noir des gigues nonpareilles.
Tandis que leurs pieds sont la pâture des loups.
Quelques buissons d'épines épars, et quelques houx
Dressant l'horreur de leur feuillage à droite, à gauche,
Sur le fuligineux fouillis d'un fond d'ébauche.
Et puis, autour de trois livides prisonniers
Qui vont pieds nus, un gros de hauts pertuisaniers
En marche, et leurs fers droits, comme des fers de herse,
Luisent à contre-sens des lances de l'averse. »

Paul Verlaine, *Poèmes Saturniens*. 1866

5 Les sonorités

En 1913, Guillaume Apollinaire (1880-1918) publie les premiers poèmes sans ponctuation : « Alcools ». « Zone » évoque les errances dans la grande ville. En voici le début, dans lequel les sonorités sont particulièrement évocatrices par les rapprochements et oppositions qu'elles permettent.

1 A la fin tu es las de ce monde ancien

Bergère ô tour Eiffel le troupeau des ponts bêle ce matin

Tu en as assez de vivre dans l'antiquité grecque et romaine

Ici même les automobiles ont l'air d'être anciennes
5 La religion seule est restée toute neuve la religion
Est restée simple comme les hangars de Port-Aviation

Seul en Europe tu n'es pas antique ô Christianisme
L'Européen le plus moderne c'est vous Pape Pie X

Et toi que les fenêtres observent la honte te retient
10 D'entrer dans une église et de t'y confesser ce matin
Tu lis les prospectus les catalogues les affiches qui chantent tout haut
Voilà la poésie ce matin et pour la prose il y a les journaux
Il y a les livraisons à 25 centimes pleines d'aventures policières
Portraits des grands hommes et mille titres divers
15 J'ai vu ce matin une jolie rue dont j'ai oublié le nom
Neuve et propre du soleil elle était le clairon
Les directeurs les ouvriers et les belles sténo-dactylographes
Du lundi matin au samedi soir quatre fois par jour y passent
Le matin par trois fois la sirène y gémit
20 La cloche rageuse y aboie vers midi
Les inscriptions des enseignes et des murailles
Les plaques les avis à la façon des perroquets criaillent
J'aime la grâce de cette rue industrielle
Située à Paris entre la rue Aumont-Thiéville et l'avenue des Ternes

25 Voilà la jeune rue et tu n'es encore qu'un petit enfant
Ta mère ne t'habille que de bleu et de blanc
Tu es très pieux et avec le plus ancien de tes camarades René Dalize
Vous n'aimez rien tant que les pompes de l'Église
Il est neuf heures le gaz est baissé tout bleu vous sortez du dortoir en cachette
30 Vous priez toute la nuit dans la chapelle du collège
Tandis qu'éternelle et adorable profondeur améthyste
Tourne à jamais la flamboyante gloire du Christ
C'est le beau lys que tous nous cultivons
C'est la torche aux cheveux roux que n'éteint pas le vent
35 C'est le fils pâle et vermeil de la douloureuse mère
C'est l'arbre toujours touffu de toutes les prières
C'est la double potence de l'honneur et de l'éternité
C'est l'étoile à six branches
C'est Dieu qui meurt le vendredi et ressuscite le dimanche
40 C'est le Christ qui monte au ciel mieux que les aviateurs
Il détient le record du monde pour la hauteur
(...)

Guillaume Apollinaire, *Zone*, dans *Alcools*, 1913. Éd. Gallimard

Produire un texte, c'est produire des sons. Les prosateurs parfois, les poètes toujours, sont attentifs à cet aspect du langage, car il leur permet de prolonger, de nuancer ou de transformer les sens que le lexique et la syntaxe donnent aux mots et aux phrases. Il ne faut donc jamais oublier, dans l'étude d'un poème, de rechercher et de commenter les sonorités.

La répétition de mêmes sons d'un mot à un autre

<table>
<tr><td>Rime : elle met en relation, d'un vers à un autre, deux mots se terminant par les mêmes sons.</td><td rowspan="3">Ces ressemblances sonores permettent de rapprocher des sens :
— soit pour renforcer des relations existantes, romaine (v. 3) et ancienne (v. 4)
— soit pour créer une relation inattendue.
Exemple : le rapprochement entre religion et aviation aux vers 5 et 6.
Les mots prennent alors des significations nouvelles dans ce contexte particulier.</td></tr>
<tr><td>Rime intérieure : elle met en relation deux mots se terminant par les mêmes sons au milieu de deux vers successifs.</td></tr>
<tr><td>Paronomase : elle met en relation deux mots dont les sonorités sont proches bien que leurs sens soient différents.</td></tr>
</table>

La répétition de mêmes sons dans un groupe de mots

On ne peut parler de répétition que si le son répété apparaît plus fréquemment qu'il n'apparaît habituellement.

• Une répétition de voyelles s'appelle une **assonance**, une répétition de consonnes une **allitération**. Présentes dans un même groupe de mots, répétitions et assonances créent une **unité sonore**.
Exemple : l'allitération en *t* et l'assonance en *ou* du vers 36.

• **L'harmonie imitative :** elle cherche à reproduire, par allitération ou assonance, le bruit que produirait ce dont on parle. Les sonorités évoquent par le son ce qui est déjà évoqué par le sens des mots.
Exemple : au vers 2, les *b* et *ê* rappellent le cri des brebis. L'harmonie imitative renforce la métaphore.
L'exemple le plus célèbre d'harmonie imitative dans la langue française est le vers de Racine, prononcé par Oreste à la scène 3 de l'acte V d'*Andromaque* : « Pour qui sont ces serpents qui sifflent sur vos têtes ? »

• **L'harmonie suggestive :** elle repose sur l'idée que certains phonèmes sont plus aptes que d'autres à évoquer certains sentiments ou impressions : *m-l* suggèrera la tendresse et s'opposera par exemple à la dureté de *k-t*... Ces relations directes doivent être utilisées avec précaution, celles-ci dépendent souvent du contexte.
Exemples : — « Mon automne éternel ô ma saison mentale
Les mains des amants d'antan jonchent ton sol » (Apollinaire)
— « Envole-toi bien loin de ces miasmes morbides » (Baudelaire)
La première allitération en m évoque une douce nostalgie, la deuxième contribue à l'impression presque physique de haut-le-cœur. La valeur de l'allitération en m dépend donc ici du sens.

• **Les groupes de sonorités :** plusieurs allitérations ou assonances peuvent, à l'intérieur d'un mot, créer une unité sonore.
Exemple : le vers 22 forme une unité sonore par l'assonance en *a*, celle-ci au vers 23 est remplacée par l'assonance en *è*.

Les groupes de sonorités soutiennent le sens, ils peuvent accentuer et même opposer deux unités de sens.
Exemple : au vers 15, la découverte de la rue est en *u*, l'oubli en *on*.

EXERCICE 1

Les citations suivantes sont du poète Joachim du Bellay (XVIe siècle). Chacune possède une rime intérieure. Cherchez-la... Et expliquez pourquoi l'auteur l'a choisie.

« Comme on passe en été le torrent sans danger... » *Antiquités de Rome*

« Tu bois le long oubli de tes travaux passés
Sans plus penser en ceux que tu as délaissés... » *Regrets*

« O l'an heureux, le mois, le jour et l'heure,
que mon cœur fut avec elle allié... » *L'Olive*

« Mille doulx mots doulcement exprimés,
mille doulx baisers doulcement imprimés... » *L'Olive*

EXERCICE 2

Dans l'extrait suivant, le poète Malherbe (XVIIe siècle) console monsieur Du Périer qui a perdu sa fille. Observez les rimes : quelle opposition mettent-elles en évidence ? A votre tour, lisez un poème en étudiant les rapprochements et les oppositions engendrés par la rime.

« Crois-tu que, plus vieille, en la maison céleste
Elle eût eu plus d'accueil ?
Ou qu'elle eût moins senti la poussière funeste
Et les vers du cercueil ? »

EXERCICE 3

Dans les vers suivants, outre les rimes, certains mots ont des sonorités proches. Trouvez lesquels, et dites sur quels effets de sens insistent ces rapprochements.

« Mes champs n'ont que du chaume aux meilleures années
Et mes pauvres moutons, se mourant tous les jours,
Servent dans ces rochers de pâture aux vautours.
Je suis en me perdant l'auteur de tant de pertes,
Je n'ai plus soin de rien, mes terres sont désertes. »
Racan, XVIe, *Les Bergeries*

(Horace va combattre contre la ville de ses ancêtres :)
« Albe est ton origine : arrête, et considère
Que tu portes le fer dans le sein de ta mère. »
Corneille

« Adieu faux amour confondu
Avec la femme qui s'éloigne. »
Apollinaire, *La Chanson du Mal-aimé*

EXERCICE 4

Analysez les sonorités des slogans publicitaires suivants.

L'ENFER EST PLUS VERT A NOUVELLES FRONTIÈRES

Ça vibre à la Villette

*Découvrez les 5 petites farines
qui font les sauces très fines*

CLAIR
"MOMENT"

VOTRE VISAGE EST ÉCLATANT

"Avec mes ARLEQUIN *, mon Roméo va en perdre son latin."*

EXERCICE 5

Dans son ouvrage *Ce que les mots me disent*, Michel Leiris donne un certain nombre de définitions qui ont la particularité d'être bâties avec les sonorités du mot défini. Étudiez celles qui sont données ci-dessous en exemple et essayez d'en bâtir à votre tour.

Architecture : tactique et esthétique des arches, toitures, etc.
Bricolage : de bric et de broc, agile collage.
Charlatan : Satan d'un talent rare pour charmer les chalands.
Velléitaire : il veut, mais cela vite se fêle et va à terre.
Cauchemar : cache-mort.

EXERCICE 6

Un mot-valise est un néologisme original, formé d'éléments de deux mots aux sonorités proches. En voici sept. Retrouvez à partir de quels mots ils ont été composés ; puis inventez une définition pour ceux de Laforgue ; composez vous-même quelques mots-valises avec leur définition.

— *Deux mots-valises d'Alain Finkielkraut :*
diablogue : conversation entrecoupée de rires sataniques ;
gorespondance : échange de nouvelles entre deux cochons.
— *Cinq mots-valises de Laforgue :*
éternullité ; voluptial ; ennuiversel ; massacriléger ; sexiproque.

EXERCICE 7

Les vers suivants sont tirés de *La Légende des siècles*, de Victor Hugo. Deux offrent des harmonies imitatives, trois des harmonies suggestives. Trouvez-les et justifiez votre réponse.

« Ils étaient quatre, et tous affreux. Une litière
D'ossements tapissait le vaste bestiaire. » *Les Lions*

« Il n'avait pas de feu dans l'enfer de sa forge. »
Booz endormi

« Un frais parfum sortait des touffes d'asphodèles
Les souffles de la nuit flottaient sur Galgala. »
Booz endormi

« La mamelle du monde à la bouche d'un homme. » *Zim-Zizini*

« Les rois vainqueurs sont morts plus que les rois vaincus. » *Zim-Zizini*

EXERCICE 8

Au XVIIIe siècle, le chancelier de Piis a « mis l'alphabet en musique », en composant pour chaque lettre une strophe qui par l'allitération et le contenu illustre la valeur expressive de sa sonorité. Faites le répertoire de tous les sens dont le son *f* est d'après lui porteur. Puis dressez la liste de tout ce que le son *t* peut évoquer pour vous. Écrivez un texte en prose dans lequel vous expliquerez ce que peut signifier le son *t*, en multipliant les allitérations en *t*.

« Fille d'un son fatal, qu'enfante la menace
l'F en fureur frémit, frappe, fronde, fracasse,
Elle exprime la fougue et la fuite du vent :
Elle fournit la force du fer qui fouille et fend,
Elle souffle le feu, la flamme et la fumée...
Avec le fouet vengeur l'F aime à fustiger
Et frémit quand on froisse un taffetas léger. »
De Piis, *L'Alphabet*

EXERCICE 9

Dans chacune des citations suivantes, trouvez les assonances et/ou les allitérations qui créent le groupe sonore.

« Je le vis, je palis, je rougis à sa vue. » Racine

« Laissez-moi relever ces voiles détachés. » Racine

« Hélas ! et j'entendais sous mes pieds, dans le gouffre,
Sangloter la misère aux gémissements sourds,
Sombre bouche incurable et qui se plaint toujours. »
V. Hugo

« Et rythmes lents sous les rutilements du jour. »
Rimbaud

« Et la source sans nom qui goutte à goutte tombe. »
J.-M. de Hérédia

EXERCICE 10

Dans chacune des citations suivantes, trouvez les oppositions de groupes sonores et étudiez les effets produits par ces oppositions.

— « De blancs sanglots glissant sur l'azur des corolles. »
Mallarmé

— « L'élan de l'arbre muet qui tient tête à la terre. »
Eluard

— « Il est des parfums frais comme des chairs d'enfants,
Doux comme les hautbois, verts comme les prairies,
Et d'autres, corrompus, riches et triomphants,
Ayant l'expansion des choses infinies,
Comme l'ambre, le musc, le benjoin et l'encens... » Charles Baudelaire, *Correspondances*

EXERCICE 11

Lisez et comprenez bien le texte suivant. Puis, à votre tour,composez un paragraphe décrivant vos impressions à l'écoute des sonorités d'un prénom de votre choix.

« L'oncle qu'on attendait s'appelait Palamède, d'un prénom qu'il avait hérité des Princes de Sicile, ses ancêtres. Et plus tard, quand je retrouvai dans mes lectures historiques, appartenant à tel podestat ou tel prince de l'Église, ce prénom même, belle médaille de la Renaissance — d'aucuns diraient un véritable antique — toujours restée dans la famille, ayant glissé de descendant en descendant jusqu'à l'oncle de mon ami, j'éprouvai le plaisir réservé à ceux qui, ne pouvant faute d'argent constituer un médaillier, une pinacothèque, recherchent les vieux noms (noms de localités, documentaires et pittoresques comme une carte ancienne, une vue cavalière, une enseigne ou un coutumier, noms de baptême où résonne et s'entend, dans les belles finales françaises, le défaut de langue, l'intonation d'une vulgarité ethnique, la prononciation vicieuse selon laquelle nos ancêtres faisaient subir aux mots latins et saxons des mutilations durables, devenues plus tard les augustes législatrices des grammaires), et, en somme, grâce à ces collections de sonorités anciennes, se donnent à eux-mêmes des concerts, à la façon de ceux qui acquièrent des violes de gambe et des violes d'amour pour jouer de la musique d'autrefois sur des instruments anciens. »
Marcel Proust, *A l'ombre des jeunes filles en fleurs*, 1919

6 Comparaison et métaphore

Le vent froid de la nuit

Une nuit d'hiver, le narrateur attend sa bien-aimée dans une demeure isolée. C'est alors que, suscitées par le froid glacial, le vent violent, la solitude de l'attente, naissent des images...

1 « Je l'attendais le soir dans le pavillon de chasse, près de la Rivière Morte. Les sapins dans le vent hasardeux de la nuit secouaient des froissements de suaire et des craquements d'incendie. La nuit noire était doublée de gel, comme le satin blanc sous un habit de soirée, — au dehors des mains frisées couraient de toutes parts sur la neige. Les murs étaient de grands rideaux 5 sombres, et sur les steppes de neige des nappes blanches, à perte de vue, comme des feux se décollent des étangs gelés, se levait la lumière mystique des bougies. J'étais le roi d'un peuple de forêts bleues, comme un pèlerinage avec ses bannières se range immobile sur les bords d'un lac de glace. Au plafond de la caverne bougeait par instants, immobile comme la moire d'une étoffe, le cyclone des pensées noires. En habit de soirée, accoudé à la cheminée et maniant un 10 revolver dans un geste de théâtre, j'interrogeais par désœuvrement l'eau verte et dormante de ces glaces très anciennes ; une rafale plus forte parfois l'embuait d'une sueur fine comme celle des carafes, mais j'émergeais de nouveau, spectral et fixe, comme un marié sur la plaque du photographe qui se dégage des remous des plantes vertes. Ah ! les heures creuses de la nuit, pareilles à un qui voyage sur les os légers et pneumatiques d'un rapide — mais soudain elle 15 était là, assise toute droite dans ses longues étoffes blanches. »

Julien Gracq, *Liberté grande.* 1947. Librairie José Corti

Le bras

1 Ainsi qu'une île Borromée
Ce bras qui te tient *enfermée*
Ce bras pourtant de *violence*
Où bat le *sang de mon silence*
5 Ne sait rien faire que t'aimer

Ce bras de chair où le temps passe
Autour de toi ce bras qui brasse
Les profondes eaux de la nuit
Immobile qui te poursuit
10 Immobile où tu te déplaces

Ce bras qui ne songe qu'à toi
Ce bras qui prend peur de son poids
Ce bras suspendu sur ton âme
Comme *un étrange arrêt des rames*
15 Qu'y voit-il que les yeux ne voient

Ce *parapet* jusqu'à l'épaule
Où frémir tient le premier rôle
Ce seuil tendre de l'infini
Ce mur du songe à l'insomnie
20 Où dormir a trouvé son môle

Ce bras muet *qui te retient*
Au bord de tout au bord de rien
S'emplit d'une musique immense
Comme un parfum de ce qu'il pense
25 *Ô prisonnière* il est le tien

Cent mille étoiles s'y font chaînes
À ce *captif* de ton haleine
Qui se fait *crime* à tout moment
D'un murmure d'un mouvement
30 Et qui se meurt de *vivre à peine*

Aragon, *Du peu de mots d'aimer.* 1965. Éd. L.C.D.
(Droits réservés)

Comparaison et métaphore sont des figures de style qui servent à créer des images. Mais comment les mots, qui se lisent ou s'entendent, peuvent-ils servir à former des images, qui s'imaginent ?

Définition

La comparaison et la métaphore rapprochent deux champs lexicaux (mod. 4) en mettant en évidence un élément qui leur est commun. « La nuit noire était doublée de gel, comme le satin blanc sous un habit de soirée. » (ligne 3)

NATURE	COULEUR	HOMME (vêtements)
« nuit noire, gel »	« noire » « blanc »	« satin, habit »

Repérage et description

■ La comparaison

Pour qu'il y ait comparaison, trois éléments sont nécessaires :

le comparé	un outil de comparaison	le comparant
la nuit	• une préposition : *comme* • une locution : *de même que, plus... que, moins... que, aussi... que, ainsi... que* • un adjectif : *semblable à, tel que, pareil à...* • un verbe : *ressembler à, sembler, faire penser à, on dirait que...*	*un habit*

■ La métaphore

C'est une comparaison sans outil de comparaison. Elle se signale par un écart dans l'énoncé, par une incompatibilité logique entre les termes de l'énoncé (le nom et son complément, le nom et son épithète, le sujet et son verbe, le verbe et son complément.)

— La métaphore est annoncée : le comparé et le comparant sont tous deux présents dans l'énoncé et sont liés grammaticalement. *Exemple :* « Les steppes de neige des nappes blanches » (ligne 5).

— La métaphore est directe : rien n'annonce l'entrée dans une autre réalité. Le comparé est absent de l'énoncé. *Exemple :* « Des mains frisées couraient de toutes parts » : le comparé = le vent (ligne 4).

Fonctionnement et effet

• La comparaison crée des images en mettant deux domaines différents en parallèle. Elle suit un processus logique et s'adresse plutôt à l'imagination.

• La métaphore joue avec le langage : avec les mots, elle crée des correspondances inédites, impossibles dans la réalité. C'est le propre de la langue poétique. La métaphore en est même un indice fondamental quand la versification disparaît. L'image créée est plus dense et s'adresse plutôt à la sensibilité. La métaphore directe est souvent à la base du fantastique.

Développement : la métaphore filée

Une comparaison ou une métaphore introduisent dans un texte les termes d'un réseau lexical. D'autres termes du même réseau (mod. 4) peuvent apparaître au cours du paragraphe, du chapitre ou du roman, de la strophe ou du poème. On dit que la métaphore est filée.

Exemple : Dans le texte de Julien Gracq, « lac de glace », « étangs gelés », « l'eau verte et dormante de ces glaces » = le thème de la mort. Dans le texte d'Aragon, les termes en italique développent l'image du bras de l'amant comparé à une prison.

Emploi

La comparaison et la métaphore sont des procédés très vivants et caractérisent aussi bien la langue parlée que la langue littéraire. Leur force réside dans leur nouveauté ; si elles se répètent d'auteur en auteur, elles s'usent, se lexicalisent ou deviennent clichés. Par contre, une expression lexicalisée ou un cliché peuvent être renouvelés si on déplace ou réactive l'un de leurs termes. *Exemple :* « Les steppes de neige des nappes blanches » inversent le cliché de la neige comparée à une toile blanche.

EXERCICE 1

Dans les comparaisons suivantes, identifiez le comparé, l'outil de comparaison et le comparant. Trouvez le point commun qui justifie la comparaison.

1) « Je suis rouge comme un bœuf écorché. » Sartre
2) « Les éclairs fusaient de la terre comme des jets d'eau. » Giono
3) « Les lèvres, pareilles aux bords d'un vase d'opaline, étaient disjointes. » Vercors
4) « L'azur du ciel est moins beau que le bleu de tes yeux ; le chant des bengalis, moins doux que le son de ta voix. » Bernardin de Saint-Pierre
5) « Un chien noir, allongé à l'ombre d'un kiosque autant qu'il est possible à un chien d'être allongé, c'est-à-dire beaucoup, ressemblait à une tache de mazout ou de sang noir. » Belletto
6) « Le rêve de l'homme est semblable
Aux illusions de la mer. » Toulet
7) « A huit heures du matin, la lassitude, telle du plomb fondu, s'était coagulée dans les veines. » Wiesel
8) « Ce fut dès lors celui que je prétendis découvrir : l'être authentique, le « vieil homme », celui dont ne voulait plus l'Évangile ; celui que tout, autour de moi, livres, maîtres, parents, et que moi-même avions tâché d'abord de supprimer. [...] Et je me comparais aux palimpsestes. » Gide
9) « Avec son long nez, les trous de ses joues, elle faisait songer à une pondeuse sur son nid, les plumes gonflées, l'œil mi-somnolent, mi-inquiet. » Arland
10) « Des limousines longues comme des jours sans caviar. » Josselin

EXERCICE 2

Dites si les métaphores suivantes sont annoncées ou directes. Trouvez le point commun qui établit l'analogie.

1) « La fosse, plaie au flanc de la terre, est ouverte. » Hugo
2) « Et les thermomètres eux-mêmes regagnaient l'ombre en couinant. » Belletto
3) « Les grandes portes du réfectoire s'ouvrirent avec bruit et vomirent trois commissaires en habits sales et longs. » Vigny
4) « L'aurore est un cheval / Qui s'ébrouant, chasse au loin les corneilles. » Norge
5) « Étoile qui descends sur la verte colline, / Triste larme d'argent du manteau de la nuit. » Musset
6) « Une grosse pivoine de sang au milieu de la poitrine. » Vautrin
7) « Il nageait dans un aquarium d'anxiété. » Delay
8) « Je vis les arbres s'éloigner en agitant leurs bras désespérés. » Proust

EXERCICE 3

Les phrases suivantes contiennent une comparaison. La comparaison est développée par d'autres termes de l'énoncé. Analysez la comparaison et trouvez ces autres termes.

1) « Le soleil tombait sur la nuque comme un poids de feu, les naïls* ne pouvaient s'arracher des braises du sable. »
* naïls = babouches Peyré
2) « Alors, par-dessus leurs gardes, les condamnés tendaient leurs bras à leurs amis.
On eût dit une nacelle surchargée qui va faire naufrage et que du bord on veut sauver. [...] A chacune de ces grandes marées d'hommes, la charette se balançait sur ses roues comme un vaisseau sur ses ancres. » Vigny
3) « La cathédrale explique tout, a tout enfanté et conserve tout. Elle est la mère, la reine, énorme au milieu du petit tas des maisons basses, pareilles à une couvée abritée frileusement sous ses ailes de pierre. » Zola
4) « Et j'appris peu à peu bien d'autres choses, qui faisaient de la maison Heurtevent un lieu brûlant, à l'odeur forte, autour duquel, quoique j'en eusse, mon imagination, comme une mouche à viande, tournoyait. » Gide
5) « Titubant devant le portrait, Lambert sentait monter en lui une boule qui s'amplifiait, s'épanouissait, déferlait comme une vague, un de ces rouleaux atlantiques qui balaient, lavent, détruisent et laissent en se retirant des cœurs purifiés, blancs comme des os de seiche. » Page

EXERCICE 4

Repérez, puis analysez chaque métaphore et relevez les termes qui la développent.

1) « C'est à ma taille aussi que j'avais taillé mon bonheur, m'écriai-je ; mais j'ai grandi ; à présent mon bonheur me serre ; parfois, j'en suis presque étranglé... » Gide
2) « Quand les chevaux du Temps s'arrêtent à ma porte
J'hésite un peu toujours à les regarder boire
Puisque c'est de mon sang qu'ils étanchent leur soif. » Supervielle
3) « La Lune, qui est le caprice même, regarda par la fenêtre pendant que tu dormais dans ton berceau, et se dit : « Cette enfant me plaît. »
Et elle descendit moelleusement son escalier de nuages et passa sans bruit à travers les vitres. Puis elle s'étendit sur toi avec la tendresse souple d'une mère, et elle déposa ses couleurs sur ta face. » Baudelaire

EXERCICE 5

Pour chacune des publicités suivantes, repérez le procédé utilisé, s'agit-il d'une métaphore ou d'une comparaison ? Expliquez et décomposez le procédé.

EXERCICE 6

Ces comparaisons sont tirées du *Roman de la momie* de Théophile Gautier. Elles caractérisent un personnage. Quelle est leur connotation ? Quelle est, à votre avis, la fonction de ce personnage dans le roman ?

« son nez osseux, luisant et recourbé comme le bec d'un gypaète. »

« la paupière bistrée s'abaissait et s'élevait comme une aile de chauve-souris. »

« (elle) s'était tenue blottie dans un coin de la chambre comme une chauve-souris accrochée à un angle par les ongles de ses membranes. »

« (elle) se glissa comme un reptile dans la cabane. »

« On eût pu entrevoir ses prunelles fauves comme celles d'un hibou. »

« (elle) déplia lentement ses membres d'araignée. »

« (elle) rampait vers son trône comme un insecte à moitié écrasé. »

EXERCICE 7

1) Les phrases suivantes, tirées de *L'Escadron blanc* de Joseph Peyré, contiennent des comparaisons et des métaphores renvoyant au même réseau lexical. Analysez-les.

2) Ces extraits montrent qu'une métaphore peut être filée sur tout un roman. Étudiez ses divers développements. En particulier, montrez comment l'image littéraire devient un élément dynamique.

« Escadron blanc, déjà largué comme un vaisseau, aucune voix ne parvenait plus à la terre. » (p. 41)

« Le lieutenant Kermeur entendit la prière et comprit la gravité de l'adieu : la dernière amarre était rompue. » (p. 48)

« La colonne n'était plus qu'un bateau perdu, tanguant dans le soleil, livré à ses forces et à son destin. » (p. 48)

« Les deux caravanes avaient-elles plus de chances de se rencontrer que deux navires en mer ? Kermeur venait à en douter, mais il n'osait pas demander à Marçay quel rumb ils allaient suivre sur l'océan sans route. » (p. 63)

« Vers l'ouest, le reg encore s'étendait, couleur de soleil mort. Mais il fonçait de minute en minute, comme une mer qu'un grain noircit. » (p. 89)

« Kermeur vit les guides entrer dans le lac qui noyait l'horizon et il crut à une hallucination du délire. [...] Les guides et leurs montures se réfléchissaient en effet sur les eaux du mirage. » (p. 94)

« Le supplice de la soif commença. [...] Le lieutenant Marçay maîtrisa sa soif jusqu'au bout, pour essayer de contenir le désordre, comme un officier de pont à l'heure du naufrage où l'on met les embarcations à la mer. » (p. 224 et 230)

EXERCICE 8

L'image de la nuit est introduite par des comparaisons et des métaphores. Identifiez-les, analysez-les et dites pourquoi la comparaison est à la forme négative.

« Cette grande illusion noire suit la mode, et les variations sensibles de ses esclaves. La nuit de nos villes ne ressemble plus à cette clameur des chiens des ténèbres latines, ni à la chauve-souris du Moyen Age, ni à cette image des douleurs qui est la nuit de la Renaissance. C'est un monstre immense de tôle, percé mille fois de couteaux. Le sang de la nuit moderne est une lumière chantante. »

Aragon, *Le Paysan de Paris*

7 Les figures de style

La métonymie

« C'est un émissaire du *Vatican.* » Ⓐ = un émissaire du pape Ⓑ.
« Socrate a bu *la mort.* » = le verre de poison qui le fera mourir.
« Fumer *des havanes.* » = des cigares qui viennent de La Havane.
« C'est *une bonne raquette.* » = un bon joueur de tennis.
« C'est l'alliance de la *faucille et du marteau.* » = des paysans et des ouvriers.

La synecdoque

« C'était une confusion, un fouillis de têtes et de bras qui s'agitaient. » (Zola)
« Les cuivres se déchaînèrent. » Ⓐ = les instruments à vent Ⓑ.

L'euphémisme

« Le quatrième âge. » Ⓐ = les grands vieillards Ⓑ.
« Il est temps que je me repose ; » (Hugo) = que je meure.

La litote

« Va, je ne te hais point. » Ⓐ (Corneille) = je t'aime toujours Ⓑ.

La périphrase

« des ténèbres où l'on dort. » Ⓐ (Hugo) = la mort Ⓑ.
« Connaissez-vous la Venise du nord ? » = Bruges.

L'antiphrase

(La Jeunesse [vieux domestique de Bartholo] arrive en vieillard avec une canne en béquille ; il éternue plusieurs fois.)
L'Éveillé [autre valet de Bartholo, garçon niais et endormi], toujours bâillant. — La Jeunesse ? (Beaumarchais)

L'anaphore

« Trouver des mots forts comme la folie
Trouver des mots couleur de tous les jours
Trouver des mots que personne n'oublie. » (Aragon)

Le parallélisme

« Il n'avait pas de fange dans l'eau de son moulin,
Il n'avait pas d'enfer dans le feu de sa forge. » (Hugo)

La gradation

« Je me meurs, je suis mort, je suis enterré. » (Molière)

L'hyperbole

« De ses mots savants les forces inconnues
Transportent les rochers, font descendre les nues,
Et briller dans la nuit l'éclat de deux soleils. » (Corneille)

Le chiasme

« Et ce champ me faisait un effet singulier ;
Des cadavres dessous et dessus des fantômes ;
Quelques hameaux flambaient ; au loin brûlaient les chaumes. » (Hugo)

L'oxymore

« Je la comparerais à un *soleil noir,* si l'on pouvait concevoir un astre noir versant la lumière et le bonheur. » (Baudelaire)

L'antithèse

« Paris est tout *petit* / c'est là sa vraie *grandeur*
Tout le monde s'y rencontre / les *montagnes* aussi
Mais un beau jour l'une d'elles / accouche d'une *souris.* » (Prévert)

L'ellipse

« A vingt ans, deuil et solitude. » (Hugo)
« Jumbo. La Tunisie, mon papa et plouf ! »

L'anacoluthe

« Mais moi, la barre du bourreau s'était, au premier coup, brisée comme un verre. » (A. Bertrand)

Quand l'auteur d'un texte, parlé ou écrit, veut attirer l'attention du destinataire pour le convaincre, le séduire, l'impressionner, lui transmettre une vision du monde, il cherche à être expressif. L'expressivité est provoquée par un détour, une accumulation, un choc, une accélération ou une rupture dans le message : ce sont les figures de style.

Le détour : les figures de substitution

Un mot ou une expression (A) remplacent le mot ou l'expression attendus (B).

	Définition	**Effets**
la métonymie	A et B sont liés par une relation de proximité : (contenant / contenu) ; (effet / cause) ; (origine / objet) ; (instrument / utilisateur) ; (symbole / réalité)	concentration de l'énoncé, économie de langage. La métonymie est très fréquente dans la langue parlée
La synecdoque	A et B sont liés par une relation d'inclusion : partie pour le tout, matière pour l'objet	vision fragmentée, impressionniste de la réalité
L'euphémisme	A a un sens atténué par rapport à B	dissimulation d'une idée brutale ou désagréable
La litote	idem ; c'est souvent un verbe à la forme négative	permet, implicitement, d'exprimer beaucoup plus qu'il n'est dit
La périphrase	A > B : A comporte des adjectifs, un complément de nom, une prop. relative...	création d'une attente, d'un mystère attire l'attention sur une qualité de B
L'antiphrase	A est le contraire de B	support essentiel de l'ironie, du comique

L'accumulation : les figures d'insistance

L'anaphore	Répétition d'un mot au début de plusieurs vers, phrases ou membres de phrase	rythme la phrase, souligne un mot, une obsession, dégage un thème
Le parallélisme	Syntaxe semblable pour deux énoncés	rythme la phrase, met souvent en évidence une antithèse
La gradation	Succession de termes d'intensité croissante ou décroissante	effet de « zoom », peut tendre à l'hyperbole
L'hyperbole	Emploi de termes trop forts, exagérés	emphase, style ampoulé, courante dans la langue familière, support de la parodie

Le choc : les figures d'opposition

Le chiasme	Les éléments de deux groupes parallèles sont inversés : A — B B' — A' ou ABB'A'	établit une vision synthétique, souligne l'union de deux réalités (AB) ou au contraire renforce une opposition (AA' <—> BB')
L'oxymore	Deux termes de sens contraire à l'intérieur du même groupe (assez rare)	crée une nouvelle réalité : c'est le propre de la poésie
L'antithèse	Deux termes de sens contraire à l'intérieur du même énoncé (très fréquent)	met en évidence un conflit qui peut être au centre de l'œuvre

L'accélération par omission : l'ellipse

L'ellipse	Omission de termes qui cependant peuvent se deviner	densité de l'énoncé car seuls subsistent les mots chargés de sens

La rupture de construction : l'anacoluthe

L'anacoluthe	Écart par rapport à la syntaxe courante	renforce souvent le sens de l'énoncé qui exprime une rupture

EXERCICE 1

Dans chacune des phrases suivantes, une figure de style est expliquée et illustrée. Trouvez-en le nom.

1) « Les ... remplacent les chats-sphinx par des parties de leur corps : *leurs reins, leurs prunelles.* »
Jakobson

2) « Dans la Bible, l'expression *venir vers* est un ... pour signifier les rapports sexuels : *Pourquoi es-tu venu vers la concubine de mon père ?* » Dhormes

3) Le titre du film, *Le pays du miel et de l'encens* est une ... pour désigner le Liban. Bien sûr, c'est par ... que le réalisateur a choisi ce titre puisque le pays est en guerre depuis 1975.

4) « Tu ne peux, dit Cicéron à Catilina, rien *faire,* rien *tramer,* rien *imaginer,* que non seulement je ne l'entende, mais même que je ne le *voie,* que je ne le *pénètre* à fond, que je ne le *sente.* » Voilà dans cette même phrase deux ... consécutives, l'une *descendante,* et l'autre *ascendante.* » Fontanier

5) « Dans *Phèdre,* le "sang" désigne au sens propre le liquide vital qui coule dans les veines de l'héroïne, ainsi que le liquide versé sur la terre par le meurtre, et, par ..., l'hérédité, le lien organique qui unit les membres d'une même famille ; c'est ce mot de "sang" qui résume et réunit les thèmes essentiels de la tragédie. » Le Guern

EXERCICE 2

Parmi les phrases suivantes, repérez : une périphrase, une anacoluthe, une synecdoque, deux gradations, deux oxymores et trois antithèses.

1) « Le lait tombe ; adieu veau, vache, cochon, couvée. » La Fontaine

2) « Ces yeux gris et luisants, brûlants et glacés, comme je les connaissais ! » Vercors

3) « C'était là que fonctionnait de temps en temps la bascule à raccourcir, à l'aube, devant tout le monde quand la société n'était pas si pudique. » Boudard

4) « L'homme fort et blond au type allemand était un foudre d'indécision. » Belletto

5) « Prisons : des chaînes pour se libérer. » *Le Monde*

6) « En la tançant du doigt avec aménité. » Prévert

7) « Je sentis tout mon corps et transir et brûler. » Racine

8) « Le nez de Cléopâtre, s'il eut été plus court, la face de la terre en eût été changée. » Pascal

9) « Je pressai son exil, et mes cris éternels
L'arrachèrent du sein et des bras paternels. » Racine

10) « Il se sentait évidemment plus que metteur en scène, que chef d'orchestre, véritable généralissime. » Proust

EXERCICE 3

Certaines figures de style sont courantes dans la langue parlée. Repérez deux synecdoques, un parallélisme, une litote et une hyperbole.

- « Clock house... c'est géant ! »
- « Les cong'pay' à Sauciflard-sur-Mer, c'est pas triste comme ramassis de viandox sur les plages. »
- « Le métal fait pas le bonheur. Mais si vous voulez mon avis... »
- « Shopping le jour, dancing la nuit. »
- « On lui a taxé son cuir. »

EXERCICE 4

Dans le premier titre de rubrique, la relation entre le texte et l'image crée un parallélisme (l'image dit la même chose que le texte). Quelles figures de style utilisent les autres titres, la métonymie, la périphrase ou le parallélisme ?

EXERCICE 5

Montrez que le « frisson d'horreur » qu'éprouve Fabrice est souligné dans le texte par une relation métonymique.

« Il remarqua qu'en effet presque tous les cadavres étaient vêtus de rouge. Une circonstance lui donna un frisson d'horreur ; il remarqua que beaucoup de ces malheureux habits rouges vivaient encore. »

Stendhal, *La Chartreuse de Parme*

EXERCICE 6

Les expressions « Extrême-Orient » et « XVIIIe siècle » désignent ici des objets par métonymie. Quel est le type de métonymie ? Quels sont ces objets ?

« D'ailleurs dans le désordre artiste, dans le pêle-mêle d'atelier, des pièces aux murs encore peints de couleurs sombres qui les faisaient aussi différentes que possible des salons blancs que Mme Swann eut un peu plus tard, l'Extrême-Orient reculait de plus en plus devant l'invasion du XVIIIe siècle. »

Proust, *A l'Ombre des jeunes filles en fleurs*

EXERCICE 7

L'euphémisme est courant dans la langue journalistique. Trouvez ceux employés à la place des mots ci-dessous. A votre avis, pourquoi les emploie-t-on ?

vieillards, grands vieillards, pays sous-développés, pauvres, cancer, aveugle, sourd, chômeur.

EXERCICE 8

Dans cet extrait d'une fable de La Fontaine, un animal est décrit au moyen de périphrase. De quel animal s'agit-il ?

« L'un doux, bénin et gracieux,
Et l'autre turbulent et plein d'inquiétude.
Il a la voix perçante et rude,
Sur la tête un morceau de chair,
Une sorte de bras dont il s'élève en l'air
Comme pour prendre sa volée,
La queue en panache étalée. »

EXERCICE 9

Le surréalisme sait créer la surprise par une image inattendue. A propos de ce tableau, de quelle figure de style pourrait-on parler ? Pourquoi ? En vous appuyant sur cette approche, essayez d'expliquer ce tableau.

René Magritte, *La Légende des siècles*

EXERCICE 10

Ces périphrases désignent des villes. Identifiez-les. Quel caractère de la ville mettent-elles en valeur ?

- La Venise du Nord
- La deuxième Rome
- La troisième Rome
- La capitale des Gaules
- La ville-Lumière
- La cité phocéenne
- « La ville des mille et trois clochers et des sept gares » Cendrars
- L'Athènes du Nord

EXERCICE 11

Dans quelles situations de la vie courante pourriez-vous employer les antiphrases suivantes :

« C'est du propre ! », « C'est du joli ! », « C'est une soirée vraiment réussie ! », « Mais vous dansez très bien. », « Ce poisson a sauté de la mer dans la poêle. », « Cette robe est vraiment originale ! », « Elle est ce matin d'une humeur charmante ! », « Le directeur veut vous féliciter. », « Cette tarte est délicieuse », « J'adore la chimie. »

EXERCICE 12

Quel est l'effet de la gradation dans cet extrait d'un récit ? Quelles expressions soulignent cet effet ?

« L'avenue Ampère était plus laide que jamais. Tant de soleil lui donnait le coup de grâce. On aurait cru qu'elle allait se rabougrir, se consumer, se décomposer, se creuser, se noircir, un tombeau pour la Lancia, qui ainsi n'atteindrait jamais le chemin du Regard pourtant tout proche, quarante mètres, vingt mètres... »

Belletto, *L'Enfer.* Éd. P.O.L. 1986

EXERCICE 13

Repérez la figure de style. Comment souligne-t-elle le sens du mot concerné ?

« Jours de lenteur, jours de pluie,
Jours de miroirs brisés et d'aiguilles perdues,
Jours de paupières closes à l'horizon des mers,
D'heures toutes semblables, jours de captivité,... »

Paul Eluard, *Capitale de la douleur.* Éd. Gallimard. 1926

EXERCICE 14

Trouvez l'hyperbole et dites quel est le trait de caractère du narrateur mis ainsi en évidence.

« Je vis les arbres s'éloigner en agitant leurs bras désespérés [...] je ne sus jamais ce qu'ils avaient voulu m'apporter [...] j'étais triste comme si je venais de perdre un ami, de mourir à moi-même, de retirer un mort ou de méconnaître un dieu. »

Proust, *A l'ombre des jeunes filles en fleurs*

EXERCICE 15

Identifiez la figure de style employée pour désigner les animaux et expliquez, d'après le contexte, pourquoi elle a été choisie.

« Tout ce que la forêt avait de bêtes se mit à suer d'entre les arbres et les herbes. Ça dévalait sur les pentes comme un éboulement, comme un écroulement de boue. C'était serré, ventre à ventre, dos à dos, le poil contre le poil, le poil contre l'écaille. »

Giono, *Solitude de la pitié.* Éd. Gallimard

EXERCICE 16

La description de cette femme se condense en une image : soleil noir. Quelle est la figure de style employée ? Montrez comment chaque terme de l'image est développé.

« Elle est belle, et plus que belle ; elle est surprenante. En elle le noir abonde : et tout ce qu'elle inspire est nocturne et profond. Ses yeux sont deux antres où scintille vaguement le mystère, et son regard illumine comme l'éclair : c'est une explosion dans les ténèbres. »

Baudelaire

EXERCICE 17

Sur quelle figure de style sont construits les deux quatrains de ce sonnet du Sieur Daudiguier de 1614 ?

« Faire l'amour alors qu'il me défait,
Et tout défait, l'amour même défaire,
Le défaisant, le rendre plus parfait,
Le parfaisant, l'éprouver plus contraire.
Se délecter aux plaies qu'il me fait,
Chanter l'honneur de mon fier adversaire ;
Et de cent maux endurés en effet
Ne rapporter qu'un bien imaginaire. »

EXERCICE 18

Repérez soigneusement les figures de style de ce sonnet. Comment contribuent-elles à définir le sentiment amoureux ? En organisant ce travail autour de ce centre d'intérêt, passez à l'explication du poème.

Je vis, je meurs ; je me brûle et me noie ;
J'ai chaud extrême en endurant froidure ;
La vie m'est et trop molle et trop dure ;
J'ai grands ennuis entremêlés de joie.

5 Tout à un coup je ris et je larmoie,
Et en plaisir maint grief[1] tourment j'endure ;
Mon bien s'en va, et à jamais il dure ;
Tout en un coup je sèche et je verdoie.

Ainsi Amour inconstamment me mène ;
10 Et quand je pense avoir plus de douleur,
Sans y penser je me trouve hors de peine.

Puis quand je crois ma joie être certaine
Et être en haut de mon désiré heur[2],
Il me remet en mon premier malheur.

1. Ce monosyllabe signifie « lourd, pénible ».
2. Ici : « bonheur ».

Louise Labé (1526-1566)
(Baccalauréat 1987)

EXERCICE 19

L'ellipse est un des procédés utilisés par la bande dessinée. Expliquez son utilisation dans cet extrait. Quel est l'intérêt de cette utilisation ?

Hergé, *Tintin en Amérique*, 1946.
Éd. Casterman

EXERCICE 20

Sur quelles figures de style reposent les titres des ouvrages suivants ?

Splendeur et misère des courtisanes, Balzac.
La Messe de l'athée, Balzac.
L'Être et le néant, Sartre.
Jean-qui-pleure et Jean-qui-rit, La Comtesse de Ségur.
Les Rayons et les ombres, Victor Hugo.
La Neige était en deuil, Cesbron.
Le Paysan de Paris, Aragon.
Moha-le-fou, Moha-le-sage, Tahar Ben Jelloun.

EXERCICE 21

Vous savez reconnaître les figures de style, à vous d'en créer. Choisissez des mots (foule, moderne, noir...) inventez des slogans publicitaires, des titres de disques, de livres...

8 Les registres de langue

Les textes suivants appartiennent tous les trois au XXe siècle, et développent tous les trois le même thème des plaisirs du palais. Mais chacun le fait dans un niveau de langue différent.

***Texte 1* : registre familier**

« Un soir d'été, il faisait une chaleur à vous peler la langue, je venais de découvrir Rabelais, j'avais la tête pleine de beuveries héroïques et d'aimables soûlards, maman m'envoie tirer le vin. La subite fraîcheur de la cave, sa riche odeur compliquée de vieilles vinasses bues par la terre et de moisissures paisibles, c'était Gargantua continué, j'étais frère Jean des Entommeures, j'avais une soif de païen, le tonneau m'appelait comme une femme en rut. Je me suis couché tout du long par terre, la tête sous la cannelle, comme dans la chanson, et j'ai tourné le robinet. D'abord, c'était trop fort, j'arrivais pas à avaler, ça me coulait partout, et puis je sentais même pas le goût. J'ai réglé le jet. En petit filet mince, ça allait au poil. Je me dégustais le pinard bien à l'aise, le tournais dans ma bouche, faisais nager à contre-courant ma langue craquelée par la canicule. J'avalais seulement pour faire de la place à la goulée suivante.

En fait, le vin, j'aime pas tellement. J'étais surtout en pleine littérature. Autosuggestionné comme c'est pas permis. »

Cavanna, *Les Ritals*. 1978, Éd. Belfond

***Texte 2* : registre soutenu**

« Quand tout cela était fini, composée expressément pour nous, mais dédiée plus spécialement à mon père qui était amateur, une crème au chocolat, inspiration, attention personnelle de Françoise, nous était offerte, fugitive et légère comme une œuvre de circonstance où elle avait mis tout son talent. Celui qui eût refusé d'en goûter en disant : « J'ai fini, je n'ai plus faim », se serait immédiatement ravalé au rang de ces goujats qui, même dans le présent qu'un artiste leur fait d'une de ces œuvres, regardent au poids et à la matière alors que n'y valent que l'intention et la signature. Même en laisser une seule goutte dans le plat eût témoigné de la même impolitesse que de se lever avant la fin du morceau au nez du compositeur. »

Marcel Proust, *Du Côté de chez Swann*, 1913

***Texte 3* : registre courant, mais avec des emprunts aux autres registres**

« Anne-Marie a sa mine de gourmandise britannique, à la fois appliquée, compassée et savourante — une lady peut très bien avoir de l'appétit. Elle se nourrit, cérémonieusement. Les rites du thé dans toute leur rigueur. Avec une dignité ferme et preste, elle étend sur un toast du beurre et de la marmelade. Gestes précis, une certaine bonne franquette "dignified", les grandes dames peuvent se le permettre. Elle se ressert, boit plusieurs tasses à petites gorgées, et mâche toast sur toast. Gymnastique buccale... Eh bien... Anne-Marie, moi je trouve ça dégoûtant... Cette façon de savourer, indéfiniment, cette maniaquerie des bonnes manières masticatoires. Elle mange, elle est heureuse de manger, elle n'est qu'un estomac à écusson, je n'existe pas à côté du thé, du pain grillé et de la confiture d'orange. Ma mère est absorbée par son égoïsme bouffatoire. »

Lucien Bodard, *Anne-Marie*, 1985, Éd. Grasset

Parmi toutes les possibilités lexicales et syntaxiques du français, l'auteur fait des choix qui correspondent à ses intentions littéraires, selon le milieu et la culture de ses personnages, de ses lecteurs, et de lui-même à son époque. Il adopte donc un code propre à une situation de communication déterminée : c'est ce qu'on appelle le registre de langue. Découvrir le ou les registres de langue d'un texte permet de mieux comprendre ce que l'auteur a voulu mettre en œuvre.

Les registres de langue

Toutes les gradations sont possibles, mais on distingue fondamentalement trois registres : au niveau soutenu, l'auteur choisit des mots rares et des structures complexes ; au niveau courant, il adopte le code habituel du plus grand nombre sans recherche et sans relâchement ; au niveau familier, il emploie une langue proche des conversations quotidiennes.

1) Le lexique

- Registre courant : les mots sont compris sans difficulté et les expressions sont le plus souvent lexicalisées, sans effet particulier (« les grandes dames »).
- Registre soutenu : le vocabulaire est rare, recherché, littéraire (« fugitive ») ; les expressions impliquent des références littéraires, historiques, artistiques, bibliques, mythologiques... Mais il ne faut pas confondre vocabulaire soutenu et vocabulaire spécialisé, c'est-à-dire les termes propres à une science : botanique, médecine...
- Registre familier : les termes employés sont sur le dictionnaire évidemment qualifiés de familiers (« vinasse »), de populaires (« soûlards »), ou même de vulgaires ou argotiques. Les expressions, très imagées (« à vous peler la langue »), relèvent de la vie quotidienne : nourriture, sexualité, travail, jeu... La transcription imite parfois le langage parlé. Les néologismes sont fréquents (« bouffatoire »).

2) La syntaxe

- Registre courant et soutenu : les temps rares comme l'imparfait du subjonctif ne se trouvent guère qu'au niveau soutenu (« eût refusé »), qui reste dans l'ensemble plus puriste dans ses constructions. Sa syntaxe est nettement plus complexe ; phrases aux nombreuses subordonnées parfois enchâssées (« ces goujats qui, même dans le présent qu'un artiste... ») ; groupes nominaux à déterminants nombreux et parfois fort éloignés du nom (« composée... dédiée..., inspiration, attention... »)...
- Registre familier : la grammaire n'est pas respectée : peu de concordance des temps et des modes, verbes construits librement (« je me dégustais le pinard »), *ne* des locutions négatives absents (« j'arrivais pas »)... Et la syntaxe est simplifiée : juxtaposition plutôt que subordination, phrases nominales (« gymnastique buccale... »)

Le choix d'un registre de langue

■ L'auteur veut informer sans autre effet :

Plus son langage est simple, mieux il atteint son but. Mis à part les cas de communications techniques ou scientifiques exigeant un langage spécialisé, le registre courant est alors le plus adéquat.

■ L'auteur veut donner l'illusion réaliste :

Pour évoquer le milieu socioculturel de ses personnages, il peut alors adopter, non seulement dans les dialogues, mais aussi dans le récit, un registre de langue correspondant à ce milieu socioculturel (le narrateur de Cavanna est un fils d'ouvrier immigré italien).

■ L'auteur veut dénoncer par l'ironie ce qu'il constate, ou s'en amuser :

Il peut alors mêler plusieurs registres de langue, créant la distance ironique ou humoristique par effet de surprise (texte 3 : l'enfant se venge ainsi de l'indifférence de sa mère).

■ L'auteur veut transmettre une vision du monde :

Son projet est alors de montrer quelle relation l'homme peut entretenir avec le monde.

- Un niveau soutenu pour des événements banals peut témoigner de la transfiguration du quotidien (Proust)...
- Un langage familier peut révéler le désir de voir le monde par les yeux des gens simples (Cavanna)...

EXERCICE 1

Dans ces deux textes, le personnage sort de l'usine. Le texte 1 paraît plus expressif. Essayez de dire brièvement pourquoi.

Texte 1

« ... le soir t'émerges, hibou clignotant, dans la ville, dans la vie, qu'est pas ta ville, qu'est pas ta vie, t'es étranger à tout çà, le hibou qui passe, qui clignote vers son plumard pour se refaire des forces pour bosser demain, discuter avec les potes au coin de la rue j'avais pas envie, ça me crevait le cœur, j'étais plus d'ici, j'avais passé la ligne... »

François Cavanna, *Les Ritals.* 1978, Éd. Belfond

Texte 2

« A six heures, il reste encore un peu de jour, mais les lampadaires des boulevards brûlent déjà. J'avance lentement, respirant à fond l'air de la rue comme pour y retrouver une vague odeur de mer. Je vais rentrer, m'étendre, glisser le traversin sous mes chevilles. Me coucher... J'achèterai n'importe quoi, des fruits, du pain, et le journal. Il y a déjà trente personnes devant moi qui attendent le même autobus. »

Claire Etcherelli, *Élise ou la vraie vie.* 1967, Éd. Denoël

EXERCICE 2

Vous avez ci-dessous une première liste de mots appartenant au registre courant, puis une deuxième liste de mots ou expressions appartenant aux deux autres registres.

Pour chacun des termes de la première liste, cherchez dans la deuxième liste les deux mots ou expressions qui lui correspondent, l'un du registre familier, l'autre du registre soutenu.

Disposez l'ensemble en trois colonnes, (une par registre de langue) en plaçant sur une même ligne les trois termes qui se correspondent.

Première liste :
travailler ; paresseux ; ennuyeux ; travail ; fatigué ; s'empresser ; maison ; eau ; arriver ; tapage ; misère ; voler ; protester ; médecin ; flatter ; lit ; mourir.

Deuxième liste :
potin ; passer la brosse ; survenir ; dénuement ; baraque ; tumulte ; dérober ; crever ; barbant ; œuvrer ; docteur ; job ; récriminer ; faire diligence ; indolent ; bosser ; purée ; onde ; encenser ; claqué ; piquer ; fastidieux ; trépasser ; se grouiller ; cossard ; couche ; labeur ; rouspéter ; demeure ; exténué ; plumard ; flotte ; disciple d'Esculape ; s'amener.

EXERCICE 3

Les définitions suivantes sont extraites de l'article d'une journaliste qui s'est amusée à regrouper sous forme de dictionnaire les mots les plus fréquemment utilisés. Lisez ces définitions. Essayez de les traduire en langage courant.

Bétonner : abattre une quantité de travail énorme et finaliser rapidement un boulot. *J'suis soufflé ! Jean-Jean, en philo, il bétonne comme un malade sur le sujet : To be or not to be ?*

Halluciner : quand une histoire est à dormir debout, on manifeste son état de choc en disant : « J'hallucine ». *On envoie un photographe en reportage, très loin, on le raque très cher, il revient avec des pelloches toutes voilées et vous dit : « OK, on n'y voit que dalle, mais de toutes façons, il faisait mauvais, alors ça change rien au topo. » Ben là, vous hallucinez totalement.*

Déjanter : sauter les plombs, disjoncter, déconnecter. *Insiste pas Octave, toutes les nuits de teuf en teuf, et le jour, pointer à 9 h chez Glandu and Co, not possible* (à prononcer comme Clark Gaybeule) ! *Moi, je mets un bémol, parce que je déjante grave.*

Problock : un problème, un ennui de toute sorte est un problock. *Si t'accumules les problocks, prends ta valoche en carton, débloque 3 000 balles, raque un aller simple pour Tombouctou.*

Soulante : quelqu'un de très loquace a une soulante supérieure, un bagou hors calibre. *Quand j'entends le Big Boss, je mets la matière grise en veilleuse, yeux et oreilles en hibernation. Mieux vaut être sourdingue que l'entendre baver sa soulante !*

Triste : toujours précédé de la négation « pas ». Litote signifiant : hilarant. *Les cong'pay' à Sauciflard-sur-Mer, c'est pas triste comme ramassis de viandox sur les plages.*

Valentine Rodrigue, *« 20 ans »*, nov. 1987

EXERCICE 4

Le passage suivant est situé au début d'un roman policier. D'après son lexique et sa syntaxe, quel est son registre de langue ? Pourquoi l'auteur a-t-il choisi ce registre de langue ?

« Il alla avaler un demi-comprimé de somnifère avec un peu de lait. Il se rendormit sans problème vers trois heures. Le lendemain de bon matin tout le monde se leva et partit en vacances. Comme Gerfaut avait pris la précaution de se libérer dès le 29 juin, la circulation était fluide. Grâce à cela et aux autoroutes, ils mirent moins de sept heures de temps, repas de midi compris, et sans excès de vitesse, pour atteindre leur destination. Le soir du 29 juin, ils couchèrent donc à Saint-Georges-de-Didonne. Et le lendemain, on essaya de tuer Georges Gerfaut. »

Jean-Pierre Manchette, *Le Petit Bleu de la côte ouest.* 1976, Éd. Gallimard

EXERCICE 5

Relevez les marques lexicales et syntaxiques du langage soutenu dans la première bulle, et les marques du langage familier dans la deuxième bulle. Quelles impressions donnent ces deux personnages ?

EXERCICE 6

Le texte suivant est écrit en langage soutenu. Relevez un temps rare, une subordonnée enchâssée ; comptez le nombre de subordonnées dans chacune des deux phrases. Réécrivez le texte en plusieurs phrases en utilisant la syntaxe du registre courant.

« Quelque désir que vous m'ayez témoigné que je vous rendisse visite, j'ai cru, par le peu de plaisir que vous avez eu de la dernière, que je ferais beaucoup mieux de m'en abstenir, puisque aussi bien votre froideur m'ôte toute la joie que je recevais autrefois en vous voyant ; car en vérité je suis persuadé que je ne devais prétendre aucune part en vos bonnes grâces ni en votre confiance vu l'engagement où vous êtes qui ne souffre pas que vous regardiez hors de là et qu'il vous est honteux de manquer à ce que vous devez par des obligations essentielles. »

Bussy-Rabutin, *Histoire amoureuse des Gaules* 1665

EXERCICE 7

Trois personnages, la maîtresse, le valet et le jardinier, sont en scène. En vous appuyant sur les registres de langue, trouvez qui est qui et justifiez l'emploi du registre de langue correspondant.

« PHOCION : Enfin serai-je libre ? Je suis persuadée qu'Agis attend le moment de pouvoir me parler ; cette haine qu'il a pour moi me fait trembler pourtant. Mais que veulent encore ces domestiques ?

ARLEQUIN : Je suis votre serviteur, Madame.

DIMAS : Je vous saluons, Madame.

PHOCION : Doucement donc !

DIMAS : N'appriandez rin, je sommes seuls.

PHOCION : Que me voulez-vous ?

ARLEQUIN : Une petite bagatelle.

DIMAS : Oui, je venons ici tant seulement pour régler nos comptes.

ARLEQUIN : Pour voir comment nous sommes ensemble.

PHOCION : Eh ! de quoi est-il question ? Faites vite ! car je suis pressée.

DIMAS : Ah çà ! comme dit c't'autre, vous avons-je fait de bonne besogne ? »

Marivaux, *Le Triomphe de l'amour.* 1732

EXERCICE 8

Quel est le registre de langue des termes utilisés
– pour qualifier la mort
– pour qualifier la réaction du narrateur
– pour introduire les réflexions du narrateur ?

Qu'en concluez-vous sur l'attitude du narrateur face à la mort, face à la guerre ?

« Ce colonel, c'était donc un monstre ! A présent, j'en étais assuré, pire qu'un chien, il n'imaginait pas son trépas ! Je conçus en même temps qu'il devait y en avoir beaucoup des comme lui dans notre armée, des braves, et puis tout autant sans doute dans l'armée d'en face. Qui savait combien ? Un, deux, plusieurs millions peut-être en tout. Dès lors ma frousse devint panique. Avec des êtres semblables, s'arrêteraient-ils ? Jamais je n'avais senti plus implacable la sentence des hommes et des choses.

Serais-je donc le seul lâche sur la terre ? pensais-je. Et avec quel effroi !... Perdu parmi deux millions de fous héroïques et déchaînés et armés jusqu'aux cheveux ? »

Louis-Ferdinand Céline, *Voyage au bout de la nuit.* 1938, Éd. Gallimard

TROUVER ET UTILISER LE BON DICTIONNAIRE

Qu'il s'agisse d'avoir des précisions sur un auteur, sur une œuvre ; qu'il s'agisse de découvrir toutes les caractéristiques d'un héros, d'un lieu ou bien tout simplement lorsque l'orthographe d'un mot nous laisse hésitant, on peut et l'on doit consulter un dictionnaire. Leur liste semble inépuisable puisqu'on dénombre aujourd'hui plus de 1 000 titres !

Pour avoir des précisions sur le contenu d'un livre

Dictionnaire des œuvres de tous les temps et tous les pays. De Laffont-Bompiani et publié dans la collection *Bouquins* en 1980.

Vous y trouverez un résumé ainsi qu'une brève analyse de l'œuvre, qui vous permettront de situer le passage étudié et d'élargir votre interprétation.

Exemple de définition :

« **A REBOURS**. Roman le plus significatif de Joris-Karl Huysmans (1848-1907), paru en 1884. Il appartient à la « deuxième manière » de cet écrivain, c'est-à-dire à la période symboliste. L'auteur a créé, ici, une figure très représentative et devenue presque proverbiale, celle du noble des Esseintes. C'est le dernier descendant d'une famille illustre, de sang appauvri et de nerfs ultra-sensibles, voué dès le premier âge aux arts ou plus exactement aux délectations esthétiques. Ce héros a d'abord cherché en vain à satisfaire son inquiétude intérieure dans le vice et le désordre ; à présent il veut s'éloigner de la vulgarité de la vie réelle qui n'a plus aucun attrait pour son scepticisme. Il se crée en province un monde répondant à ses goûts, une maison où le moindre détail révèle sa haine de la banalité, et accuse son goût pour une esthétique décadente des plus raffinées. »

Pour trouver des renseignements sur un auteur

Dictionnaire des auteurs de tous les temps et de tous les pays. De Laffont-Bompiani et publié dans la collection *Bouquins* en 1980.

Vous y trouverez des renseignements biographiques qui vous permettront éventuellement d'éclairer un aspect du texte étudié. Vous vous familiariserez avec la personnalité de l'auteur.

Exemple de définition :

« **HUYSMANS Joris-Karl** (de son vrai nom Georges Charles Marie Huysmans). Écrivain français. Né et mort à Paris (5 février 1848-12 mai 1907). Il connut « une jeunesse d'humiliation et de pannes ». Né à Paris, mais héritier par son père d'une lignée d'artistes flamands, son enfance est assombrie par le remariage de sa mère. Élève assez terne au lycée Saint-Louis, il suit pendant quelque temps des cours de droit, puis devient, en 1868, petit fonctionnaire au ministère de l'Intérieur. Incorporé en 1870 dans les mobiles de la Seine, réintégré dans son ministère, il fait quelque temps après la guerre un voyage en Hollande à la suite duquel il prend les prénoms de Joris-Karl et publie en 1874, à ses frais, *Le Drageoir aux Épices* (*), recueil de poèmes en prose, suivi d'un premier roman, *Marthe, histoire d'une fille.* (...) »

Pour situer un livre dans son époque

Histoire littéraire de la France, publiée sous la direction de P. Abraham et de R. Desné aux Éditions Sociales Messidor en 1978.

Histoire de la littérature française, aux éditions Nathan (2 tomes).

Consultez les tableaux chronologiques qui vous permettront de situer l'œuvre dans la vie littéraire de son époque, de la mettre en relation avec des événements politiques ou artistiques. Complétez votre consultation par la lecture du chapitre sur l'auteur.

Exemple de rubriques, année 1901 :

« • Musique - Arts plastiques - Urbanisme
Ravel : *Jeux d'eau.*
R. Strauss : *Feuersnot.*
† Verdi. (...)

• Littérature française
Zola : *Travail.*
France : *M. Bergeret à Paris.*
Bazin : *Les Oberlé.* (...)

• Littérature étrangère
Trad. Gorki : *Les Vagabonds.*
Trad. Wells : *L'Homme invisible.*
Trad. Kipling : *Kim.* (...) »

Pour connaître encore mieux un héros de roman

300 héros et personnages du roman français d'Atala à Zazie. De Pierre Ajame, publié aux éditions Balland en 1981.

Vous y trouverez la « fiche signalétique » du héros établie à partir des indices collectés dans l'œuvre. Vous choisirez ceux qui sont pertinents pour votre explication et vous irez faire connaissance avec le personnage dans son véritable milieu, le roman ou la pièce de théâtre.

Extraits d'une fiche signalétique :

« **DES ESSEINTES**
Jean.
Nationalité : française.
Époque : XIXe siècle.
Age : trente ans.
Domiciles : le château de Lourps en Seine-et-Marne, Paris et Fontenay-aux-Roses.
Aspect physique : *« Grêle jeune homme anémique et nerveux, aux joues caves, aux yeux d'un bleu froid d'acier, aux mains sèches et fluettes, qui, par un singulier phénomène d'atavisme, ressemblait à l'antique aïeul, au mignon dont il avait la barbe en pointe d'un blond extraordinairement pâle. »*
Santé : anémique. Prédisposé dès l'enfance à toutes sortes de troubles nerveux. A trente ans, atteint de schizophrénie. Victime enfin d'une *« incurable névrose »* propre aux races *« à bout de sang »*.
Habillement : prototype du dandy baudelairien, choisit ses toilettes en harmonie avec ses états d'âme. *« Costume de velours blanc, gilets d'orfroi... en guise de cravate un bouquet de Parme dans l'échancrure décolletée d'une chemise »* (...)
Famille : sa mère *« silencieuse et blanche »* meurt *« d'épuisement »* ; son père succombe peu de temps après à *« une maladie vague »*. »

Pour avoir des précisions sur un nom

Consultez le ***Dictionnaire étymologique des noms propres*** pour trouver l'origine d'un nom. Il est bien rare qu'un nom de personnage ne contienne pas quelques connotations... Pour situer un nom et le domaine auquel il appartient, jetez un coup d'œil dans *Le Grand Robert des Noms Propres.*

Pour situer un héros de l'antiquité

Dictionnaire de la mythologie grecque et romaine, de Pierre Grimal. Publié aux éditions P.U.F. en 1969.

Exemple de définition :

« **ORPHÉE**. (Ὀρφεύς.) Le mythe d'Orphée est l'un des plus obscurs et les plus chargés de symbolisme que connaisse la mythologie hellénique. Attesté à une date très ancienne, il s'est développé jusqu'à devenir une véritable théologie, autour de laquelle existait une littérature très abondante et, dans une large mesure, ésotérique. Le mythe d'Orphée n'a pas été sans exercer une influence certaine sur la formation du christianisme primitif et il est attesté dans l'iconographie chrétienne.

Orphée est unanimement donné comme le fils d'Oeagre (v. ce nom). Les traditions diffèrent sur le nom de sa mère. Le plus souvent, il passe pour le fils de Calliope,la plus haute en dignité des neuf Muses. (...) »

Si le héros du roman est un joueur...

Vous trouverez toutes les règles du jeu dans le ***Dictionnaire des jeux.***

Exemple :

« **PHARAON**. Comme beaucoup d'autres jeux de hasard, le *pharaon* dérive du *loto* (voir ce mot). Il se rapproche du *lansquenet* (voir ce mot) et du *boca* (voir ce mot), qu'il remplaça, au XVIIe siècle, lorsque celui-ci fut interdit. Mais le pharaon ne tarda pas à subir le même sort, ce qui ne l'empêcha pas d'être pratiqué en haut lieu, et jusque par Marie-Antoinette, comme l'attestent plusieurs écrivains de cette époque.

Le pharaon se joue en nombre illimité. Le banquier est au centre. Devant lui est un tableau divisé en deux cases. Les joueurs déposent leurs enjeux. Le banquier tire alors deux cartes. (...) »

9 Récit et discours

Récit

A la fin du roman « Salammbô », après une guerre longue et sanglante, les Carthaginois sont définitivement vainqueurs des Barbares. Ils se vengent sur Mâtho, le dernier Barbare capturé.

1 « Un enfant lui déchira l'oreille ; une jeune fille, dissimulant sous sa manche la pointe d'un fuseau, lui fendit la joue ; on lui enlevait des poignées de cheveux, des lambeaux de chair ; d'autres avec des bâtons où tenaient des éponges imbibées d'immondices, lui tamponnaient le visage. Du côté droit de sa gorge, un flot de sang jaillit : aussitôt le délire commença. Ce 5 dernier des Barbares leur présentait tous les Barbares, toute l'armée ; ils se vengaient sur lui de leurs désastres, de leurs terreurs, de leurs opprobres. La rage du peuple se développait en s'assouvissant ; les chaînes trop tendues se courbaient, allaient se rompre ; ils ne sentaient pas les coups des esclaves frappant sur eux pour les refouler ; d'autres se cramponnaient aux saillies des maisons ; toutes les ouvertures dans les murailles étaient bouchées par des têtes ; et le mal 10 qu'ils ne pouvaient lui faire, ils le hurlaient.

C'étaient des injures atroces, immondes, avec des encouragements ironiques et des imprécations ; et comme ils n'avaient pas assez de sa douleur présente, ils lui en annonçaient d'autres plus terribles encore pour l'éternité.

Ce vaste aboiement emplissait Carthage, avec une continuité stupide. Souvent une seule 15 syllabe, une intonation rauque, profonde, frénétique, était répétée durant quelques minutes par le peuple entier. De la base au sommet les murs en vibraient et les deux parois de la rue semblaient à Mâtho venir contre lui et l'enlever du sol, comme deux bras immenses qui l'étouffaient dans l'air.

Cependant il se souvenait d'avoir, autrefois, éprouvé quelque chose de pareil. C'était la même 20 foule sur les terrasses, les mêmes regards, la même colère ; mais alors il marchait libre, tous s'écartaient, un Dieu le recouvrait ; et ce souvenir, peu à peu se précisant, lui apportait une tristesse écrasante. Des ombres passaient devant ses yeux ; la ville tourbillonnait dans sa tête, son sang ruisselait par une blessure de sa hanche, il se sentait mourir ; ses jarrets plièrent, et il s'affaissa tout doucement, sur les dalles.

25 Quelqu'un alla prendre, au péristyle du temple de Melkarth, la barre d'un trépied rougie par des charbons, et, la glissant sous la première chaîne, il l'appuya contre sa plaie. On vit la chair fumer ; les huées du peuple étouffèrent sa voix ; il était debout.

Six pas plus loin, et une troisième, une quatrième fois encore il tomba ; toujours un supplice nouveau le relevait. On lui envoyait avec des tubes des gouttelettes d'huile bouillante ; on sema 30 sous ses pas des tessons de verre ; il continuait à marcher. Au coin de la rue de Sateb, il s'accota sous l'auvent d'une boutique, le dos contre la muraille, et n'avança plus. »

Gustave Flaubert, *Salammbô*, 1862

Discours

A la publication de « Salammbô », Sainte-Beuve rédige une critique très sévère. Il reproche à Flaubert « une pointe d'imagination sadique ». Celui-ci répond :

1 « Et puisque nous sommes en train de nous dire nos vérités, franchement, je vous avouerai, cher maître, que *la pointe d'imagination sadique* m'a un peu blessé. Toutes vos paroles sont graves. Or un tel mot de vous, lorsqu'il est imprimé, devient presque une flétrissure. Oubliez-vous que je me suis assis sur les bancs de la Correctionnelle comme prévenu d'outrage 5 aux mœurs, et que les imbéciles et les méchants se font des armes de tout ? Ne soyez donc pas étonné si un de ces jours vous lisez dans quelque petit journal diffamateur, comme il en existe, quelque chose d'analogue à ceci : « M. G. Flaubert est un disciple de Sade. Son ami, son parrain, un maître en fait de critique, l'a dit lui-même assez clairement, bien qu'avec cette finesse et cette bonhomie railleuse, qui etc. » Qu'aurais-je à répondre, — et à faire ? »

Lettre de Flaubert à Sainte-Beuve, décembre 1862

Récit et discours sont les deux catégories fondamentales d'énoncés. Grâce à leurs caractéristiques spécifiques, on peut déterminer si un texte appartient à l'une ou à l'autre de ces deux catégories. On obtient alors de précieuses indications sur la situation de communication et les intentions de celui qui émet le message.

Définition du récit et du discours

Le récit est une histoire, celle d'événements réels ou imaginaires ; l'auteur n'intervient pas directement : aucune communication directe ne s'établit entre émetteur et récepteur. Les genres utilisant surtout le récit sont les romans, les nouvelles, les biographies et autobiographies, les fables, les histoires drôles...

Le discours est un dialogue, un commentaire, une explication, une argumentation ; il ne raconte pas quelque chose, il parle à propos de quelque chose ; l'émetteur (l'auteur) s'affirme souvent comme présent, et manifeste l'intention d'influencer l'autre. Les genres utilisant le discours sont les essais, le théâtre, les ouvrages critiques, les articles de fond de journaux et de magazines, les modes d'emploi...

Caractéristiques spécifiques du récit et du discours

	Récit	**Discours**
Les temps dominants	— Passé simple et présent de narration ; — Imparfait indiquant la répétition ou la durée d'une action, la description d'un lieu ou d'un personnage. *Exemple* : ici, le passé simple cède assez souvent la place à l'imparfait de répétition.	— Passé composé et présent. *Exemple* : ici, le présent est dominant.
Les pronoms personnels	— La 3e personne domine. — Si l'on rencontre le « je », il ne s'agit pas du sujet parlant, mais du passé de l'émetteur se prenant lui-même comme objet (autobiographie), ou d'un narrateur fictif distinct de l'auteur.	— La 1re et la 2e personnes sont utilisées dès que s'affirme la relation entre l'émetteur et le récepteur. *Exemple* : ici, le « je » et le « tu » sont même rassemblés un instant dans le « nous ».
Les indicateurs de lieu et de temps	Le repérage se fait par rapport aux événements entre eux : ce sont des lieux et des moments internes à l'histoire. *Exemple* : « aussitôt » (l. 4) ≠ dès maintenant ; « six pas plus loin » (l. 28) ≠ à six pas d'ici.	Le repérage se fait par rapport à la situation d'énonciation, par rapport au présent de l'énonciateur et au lieu qu'il occupe (déictiques, mod. 9) *Exemple* : « un de *ces* jours » (l. 6) : le démonstratif montre que cette date est fixée par rapport au présent de l'émetteur.
Les révélateurs du degré de conviction et de l'opinion de l'émetteur	Absents, dans la mesure où l'émetteur s'efface.	Présents : l'auteur prend position quant à la vérité/fausseté, certitude/incertitude de son propre énoncé. *Exemple* : ici, l'adverbe « franchement » (l. 1).

L'alternance discours/récit dans un texte

- **Le récit à l'intérieur du discours**

C'est le cas où l'auteur illustre son propos par une anecdote. Il veut ainsi justifier plus concrètement ce que le discours lui permet de démontrer théoriquement.

Exemple : dans un manuel de sciences naturelles, de physique, le récit d'une expérience accompagne et permet la déduction théorique qui, elle, est un discours.

- **Le discours à l'intérieur du récit**

Il permet au narrateur d'apporter des précisions extérieures au récit, pour mieux comprendre le récit ou pour le prolonger.

Exemple : dans un journal, le commentaire d'un fait divers peut conduire à des remarques générales.

Il permet aussi à l'auteur d'intervenir lui-même en s'adressant au lecteur, ce qui transforme la situation de communication : le narrateur caché se transforme en interlocuteur du lecteur, ce qui crée une connivence.

Exemple : dans son roman *Jacques le Fataliste,* Diderot pratique un aller-retour incessant du récit au discours.

EXERCICE 1

Les deux textes suivants sont du même auteur et abordent le même sujet : lequel est un discours, lequel est un récit, pourquoi ?

Texte 1

(Coupeau, qui refuse de boire, est pris à parti par ses compagnons de travail lorsqu'il arrive avec Gervaise au bar de l'Assommoir)

« — Comment ! c'est cet aristo de Cadet-Cassis ! cria Mes-Bottes, en appliquant une rude tape sur l'épaule de Coupeau. Un joli monsieur qui fume du papier et qui a du linge !... On veut donc épater sa connaissance, on lui paye des douceurs !

— Hein ! ne m'embête pas ! répondit Coupeau, très contrarié.

Mais l'autre ricanait.

— Suffit ! on est à la hauteur, mon bonhomme... Les mufes sont des mufes, voilà !

Il tourna le dos, après avoir louché terriblement, en regardant Gervaise. Celle-ci se reculait, un peu effrayée. La fumée des pipes, l'odeur forte de tous ces hommes, montaient dans l'air chargé d'alcool ; et elle étouffait, prise d'une petite toux.

— Oh ! c'est vilain de boire ! dit-elle à demi-voix.

Et elle raconta qu'autrefois, avec sa mère, elle buvait de l'anisette, à Plassans. Mais elle avait failli en mourir un jour, et ça l'avait dégoûtée ; elle ne pouvait plus voir les liqueurs.

— Tenez, ajouta-t-elle en montrant son verre, j'ai mangé ma prune ; seulement, je laisserai la sauce, parce que ça me ferait du mal. »

Zola, *l'Assommoir*

Texte 2

« Si l'on voulait me forcer absolument à conclure, je dirais que tout *l'Assommoir* peut se résumer dans cette formule : Fermez les cabarets, ouvrez les écoles. L'ivrognerie dévore le peuple. Consultez les statistiques, allez dans les hôpitaux, faites une enquête, vous verrez si je mens. L'homme qui tuerait l'ivrognerie ferait plus pour la France que Charlemagne et Napoléon. J'ajouterai encore : Assainissez les faubourgs et augmentez les salaires. La question du logement est capitale ; les puanteurs de la rue, l'escalier sordide, l'étroite chambre où dorment pêle-mêle les pères et les filles, les frères et les sœurs, sont la grande cause de la dépravation des faubourgs. Le travail écrasant qui rapproche l'homme de la brute, le salaire insuffisant qui décourage et fait chercher l'oubli, achèvent d'emplir les cabarets et les maisons de tolérance. Oui, le peuple est ainsi, mais parce que la société le veut bien. »

Zola, Lettre du 13 février 1877
au Directeur du *Bien Public*

EXERCICE 2

Le texte suivant comporte un récit et un discours. Repérez-les et expliquez le rôle du discours, sachant que ce texte est situé à la fin du roman de Balzac.

« Revenu chez lui, le comte écrivit une lettre très courte, et chargea son valet de chambre de la porter à Mme de Beauséant, en lui recommandant de faire savoir à la marquise qu'il s'agissait de vie ou de mort pour lui.

Le messager parti, M. de Nueil rentra dans le salon et y trouva sa femme qui continuait à déchiffrer le caprice. Il s'assit en attendant la réponse. Une heure après, le caprice fini, les deux époux étaient l'un devant l'autre, silencieux, chacun d'un côté de la cheminée, lorsque le valet de chambre revint de Valleroy, et remit à son maître la lettre qui n'avait pas été ouverte.

M. de Nueil passa dans un boudoir attenant au salon, où il avait mis son fusil en revenant de la chasse, et se tua.

Ce prompt et fatal dénouement, si contraire à toutes les habitudes de la jeune France, est naturel.

Les gens qui ont bien observé, ou délicieusement éprouvé les phénomènes auxquels l'union parfaite de deux êtres donne lieu, comprendront parfaitement ce suicide.

Une femme ne se forme pas, ne se plie pas en un jour aux caprices de la passion. La volupté, comme une fleur rare, demande les soins de la culture la plus ingénieuse ; le temps, l'accord des âmes, peuvent seuls en révéler toutes les ressources, faire naître ces plaisirs tendres, délicats, pour lesquels nous sommes imbus de mille superstitions et que nous croyons inhérents à la personne dont le cœur nous les prodigue.

Cette admirable entente, cette croyance religieuse, et la certitude féconde de ressentir un bonheur particulier ou excessif près de la personne aimée, sont en partie le secret des attachements durables et des longues passions. Près d'une femme qui possède le génie de son sexe, l'amour n'est jamais une habitude : son adorable tendresse sait revêtir des formes si variées ; elle est si spirituelle et si aimante tout ensemble ; elle met tant d'artifices dans sa nature, ou de naturel dans ses artifices, qu'elle se rend aussi puissante par le souvenir qu'elle l'est par sa présence. Auprès d'elle toutes les femmes pâlissent. Il faut avoir eu la crainte de perdre un amour si vaste, si brillant, ou l'avoir perdu pour en connaître tout le prix. Mais si l'ayant connu, un homme s'en est privé pour tomber dans quelque mariage froid ; si la femme avec laquelle il a espéré rencontrer les mêmes félicités lui prouve, par quelques-uns de ces faits ensevelis dans les ténèbres de la vie conjugale, qu'elles ne renaîtront plus pour lui ; s'il a encore sur les lèvres le goût d'un amour céleste, et qu'il ait blessé mortellement sa véritable épouse au profit d'une chimère sociale, alors il faut mourir ou avoir cette philosophie matérielle, égoïste, froide, qui fait horreur aux âmes passionnées ».

Honoré de Balzac, *la Femme abandonnée*

EXERCICE 3

Dans le texte suivant, Diderot alterne récit et discours.

1) En repérant tous les indices, en particulier temps, modes et personnes des verbes, délimitez avec précision les passages en discours et les passages en récit, y compris à l'intérieur du récit de Jacques lui-même.

2) A votre avis, quelle réaction Diderot cherche-t-il à provoquer chez le lecteur ? Que veut-il mettre en évidence dans le rapport du lecteur au récit romanesque, et pourquoi ?

« Jacques commença l'histoire de ses amours. C'était l'après-dînée : il faisait un temps lourd ; son maître s'endormit. La nuit les surprit au milieu des champs ; les voilà fourvoyés. Voilà le maître dans une colère terrible et tombant à grands coups de fouet sur son valet, et le pauvre diable disant à chaque coup : « Celui-là était apparemment encore écrit là-haut... »

Vous voyez, lecteur, que je suis en beau chemin, et qu'il ne tiendrait qu'à moi de vous faire attendre un an, deux ans, trois ans, le récit des amours de Jacques, en le séparant de son maître et en leur faisant courir à chacun tous les hasards qu'il me plairait. Qu'est-ce qui m'empêcherait de marier le maître et de le faire cocu ? d'embarquer Jacques pour les îles ? d'y conduire son maître ? de les ramener tous les deux en France sur le même vaisseau ? Qu'il est facile de faire des contes ! Mais ils en seront quittes l'un et l'autre pour une mauvaise nuit, et vous pour ce délai.

L'aube du jour parut. Les voilà remontés sur leurs bêtes et poursuivant leur chemin. — Et où allaient-ils ? — Voilà la seconde fois que vous me faites cette question, et la seconde fois que je vous réponds : Qu'est-ce que cela vous fait ? Si j'entame le sujet de leur voyage, adieu les amours de Jacques... Ils allèrent quelque temps en silence. Lorsque chacun fut un peu remis de son chagrin, le maître dit à son valet : « Eh bien, Jacques, où en étions-nous de tes amours ?

JACQUES. — Nous en étions, je crois, à la déroute de l'armée ennemie. On se sauve, on est poursuivi, chacun pense à soi. Je reste sur le champ de bataille, enseveli sous le nombre des morts et des blessés, qui fut prodigieux. Le lendemain on me jeta, avec une douzaine d'autres, sur une charrette, pour être conduit à un de nos hôpitaux. Ah ! monsieur, je ne crois pas qu'il y ait de blessures plus cruelles que celle du genou.

LE MAÎTRE. — Allons donc, Jacques, tu te moques.

JACQUES. — Non, pardieu, monsieur, je ne me moque pas ! Il y a là je ne sais combien d'os, de tendons, et bien d'autres choses qu'ils appellent je ne sais comment... »

Denis Diderot, *Jacques le Fataliste et son maître*

EXERCICE 4

Le texte ci-dessous alterne le récit et le discours ; où est le récit, où est le discours ? Justifiez vos réponses et dites quel rapport récit et discours entretiennent entre eux. Puis composez à votre tour un texte sur le même modèle, développant au choix l'une des idées suivantes :

— Sa timidité pose au timide de nombreux problèmes.

— On a souvent besoin d'un plus petit que soi.

— Les gens moqueurs trouvent toujours plus moqueurs qu'eux.

Texte

« Je ne suis pas bon naturaliste (qu'ils disent) et ne sais guère par quels ressorts la peur agit en nous ; mais tant il y a que c'est une étrange passion ; et disent les médecins qu'il n'en est aucune qui emporte plutôt notre jugement hors de sa due assiette. De vrai, j'ai vu beaucoup de gens devenus insensés de peur ; et, aux plus rassis, il est certain, pendant que son accès dure, qu'elle engendre de terribles éblouissements. Je laisse à part le vulgaire, à qui elle représente tantôt les bisaïeuls sortis du tombeau enveloppés en leur suaire, tantôt des loups-garous, des lutins et des chimères. Mais parmi les soldats mêmes, où elle devrait trouver moins de place, combien de fois a-t-elle changé un troupeau de brebis en escadron de corselets ? des roseaux et des cannes en gens d'armes et lanciers ? nos amis en nos ennemis ? et la croix blanche à la rouge ?

Lorsque monsieur de Bourbon prit Rome, un porte-enseigne qui était à la garde du bourg Saint-Pierre fut saisi d'un tel effroi à la première alarme que par le trou d'une ruine il se jeta, l'enseigne au poing, hors la ville, droit aux ennemis, pensant tirer vers le dedans de la ville ; et à peine enfin, voyant la troupe de monsieur de Bourbon se ranger pour le soutenir, estimant que ce fût une sortie que ceux de la ville fissent, il se reconnut, et tournant tête, rentra par ce même trou par lequel il était sorti plus de trois cents pas avant en la campagne. »

Montaigne, *Essais, I*
(orthographe modernisée)

10 Les différents types de textes

Texte narratif :

« Antoine a sept ans, peut-être huit. Il sort d'un grand magasin, entièrement habillé de neuf, comme pour affronter une vie nouvelle. Mais pour l'instant, il est encore un enfant qui donne la main à sa bonne, boulevard Haussmann.

Il n'est pas grand et ne voit devant lui que des jambes d'hommes et des jupes très affairées. Sur la chaussée, des centaines de roues qui tournent ou s'arrêtent aux pieds d'un agent âpre comme un rocher.

Avant de traverser la rue du Havre, l'enfant remarque, à un kiosque de journaux, un énorme pied de footballeur qui lance un ballon dans des « buts » inconnus. Pendant qu'il regarde fixement la page de l'illustré, Antoine a l'impression qu'on le sépare violemment de sa bonne. Cette grosse main à bague noire et or qui lui frôla l'oreille ?

L'enfant est entraîné dans un remous de passants. (...) »

Jules Supervielle, *Le Voleur d'enfants*, (académie d'Amiens)

Texte descriptif :

« Venues du plus brouillé de l'horizon, les lames avançaient les unes derrière les autres, roulant, déferlant, se creusant, portant des crêtes blanches que le vent fauchait au passage, ainsi qu'au rempart de la terre. Là, elles se levaient une dernière fois très haut, suspendues un instant comme gelées, et l'on voyait le large creux couleur de métal où étincelaient des paillettes ; puis elles se rabattaient brièvement, avec un claquement de couvercle ; le déferlement commençait très loin au bout de la baie, et se rapprochait, ébranlant sourdement le socle de la terre au passage, jusqu'à atteindre le point du littoral où se trouvait Besson... »

J.M.G. Le Clézio, *Le Déluge*, (académie des Antilles)

Texte argumentatif :

« Ce que je reproche aux jurés, c'est surtout le manque d'audace de leur choix. Nombre de livres sont éliminés parce qu'ils sont jugés trop littéraires ! Prix littéraires alors ou prix populaires ? Proust, aujourd'hui, n'aurait pas le Goncourt. On table sur le succès immédiat et pas sur les classiques à venir. Or, nous avons besoin d'eux. Moi, j'accepte toutes les magouilles si elles servent les intérêts des chefs-d'œuvre. Hélas, elles ne favorisent que les produits moyens. Georges Perec, il y a quelques années, peu avant sa mort, a raté le Goncourt. Pourtant, plus personne ne conteste qu'il s'agissait d'un immense écrivain de son temps ! On ne se serait pas enfermé dans un ghetto élitaire en le couronnant puisque son œuvre figure déjà dans tous les manuels de littérature contemporaine ! »

Patrick Grainville, *« Proust n'aurait pas eu le Goncourt »*,
V.S.D. n° 531

Texte explicatif :

« Qu'est-ce qu'un sampler ? C'est un appareil qui enregistre toute source sonore et qui la convertit en langage informatique : en numérique.

On capte un son avec un très bon micro, et, une fois stocké en mémoire (la plupart du temps sur une disquette), on peut ainsi le rejouer à l'aide d'un clavier de commande. On pourrait tout aussi bien le déclencher à l'aide des « pads » d'une batterie électronique ou encore au moyen d'une guitare Midi. »

Alphonse Leduc, *Musique pratique*

Texte injonctif :

« Répondez au questionnaire du professeur Schwarzenberg. Relevez avec nous ce défi : Par le dépistage précoce et la prévention, diminuer de moitié le nombre de victimes du cancer, augmenter de moitié les guérisons. »

Couverture de la revue de l'Association, *Fondamental*, octobre 87

Un texte appartient à tel ou tel type selon ce que l'auteur veut que son lecteur connaisse ou réalise. Les textes narratifs et descriptifs peignent le concret ; les textes explicatifs et argumentatifs servent à transmettre les idées ; le type injonctif engage à l'action. Un texte appartient souvent successivement à plusieurs types.

	fonction	**caractéristiques**
le texte narratif	Il raconte ce qui arrive, ce qui se déroule dans le temps = c'est-à-dire qu'il : — fait revivre une action passée réelle (journal, autobiographie...) — fait vivre une action imaginaire (roman, conte...)	• fréquence de l'imparfait, du passé simple ou du présent de narration. • insistance sur les indications temporelles. *Exemple* : l'extrait de Supervielle est au présent de narration. Les indications temporelles sont : « pour l'instant », « avant », « pendant ».
le texte descriptif	Il s'efforce de produire une image que le lecteur (ou l'auditeur) ne voit pas mais qu'il peut imaginer. En d'autres termes, il rend sensible, par les mots, la configuration : — d'espaces (peinture d'un paysage...), — d'êtres (portraits), qu'ils soient : — réels ou imaginaires, — statiques ou évolutifs dans leur apparence.	• prédominance de l'imparfait ou du présent intemporel. • insistance sur les localisations. • présence d'indications temporelles, si la description se fait en évolution. *Exemple* : l'extrait de Le Clézio décrit un paysage, il est à l'imparfait. Les localisations sont nombreuses : « derrière », « jusqu'au », « là »... ; mais comme il y a évolution du paysage, les indications temporelles existent aussi : « un instant », « puis »...
le texte explicatif	Il analyse un phénomène ou une idée pour qu'ils soient bien compris (courant dans les ouvrages théoriques spécialisés dans tel ou tel domaine). — **Le type didactique** en fait partie : lui aussi explique, mais avec l'intention supplémentaire de faire retenir ce qui est expliqué, de transmettre un savoir.	• utilisation du présent intemporel • fréquents passages de la théorie à l'exemple. *Exemple* : l'extrait sur le sampler, écrit au présent, commence par donner la définition théorique avant de décrire le mode d'emploi.
le texte argumentatif	Il cherche à convaincre, il fournit les preuves qui permettent à un avis de l'emporter. Il a une thèse à défendre, et il la défend à l'aide d'arguments. — **Le type polémique** en fait partie, mais avec la préoccupation première d'intervenir *contre* une personne ou des idées : ce qui compte d'abord, ce n'est pas de persuader, c'est de vaincre (en grec, polemos signifie guerre).	• fréquence des liens logiques, car il y a souvent démonstration, avec parfois accumulation de preuves juxtaposées. • utilisation d'un ton souvent catégorique. *Exemple* : le texte de P. Grainville procède par liens d'opposition successifs : « or », « pourtant ».
le texte injonctif	Il propose une action (textes d'engagement moral, politique, social, mais aussi tous les textes transmettant des consignes : recette de cuisine, notice de montage...).	• fréquence de la 2e personne, ou de la 1re personne du pluriel si l'auteur s'implique. • emploi de l'impératif et assez souvent du futur de l'indicatif, parfois de l'infinitf. *Exemple* : dans le dernier texte, l'auteur s'adresse directement au lecteur ; 2e personne, impératif, présence du *nous* qui unit lecteur et auteur.

Un texte est rarement construit sur un seul type. La plupart du temps, dès que le texte prend une certaine ampleur, il actualise plusieurs types. L'étude alors peut prendre deux directions :

- si les types sont très mêlés, la recherche d'une dominante. *Exemple* : les deux textes de l'exercice 9.
- si les types sont utilisés de façon successive, le repérage précis des changements de type. *Exemple* : le texte de l'exercice 10.

EXERCICE 1

Voici des extraits de *Boule de suif*, de G. de Maupassant. Dites lesquels sont de type descriptif, lesquels de type narratif, en étudiant les temps des verbes principaux, les indicateurs de lieu. Quel extrait descriptif comporte des indicateurs de temps. Pourquoi ?

— « Mais le jour imperceptiblement grandissait. Ces flocons légers qu'un voyageur, Rouennais pur sang, avait comparé à une pluie de coton, ne tombaient plus. Une lueur sale filtrait à travers de gros nuages obscurs et lourds qui rendaient plus éclatante la blancheur de la campagne où apparaissaient tantôt une ligne de grands arbres vêtus de givre, tantôt une chaumière avec un capuchon de neige. »

— « Petite, ronde de partout, grasse à lard, avec des doigts bouffis, étranglés aux phalanges, pareils à des chapelets de courtes saucisses, avec une peau luisante et tendue, une gorge énorme qui saillait sous sa robe, [Boule de suif] restait cependant appétissante et courue, tant sa fraîcheur faisait plaisir à voir. Sa figure était une pomme rouge, un bouton de Pivoine prêt à fleurir, et là-dedans s'ouvraient, en haut, des yeux noirs magnifiques, ombragés de grands cils épais qui mettaient une ombre dedans ; en bas, une bouche charmante, étroite, humide pour le baiser, meublée de quenottes luisantes et microscopiques. »

— « Aussitôt qu'elle fut reconnue, des chuchotements coururent parmi les femmes honnêtes, et les mots de « prostituée », de « honte publique » furent chuchotés si haut qu'elle leva la tête. Alors elle promena sur ses voisins un regard tellement provocant et hardi qu'un grand silence aussitôt régna, et tout le monde baissa les yeux à l'exception de Loiseau, qui la guettait d'un air émoustillé. »

— « Au bout de trois heures de route, Loiseau ramassa ses cartes : “Il fait faim”, dit-il.

Alors sa femme atteignit un paquet ficelé d'où elle fit sortir un morceau de veau froid. Elle le découpa proprement par tranches minces et fermes, et tous deux se mirent à manger.

“Si nous en faisions autant”, dit la comtesse. On y consentit et elle déballa les provisions préparées pour les deux ménages. »

Maupassant, *Boule de suif*. 1880

EXERCICE 2

Parmi les extraits suivants de *Vol de Nuit*, de Saint-Exupéry, lesquels sont de type descriptif, lesquels de type narratif ? Analysez les temps des verbes principaux et les indicateurs de lieu et de temps ; dans quel extrait ces indicateurs ne correspondent pas à ce que le type offre le plus souvent ? Pourquoi ?

— « Pourtant la nuit montait, pareille à une fumée sombre, et déjà comblait les vallées. On ne distinguait plus celles-ci des plaines. Déjà pourtant s'éclairaient les villages, et leurs constellations se répondaient. Et lui aussi, du doigt, faisait cligner ses feux de position, répondait aux villages. La terre était tendue d'appels lumineux, chaque maison allumant son étoile, face à l'immense nuit, ainsi qu'on tourne un phare vers la mer. Tout ce qui couvrait une vie humaine déjà scintillait. Fabien admirait que l'entrée dans la nuit se fît cette fois, comme une entrée en rade, lente et belle. »

— « Il tapota le tableau de distribution électrique, toucha les contacts un à un, remua un peu, s'adossa mieux, et chercha la position la meilleure pour bien sentir les balancements des cinq tonnes de métal qu'une nuit mouvante épaulait. Puis il tâtonna, poussa en place sa lampe de secours, l'abandonna, la retrouva, s'assura qu'elle ne glissait pas, la quitta de nouveau pour tapoter chaque manette, les joindre à coup sûr, instruire ses doigts pour un monde d'aveugle. »

— « Il franchissait, paisible, la cordillère des Andes. Les neiges de l'hiver pesaient sur elle de toute leur paix. Les neiges de l'hiver avaient fait la paix dans cette masse, comme les siècles dans les châteaux morts. Sur deux cents kilomètres d'épaisseur, plus un homme, plus un souffle de vie, plus un effort. Mais des arêtes verticales, qu'à six mille d'altitude on frôle, mais des manteaux de pierre qui tombent droit, mais une formidable tranquillité. »

— « Comme, une liasse de papiers dans les mains, il rejoignait son bureau personnel, Rivière ressentit cette douleur vive au côté droit, qui, depuis quelques semaines, le tourmentait.

« Ça ne va pas... »

Il s'appuya une seconde contre le mur :

« C'est ridicule. »

Il se sentait, une fois de plus, ligoté comme un vieux lion, et une grande tristesse l'envahit. »

Saint-Exupéry, *Vol de Nuit*.
1931, Éd. Gallimard

EXERCICE 3

Parmi ces extraits du *Guide Michelin de la Hollande*, seul le type argumentatif ne figure pas. Identifiez chacun des autres types en justifiant votre réponse.

Puis écrivez à votre tour un texte de chaque type évoquant des aspects intéressants de votre région ou de votre ville.

Amsterdam « Une fois affranchie, par l'Union d'Utrecht (1579), de la tutelle espagnole, la ville connaît une grande prospérité à laquelle contribuent de façon active les nouveaux immigrés. Puis, à la fin du XVIIe siècle, arrivent d'Espagne et du Portugal des marranes, Juifs qui, convertis de force au catholicisme, continuaient à pratiquer leur religion en secret. Pour favoriser l'activité commerciale de ces derniers, les autorités leur accordent de grands privilèges. »

Le vieil Amsterdam « La plupart des maisons qui se dressent derrière les arbres au bord des canaux du centre de la ville, ont été construites aux XVIIe et XVIIIe siècles par de riches négociants. Un peu similaires avec leurs façade étroite, leur perron, elles diffèrent cependant par la couleur de leur brique, rosée, bleutée, violette ou grise, et par le décor de leur pignons.

Aux frontons dépassent des poutres à palans : les escaliers trop raides et trop étroits ne permettant pas l'accès des meubles, il n'est pas rare de voir à Amsterdam s'envoler un piano, une armoire ou un buffet. »

Delft, son peintre Vermeer « S'attachant à dépeindre les scènes de la vie quotidienne, il est de ceux qui, sans rompre avec la tradition, sans se départir du réalisme de mise à l'époque, révolutionnèrent l'art pictural. Chez Vermeer, l'anecdote disparaît, le sujet serait banal et quotidien s'il n'était mis en valeur par une science extraordinaire de la composition, de la géométrie, l'utilisation d'une matière onctueuse, de tons vifs (jaune citron, bleu ciel) remarquablement assemblés, et surtout par cette merveilleuse mise en scène de la lumière dont Vermeer est le grand virtuose. Ce jeu de lumière est particulièrement admirable dans la fameuse « Vue de Delft », prise du Hooikade avec le « petit pan de mur jaune » qui impressionnait tant Marcel Proust... »

Kampen « Passer sous la tour et suivre le Nieuwe Markt jusqu'au Burgwal, quai longeant le Burgel, canal qui traverse la ville. Là, prendre à gauche. »

La Hollande, D'après le guide vert Michelin

EXERCICE 4

Les trois extraits suivants sont tirés de résumés donnés au Baccalauréat. Lequel est explicatif, lequel argumentatif, lequel injonctif ? Justifiez votre réponse.

— « On dit que les mathématiques servent à rectifier dans la jeunesse les erreurs du raisonnement. Mais on a répondu très ingénieusement et très solidement à la fois, que pour classer des idées, il fallait premièrement en avoir ; que prétendre arranger l'entendement d'un enfant, c'était vouloir arranger une chambre vide. Donnez-lui d'abord des notions claires de ses devoirs moraux et religieux ; enseignez-lui les lettres humaines et divines : ensuite, quand vous aurez donné les soins nécessaires à l'éducation du cœur de votre élève, quand son cerveau sera suffisamment rempli d'objets de comparaison et de principes certains, mettez-y de l'ordre, si vous le voulez, avec la géométrie. »

Chateaubriand.
Bac, Acad. d'Aix-Marseille, 1987

— « Les voyages sont organisés, l'aventure ne l'est pas. On la rencontre par hasard quand on s'écarte des routes fréquentées. Mais aujourd'hui tous les ports sont signalés et les vents qui soulèvent des tempêtes ne poussent plus les embarcations vers des terres inconnues. Les rescapés se font passer pour des aventuriers, les casse-cou pour les descendants d'Ulysse, les imprudents pour des compagnons de Robinson Crusoë. Drôles d'aventures modernes, simulacres de ce qui, autrefois, s'inscrivait en lettres d'or sur le livre de l'humanité. »

C. Colombani, L'Aventure aujourd'hui,
extrait de « Dossiers et documents » n° 135, Le Monde
Bac, Espagne, 1987

— « Je n'hésite pas à le déclarer, le diplôme est l'ennemi mortel de la culture. Plus les diplômes ont pris d'importance dans la vie (et cette importance n'a fait que croître à cause des circonstances économiques), plus le rendement de l'enseignement a été faible. Plus le contrôle s'est exercé, s'est multiplié, plus les résultats ont été mauvais.

Mauvais par ses effets sur l'esprit public et sur l'esprit tout court. Mauvais parce qu'il crée des espoirs, des illusions de droits acquis. Mauvais par tous les stratagèmes et les subterfuges qu'il suggère : les recommandations, les préparations stratégiques, et en somme, l'emploi de tous expédients pour franchir le seuil redoutable. C'est là, il faut l'avouer, une étrange et détestable initiation à la vie intellectuelle et civique. »

Paul Valéry.
Bac, Amérique du Nord, 1987

EXERCICE 5

Transformez le texte suivant, qui est descriptif, en un texte explicatif montrant les difficultés que rencontre l'Européen en milieu africain.

« D'Arrast remontait la pente glissante, gagnait les premières cases, trébuchait comme un homme ivre dans les chemins troués. La forêt grondait un peu, toute proche. Le bruit du fleuve grandissait, le continent tout entier émergeait dans la nuit et l'écœurement envahissait d'Arrast. Il lui semblait qu'il aurait voulu vomir ce pays tout entier, la tristesse de ses grands espaces, la lumière glauque des forêts, et le clapotis nocturne de ses grands fleuves déserts. Cette terre était trop grande, le sang et les saisons s'y confondaient, le temps se liquéfiait. La vie ici était à ras de terre, et, pour s'y intégrer, il fallait se coucher et dormir. Pendant des années, à même le sol boueux ou desséché. »

Camus, *l'Exil et le Royaume*.
1957, Éd. Gallimard

EXERCICE 6

Le passage suivant de Voltaire s'insurge ironiquement contre la censure. A votre tour, écrivez un texte injonctif, de la façon la plus loufoque possible, interdisant la vente du pain sur tout le territoire français.

« Pour l'édification des fidèles, et pour le bien de leurs âmes, nous leur défendons de jamais lire aucun livre, sous peine de damnation éternelle. Et, de peur que la tentation diabolique ne leur prenne de s'instruire, nous défendons aux pères et aux mères d'enseigner à lire à leurs enfants. Et, pour prévenir toute contravention à notre ordonnance, nous leur défendons expressément de penser, sous les mêmes peines ; enjoignons à tous les vrais croyants de dénoncer à notre officialité quiconque aurait prononcé quatre phrases liées ensemble, desquelles on pourrait inférer un sens clair et net.

Et pour empêcher qu'il n'entre quelque pensée en contrebande dans la sacrée ville impériale, commettons spécialement le premier médecin de Sa Hautesse, né dans un marais de l'Occident septentrional ; lequel médecin, ayant déjà tué quatre personnes augustes de la famille ottomane, est intéressé plus que personne à prévenir toute introduction de connaissances dans le pays : leur donnons pouvoir, par ces présentes, de faire saisir toute idée qui se présenterait par écrit ou de bouche aux portes de la ville, et nous amener la dite idée pieds et poings liés pour lui être infligé par nous tel châtiment qu'il nous plaira. »

Voltaire, *Le Dictionnaire philosophique*, 1764

EXERCICE 7

Sur le thème de la pollution, bâtissez :

— un texte descriptif montrant, peignant un lieu pollué ; un texte explicatif montrant les causes de cette pollution ; un texte argumentatif affirmant que cette pollution pouvait être évitée ; un texte injonctif demandant de tout faire pour supprimer cette pollution. Vous aurez alors un article complet sur la question !

EXERCICE 8

Voici un passage du *Zadig* de Voltaire. Repérez d'abord les deux types auxquels il appartient en délimitant bien le moment où l'on passe de l'un à l'autre, et en justifiant votre réponse. Puis faites-le précéder d'un passage descriptif imaginant les abords inquiétants du château. Et faites-le suivre d'un passage injonctif où le voleur Arbogad propose à Zadig de séjourner un peu chez lui et de s'allier à lui.

« ... Comme il passait près d'un château assez fort, des Arabes armés en sortirent. Il se vit entouré ; on lui criait : « Tout ce que vous avez nous appartient, et votre personne appartient à notre maître. » Zadig pour réponse tira son épée ; son valet, qui avait du courage, en fit autant. Ils renversèrent morts les premiers Arabes qui mirent la main sur eux ; le nombre redoubla ; ils ne s'étonnèrent point, et résolurent de périr en combattant. On voyait deux hommes se défendre contre une multitude ; un tel combat ne pouvait durer longtemps. Le maître du château, nommé Arbogad, ayant vu d'une fenêtre les prodiges de valeur que faisait Zadig, conçut de l'estime pour lui. Il descendit en hâte, et vint lui-même écarter ses gens et délivrer les deux voyageurs. »

« Tout ce qui passe sur mes terres est à moi, dit-il, aussi bien que ce que je trouve sur les terres des autres ; mais vous me paraissez un si brave homme que je vous exempte de la loi commune. » Il le fit entrer dans son château, ordonnant à ses gens de le bien traiter, et le soir, Arbogad voulut souper avec Zadig.

Le seigneur du château était un de ces Arabes qu'on appelle *voleurs* ; mais il faisait quelquefois de bonnes actions parmi une foule de mauvaises ; il volait avec une rapacité furieuse, et donnait libéralement ; intrépide dans l'action, assez doux dans le commerce, débauché à table, gai dans la débauche, et surtout plein de franchise. »

Voltaire, *Zadig*, 1747

EXERCICE 9

Chacun des deux textes suivants comporte un passage narratif et un passage descriptif. Repérez-les dans chaque texte, puis dites quel est le type dominant dans l'un et l'autre cas, en justifiant votre réponse.

— « Une vague déferla, courut sur la grève humide et lécha les pieds de Robinson qui gisait face contre sable. A demi-inconscient encore, il se ramassa sur lui-même et rampa de quelques mètres vers la plage. Puis il se laissa rouler sur le dos. Des mouettes noires et blanches tournoyaient en gémissant dans le ciel céruléen où une trame blanchâtre qui s'effilochait vers le levant était tout ce qui restait de la tempête de la veille. Robinson fit un effort pour s'asseoir et éprouva aussitôt une douleur fulgurante à l'épaule gauche. »

Michel Tournier, *Vendredi ou les limbes du Pacifique*, Éd. Gallimard

— « Dans la case, d'Arrast ne vit d'abord rien qu'un feu mourant, à même le sol, au centre exact de la pièce. Puis il distingua dans un coin, au fond, un lit de cuivre au sommier nu et défoncé, une table dans l'autre coin, couverte d'une vaisselle de terre et, entre les deux, une sorte de tréteau où trônait un chromo représentant saint Georges. Pour le reste, rien qu'un tas de loques, à droite de l'entrée et, au plafond, quelques pages multicolores qui séchaient au-dessus du feu. D'Arrast, immobile, respirait l'odeur de fumée et de misère qui montait du sol et le prenait à la gorge. »

Albert Camus, *L'Exil et le royaume*, 1957, Éd. Gallimard

EXERCICE 10

Dans cet extrait de *Candide*, les cinq types de textes sont tous représentés, un par paragraphe. Trouvez le type de chaque paragraphe en justifiant votre réponse par l'analyse des caractéristiques du type.

« ... Ils étaient entourés d'une cinquantaine d'Oreillons tout nus, armés de flèches, de massues et de haches de caillou : les uns faisaient bouillir une grande chaudière ; les autres préparaient des broches, et tous criaient : « C'est un jésuite, c'est un jésuite ! nous serons vengés, et nous ferons bonne chère ; mangeons du jésuite, mangeons du jésuite ! » (...)

Candide, apercevant la chaudière et les broches, s'écria : « Nous allons certainement être rôtis ou bouillis. Ah ! que dirait maître Pangloss, s'il voyait comme la pure nature est faite ? Tout est bien ; soit, mais j'avoue qu'il est bien cruel d'avoir perdu Mlle Cunégonde et d'être mis à la broche par des Oreillons. » Cacambo ne perdait jamais la tête. « Ne désespérez de rien, dit-il au désolé Candide ; j'entends un peu le jargon de ces peuples, je vais leur parler. — Ne manquez pas, dit Candide, de leur représenter quelle est l'inhumanité affreuse de faire cuire des hommes, et combien cela est peu chrétien. »

« Messieurs, dit Cacambo, vous comptez donc manger aujourd'hui un jésuite : c'est très bien fait ; rien n'est plus juste que de traiter ainsi ses ennemis. En effet le droit naturel nous enseigne à tuer notre prochain, et c'est ainsi qu'on en agit dans toute la terre. Si nous n'usons pas du droit de le manger, c'est que nous avons d'ailleurs de quoi faire bonne chère ; mais vous n'avez pas les mêmes ressources que nous ; certainement il vaut mieux manger ses ennemis que d'abandonner aux corbeaux et aux corneilles le fruit de sa victoire. Mais, messieurs, vous ne voudriez pas manger vos amis. Vous croyez aller mettre un jésuite en broche, et c'est votre défenseur, c'est l'ennemi de vos ennemis que vous allez rôtir. Pour moi, je suis né dans votre pays ; monsieur que vous voyez est mon maître, et, bien loin d'être jésuite, il vient de tuer un jésuite, il en porte les dépouilles : voilà le sujet de votre méprise. Pour vérifier ce que je vous dis, prenez sa robe, portez-la à la première barrière du royaume de Los Padres ; informez-vous si mon maître n'a pas tué un officier jésuite. Il vous faudra peu de temps ; vous pourrez toujours nous manger si vous trouvez que je vous ai menti. Mais, si je vous ai dit la vérité, vous connaissez trop les principes du droit public, les mœurs et les lois, pour ne nous pas faire grâce. »

Les Oreillons trouvèrent ce discours très raisonnable ; ils députèrent deux notables pour aller en diligence s'informer de la vérité ; les deux députés s'acquittèrent de leur commission en gens d'esprit, et revinrent bientôt apporter de bonnes nouvelles. Les Oreillons délièrent leurs deux prisonniers, leur firent toutes sortes de civilités, leur offrirent des filles, leur donnèrent des rafraîchissements, et les reconduisirent jusqu'aux confins de leurs États, en criant avec allégresse : « Il n'est point jésuite, il n'est point jésuite ! »

Candide ne se lassait point d'admirer le sujet de sa délivrance. « Quel peuple ! disait-il, quels hommes ! quelles mœurs ! Si je n'avais pas eu le bonheur de donner un grand coup d'épée au travers du corps du frère de Mlle Cunégonde, j'étais mangé sans rémission. Mais, après tout, la pure nature est bonne, puisque ces gens-ci, au lieu de me manger, m'ont fait mille honnêtetés dès qu'ils ont su que je n'étais pas jésuite. »

Voltaire, *Candide*, 1759, chap. XVI

11 Le ton d'un texte

Absurde

Raymond Devos, artiste comique contemporain, fonde très souvent ses sketches sur une fantaisie verbale qui peut mener à l'absurde.

1 « Je connaissais un sportif qui prétendait
avoir plus de ressort que sa montre.
Pour le prouver, il a fait la course contre
sa montre.
5 Il a remonté sa montre,
il s'est mis à marcher en même temps qu'elle.
Lorsque le ressort de la montre est arrivé en bout
de course, la montre s'est arrêtée.
Lui a continué,
10 et il a prétendu avoir gagné
en dernier ressort ! »

R. Devos, *Sens dessus dessous.* 1976 Éd. Stock

Pathétique

Paul et Virginie se sont aimés dès l'enfance. Paul, sans pouvoir la secourir, voit sous ses yeux mourir Virginie dans le naufrage, d'où le récit pathétique suivant.

1 « On vit alors un objet digne d'une éternelle pitié : une jeune demoiselle parut dans la galerie de la poupe du Saint-Géran, tendant les bras vers celui qui faisait tant d'efforts pour la joindre. C'était Virginie. Elle avait reconnu son amant à son intrépidité. La vue de cette aimable personne, exposée à un si terrible danger, nous remplit de douleur et de désespoir. Pour
5 Virginie, d'un port noble et assuré, elle nous faisait signe de la main, comme nous disant un éternel adieu. Tous les matelots s'étaient jetés à la mer. Il n'en restait plus qu'un sur le pont, qui était tout nu et nerveux comme Hercule. Il s'approcha de Virginie avec respect : nous le vîmes se jeter à ses genoux, et s'efforcer même de lui ôter ses habits ; mais elle, le repoussant avec dignité, détourna de lui sa vue. On entendit aussitôt les cris redoublés des spectateurs :
10 « Sauvez-la, sauvez-la ; ne la quittez pas ! » Mais dans ce moment une montagne d'eau d'une effroyable grandeur s'engouffra entre l'île d'Ambre et la côte, et s'avança en rugissant vers le vaisseau, qu'elle menaçait de ses flancs noirs et de ses sommets écumants. A cette terrible vue le matelot s'élança seul à la mer ; et Virginie, voyant la mort inévitable, posa une main sur ses habits, l'autre sur son cœur, et levant en haut ses yeux sereins, parut un ange qui prend son
15 vol vers les cieux. »

Bernardin de Saint-Pierre, *Paul et Virginie.* 1788

Tragique

Hernani, le héros de Victor Hugo, va mourir. Il voudrait ne pas entraîner celle qu'il aime, Doña Sol, dans cette mort inéluctable, et il exprime le tragique de sa destinée.

1 « Détrompe-toi. Je suis une force qui va !
Agent aveugle et sourd de mystères funèbres !
Une âme de malheur faite avec des ténèbres !
Où vais-je ? je ne sais. Mais je me sens poussé
5 D'un souffle impétueux, d'un destin insensé.
Je descends, je descends, et jamais ne m'arrête.
Si, parfois, haletant, j'ose tourner la tête,
Une voix me dit : Marche ! et l'abîme est profond,
Et de flamme ou de sang je le vois rouge au fond !
10 Cependant, à l'entour de ma course farouche,
Tout se brise, tout meurt. Malheur à qui me touche !
Oh ! fuis ! détourne-toi de mon chemin fatal !
Hélas ! sans le vouloir je te ferais du mal ! »

Victor Hugo, *Hernani.* 1830

Tout texte bien écrit est susceptible de créer chez son lecteur une émotion esthétique. Mais certains textes provoquent aussi une autre forme d'émotion : ils agissent sur l'humeur du lecteur pour la rendre plus gaie, plus triste, plus nostalgique... Ces textes ont ce qu'on appelle un ton, c'est-à-dire un ensemble de caractéristiques qui induisent un certain état affectif chez le destinataire.

Le ton comique

Il provoque l'amusement, voire le rire. Les formes de comique sont nombreuses et possèdent chacune leurs procédés.

	définition	procédés utilisés
la fantaisie verbale	Utilisation des ressources comiques du langage lui-même, jeux avec les mots.	• calembours • néologismes • énumérations inattendues... *Exemple :* le texte de Devos.
le comique parodique	Imitation moqueuse de quelqu'un ou de ce qui pourrait être dit, sérieusement, sur un sujet.	• détournements de mots et de phrases de leur sens premier • exagération fine des propos • glissements de sens.
l'absurde	Propos déroutants par leur absence de logique et leur caractère imprévisible.	décalages entre une forme apparemment très sérieuse et un contenu insensé *Exemple :* le texte de Devos.
l'humour	Mise en évidence, sans méchanceté, des aspects ridicules d'un personnage ou d'une situation.	• petites touches successives qui révèlent peu à peu le ridicule • ou chute finale qui dévoile ce ridicule.
l'ironie	Dénonciation au second degré de quelque chose d'inacceptable, le rire étant alors chargé d'un rôle de destructeur de ce qui est dénoncé.	le procédé le plus habituel est l'antiphrase. (mod 7)

Le ton pathétique

Son objectif est de provoquer une sorte d'attendrissement en portant à son extrême l'expression des sentiments. C'est le ton sur lequel on décrit des souffrances ou des luttes humaines dans des situations difficiles. L'exaltation y est fréquente ainsi que les changements de rythme pour mieux bouleverser le lecteur.

Exemple : Bernardin de Saint-Pierre emploie des termes très forts : « éternel », « terrible », « effroyable » ; et il n'hésite pas à faire intervenir les cris des spectateurs.

Le ton tragique

En général, l'émotion qu'il suscite naît de la conviction intime qu'il n'y a plus d'issue, que le destin s'acharne inéluctablement sur l'homme voué au désespoir et à la mort. Il agit plus par la gravité que par l'exaltation ; le débit du discours est assez égal, mais toujours avec une certaine ampleur.

Exemple : L'extrait d'Hernani, avec l'ampleur de l'alexandrin, annonce l'inévitable arrivée de la mort.

Le ton lyrique

Parlant de lui-même, l'auteur cherche à créer avec son lecteur une sorte de communauté d'âme, parce qu'il évoque, de façon exaltée ou méditative, des sentiments intimes communs à tous les hommes. Le « je » y est donc tout-puissant, mais il est parfois relayé par le « on » ou le « nous » rappelant le caractère universel de l'expérience personnelle. Cela se fait en jouant aussi sur la musicalité de la langue, ce qui explique que le lyrisme apparaisse surtout en poésie.

Le ton épique

Sa caractéristique principale est de donner aux êtres et aux événements une dimension qui les dépasse : ils représentent symboliquement les valeurs d'une société et l'aventure de tout un groupe. Les grandes forces collectives et cosmiques s'y expriment, avec éventuellement l'intervention du merveilleux.

EXERCICE 1

Dans le poème suivant, que pense V. Hugo de sa propre jeunesse ? A quoi le voyez-vous ? Quel est le ton employé ?

La coccinelle

« Elle me dit : Quelque chose
Me tourmente. » Et j'aperçus
Son cou de neige, et, dessus,
Un petit insecte rose.

J'aurais dû — mais, sage ou fou,
A seize ans on est farouche, —
Voir le baiser sur sa bouche
Plus que l'insecte à son cou.

On eût dit un coquillage ;
Dos rose et taché de noir.
Les fauvettes pour nous voir
Se penchaient dans le feuillage.

Sa bouche fraîche était là : —
Je me courbai sur la belle,
Et je pris la coccinelle ;
Mais le baiser s'envola.

« Fils, apprends comme on me nomme »,
Dit l'insecte du ciel bleu,
« Les bêtes sont au bon Dieu ;
Mais la bêtise est à l'homme. »

Hugo *Les Contemplations*, I, 15

EXERCICE 2

Oreste, parce qu'il aime Hermione, accepte de tuer l'amant qui la dédaigne. Mais Hermione lui reproche ensuite le meurtre commis et se tue. Oreste crie son désespoir sur deux tons mêlés. Lesquels ? Justifiez votre réponse.

« Grâce aux dieux ! mon malheur passe mon espérance !
Oui, je te loue, ô ciel, de ta persévérance !
Appliqué sans relâche au soin de me punir,
Au comble des douleurs tu m'as fait parvenir ;
Ta haine a pris plaisir à former ma misère ;
J'étais né pour servir d'exemple à ta colère,
Pour être du malheur un modèle accompli.
Hé bien ! je meurs content, et mon sort est rempli.
Où sont ces deux amants ? Pour couronner ma joie,
Dans leur sang, dans le mien, il faut que je me noie ;
L'un et l'autre en mourant je les veux regarder :
Réunissons trois cœurs qui n'ont pu s'accorder... »

Racine, *Andromaque*, scène finale

EXERCICE 3

Dans le texte suivant, quel est le ton du deuxième paragraphe ? Justifiez votre réponse. Quel est le ton que des Grieux, l'amant désespéré, refuse d'adopter ? A quoi le voit-on ? Pourquoi n'adopte-t-il pas ce ton ?

« Pardonnez, si j'achève en peu de mots un récit qui me tue. Je vous raconte un malheur qui n'eut jamais d'exemple. Toute ma vie est destinée à le pleurer. Mais, quoique je le porte sans cesse dans ma mémoire, mon âme semble reculer d'horreur, chaque fois que j'entreprends de l'exprimer.

Nous avions passé tranquillement une partie de la nuit. Je croyais ma chère maîtresse endormie et je n'osais pousser le moindre souffle, dans la crainte de troubler son sommeil. Je m'aperçus dès le point du jour, en touchant ses mains, qu'elle les avait froides et tremblantes. Je les approchais de mon sein, pour les échauffer. Elle sentit ce mouvement, et, faisant un effort pour saisir les miennes, elle me dit, d'une voix faible, qu'elle se croyait à la dernière heure. Je ne pris d'abord ce discours que pour un langage ordinaire dans l'infortune, et je n'y répondis que par les tendres consolations de l'amour. Mais, ses soupirs fréquents, son silence à mes interrogations, le serrement de ses mains, dans lesquelles elle continuait de tenir les miennes, me firent connaître que la fin de ses malheurs approchait.

N'exigez point de moi que je vous décrive mes sentiments, ni que je vous rapporte ses dernières impressions. Je la perdis ; je reçus d'elle des marques d'amour, au moment même qu'elle expirait. C'est tout ce que j'ai la force de vous apprendre de ce fatal et déplorable événement. »

Abbé Prévost, *Manon Lescaut*. 1731

EXERCICE 4

Dans le texte suivant, observez le choix des pronoms sujets ; qu'en déduire ? Observez aussi la coupe des vers : pourquoi l'auteur adopte-t-il ce rythme ? Quel est donc le ton du texte ?

Adrienne parle de son amour pour le fils de Toussaint :

« O jours délicieux ! ô ravissante aurore
De deux cœurs où l'amour rayonne avant d'éclore !
Jeux naïfs de l'enfance, où le secret surpris,
Se trahit mille fois avant d'être compris !
Pas qui cherchaient les pas, mains dans les mains gardées ;
Confidences du cœur dans les yeux regardées ;
Promenades sans but sur des pics hasardeux,

Où l'on se sent complet parce que l'on est deux ;
Source trouvée à l'ombre où la tête se penche ;
Fruits où l'on mord ensemble en inclinant la branche ;
Une heure effaça tout. Le jour vint ; il partit...
Je restai seule au monde et tout s'anéantit. »

Lamartine, *Toussaint Louverture*

EXERCICE 5

Lisez d'abord les deux premiers paragraphes du texte suivant. Quel en est le ton ? Justifiez votre réponse. Lisez maintenant les deux derniers paragraphes : sur quel ton le texte se termine-t-il ? Quel est le mot à double sens qui facilite le passage d'un ton à l'autre ?

L'extase

« La nuit était venue, la lune émergeait de l'horizon, étalant sur le pavé bleu du ciel sa robe couleur soufre.

J'étais assis près de ma bien-aimée, oh ! bien près ! Je serrais ses mains, j'aspirais la tiède senteur de son cou, le souffle enivrant de sa bouche, je me serrais contre son épaule, j'avais envie de pleurer ; l'extase me tenait palpitant, éperdu, mon âme volait à tire d'aile sur la mer de l'infini.

Tout à coup elle se leva, dégagea sa main, disparut dans la charmoie, et j'entendis comme un crépitement de pluie dans la feuillée.

Le rêve délicieux s'évanouit... ; je retombais sur la terre, sur l'ignoble terre. O mon Dieu ; c'était donc vrai, elle, la divine aimée, elle était, comme les autres, l'esclave de vulgaires besoins ! »

Huysmans, *A rebours*. 1887

EXERCICE 6

Dans le texte suivant, le comique repose sur un mot, lequel ? Analysez les malentendus sur les mots. Puis, à votre tour, bâtissez un court dialogue dont le comique naîtra d'un mot mal compris.

BÉLISE

Veux-tu toute ta vie offenser la grammaire ?

MARTINE

Qui parle d'offenser grand'mère ni grand'père ?

PHILAMINTE

O Ciel !

BÉLISE

Grammaire est prise à contre-sens par toi,
Et je t'ai dit d'où vient ce mot.

MARTINE

Ma foi !
Qu'il vienne de Chaillot, d'Auteuil, ou de Pontoise,
Cela ne me fait rien.

BÉLISE

Quelle âme villageoise !
La grammaire, du verbe et du nominatif,
Comme de l'adjectif avec le substantif,
Nous enseigne les lois.

MARTINE

J'ai, Madame, à vous dire
Que je ne connois pas ces gens-là !

PHILAMINTE

Quel martyre !

BÉLISE

Ce sont les noms des mots, et l'on doit regarder
En quoi c'est qu'il les faut faire ensemble accorder.

MARTINE

Qu'ils s'accordent entr'eux, ou se gourment, qu'importe ?

Molière, *Les Femmes savantes*, II, 6, 1672

EXERCICE 7

Le héros de *Germinal*, Étienne, a rassemblé les mineurs dans la forêt : il les pousse à la révolte. Zola utilise ici le ton épique : à quoi le voit-on et pourquoi a-t-il choisi ce ton ? Rédigez soigneusement votre réponse.

« Une acclamation roula jusqu'à lui, du fond de la forêt. La lune, maintenant, blanchissait toute la clairière, découpait en arêtes vives la houle des têtes, jusqu'aux lointains confus des taillis, entre les grands troncs grisâtres. Et c'était sous l'air glacial, une furie de visages, des yeux luisants, des bouches ouvertes, tout un rut de peuple, les hommes, les femmes, les enfants, affamés et lâchés au juste pillage de l'antique bien dont on les dépossédait. Ils ne sentaient plus le froid, ces ardentes paroles les avaient chauffés aux entrailles. Une exaltation religieuse les soulevait de terre, la fièvre d'espoir des premiers chrétiens de l'Église, attendant le règne prochain de la justice. Bien des phrases obscures leur avaient échappé, ils n'entendaient guère ces raisonnements techniques et abstraits ; mais l'obscurité même, l'abstraction élargissait encore le champ des promesses, les enlevait dans un éblouissement. Quel rêve ! être les maîtres, cesser de souffrir, jouir enfin ! »

Zola, *Germinal*. 1885

12 La ponctuation

Victor Hugo (1802-1885), romancier, poète et auteur dramatique, donne aux nombreuses luttes écrites dans son œuvre une grandeur épique ; la puissance de ses images mais encore son sens du rythme, qui se manifeste jusque dans sa prose, lui permettent d'atteindre cet effet de démesure. Cette page de Quatre-vingt treize *montre le parti que le romancier tire de la ponctuation.*

1 « Sur un navire transportant un passager clandestin, à destination de Saint-Malo, un singulier combat se déroule : la lutte d'un canonnier contre un gros canon qui, au gré des mouvements de la mer, heurte et fracasse les parois de l'embarcation.

« Alors une chose farouche commença ; spectacle titanique ; le combat du canon contre le 5 canonnier ; la bataille de la matière et de l'intelligence, le duel de la chose contre l'homme.

L'homme s'était posté dans un angle, et, sa barre et sa corde dans ses deux poings, adossé à une porque (1), affermi sur ses jarrets qui semblaient deux piliers d'acier, livide, calme, tragique, comme enraciné dans le plancher, il attendait.

Il attendait que le canon passât près de lui.

10 Le canonnier connaissait sa pièce, et il lui semblait qu'elle devait le connaître. Il vivait depuis longtemps avec elle. Que de fois il lui avait fourré la main dans la gueule ! C'était son monstre familier. Il se mit à lui parler comme à son chien.

Il l'aimait peut-être.

— Viens, disait-il.

15 Il paraissait souhaiter qu'elle vînt à lui.

Mais venir à lui, c'était venir sur lui. Et alors il était perdu. Comment éviter l'écrasement ? Là était la question. Tous regardaient, terrifiés.

Pas une poitrine ne respirait librement, excepté peut-être celle du vieillard qui était seul dans l'entrepont (2) avec les deux combattants, témoin sinistre (3).

20 Il pouvait lui-même être broyé par la pièce. Il ne bougeait pas.

Sous eux le flot, aveugle, dirigeait le combat.

Au moment où, acceptant ce corps à corps effroyable, le canonnier vint provoquer le canon, un hasard des balancements de la mer fit que la caronade (4) demeura un moment immobile et comme stupéfaite. « Viens donc ! » lui disait l'homme. Elle semblait écouter.

25 Subitement elle sauta sur lui. L'homme esquiva le choc.

La lutte s'engagea. Lutte inouïe. Le fragile se colletait avec l'invulnérable. Le belluaire (5) de chair attaquant la bête d'airain. D'un côté une force, de l'autre une âme.

Tout cela se passait dans une pénombre. C'était comme la vision indistincte d'un prodige.

Une âme ; chose étrange, on eût dit que le canon en avait une, lui aussi ; mais une âme de 30 haine et de rage. Cette cécité paraissait avoir des yeux. Le monstre avait l'air de guetter l'homme. Il y avait, on l'eût pu croire du moins, de la ruse dans cette masse. Elle aussi choisissait son moment. C'était on ne sait quel gigantesque insecte de fer ayant ou semblant avoir une volonté de démon. Par moment cette sauterelle colossale cognait le plafond bas de la batterie (6), puis elle retombait sur ses quatre roues comme un tigre sur ses quatre griffes, 35 et se remettait à courir sur l'homme. Lui, souple, agile, adroit, se tordait comme une couleuvre sous tous ces mouvements de foudre. Il évitait les rencontres, mais les coups auxquels il se dérobait tombaient sur le navire et continuaient de le démolir. »

Victor Hugo, *Quatre-vingt treize, (Ire partie, livre 23, Ch. V),* 1874

(1) Pièce de construction de renfort, pour les bateaux.
(2) Espace compris entre deux ponts d'un navire.
(3) Il s'agit du mystérieux passager.
(4) Gros canon de marine en fonte.
(5) Dompteur de bêtes féroces.
(6) Entrepont, où sont placés les canons pour le tir.

L'usage de la ponctuation s'est développé dès la fin de l'Antiquité afin de compenser, par des signes graphiques, l'absence des indications fournies à l'oral par le ton, les pauses, les variations. Les dix principaux signes actuellement utilisés ont chacun leurs emplois spécifiques et codifiés. La ponctuation rend plus explicite la logique d'un texte, elle contribue à son expressivité.

Ponctuation et clarté

Pour marquer les limites d'une phrase	• **Le point, le point d'exclamation, le point d'interrogation**, suivis d'une majuscule, indiquent la fin d'une phrase. • **Le point virgule**, suivi d'une minuscule, sépare deux propositions grammaticalement indépendantes, liées par le sens. *Exemple :* le dernier paragraphe (ligne 29) débute par trois propositions ayant un thème commun : l'âme. • **Les trois points de suspension** indiquent qu'une énumération n'est pas exhaustive, ou que la pensée n'est pas entièrement formulée. Ils se mettent après un éventuel point d'exclamation ou d'interrogation si la phrase est grammaticalement complète (!... ou ?...).
Pour marquer la structure interne d'une phrase	• **La virgule** sépare obligatoirement les termes d'une énumération, et les propositions juxtaposées (on parle dans ce dernier cas d'asyndète*). Elle marque aussi le détachement d'un mot ou d'un groupe. Enfin, deux virgules encadrent facultativement un terme ou un groupe pouvant être retranché (quand ce groupe est long, cela permet d'être plus clair). *Exemple :* l'apposition « témoin sinistre » (ligne 19) est précédée d'une virgule ; la participiale (ligne 22) est encadrée par deux virgules. • **Les deux points** introduisent un développement explicatif (notamment après une énumération) ou une énumération finale. On peut leur substituer divers liens logiques (cf. mod. 21). • **Les parenthèses** encadrent un mot ou une proposition sans lien syntaxique avec le reste de la phrase (références, commentaire digressif...). **Les tirets** ont le même usage ; on ne met que le premier tiret lorsque cette incidente termine la phrase *(Il a réussi – qui en aurait douté ?).* • **Les points de suspension** (marquant l'hésitation), d'**exclamation** (obligatoires après une interjection) peuvent apparaître à l'intérieur d'une phrase. Si celle-ci n'est pas achevée ensuite, on fera éventuellement suivre ces points de suspension par un autre signe (... ! ou... ?).
Pour rapporter un discours	• On introduit par **deux points** et on encadre de **guillemets** un discours rapporté (citation, discours direct). Chacune des répliques d'un dialogue est normalement précédé d'**un tiret**. • Les **points de suspension** signalent qu'une citation est tronquée ; on les met entre parenthèses lorsque la coupure est intermédiaire. *Exemple :* « ... spectacle titanique (...) le duel de la chose contre l'homme » (ligne 4).

Ponctuation et expressivité

1) Le point de vue du locuteur peut être suggéré. Un point d'exclamation (voire plusieurs) peut marquer l'exaspération, la surprise, etc. Une expression peut être mise en relief (avec emphase ou ironie) par des virgules qui l'encadrent, des guillemets ou une majuscule. Insérés entre parenthèses, les points d'interrogation, et d'exclamation suggèrent respectivement le doute ou la surprise, l'indignation...
Exemple : Hugo choisit de mettre en relief *aveugle* (ligne 21), terme-clef de cette tragédie.

2) Le rythme du texte, sa musicalité dépendent, surtout dans le cas de la prose, de la ponctuation adoptée. Ainsi la pause, obligatoire, entre deux propositions indépendantes peut être plus ou moins marquée (par une virgule, un point virgule ou un point). Mettre des virgules là où la syntaxe ne l'impose pas donne au texte un rythme plus heurté (on parle de style coupé).
Exemple : Hugo recourt généralement dans ce passage à des virgules facultatives (en cas de coordination... lignes 6, 10, 34), sépare les deux termes des antithèses (ligne 27), choisit souvent une ponctuation forte impliquant une intonation descendante (point virgule là où une virgule suffirait (ligne 5), un point plutôt qu'un point virgule (ligne 26). Sa ponctuation contribue, comme la disposition du texte, à insister sur le caractère dramatique de cette attente.

EXERCICE 1

La ponctuation de ce texte est incomplète ; ajoutez 7 virgules, 1 point virgule ; une fois deux points et 1 parenthèse.

« Que le temps soit précieux qu'il doive être ménagé, contrôlé organisé en vue de l'acquisition de biens matériels de la sagesse philosophique, ou du salut de l'âme qu'inversement, la paresse et l'imprévoyance soient condamnables ce sont là des convictions qui s'imposent en proportion directe des contraintes constitutives de la civilisation. Selon les circonstances, ces contraintes ont porté tantôt sur l'aspect moral de l'organisation du temps (vie sanctifiée) tantôt par l'aspect matériel vie productive, et parfois, conjointement sur l'un et l'autre domaine, où l'assiduité régulière était requise en vue d'un profit. Ne pas faire le meilleur emploi de son temps c'est perdre ses biens, sa vie, son âme. »

d'après Jean Starobinski

EXERCICE 2

Ce texte est mal ponctué. Rendez-le clair et pertinent en opérant les rectifications suivantes : 6 suppressions, 5 ajouts, 2 remplacements d'un signe par un autre (5 signes sont corrects).

« Les innombrables, lecteurs d'Astérix connaissent le célèbre druide à longue barbe, blanche Panoramix ; qui possédait le secret de la potion ; magique, cette potion qu'il distribuait aux guerriers, gaulois lorsqu'ils devaient affronter les légions romaines, cette potion magique qui leur permettait de remporter la victoire ; Et nous, dignes, descendants d'Astérix nous voici engagés dans une bataille planétaire, à la fois politique économique culturelle une rude bataille sur tous les fronts dans un monde sans pitié pour les faibles. Il nous faut d'abord lutter pour vivre pour nous procurer les matières premières et l'énergie ; dont nous avons besoin. »

d'après Leprince-Ringuet

EXERCICE 3

Ponctuez ce texte et mettez les majuscules nécessaires.

« L'élan du tourisme mondial est né dans les années 60 le tiers-monde pauvre a pensé qu'il y avait une occasion à saisir vendre ses paysages ses climats ensoleillés ses plages de sable fin ses cultures exotiques il voulait recueillir des devises pour stimuler sa machine économique mais comme l'écrivait le sociologue morris fox le tourisme est comme le feu il peut faire bouillir la marmite ou incendier votre maison ce propos souligne bien le dilemme. » d'après E. Mestiri

EXERCICE 4

1) Remplacez les deux points par un lien logique.

2) Chateaubriand rapproche certaines phrases en recourant au point virgule plutôt qu'au point ; est-ce pertinent ?

« D'abord il frappe l'écho des brillants éclats du plaisir : le désordre est dans ses chants ; il saute du grave à l'aigu, du doux au fort ; il fait des pauses ; il est lent, il est vif : c'est un cœur que la joie enivre, un cœur qui palpite sous le poids de l'amour. Mais tout à coup la voix tombe, l'oiseau se tait. Il recommence ! Que ces accents sont changés ! quelle tendre mélodie ! Tantôt ce sont des modulations languissantes, quoique variées ; tantôt c'est un air un peu monotone, comme celui de ces vieilles romances françaises, chefs-d'œuvre de simplicité et de mélancolie. Le chant est aussi souvent la marque de la tristesse que de la joie : l'oiseau qui a perdu ses petits chante encore ; c'est encore l'air du temps du bonheur qu'il redit, car il n'en sait qu'un ; par un tour de son art, le musicien n'a fait que changer la clef, et la cantate du plaisir est devenue la complainte de la douleur. »

Chateaubriand, *Le Génie du Christianisme*
(1re partie, V, 5) 1802

EXERCICE 5

Le texte ci-dessous décrit une troupe de soldats en mouvement.

1) Quelle contribution les points de suspension de la seconde phrase apporte-t-elle au réalisme de cette description ?

2) Montrez que l'irruption du cheval est évoquée de manière expressive.

« Les bourrasques arrivaient en rage, pleines de feuilles, tourbillonnaient dans nos pieds, balayaient toute l'esplanade, toute l'étendue, toutes les ombres... Peu à peu, on s'habitue, on écarquille pour voir plus loin, encore des plus grands bâtiments... des vasistas... des écuries... encore des murs et des casernes... tout autour d'une immense flaque, toute noire, toute en nuit, tombée là comme ça... tapie dans un fond, traître, entre les choses. C'était un énorme espace au moins grand, j'aurais parié, comme toute la place de la Concorde. Encore un cheval qui débouche au triple galop... Il fonce... il nous double ventre à terre... Un bolide... Tagadam ! Tagadam !... Tout blanc qu'il était celui-ci... à folle cadence poulopant... la queue toute raide en comète, toute solide à la vitesse... Il a presque emporté le falot... soufflé au passage... Tagadam !... Tagadam !... Et que je te redouble... »

Louis-Ferdinand Céline, *Casse-pipe*
1952, Éd. Gallimard

EXERCICE 6

1) Un capitaine amoureux évoque ses journées passées à guetter « Mlle Impassible ». Montrez que différents sentiments animent le locuteur, en étudiant la valeur des différents points d'exclamation. Tentez d'en rendre compte par une lecture à voix haute.

2) Qualifiez le rythme de ce récit. Justifiez votre réponse.

3) Avez-vous repéré au cours de cette étude une irrégularité dans la ponctuation ? Laquelle ?

« Affût jusque dans l'escalier, où je croyais pouvoir la rencontrer, et où la vieille Olivie me surprit un jour, à ma grande confusion, en sentinelle ! Affût à ma fenêtre — cette fenêtre que vous voyez — où je me plantais quand elle devait sortir avec sa mère, et d'où je ne bougeais pas avant qu'elle fût rentrée, mais tout cela aussi vainement que le reste ! Lorsqu'elle sortait, tortillée dans son châle de jeune fille, — un châle à raies rouges et blanches : je n'ai rien oublié ! semé de fleurs noires et jaunes comme deux raies, elle ne retournait pas son torse insolent une seule fois, et lorsqu'elle rentrait, toujours aux côtés de sa mère, elle ne levait ni la tête ni les yeux vers la fenêtre où je l'attendais ! Tels étaient les misérables exercices auxquels elle m'avait condamné ! Certes, je sais bien que les femmes nous font tous plus ou moins valeter ; mais dans ces proportions ! !

Le vieux fat qui devrait être mort en moi s'en révolte encore ! ! Ah ! je ne pensais plus au bonheur de l'uniforme ! »

Barbey d'Aurevilly, « Le Rideau cramoisi », *Les Diaboliques*. 1874

EXERCICE 7

Tintin, traqué par la police, se trouve contraint de faire une partie de son trajet avec une cantatrice dont il ne connaît que trop bien les performances vocales. Observez ces trois extraits.

1) Dans la première vignette, montrez, par une analyse de la ponctuation notamment, que le texte de la bulle tient compte de certaines particularités d'une conversation téléphonique.

2) Dans chacune des bulles suivantes, précisez quel est le rôle des points de suspension.

3) Comment interprétez-vous la dernière bulle ? Qu'est-ce qui permet de donner un sens à ces deux points d'exclamation ?

Hergé, *Le Sceptre d'Ottokar*. 1947, Éd. Casterman

LA FICHE DE LECTURE

Pour préparer un exposé ou une dissertation, pour faciliter les dernières révisions avant le baccalauréat, il existe un outil commode : la fiche de lecture. Feuille de papier ou de bristol avec en tête le titre de chaque ouvrage, la fiche de lecture permet de se remettre en mémoire un ouvrage qu'on n'a pas le temps de relire ou qu'on ne possède pas chez soi.

Pendant la lecture : le brouillon de la fiche

- Indiquez, au fur et à mesure de leur apparition, le nom des personnages, en laissant de l'espace entre chaque : ainsi, au cours de la lecture, vous pourrez noter en face de chaque nom, en style télégraphique, quelques caractéristiques du personnage et indiquer les pages des informations importantes.
- Noter les principales étapes du texte : action principale, indications spatio-temporelles, personnage en cause. Si le livre comporte des séquences nettes (chapitres, scènes...), le plus simple est de faire un bilan de l'action pour chacune. Sinon, donner les références des pages.
- Marquez, en les numérotant suivant leur ordre d'apparition, les thèmes qui se révèlent importants. Espacez chaque titre de thème afin de pouvoir noter les pages importantes. Si le livre vous appartient, vous pouvez reporter ce numéro en marge.
- Relevez avec leur numéro de page quelques termes dont vous ignorez le sens ou une allusion à élucider.

Pour rédiger une fiche lisible

- Rédigez la fiche peu de temps après votre lecture, alors que vos souvenirs sont encore récents.
- Présentez votre fiche de façon agréable et claire : adoptez une mise en page aérée (marge...), et respectez les principes de la prise de notes (voir page 10). Organisez vos fiches suivant un même modèle, afin que la consultation en soit plus aisée : en tête, outre les références de l'ouvrage, précisez le genre auquel il appartient (*Ex. :* roman historique), et l'année de votre lecture ; ensuite, développez les rubriques suivantes en utilisant titres et sous-titres : personnages, résumé de l'histoire, thèmes.

- Veillez à ne noter que des informations exactes, à préciser les références (chapitre...) et à citer littéralement un passage. Distinguez vos jugements personnels — subjectifs et susceptibles d'évoluer avec le temps — de la description objective de l'ouvrage (toujours valable). Survolez les passages-clefs auxquels renvoient les notes préalables pour rédiger chaque rubrique.

Comment remplir la rubrique « personnages »

- Faites la liste des principaux personnages : par ordre d'importance ou groupés selon leurs liens familiaux. Un tableau généalogique peut-être souhaitable.
- Déterminez à quelle catégorie appartiennent les personnages (mythologie, histoire, fiction...).
- Étudiez de façon détaillée le ou les héros (voir page 76 et l'exemple ci-contre).

Comment résumer le livre ?

- Résumez les principaux épisodes dans l'ordre où ils sont racontés, avec références de chapitres (ou de scènes) pour les temps forts ; rédigez au présent sans oublier les indications spatio-temporelles. Caractérisez l'intrigue (voir page 69).

Ce que l'on peut aussi ajouter

• Intégrez à la fiche un morceau choisi, situez-le et caractérisez-le : style, intérêt dramatique, intérêt thématique... Étudier un extrait permet une meilleure prise de conscience du style de l'écrivain ; en outre, cela aide à mémoriser un épisode auquel on pourra se référer précisément (voire en le citant) à l'examen.
• Apportez une documentation complémentaire : information sur l'époque, les lieux de la fiction (pour une œuvre réaliste), la genèse de l'œuvre, les sources de l'auteur, l'accueil qui lui fut réservé...
• Rédigez une fiche auteur si c'est le premier ouvrage que vous lisez de cet écrivain.
• Complétez votre fichier vocabulaire.

Comment remplir la rubrique « thèmes » ?

• Faites la liste des principaux thèmes du livre et reportez les références des pages. L'habitude aide à dégager des thèmes mais on peut d'abord s'aider d'ouvrages critiques ou demander conseil.
• Analysez un thème au moins, en trois ou quatre paragraphes comportant une idée principale et des illustrations tirées de l'œuvre, notamment des citations caractéristiques. On peut examiner : l'importance relative du thème, le nombre d'aspects ou de points de vue présentés, le point de vue de l'auteur, la part faite aux personnages, à l'intrigue, aux développements didactiques dans le traitement littéraire de ce thème, la tonalité, la documentation de l'auteur, le ou les courants idéologiques auxquels les points de vue développés se rattachent.

Extrait de la rubrique personnages d'une fiche sur *Roses à crédit* d'Elsa Triolet. 1959. (coll. Folio)

Étude de l'héroïne : Martine

Belle, intelligente, volontaire, courageuse : ces qualités en font un personnage sympathique.

L'enfance de Martine, rapidement évoquée, a une influence déterminante sur la destinée du personnage : enfance dans une cabane misérable et sale, la mère négligeant l'éducation des enfants ; de bons résultats scolaires mais peu appréciés : la fillette ferait mieux de s'occuper des petits frères. L'héroïne doit son surnom de « Martine-perdue-dans-les-bois » à un épisode significatif de sa petite enfance : la fillette (« née dégoûtée » p. 96) puis l'adolescente fuit en effet d'abord la cabane sordide en se réfugiant dans la nature.

Mise en apprentissage chez la mère de son amie Cécile, elle trouve ensuite un abri dans l'intérieur confortable des Donzert, intérieur qui satisfait son goût presque maniaque pour la propreté. Elle devient ensuite manucure dans un Institut de beauté, à Paris, loin de son milieu d'origine.

Lorsqu'elle épouse Daniel Donelle, elle croit voir ses rêves se concrétiser : non seulement la jeune fille romanesque se marie avec celui qu'elle attendait depuis l'adolescence mais de plus elle pense pouvoir — grâce au crédit — aménager un appartement confortable. Mais cet « idéal électro-ménager » que Daniel, plus cultivé, méprise, va détruire le couple. Daniel, qu'intéressent l'art et la science, va reprocher à Marie son idéal de « petite-bourgeoise » (p. 102). Marie, de son côté, va abuser du crédit. Les derniers chapitres peignent la déchéance sociale, physique et morale du personnage — déchéance aussi sordide que celle de Gervaise dans *l'Assommoir.*

Victime de la « société de consommation », de son fonctionnement et de son matérialisme, Martine est d'autant plus pathétique que la romancière suggère qu'elle est moins mesquine et superficielle que ne se l'imagine Daniel : c'est, en fait, « une femme cernée par les loups du mystère » (p. 235) trop peu cultivée pour ne pas être piégée par des publicités trompeuses, et cherchant à compenser par le confort matériel ce vif sentiment d'insécurité hérité de son enfance.

A consulter

• L'édition que vous avez en main comporte probablement quelques pages documentaires : préface d'un commentateur, notice critique ; il arrive aussi que l'auteur lui-même ait rédigé une préface, un avertissement.
• Vous pouvez peut-être trouver au CDI un ouvrage abordable (*Ex. :* Profil d'une œuvre).
• Les manuels de littérature donnent aussi des informations sur l'œuvre des écrivains majeurs : *Littérature, Textes et documents*, XVIe, XVIIe, XVIIIe, XIXe, XXe aux éditions Nathan.

13 Les repères qui permetten de dater un texte

XVIe siècle. *Gargantua* de Rabelais

Rabelais rêve d'une abbaye modèle, l'abbaye de Thélème, dans laquelle s'épanouiraient les richesses de la liberté.

1 « Toute leur vie estoit employée non par loix, statuz ou reigles, mais selon leur vouloir et franc arbitre. Se levoient du lict quand bon leur sembloit, beuvoient, mangeoient, travailloient, dormoient quand le désir leur venoit ; nul ne les esveilloit, nul ne les parforceoit ny à boyre, ny à manger, ny à faire chose autre quelconques. Ainsi l'avoit establi Gargantua. En leur reigle
5 n'estoit que cest clause :

FAY CE QUE VOULDRAS,

parce que gens libères, bien nez, bien instruitz, conversans en compaignies honnestes, ont par nature un instinct et aguillon, qui toustours les poulse à faicts vertueux et retire de vice, lequel ils nommoient honneur. Iceulx, quand par vile subjection et contraincte sont déprimez et
10 asserviz, détournent la noble affection, par laquelle à vertuz franchement tendoient, à déposer et enfraindre ce joug de servitude : car nous entreprenons tousjours choses défendues et convoitons ce qui nous est dénié. »

Rabelais, *Gargantua*. 1535

XVIIIe siècle

Voici comment ce même texte aurait pu être écrit au XVIIIe siècle.

1 « Leur vie tout entière était gouvernée non point par des lois, des statuts ou des règles, mais selon leur volonté et leur libre-arbitre. Ils se levaient à leur convenance, buvaient, mangeaient, travaillaient, dormaient quand le désir leur en naissait. Il ne se trouvait personne qui les contraignît à boire, à manger, ou à faire quoi que ce fût d'autre. Ainsi en avait décidé
5 Gargantua. Leur règle se bornait à cette seule clause :

« Fais ce que tu voudras »

Parce que les gens libres, en qui se reconnaît de la naissance et de l'éducation, ont naturellement un instinct, un aiguillon qui toujours les entraîne à des actions vertueuses en lesquelles le vice n'a point part ; à cet instinct ils donnent le nom d'honneur. Quand une sujétion avilissante ou
10 la contrainte leur font souffrir un état de débilité et d'esclavage, ils cherchent à ce que cette noble ardeur, par quoi ils aspiraient librement à la vertu, les délie et dégage de ce joug de la servitude. Tant nous entreprenons toujours les choses qui nous sont défendues et convoitons celles qui nous sont refusées. »

XXe siècle

1 « Ce n'étaient pas des lois, des statuts ou des règlements qui régissaient toute leur vie, mais leur volonté et leurs liberté. Ils se levaient quand ils en avaient envie, buvaient, mangeaient, travaillaient quand ils en éprouvaient le désir. Personne ne les obligeait à boire, ni à manger, ni à faire quoi que ce soit d'autre. C'était ce que Gargantua avait décidé. Leur règlement se
5 limitait à cette consigne :

« Fais ce que tu voudras »

parce que ceux qui sont libres, d'un bon milieu, et ont reçu une bonne éducation, possèdent de façon innée un instinct, un stimulant qui les motive à agir moralement et à éviter les vices ; c'est ce qu'ils appellent leur dignité. Quand une dépendance dégradante ou la contrainte les
10 affaiblit et les écrase, ils ont recours à cette tendance, qui les poussait spontanément à la vertu, pour se débarrasser et se délivrer du poids de l'aliénation ; car nous entreprenons toujours ce qui nous est interdit, et convoitons ce qu'on nous refuse. »

(version modernisée)

L'ancien français (du IXe au XIVe siècles) a évolué en moyen français jusqu'à la Renaissance, puis en français classique et enfin en français moderne. Bien comprendre un texte passé exige la prise de conscience de ce phénomène de transformation, pour éviter erreurs et difficultés de compréhension.

L'orthographe

Le français a d'abord été une langue parlée. Il fallut longtemps pour fixer la représentation graphique de mots seulement prononcés à l'origine. Au XVIe siècle, l'orthographe variait d'un auteur à un autre, et même d'un passage à un autre d'un même auteur. Du XVIe au XIXe siècles, par réglementations successives de l'Académie, l'orthographe est peu à peu devenue ce qu'elle est maintenant.

Exemples :

XVIe	XVIIe	XVIIIe	XIXe
	mast →	mât	
		des arc-boutans →	des arcs-boutants
aage →	âge		
desing →	→	dessein →	dessin
apparoistre →	apparoître →	→	apparaître
gayement →	gayment →	gaiement →	gaiement ou gaîment

Le lexique

Le sens d'un mot a pu évoluer, s'élargir ou se restreindre, s'affaiblir ou se renforcer ou acquérir de nouvelles connotations, positives ou négatives.
Le sens d'un mot a pu se transformer pour s'adapter à de nouvelles réalités techniques.
Enfin, le mot en question a pu tout simplement disparaître, parce que la réalité qu'il exprime a disparu ou parce qu'un synonyme l'a remplacé.
Exemple de significations passées : bureau (pièce d'étoffe sur une table), formidable (qui inspire une crainte respectueuse), vilain (paysan).

La syntaxe

Trois évolutions à connaître :

- L'emploi des pronoms personnels et des articles : en latin, ils n'étaient pas utilisés. En français, ils se généralisent peu à peu, et après le XVIe leur usage correspond globalement au nôtre.
- L'ordre des mots : resté relativement libre jusqu'au XVIe siècle, il a ensuite évolué d'une époque à une autre, en particulier pour l'antéposition et la postposition de l'adjectif.
- Les constructions de phrases, de verbes, ou d'expressions : elles ne restent pas les mêmes d'une époque à une autre.

Exemples :

XVIe siècle	XVIIIe siècle	XXe siècle
• se levoient du lict	• *ils* se levaient du lit	
• parce que gens	• parce que *les* gens	
• à faire chose autre quelconques	• à faire quoi que ce *fût* d'autre	• à faire quoi que ce *soit* d'autre
• pousse à faicts vertueux et retire de vice	• entraîne à des actions vertueuses *en lesquelles* le vice n'a *point part*	• *motive* à agir *moralement* et à éviter le vice

Les archaïsmes

S'exprimer dans une orthographe, un lexique ou une syntaxe qui appartiennent au passé, c'est ce qu'on appelle un archaïsme. Les écrivains ont parfois recours à ce procédé, pour renouveler leur expression, ou pour rendre l'ambiance de l'époque lointaine dont il est question.

EXERCICE 1

Le sonnet suivant, de Joachim du Bellay, est écrit en orthographe non modernisée. Recopiez-le, en ne laissant subsister aucune trace de l'orthographe ancienne.

« France, mere des arts, des armes et des loix,
Tu m'as nourry long temps du laict de la mamelle :
Ores, comme un aigneau qui sa nourrisse appelle,
Je remplis de ton nom les antres et les bois.

Si tu m'as pour enfant advoué quelquefois,
Que ne me respons-tu maintenant, ô cruelle ?
France, France, respons à ma triste querelle :
Mais nul, sinon Echo, ne respond à ma voix.

Entre les loups cruels j'erre parmy la plaine,
Je sens venir l'hyver, de qui la froide haleine
D'une tremblante horreur fait herisser ma peau.

Las, tes autres aigneaux n'ont faute de pasture,
Ils ne craignent le loup, le vent, ny la froidure :
Si ne suis-je pourtant le pire du troupeau. »

Du Bellay, *Les Regrets*, IX. 1558

EXERCICE 2

Dans les extraits suivants des *Regrets* de du Bellay, l'orthographe a été modernisée. A vous de retrouver une partie de l'orthographe ancienne, en appliquant les règles suivantes :

— pour le 2e extrait : le son [é] est obtenu, avant une consonne, en plaçant un s entre le e et la consonne.

— pour le 1er extrait : à la 1re pers. du sg., le futur et le passé simple sont en -ay, l'imparfait en -ois.

1) « Je me ferai savant en la philosophie,
En la mathématique, et médecine aussi :
Je me ferai legiste, et d'un plus haut souci
Apprendrai les secrets de la théologie.

Du luth, et du pinceau j'ébaterai[1] ma vie
De l'escrime et du bal. Je discourais ainsi,
Et me vantais en moi d'apprendre tout ceci,
Quand je changeai la France au séjour d'Italie. »

Du Bellay, *Les Regrets*, XXXII

2) « Je n'écris point d'amour, n'étant point amoureux,
Je n'écris de beauté, n'ayant belle maîtresse,
Je n'écris de douceur, n'éprouvant que rudesse (...)
Je n'écris de la Cour, étant loin de mon Prince,
Je n'écris de la France, en étrange[2] province (...) »

Du Bellay, *Les Regrets*, LXXIX

(1) signifie « égayer » ; de nos jours, ce verbe ne s'emploie plus qu'à la forme pronominale, et sa conjugaison et son sens ont évolué.

(2) = étrangère : étrange a actuellement un autre sens, et syntaxiquement « étranger » se place après le nom qu'il détermine.

EXERCICE 3

Recopiez l'extrait de Rabelais (XVIe siècle) en modernisant l'orthographe et en utilisant tous les termes du lexique pour remplacer ceux qui ont vieilli.

« A tant son pere aperceut que vrayement Gargantua estudioit très bien et y mettoit tout son temps, toutesfoys qu'en rien ne prouffitoit et, que pis est, en devenoit fou, niays, tout resveux et rassoté.

De quoy se complaignant à Don Philippe des Marays, vice roy de Papeligosse, entendit que mieulx luy vauldroit rien n'aprendre que telz livres soulz telz precepteurs aprendre, car leur sçavoir n'estoit que besterie et leur sapience n'estoit que moufles. »

Gargantua, début chap. XV

lexique : sot ; sottise ; comprit ; bêtise ; s'aperçut ; rêveur ; pire que cela ; passait ; se plaignant ; sagesse ; avec ; alors.

EXERCICE 4

Dans l'édition 1910 du *Petit Larousse* on trouve les définitions suivantes. Actuellement chacun de ces mots appartient aussi à un domaine nouveau, lequel ? Écrivez chaque fois la nouvelle définition d'aujourd'hui.

PUCE : **n.f.** *(lat. pulex, icis).* Genre d'insectes diptères, qui vivent sur le corps de l'homme et d'un grand nombre d'animaux. *Avoir la puce à l'oreille*, être inquiet, sur le qui-vive. **Adj. inv.** : qui a la couleur de la puce : *robe de soie puce.*

CARAVANE : **n.f.** *(persan karouan)* : troupe de voyageurs réunis pour franchir un désert, une contrée peu sûre, *etc.*

EMBOUTEILLER : mettre en bouteille. **fig.** : bloquer des navires dans une rade à goulet étroit en obstruant ce goulet.

PLACAGE : **n.m.** *(de plaquer)* : ouvrage de menuiserie, d'ébénisterie, de marqueterie, *etc.*, consistant en l'application d'une mince feuille d'une matière précieuse sur une matière de moindre valeur.

CAMION : **n.m.** chariot bas et à quatre roues. Vase dans lequel les peintres en bâtiment délaient leur peinture. Très petite épingle.

SCÉNARIO : canevas d'une pièce : *le scénario d'un ballet.*

HABITACLE : **n.m.** demeure *(poét.) : l'habitacle du Très-Haut.* **Mar :** boîte cylindrique où l'on enferme la boussole, les compensateurs, *etc.*

CARAVELLE : **n.f.** : navire turc. Navire italien, espagnol ou portugais, à quatre mâts et à voilure latine.

EXERCICE 5

A votre avis, lesquels parmi les mots suivants ne pouvaient pas se trouver dans un dictionnaire du début du siècle. Vérifiez les dates d'invention si vous avez des doutes.

locomotive ; télévision ; téléphone ; autoroute ; photographie ; gare ; aéroport ; tracteur ; réfrigérateur ; sous-marin.

EXERCICE 6

Autrefois, les mots suivants avaient un sens proche de leur origine latine ou grecque. Voici leur sens étymologique ; quel est leur sens actuel, et quelle évolution s'est produite (extension, déplacement, connotations différentes...) ?

IMBÉCILE : qui n'a pas de force, qui est faible.
IGNOBLE : qui n'appartient pas à la noblesse.
RÉPUBLIQUE : tout ce qui concerne la gestion d'un état.
INDUSTRIE : dextérité, habileté.
MISÉRABLE : pauvre, sans ressources.
VULGAIRE : qui concerne le peuple.
VIANDE : nourritures, vivres.
ASILE : tout lieu de refuge d'où l'on ne peut pas être chassé.
TRAIRE : enlever.
VILAIN : homme de la campagne, paysan.

EXERCICE 7

Dans le texte suivant, chaque endroit souligné signale une différence de syntaxe par rapport au français actuel. Essayez de trouver toutes ces différences. A l'aide du contexte, trouvez aussi ce que signifient les quatre mots en italique.

« Et si notre langue n'est si *copieuse* et riche que la grecque ou latine, cela ne doit estre imputé au *défaut* d'icelle, comme si d'elle mesme elle ne pouvoit jamais estre sinon pauvre et stérile : mais bien on le doit attribuer à l'ignorance de nos *majeurs*, qui, ayans (comme dit quelqu'un, parlant des anciens Romains) en plus grande *recommendation* le bien faire, que le bien dire, et mieux aimans laisser à leur postérité les exemples de vertu que les préceptes, se sont privez de la gloire de leurs bienfaits, et nous du fruict de l'imitation d'iceux : et par même moyen nous ont laissé nostre langue si pauvre et nue qu'elle a besoin des ornemens, et (s'il faut ainsi parler) des plumes d'autruy. »

Du Bellay, *Deffence et illustration de la langue françoise.* 1549

EXERCICE 8

Traduisez cet extrait de Rabelais pour qu'il ressemble le plus possible à un texte contemporain dans son orthographe, son lexique, sa syntaxe.

Grandgousier parle à son ennemi Toucquedillon, qu'il a fait prisonnier :

« Qui trop embrasse peu estrainct. Le temps n'est plus d'ainsi conquester les royaulmes avecques dommaige de son prochain frere christian. Ce te imitation des anciens Hercules, Alexandres, Hannibalz, Scipions, Cesars et aultres telz, est contraire à la profession de l'Évangile, par lequel nous est commandé guarder, saulver, regir et administrer chascun ses pays et terres, non hostilement envahir les aultres, et, ce que les Sarazins et Barbares jadis appelloient prouesses, maintenant nous appelons briguanderies et mechansetez. Mieulx eust il faict soy contenir en sa maison, royallement la gouvernant, que insulter en la mienne, hostillement la pillant ; car par bien la gouverner l'eust augmentée, par me piller sera destruict. »

Rabelais, *Gargantua,* chap. XLVI. 1534

EXERCICE 9

Dans le texte suivant, le romancier contemporain Robert Merle situe son récit au XVIe siècle. Il se permet quelques archaïsmes : lesquels et pourquoi ?

« Par une belle matinée d'été, en la chambre de ma mère, la bataille éclata.

— Alazais, dit Isabelle, mets cette table là.

Sans un mot, Alazais souleva le lourd meuble comme plume, et le plaça où ma mère le lui avait dit.

— A la réflexion, dit Isabelle, cet endroit ne me convient guère. Mets-la donc par ici.

Alazais obéit.

— Ou plutôt non, dit Isabelle, pose-la plutôt dans ce coin.

Alazais obtempéra, mais quand ma mère voulut derechef lui faire branler la table, elle dit de sa voix rude :

— Madame, c'est assez s'amalir. Foin de tous ces caprices. La table restera où elle est.

— Gueuse ! cria Isabelle hors d'elle-même. Oses-tu bien m'affronter ? Et saisissant sa canne, elle la leva pour l'en navrer.

Mais Alazais, sans bouger d'une semelle, saisit la canne, l'arracha des mains d'Isabelle, la brisa en deux sur son genou et en jeta les morceaux par la fenêtre. Celle-ci donnait sur l'étang qui entourait Mespech, et pendant plus d'un mois tout le domestique put voir, non sans quelque ébaudissement secret, les deux tronçons flotter sur l'eau. »

Robert Merle, *Fortune de France,* Éd. Plon

14 Le texte romanesque

L'horrible

« C'était pendant la guerre de 1870. Nous nous retirions vers Pont-Audemer, après avoir traversé Rouen. L'armée, vingt mille hommes environ, vingt mille hommes de déroute, débandés, démoralisés, épuisés, allait se reformer au Havre.

La terre était couverte de neige. La nuit tombait. On n'avait rien mangé depuis la veille. On fuyait vite, les Prussiens n'étaient pas loin. (...)

Et nous autres, plus robustes, nous allions toujours, glacés jusqu'aux moelles, avançant par une force de mouvement donné, dans cette nuit, dans cette neige, dans cette campagne froide et mortelle, écrasés par le chagrin, par la défaite, par le désespoir, surtout étreints par l'abominable sensation de l'abandon, de la fin, de la mort, du néant.

J'aperçus deux gendarmes qui tenaient par le bras un petit homme singulier, vieux, sans barbe, d'aspect vraiment surprenant.

Ils cherchaient un officier, croyant avoir pris un espion.

Le mot « espion » courut aussitôt parmi les traînards et on fit cercle autour du prisonnier. Une voix cria : « Faut le fusiller ! » Et tous ces soldats qui tombaient d'accablement, ne tenant debout que parce qu'ils s'appuyaient sur leurs fusils, eurent soudain ce frisson de colère furieuse et bestiale qui pousse les foules au massacre.

Je voulus parler ; j'étais alors chef de bataillon ; mais on ne reconnaissait plus les chefs, on m'aurait fusillé moi-même.

Un des gendarmes me dit :

« Voilà trois jours qu'il nous suit. Il demande à tout le monde des renseignements sur l'artillerie. »

J'essayai d'interroger cet être :

« Que faites-vous ? Que voulez-vous ? Pourquoi accompagnez-vous l'armée ? »

Il bredouilla quelques mots en un patois inintelligible.

C'était vraiment un étrange personnage, aux épaules étroites, à l'œil sournois, et si troublé devant moi que je ne doutais plus vraiment que ce ne fût un espion. Il semblait fort âgé et faible. Il me considérait en dessous, avec un air humble, stupide et rusé.

Les hommes autour de nous criaient :

« Au mur ! au mur ! »

Je dis aux gendarmes :

« Vous répondez du prisonnier ?... »

Je n'avais point fini de parler qu'une poussée terrible me renversa, et je vis, en une seconde, l'homme saisi par les troupiers furieux, terrassé, frappé, traîné au bord de la route et jeté contre un arbre. Il tomba, presque mort déjà, dans la neige.

Et aussitôt on le fusilla. Les soldats tiraient sur lui, rechargeaient leurs armes, tiraient de nouveau avec un acharnement de brutes. Ils se battaient pour avoir leur tour, défilaient devant le cadavre et tiraient toujours dessus, comme on défile devant un cercueil pour jeter de l'eau bénite.

Mais tout d'un coup un cri passa :

« Les Prussiens ! les Prussiens ! »

Et j'entendis, par tout l'horizon, la rumeur immense de l'armée éperdue qui courait.

La panique, née de ces coups de feu sur ce vagabond, avait affolé les exécuteurs eux-mêmes, qui, sans comprendre que l'épouvante venait d'eux, se sauvèrent et disparurent dans l'ombre.

Je restai seul devant le corps avec les deux gendarmes, que leur devoir avait retenus près de moi.

Ils relevèrent cette viande broyée, moulue et sanglante.

« Il faut le fouiller », leur dis-je.

Et je tendis une boîte d'allumettes-bougies que j'avais dans ma poche. Un des soldats éclairait l'autre. J'étais debout entre les deux. (...)Et soudain un d'eux balbutia :

« Nom d'un nom, mon commandant, c'est une femme ! »

Je ne saurais vous dire quelle étrange et poignante sensation d'angoisse me remua le cœur. Je ne le pouvais croire, et je m'agenouillai dans la neige, devant cette bouillie informe, pour voir : c'était une femme !

Les deux gendarmes, interdits et démoralisés, attendaient que j'émisse un avis.

Mais je ne savais que penser, que supposer.

Alors le brigadier prononça lentement :

« Peut-être qu'elle venait chercher son éfant qu'était soldat d'artillerie et dont elle n'avait pas de nouvelles. »

Et l'autre répondit :

« P't'être ben que oui tout de même. »

Et moi qui avais vu des choses bien terribles, je me mis à pleurer. Et je sentis, en face de cette morte, dans cette nuit glacée, au milieu de cette plaine noire, devant ce mystère, devant cette inconnue assassinée, ce que veut dire ce mot : « Horreur ».

Maupassant, *Boule de Suif et autres Contes normands*, 1880

Un texte romanesque se construit toujours autour d'une fiction : le récit des aventures d'un ou de plusieurs personnages dans le cas le plus fréquent. La succession de ces aventures constitue l'intrigue. La narration organise l'intrigue d'une façon qui est propre à chaque texte.

L'intrigue

Les 5 phases de l'intrigue	Exemple
1. État initial	La retraite des hommes « sensation de fin, de mort, de néant » (ligne 17) : premier état de l'horreur
2. Intervention d'une force transformatrice qui déclenche le récit	« J'aperçus... un petit homme singulier, vieux, sans barbe, d'aspect surprenant » (ligne 19)
3. Moment central de l'action	« l'homme saisi par les troupiers furieux, terrassé, frappé, traîné... presque mort. » (ligne 56)
4. Intervention d'une deuxième force	« c'est une femme ! » (ligne 88)
5. État final	Une horreur encore plus horrible

Une intrigue se construit autour du changement d'une situation initiale. Ce changement est tantôt une amélioration, tantôt une détérioration. La présentation de l'intrigue détermine la composition du texte. Les textes romanesques se divisent en parties, chapitres, numérotés ou non, dotés d'un titre ou non qui s'organisent autour d'un personnage, d'un moment, d'un lieu.

Les éléments de l'intrigue peuvent s'enchaîner (l'effet suit la cause), s'enchâsser (un nouvel élément vient prendre place dans la narration), s'entrelacer (plusieurs fictions se mêlent).

Le temps romanesque

■ **Le temps de la fiction.** C'est celui de la durée de l'intrigue. Il peut être très court, quelques heures, ou très long, plusieurs générations.

– La chronologie peut être indiquée de façon directe par une horloge, une date, un événement historique, ou des mots du réseau lexical du temps.

– La chronologie peut être aussi indiquée de façon indirecte par des notations sur le temps atmosphérique, les saisons, les fêtes, l'âge des personnages, leurs vêtements...

■ **Le temps de la narration.** C'est le temps nécessaire pour raconter un événement : un événement de quelques minutes peut occuper plusieurs pages du roman tandis que plusieurs années peuvent être résumées en quelques lignes. Le temps de la fiction et celui de la narration ne coïncident parfaitement que dans le dialogue.

■ **Le rythme du texte.** Il est déterminé par les rapports entre le temps de la fiction et le temps de la narration. Il vise à maintenir l'intérêt du lecteur. Il s'accélère par des omissions, des ellipses, des anticipations. Il ralentit par des retours en arrière, des pauses (digressions, descriptions).

L'espace romanesque

C'est l'ensemble des différents lieux où se situe l'action. L'inventaire des lieux de la fiction permet souvent de les répartir dans des couples d'opposition simples : intérieur / extérieur, lieu privé / lieu public, ville / campagne, espace horizontal / espace vertical, lieu imaginaire / lieu réel... Le chemin et tous les termes indiquant le passage sont les lieux de l'évolution de l'intrigue. *Exemple :* Le chemin que suit l'armée en déroute est celui du Havre, mais aussi celui qui mène à l'horreur absolue.

• **La représentation de l'espace** dans le roman relève des techniques de la description. Elle est focalisée : faite par le narrateur (description objective) ou par un personnage (description subjective).

• **La fonction de l'espace.** La représentation de l'espace contribue à créer l'illusion réaliste, en particulier dans les romans du XIXe siècle. Les descriptions constituent une pause dans la narration. Mais l'espace a aussi une fonction symbolique. Il peut laisser prévoir la fin de l'action ; il sert à caractériser un personnage, à symboliser une notion abstraite. *Exemple :* « La campagne normande, livide... sous un ciel noir, lourd et sinistre » donne un cadre dramatique à l'action et symbolise l'horreur du crime.

EXERCICE 1

Identifiez les deux premières étapes d'une intrigue dans le texte suivant. Relevez les expressions qui évoquent le mouvement. Comment ces expressions annoncent-elles la deuxième étape de l'intrigue ?

« Antoine a sept ans, peut-être huit. Il sort d'un grand magasin, entièrement habillé de neuf, comme pour affronter une vie nouvelle. Mais pour l'instant, il est encore un enfant qui donne la main à sa bonne, boulevard Haussmann.

Il n'est pas grand et ne voit devant lui que des jambes d'homme et des jupes très affairées. Sur la chaussée, des centaines de roues qui tournent ou s'arrêtent aux pieds d'un agent âpre comme un rocher.

Avant de traverser la rue du Havre, l'enfant remarque, à un kiosque de journaux, un énorme pied de footballeur qui lance le ballon dans des « buts » inconnus. Pendant qu'il regarde fixement la page de l'illustré, Antoine a l'impression qu'on le sépare violemment de sa bonne. Cette grosse main à bague noire et or qui lui frôla l'oreille ? »

Supervielle, *Le Voleur d'enfants*. Éd. Gallimard.
Bac Lille, 1986

EXERCICE 2

Repérez les cinq étapes de l'intrigue et donnez-leur un titre.

« L'orgueil de Latzi, cadet à Budapest, n'avait d'égal que celui de son père, le sentencieux conseiller Széchenyi, directeur des Ponts. Qui n'était point cadet ne valait même pas un regard. Un jour, dans une porte, un camarade le bouscula. Latzi exigea des excuses. Des excuses ? A un Slovaque ? L'autre cracha à ses pieds. Latzi bondit, lança son gant, qui ne fut pas même ramassé. Il chercha des témoins, n'en trouva pas. Chacun se récusait, même les autres Slovaques. Latzi, affolé, sentait une molle résistance, autour de lui, ses pieds s'engluer dans quelque chose de trouble, dans un mystère d'yeux baissés et de sourires contraints. Enfin un camarade se décida à lui révéler ce que chacun savait à l'École sauf lui, ce qui lui fut caché toujours par la vanité imbécile de son père le Conseiller du Roi, à savoir que sa très pieuse mère, à lui, le cadet Ladislas Széchenyi, était juive.

Le cadet Széchenyi, fils d'une juive ! Lui qui, à l'image de ses compagnons, méprisait les Juifs plus que le plus bâtard des chiens des rues, qui les faisait lever, dans les trains, pour lui céder leur place ! On le trouva, à l'aube d'une nuit qui dut être pleine d'un combat atroce, pendu dans sa chambre. »

Vercors, *La Marche à l'étoile*, 1942.
Éd. Albin Michel

EXERCICE 3

Relevez tous les indices chronologiques présents dans ce passage. Sont-ils donnés de façon directe ou indirecte ?

Virginie, la fille de Mme Aubain, vient de mourir ; le temps passe : « Une fois, elle rentra du jardin, bouleversée. Tout à l'heure (elle montrait l'endroit) le père et la fille lui étaient apparus l'un auprès de l'autre, et ils ne faisaient rien ; ils la regardaient.

Pendant plusieurs mois, elle resta dans sa chambre, inerte. Félicité la sermonnait doucement ; il fallait se conserver pour son fils, et pour l'autre, en souvenir « d'elle ».

– « Elle ? » reprenait Mme Aubain, comme se réveillant. « Ah ! oui !... oui !... vous ne l'oubliez pas ! » Allusion au cimetière qu'on lui avait scrupuleusement défendu.

Félicité tous les jours s'y rendait.

A quatre heures précises, elle passait au bord des maisons, montait la côte, ouvrait la barrière, et arrivait devant la tombe de Virginie. (...)

Mme Aubain, quand elle put y venir, en éprouva un soulagement, une espèce de consolation.

Puis des années s'écoulèrent, toutes pareilles et sans autres épisodes que le retour des grandes fêtes : Pâques, l'Assomption, la Toussaint. Des événements intérieurs faisaient une date, où l'on se reportait plus tard. Ainsi, en 1825, deux vitriers badigeonnèrent le vestibule ; en 1827, une portion du toit, tombant dans la cour, faillit tuer un homme. L'été de 1828, ce fut à Madame d'offrir le pain bénit. Bourais, vers cette époque, s'absenta mystérieusement ; et les anciennes connaissances peu à peu s'en allèrent : Guyot, Liébard, Mme Lechaptois, Robelin, l'oncle Gremanville, paralysé depuis longtemps.

Une nuit, le conducteur de la malle-poste annonça dans Pont-l'Évêque la Révolution de Juillet. »

Flaubert, *Un Cœur simple*, 1876

EXERCICE 4

Mlle Avenel, greffier dans un commissariat de police, prend la déposition d'Édouard Clamerand, soupçonné d'assassinat. Montrez comment le rythme de la narration ralentit. Quel est l'effet recherché par l'auteur ?

« Mlle Avenel comprit très bien cela. Elle oublia un instant le bureau, le patron, Clamerand, mais cet instant est un espace énorme où jouent les enfants qu'elle n'a pas eus. Le vent reste en nappe sur une grève sans fin. L'amour se retire avec l'âge, à marée basse. Un petit ramasse une coque et la met à son oreille.

— Pourquoi tu me regardes ?
— Parce que tu es gentil.
— Pourquoi je suis gentil ?
— Parce que tu ne le seras pas toujours.
— Pourquoi je ne le serai pas toujours ?
— Parce que toujours n'est pas pour nous.

Édouard regardait la tirelire en biscuit sur la cheminée. Oui, bien sûr, la gare du Nord, mais elle évoque aussi bien un temple abandonné, ça dépend de ce à quoi l'on pense, l'instant d'avant. L'instant !

— Clamerand ? Pourquoi avez-vous pris le train, le car pour Maronne ? »

Boulanger, *Connaissez-vous Maronne ?* 1981.
Éd. Gallimard

EXERCICE 5

Deux lieux sont opposés dans ce passage. Lesquels ? En quoi s'opposent-ils ?

« Cette tour Farnèse où, après trois quarts d'heure, l'on fit monter Fabrice, fort laide à l'extérieur, est élevée d'une cinquantaine de pieds au-dessus de la plate-forme de la grosse tour et garnie d'une quantité de paratonnerres. (...) Est-il possible que ce soit là la prison, se dit Fabrice en regardant cet immense horizon de Trévise au mont Viso, la chaîne si étendue des Alpes, les pics couverts de neige, les étoiles, etc., et une première nuit en prison encore ! »

Stendhal, *La Chartreuse de Parme*, 1839

EXERCICE 6

Quel type d'espace est ici évoqué ? Pourquoi, malgré son insignifiance, est-il important ?

« Et voilà que Lambert lui faisait signe d'entrer. Mais oui, c'était bien çà. Il ne rêvait pas, Bensoussan : Lambert lui faisait signe d'entrer.

Il entra. Il entra dans le bureau, mais il entra aussi dans la vie de Lambert, à l'instant même où Lambert entrait dans sa vie. »

A. Page, *Tchao Pantin*. Éd. Denoël

EXERCICE 7

Par qui est faite cette description ? Comment est-elle ordonnée ? Relevez les termes qui annoncent une fin malheureuse.

« Sur le côté oriental de la montagne qui s'élève derrière le Port-Louis de l'île de France, on voit, dans un terrain jadis cultivé, les ruines de deux petites cabanes. Elles sont situées presque au milieu d'un bassin formé par de grands rochers, qui n'a qu'une seule ouverture tournée au Nord. On aperçoit à gauche la montagne appelée le morne de la Découverte, d'où l'on signale les vaisseaux qui abordent dans l'île, et au bas de cette montagne la ville nommée le Port-Louis ; à droite, le chemin qui mène du Port-Louis au quartier des Pamplemousses ; ensuite l'église de ce nom, qui s'élève avec ces avenues de bambous au milieu d'une grande plaine ; et plus loin une forêt qui s'étend jusqu'aux extrémités de l'île. On distingue devant soi, sur les bords de la mer, la baie du Tombeau ; un peu sur la droite, le cap Malheureux. »

Bernardin de Saint-Pierre, *Paul et Virginie*, 1788

EXERCICE 8

Dans le texte suivant, montrez comment l'espace peut être réparti en deux couples d'opposition. Quel est l'élément autour duquel s'articulent les deux couples ? Dites par qui est faite la description du village. Comment pouvez-vous qualifier cette description ? Que symbolise le village ? Montrez comment ce moment précis du roman met en évidence l'ambiguïté des désirs du héros.

« En descendant moteur au ralenti sur San Julian, Fabien se sentit las. Tout ce qui fait douce la vie des hommes grandissait vers lui : leurs maisons, leurs petits cafés, les arbres de leur promenade. Il était semblable à un conquérant, au soir de ses conquêtes, qui se penche sur les terres de l'empire, et découvre l'humble bonheur des hommes. Fabien avait besoin de déposer les armes, de ressentir sa lourdeur et ses courbatures, on est riche aussi de ses misères, et d'être ici un homme simple, qui regarde par la fenêtre une vision désormais immuable. Ce village minuscule, il l'eût accepté, après avoir choisi on se contente du hasard de son existence et on peut l'aimer. Il vous borne comme l'amour. Fabien eût désiré vivre ici longtemps, prendre sa part ici d'éternité, car les petites villes, où il vivait une heure, et les jardins clos de vieux murs qu'il traversait, lui semblaient éternels de durer en dehors de lui. Et le village montait vers l'équipage et vers lui s'ouvrait. Et Fabien pensait aux amitiés, aux filles tendres, à l'intimité des nappes blanches, à tout ce qui, lentement, s'apprivoise pour l'éternité. Et le village coulait déjà au ras des ailes, étalant le mystère de ses jardins fermés que leurs murs ne protégeaient plus. »

Saint-Exupéry, *Vol de nuit*, 1931.
Éd. Gallimard

EXERCICE 9

Dans le texte ci-dessous, repérez les phases de l'intrigue et donnez un titre à chacune d'elles. Relevez les indices temporels et évaluez le temps de la fiction. Déterminez le rythme du texte en appuyant vos affirmations par des délimitations et des exemples précis. Dites quel type d'espace est mis en place, de quel point de vue il est présenté et quelle est sa fonction.

Wood'stown

« L'emplacement était superbe pour bâtir une ville. Il n'y avait qu'à déblayer les bords du fleuve, en abattant une partie de la forêt, de l'immense forêt vierge enracinée là depuis la naissance du monde. Alors abritée tout autour par des collines, la ville descendait jusqu'aux quais d'un port magnifique, établi dans l'embouchure de la Rivière-Rouge, à quatre milles seulement de la mer.

Dès que le gouvernement de Washington eut accordé la concession, charpentiers et bûcherons se mirent à l'œuvre ; mais vous n'avez jamais vu une forêt pareille. Cramponnée au sol de toutes ses lianes, de toutes ses racines, quand on l'abattait par un bout elle repoussait d'un autre, se rajeunissait de ses blessures, et chaque coup de hache faisait sortir des bourgeons verts. Les rues, les places de la ville à peine tracées étaient envahies par la végétation. Les murailles grandissaient moins vite que les arbres, et sitôt élevées, croulaient sous l'effort des racines toujours vivantes.

Pour arriver à bout de cette résistance où s'émoussait le fer des cognées et des haches, on fut obligé de recourir au feu. Jour et nuit une fumée étouffante emplit l'épaisseur des fourrés, pendant que les grands arbres au-dessus flambaient comme des cierges. La forêt essaya de lutter encore, retardant l'incendie avec des flots de sève et de fraîcheur sans air de ses feuillages pressés. Enfin, l'hiver arriva. La neige s'abattit comme une seconde mort sur les grands terrains pleins de troncs noircis, de racines consumées. Désormais on pouvait bâtir.

Bientôt une ville immense, toute en bois comme Chicago, s'étendit aux bords de la Rivière-Rouge, avec ses larges rues alignées, numérotées, rayonnant autour des places, sa Bourse, ses halles, ses églises, ses écoles, et tout un attirail maritime de hangars, de douanes, de docks, d'entrepôts, de chantiers de construction pour les navires. La ville de bois, Wood'stown — comme on l'appela — fut vite peuplée par les essuyeurs de plâtres des villes neuves. Une activité fiévreuse circula dans tous ses quartiers ; mais sur les collines environnantes, dominant les rues pleines de foule et le port encombré de vaisseaux, une masse sombre et menaçante s'étalait en demi-cercle. C'était la forêt qui regardait.

Elle regardait cette ville insolente qui lui avait pris sa place au bord du fleuve, et trois mille arbres gigantesques. Tout Wood'stown était fait avec sa vie à elle. Les hauts mâts qui se balançaient là-bas dans le port, ces toits innombrables abaissés l'un vers l'autre, jusqu'à la dernière cabane du faubourg le plus éloigné, elle avait tout fourni, même les instruments de travail, même les meubles, mesurant seulement ses services à la longueur de ses branches. Aussi quelle rancune terrible elle gardait contre cette ville de pillards !

Tant que l'hiver dura, on ne s'aperçut de rien. Les gens de Wood'stown entendaient parfois un craquement sourd dans leurs toitures, dans leurs meubles. De temps en temps, une muraille se fendait, un comptoir de magasin éclatait en deux bruyamment. Mais le bois neuf est sujet à ces accidents, et personne n'y attachait d'importance. Cependant, aux approches du printemps, — un printemps subit, violent, si riche de sèves qu'on en sentait sous terre comme un bruissement de sources, — le sol commença à s'agiter, soulevé par des forces invisibles et actives. Dans chaque maison, les meubles, les parois des murs se gonflèrent, et l'on vit sur les planchers de longues boursouflures comme au passage d'une taupe. Ni portes, ni fenêtres, rien ne marchait plus. — « C'est l'humidité, disaient les habitants. Avec la chaleur, cela passera. »

Tout à coup, au lendemain d'un grand orage venu de la mer qui apportait l'été dans ses éclairs brûlants et sa pluie tiède, la ville en se réveillant eut un cri de stupeur. Les toits rouges des monuments publics, les clochers des églises, le plancher des maisons et jusqu'au bois des lits, tout était saupoudré d'une teinte verte, mince comme une moisissure, légère comme une dentelle. De près, c'était une quantité de bourgeons microscopiques, où l'enroulement des feuilles se voyait déjà. Cette bizarrerie des pluies amusa sans inquiéter ; mais, avant le soir, des bouquets de verdure s'épanouissaient partout sur les meubles, sur les murailles. Les branches poussaient à vue d'œil ; légèrement retenues dans la main, on les sentait grandir et se débattre comme des ailes.

Le jour suivant, tous les appartements avaient l'air de serres. Des lianes suivaient les rampes d'escalier. Dans les rues étroites, des branches se joignaient d'un toit à l'autre, mettant au-dessus de la ville bruyante l'ombre des avenues forestières. Cela devenait inquiétant. Pendant que les savants réunis délibéraient sur ce cas de végétation extraordinaire, la foule se pressait dehors pour voir les différents aspects du miracle. Les cris de surprise, la rumeur étonnée de tout ce peuple inactif donnaient de la solennité à cet étrange événement. Soudain quelqu'un cria : « Regardez donc la forêt ! » et l'on s'aperçut avec terreur que, depuis deux jours, le demi-cercle verdoyant s'était beaucoup rapproché. La forêt avait l'air de descendre vers la ville. Toute une grand-garde de ronces, de lianes s'allongeait jusqu'aux premières maisons des faubourgs.

Alors Woood'stown commença à comprendre et à avoir peur. Évidemment la forêt venait reconquérir sa place au bord du fleuve ; et ses arbres, abattus, dispersés, transformés, se déprisonnaient pour aller au-devant d'elle. Comment résister à l'invasion ? Avec le feu, on risquait d'embraser la ville entière. Et que pouvaient les haches contre cette sève sans cesse renaissante, ces racines monstrueuses attaquant le sol en dessous, ces milliers de graines volantes qui germaient en se brisant et faisaient pousser un arbre partout où elles tombaient ?

Pourtant, tout le monde se mit bravement à l'œuvre avec des faux, des herses, des cognées ; et l'on fit un immense abattis de feuillages. Mais en vain. D'heure en heure la confusion des forêts vierges, où l'entrelacement des lianes joint entre elles des pousses gigantesques, envahissait les rues de Wood'stown. Déjà les insectes, les reptiles faisaient irruption. Il y avait des nids dans tous les coins, et de grands coups d'ailes, et des masses de petits becs jaseurs. En une nuit, les greniers de la ville furent épuisés par toutes les couvées écloses. Puis, comme une ironie au milieu de ce désastre, des papillons de toutes grandeurs, de toutes couleurs volaient sur les grappes fleuries, et les abeilles prévoyantes qui cherchent des abris sûrs, du creux de ces arbres si vite poussés installaient leurs rayons de miel comme une preuve de durée.

Vaguement, dans la houle bruyante des feuillages, on entendait les coups sourds des cognées et des haches ; mais le quatrième jour tout travail fut reconnu impossible. L'herbe montait trop haute, trop épaisse. Des lianes grimpantes s'accrochaient aux bras des bûcherons, garrottaient leurs mouvements. D'ailleurs, les maisons étaient devenues inhabitables ; les meubles, chargés de feuilles, avaient perdu leurs formes. Les plafonds s'effondraient, percés par la lance des yuccas, la longue épine des acajoux ; et à la place des toitures s'étalait le dôme immense des catalpas. C'est fini. Il fallait fuir.

A travers le réseau de plantes et de branches qui se resserraient de plus en plus, les gens de Wood'stown épouvantés se précipitèrent vers le fleuve, emportant le plus qu'ils pouvaient de richesses, d'objets précieux. Mais que de peine pour gagner le bord de l'eau ! Il n'y avait plus de quais. Rien que des roseaux gigantesques. Les chantiers maritimes, où s'abritaient les bois de construction, avaient fait place à des forêts de sapins ; et dans le port tout en fleurs, les navires neufs semblaient des ilôts de verdure. Heureusement qu'il se trouvait là quelques frégates blindées sur lesquelles la foule se réfugia et d'où elle put voir la vieille forêt joindre victorieusement la forêt nouvelle.

Peu à peu les arbres confondirent leurs cimes, et sous le ciel bleu plein de soleil, l'énorme masse de feuillage s'étendit du bord du fleuve à l'horizon lointain. Plus trace de ville, ni de toits, ni de murs. De temps en temps un bruit sourd d'écroulement, dernier écho de la ruine, ou le coup de hache d'un bûcheron enragé, retentissait sous la profondeur du feuillage. Plus rien que le silence vibrant, bruissant, bourdonnant, des nuées de papillons blancs tournoyant sur la rivière déserte, et là-bas, vers la haute mer, un navire qui s'enfuyait, trois grands arbres verts dressés au milieu de ses voiles, emportant les derniers émigrés de ce qui fut Wood'stown... »

Alphonse Daudet, *Wood'stown*,
nouvelle publiée en 1873

EXERCICE 10

Voici le début d'un roman de Hugues Rebell, *La Nichina* (1896) :

1) Deux phases de l'intrigue sont annoncées, lesquelles ?

2) Quel est le type de composition de ce passage ?

3) Relevez les indications de temps.

4) Quelle est la fonction de la description du troisième paragraphe ? Relevez deux mots qui ont une connotation sinistre. Que pouvez-vous en déduire ?

« J'ai formé le dessein de vous conter la vie de Madame Nichina, qui fut belle autrefois et qui est maintenant vertueuse, bien que son corps et son visage gardent des traces honorables de leur ancienne splendeur et qu'elle ait encore le pouvoir de séduire le Diable, s'il lui plaisait.

Gentilhomme, descendant de l'illustre Vendramin, je n'eusse point songé à écrire l'histoire d'une courtisane, même repentie, et le monde eût ignoré jusqu'au nom d'une femme qui a laissé de ses grâces tant de souvenirs aux Vénitiens sans un malheur qui m'arriva aux dernières fêtes de Pâques.

Je revenais de Chioggia, au soleil couchant, et je bénissais la douceur du ciel, le calme de la mer et les vives couleurs dont la lumière mourante peignait les tours et les murailles de ma chère Venise. Jamais la vieille cité ne m'avait paru plus admirable qu'à ce moment du crépuscule où je la voyais s'élever toute rouge des eaux sombres. Mais ma ville natale ne m'était si précieuse alors que parce qu'elle contenait ma Carlona.

Il faut dire que cette fille m'avait à jamais conquis avec son regard qu'illuminaient tour à tour la tendresse et la colère, avec cette chair tudesque de lait et de roses dont une nature prodigue l'avait si généreusement comblée. Je rêvais aux chaudes voluptés de notre prochaine nuit et, déjà impatient de caresses, j'activais les rameurs. (...) »

Hugues Rebell, *La Nichina*, 1896

ROMANS, CONTES, NOUVELLES

Le roman

Le roman est sans doute le genre littéraire le plus représenté et le plus lu. S'il est facile d'identifier un roman, il est plus difficile de le définir. A partir du XVIe siècle, le roman français est une œuvre en prose, d'assez bonne longueur, racontant l'histoire d'un ou de plusieurs personnages. Le roman relève du type narratif. C'est un genre très souple, capable d'intégrer d'autres genres (tragédie...), d'autres tons (lyrisme...), d'autres domaines de l'activité humaine (histoire...).

Les œuvres romanesques se répartissent suivant des critères relevant de l'histoire littéraire. La consultation d'un manuel ou d'une histoire de la littérature permet de repérer l'école, le mouvement ou le courant auxquels se rattache un roman ; le *roman naturaliste* de Zola. Certaines dénominations, se référant à l'origine à un moment précis de l'histoire littéraire, peuvent qualifier des romans d'autres époques. *Le picaresque*, qui désigne un genre né en Espagne au XVIe siècle, peut s'appliquer à des romans du XXe siècle, ceux de Céline par exemple.

Les romans peuvent être répartis en sous-genres. Un même roman peut bien sûr combiner plusieurs sous-genres. C'est le propre du « grand » roman de transgresser les classifications et de dérouter le lecteur. Par contre, la littérature populaire repose sur la parfaite concordance entre l'œuvre et les caractéristiques du genre.

Sous-genre	Caractéristiques	Exemples
LE ROMAN D'INITIATION de formation, d'apprentissage, d'éducation...	formation d'une personnalité au contact du monde extérieur	*L'Éducation sentimentale*, Flaubert, 1869.
LE ROMAN AUTOBIOGRAPHIQUE	narration à la 1re personne l'auteur fait le récit de sa propre existence, il essaie de reconstituer la formation de sa personnalité	*Confessions*, J.-J. Rousseau. (1765-1770). *Les Mots*, Sartre, 1964.
LE ROMAN PICARESQUE	raconte les errances de déclassés, de marginaux propose une vision particulière de la société	*Gil Blas de Santillane*, Lesage. (1715-1735).
LE ROMAN D'AVENTURES	fait évoluer les personnages dans de nouveaux espaces au sein de peuples différents, à d'autres époques est centré sur l'action	*L'Or*, Blaise Cendrars, 1925.
LE ROMAN HISTORIQUE	l'histoire est située à une époque antérieure à celle de l'auteur l'époque fournit un cadre exotique et permet une mise en perspective du présent	*Cinq-Mars*, Vigny. 1826.
LE ROMAN POLICIER	centré sur la résolution d'une énigme	*Les Nouveaux mystères de Paris*, Léo Malet, 1950.
LE ROMAN DE SCIENCE-FICTION	s'interroge sur l'avenir de l'humanité par le biais du pouvoir donné à l'homme par la science	*Le Désert du monde*, Pierre Pelot. *Délirium Cireus*, Pierre Pelot.
LE NOUVEAU ROMAN	école datant des années 1950 se démarque des procédés de narration traditionnels, effacement du personnage ; s'attache à cerner le réel (un objet, un moment...) par des approches multiples	*Les Gommes*, Robbe-Grillet, 1953.

La nouvelle

La nouvelle, moins lue et moins répandue en France que le roman, est un récit bref. Elle est publiée isolément dans des revues ou éditée avec d'autres nouvelles sous forme de recueil ; dans ce cas, la réunion des textes peut être justifiée par un prétexte, la présence d'un narrateur commun, par exemple. La nouvelle est un genre ancien puisque le premier recueil de nouvelles françaises, *Les Cent nouvelles nouvelles,* inspiré de nouvelles italiennes, paraît en 1462. Elle a connu un développement très important aux XVI-XVIIe, puis au XIXe siècle. Chaque siècle a vu s'imposer des types différents de nouvelles. Pratiquement tous les grands écrivains ont composé des nouvelles. Souvent, des recueils de « contes », ainsi appelés pour des besoins éditoriaux, sont en fait des recueils de nouvelles : *Contes de la Bécasse,* 1883, Maupassant.

La nouvelle se différencie du roman par le point de vue narratif. Le narrateur est souvent explicitement présent à l'intérieur du texte de la nouvelle. L'effet sur le lecteur est ainsi renforcé.

La nouvelle, à cause de sa taille réduite, se doit de saisir l'histoire à un moment significatif de son développement. L'intensité dramatique est ainsi soulignée. C'est pourquoi la nouvelle est privilégiée pour mettre en valeur un fait divers, un moment de vie. Elle se présente volontiers comme une histoire vraie.

Pour les mêmes motifs, pour sa concision qui en fait la force, la nouvelle est souvent le cadre d'un épisode fantastique. *Le Horla,* 1887, Maupassant ; *La Vénus d'Ille,* 1837, Mérimée.

Caractéristiques	**Exemples**
• un seul sujet : anecdote, souvenir, fait divers, moment de vie • récit bref, action concentrée saisie à un moment décisif • rythme rapide, peu ou pas de digressions • peu de personnages • présence fréquente d'un narrateur • publication en recueil	Marguerite de Navarre, *Heptaméron,* 1542-1546. Balzac, *Adieu,* 1830. Maupassant, *Le rosier de Madame Husson,* 1888. Arland, *Ouvert la nuit,* 1922. Sartre, *Le mur,* 1937. Tournier, *Le Coq de Bruyère,* 1978. Boulanger, *Table d'hôte,* 1982. Sallenave, *Un printemps froid,* 1983.

Le conte

Sous le hom de « conte », se rencontrent des textes très divers. Cependant, tous, en général assez brefs, font entrer le lecteur dans un univers déroutant, différent du monde réel.

Les enfants du monde entier connaissent des contes de fée, souvent transmis oralement de génération en génération. Ces contes de fée, que Perrault avait déjà sélectionnés pour en faire un recueil au XVIIe siècle, ont acquis leurs lettres de noblesse en littérature au début du XIXe siècle, quand les romantiques s'enthousiasmèrent pour toutes les créations populaires.

Certains écrivains, en particulier au XVIIIe siècle, ont choisi la forme du conte philosophique qui leur permettait d'exposer une doctrine, des idées abstraites sous un abord facile, sinon séduisant.

Enfin, beaucoup d'écrivains, au XIXe siècle essentiellement, ont donné le nom de conte à des récits fantastiques : le surnaturel est plus facilement accepté à l'intérieur d'un genre qui se veut déjà en dehors du réel.

Sous-genre	**Caractéristiques**	**Exemples**
Le conte de fées	• cadre merveilleux • lieux et époque indéterminés • les personnages ont une fonction précise • fin heureuse	*Contes*, Perrault, 1697.
Le conte philosophique	utilise les procédés narratifs (intrigue, personnages...) pour exposer une problématique philosophique, morale...	*Candide*, Voltaire, 1759.
Le conte fantastique	explore des domaines inaccessibles autrement que par la littérature, affirme par là sa force	*Contes fantastiques,* Gautier, 1831-1865. *Smarra,* Nodier, 1821.

15 Les personnages du récit

Jean Péloueyre est un riche héritier affligé d'une laideur qui lui semble insurmontable. Pourtant, le curé du village veut le marier à une jolie jeune fille.

1 « Il n'y a plus maintenant dans la pièce obscure, comme pour une expérience d'entomologie, que ce petit mâle noir et apeuré devant la femelle merveilleuse ; Jean Péloueyre ne bouge plus, ne lève plus les yeux : c'est inutile désormais ; le voilà prisonnier des regards arrêtés sur lui. La vierge mesure de l'œil cette larve qui est son destin. Le beau jeune homme aux inter-
5 changeables visages, le compagnon du rêve de toutes les jeunes filles, — celui qui offre à leurs insomnies sa dure poitrine et la courroie serrée de deux bras, — il se dilue dans le crépuscule de cette cure, il se fond jusqu'à n'être plus, au coin le plus obscur du parloir, que ce grillon éperdu. Elle regarde son destin, le sachant inéluctable : on ne refuse pas le fils Péloueyre. Les parents de Noémi, s'ils vivent dans l'angoisse que le jeune homme se dérobe, n'imaginent même
10 pas qu'aucune objection vienne de leur fille ; elle n'y songe pas non plus. Depuis un quart d'heure, tout ce que doit lui donner la vie est là, se rongeant les ongles, se tortillant sur une chaise. Il se lève, il est encore plus petit levé qu'assis, et il parle, balbutie une phrase qu'elle n'entend pas et qu'il répète : « Je sais que je ne suis pas digne... » Elle proteste : « Oh ! Monsieur... » Il s'abandonne à une crise folle d'humilité, reconnaît qu'on ne peut l'aimer et
15 ne demande que la permission d'aimer. Les mots lui viennent, ses phrases s'organisent. Il a attendu jusqu'à vingt-trois ans pour expliquer son cœur à une femme. Il gesticule comme s'il était seul pour dépeindre sa belle âme, et en effet il est bien seul.

Noémi regardait la porte et ne s'étonnait pas ; toujours elle avait ouï dire de Jean Péloueyre : « C'est un type, il est un peu timbré. » Il parlait, et la porte demeurait close ; rien ne vivait
20 dans ce presbytère que ce bonhomme et ses gestes. Noémi se troubla ; un désir de larmes l'étouffait. Jean se tut enfin et elle eut peur comme dans une chambre où l'on sait qu'une chauve-souris est entrée et se cache. Lorsque le curé et Mme d'Artiailh revinrent, elle se jeta au cou de sa mère sans imaginer que cette effusion pût être un acquiescement. Mais déjà le curé frottait sa joue contre celle de Jean. Ces dames s'en allèrent seules pour ne pas éveiller
25 la curiosité des voisines. Entre les volets rapprochés, Jean Péloueyre vit-il — près de Mme d'Artiailh, aiguë et grêle et qui filait l'arrière-train de côté, comme les chiens, — cette robe de Noémi, cette robe un peu fripée qui ne s'épanouirait plus, cette nuque fléchie, fleur moins vivante, fleur déjà coupée ? »

François Mauriac, *Le Baiser au lépreux*, 1922. Éd. Grasset

Paul et Virginie, Eugénie Grandet, Poil de Carotte, Le Bachelier... Sous leur prénom, leur nom, leur surnom, leur occupation, les personnages sont souvent présents dès le titre du roman. Comment aborder ces inconnus qui se cachent derrière des mots ?

Le portrait des personnages

Le personnage est un être de fiction. Cependant, comme pour une personne, on peut reconstituer son identité : nom, âge, origine sociale, famille, passé, éducation..., tracer son portrait physique et psychologique. Les indices sont proposés d'emblée ou disséminés tout au long de l'œuvre. Ils sont donnés de façon directe ou indirecte, les deux pouvant se mêler au cours de l'œuvre.

■ **La présentation directe.** Les indices qui caractérisent le personnage sont dénotatifs (voir page 16), c'est-à-dire clairement exprimés à l'intérieur du récit.
Exemple : « Il a attendu jusqu'à vingt-trois ans pour expliquer son cœur à une femme » (ligne 16).

■ **La présentation indirecte.** Les indices qui caractérisent le personnage sont connotatifs (voir page 16), c'est au lecteur de les interpréter.
– Indices littéraires : comparaisons, métaphores, figures de style.
– Indices matériels : le décor et les objets qui entourent le personnage.
– Indices gestuels et langagiers : les gestes, les habitudes, les actes, le niveau de langue, le vocabulaire (spécialisé, professionnel...) employé.
Exemples : Jean Péloueyre (page 76). Indices littéraires : « mâle noir et apeuré » (ligne 2), « larve » (4), « grillon » (8), etc. Indices matériels : « pièce obscure » (1), « coin obscur » (7), « presbytère » (20), etc. Indices gestuels : « ne bouge plus, ne lève plus les yeux » (3), « se rongeant les ongles, se tortillant » (11), etc. Indices langagiers : « je ne suis pas digne » (13).

Les fonctions des personnages

Le personnage n'a pas d'existence autonome. Il entre en combinaison avec d'autres personnages pour construire l'intrigue. Son rôle dans cette combinaison détermine sa fonction.

Le destinateur	Il envoie le sujet à la recherche de l'objet	*le curé : en arrangeant le mariage de Jean, il introduit la force transformatrice.*
Le destinataire	Il doit recevoir l'objet	*Jean : « je sais que je ne suis pas digne » : connotation religieuse.*
Le sujet	Il accomplit l'action	*Pas de sujet : les personnages sont manipulés par des forces qui les dépassent.*
L'objet	Le destinateur le fait parvenir au destinataire par l'intermédiaire du sujet	*Noémi. Elle est « vendue » par sa famille. Après la mort de Jean, une clause testamentaire lui interdira de se remarier.*
L'opposant	Il empêche le sujet d'accomplir sa mission	*La disgrâce physique de Jean est un obstacle à l'union des deux époux.*
L'auxiliaire	Il aide le sujet à accomplir sa mission	*Mme d'Artiailh.*

Les rôles peuvent être stables sur l'ensemble de l'œuvre ou bien se redistribuer au gré des chapitres ou des scènes. Une fonction peut ne pas être représentée par un personnage, mais par un objet ou une notion abstraite *(la laideur de Jean)*. Elle peut être représentée par plusieurs personnages ou même ne pas être représentée du tout *(Ici, le sujet)*.

Le lecteur et la découverte des personnages

1) La découverte « de l'intérieur ». Le lecteur suit l'action à travers le regard du personnage dont il découvre les pensées, les réticences et les hésitations intimes.

2) La découverte « de l'extérieur ». Le lecteur ne découvre le personnage qu'à travers ce que dit et fait ce dernier. Il ne connaît rien des pensées intimes du personnage.

3) Le lecteur suit le personnage à la fois « de l'intérieur et de l'extérieur ». Le narrateur met à jour des pensées ou des motivations que les personnages seraient bien souvent incapables d'exprimer eux-mêmes. *Exemple :* A propos de Noémi : lignes 4, 8, 10 et 23.

EXERCICE 1

Un personnage (un héros en particulier) est souvent déjà caractérisé par son nom. Le nom du personnage peut donc être une source précieuse d'indications. En vous aidant, si nécessaire, d'un dictionnaire étymologique, expliquez les noms suivants et leurs connotations (voir page 16).

– Stello de *Stello* (Vigny)
– Meursault de *L'Étranger* (Camus)
– Bovary de *Madame Bovary* (Flaubert)
– Solal de *Solal* (Cohen)
– Félicien, Angélique de *Le Rêve* (Zola)
– Gobseck, personnage de Balzac
– Fleur-de-Marie des *Mystères de Paris* (Eugène Sue)
– Jonas de *Un Policeman* (Didier Decoin)
– Evaltina de *L'Envoûteuse* (Guy des Cars)

EXERCICE 2

1) Dans ce portrait de Félicité, la servante de Madame Aubain, Flaubert a volontairement mêlé présentation directe et présentation indirecte. Relevez tous les indices dénotatifs de ce portrait.

2) Analysez ensuite, après les avoir relevés et classés en tableau, tous les indices connotatifs.

Indices	
•	....
•	....
Indices gestuels	
•	....

« Elle se levait dès l'aube, pour ne pas manquer la messe, et travaillait jusqu'au soir sans interruption ; puis, le dîner étant fini, la vaisselle en ordre et la porte bien close, elle enfouissait la bûche sous les cendres et s'endormait devant l'âtre, son rosaire à la main. Personne, dans les marchandages, ne montrait plus d'entêtement. Quant à la propreté, le poli de ses casseroles faisait le désespoir des autres servantes. Économe, elle mangeait avec lenteur, et recueillait du doigt sur la table les miettes de son pain, – un pain de douze livres, cuit exprès pour elle, et qui durait vingt jours.

En toute saison elle portait un mouchoir d'indienne fixé dans le dos par une épingle, un bonnet lui cachant les cheveux, des bas gris, un jupon rouge, et par-dessus sa camisole un tablier à bavette, comme les infirmières d'hôpital.

Son visage était maigre et sa voix aiguë. A vingt-cinq ans, on lui en donnait quarante. Dès la cinquantaine, elle ne marqua plus aucun âge ; – et, toujours silencieuse, la taille droite et les gestes mesurés, semblait une femme en bois, fonctionnant d'une manière automatique. »

Flaubert, *Un cœur simple*

EXERCICE 3

Classez les informations contenues dans ce portrait du Baron de Sigognac, héros du *Capitaine Fracasse.*

1) Relevez toutes les indications qui permettent de faire le portrait physique du héros.

2) Relevez les indices qui permettent de comprendre sa situation et son état d'esprit à ce moment du roman.

3) Relevez les termes qui laissent envisager un changement de situation.

« Le baron de Sigognac, car c'était bien le seigneur de ce castel démantelé qui venait d'entrer dans la cuisine, était un jeune homme de vingt-cinq ou vingt-six ans, quoique au premier abord on lui en eût attribué peut-être davantage, tant il paraissait grave et sérieux. Le sentiment de l'impuissance, qui suit la pauvreté, avait fait fuir la gaieté de ses traits et tomber cette fleur printanière qui veloute les jeunes visages. Des auréoles de bistre cerclaient déjà ses yeux meurtris, et ses joues creuses accusaient assez fortement la saillie des pommettes ; ses moustaches, au lieu de se retrousser gaillardement en crocs, portaient la pointe basse et semblaient pleurer auprès de sa bouche triste ; ses cheveux, négligemment peignés, pendaient par mèches noires au long de sa face pâle avec une absence de coquetterie rare dans un jeune homme qui eût pu passer pour beau, et montraient une renonciation absolue à toute idée de plaire. L'habitude d'un chagrin secret avait fait prendre des plis douloureux à une physionomie qu'un peu de bonheur eût rendue charmante, et la résolution naturelle à cet âge y paraissait plier devant une mauvaise fortune inutilement combattue.

Quoique agile et d'une constitution plutôt robuste que faible, le jeune Baron se mouvait avec une lenteur apathique, comme quelqu'un qui a donné sa démission de la vie. Son geste était endormi et mort, sa contenance inerte, et l'on voyait qu'il lui était parfaitement égal d'être ici ou là, parti ou revenu.

Sa tête était coiffée d'un vieux feutre grisâtre, tout bossué et tout rompu, beaucoup trop large, qui lui descendait jusqu'aux sourcils et le forçait, pour y voir, à relever le nez. Une plume, que ses barbes rares faisaient ressembler à une arête de poisson, s'adaptait au chapeau, avec l'intention visible d'y figurer un panache, et retombait flasquement par derrière comme honteuse d'elle-même. »

Théophile Gautier, *Le Capitaine Fracasse*, 1861-1863

EXERCICE 4

Analysez le portrait du fils Pieuchon à travers cette présentation indirecte. Relevez avec soin chaque indice en le classant dans un tableau, puis analysez-le et interprétez-le.

« La servante lui dit que ces messieurs avaient déjeuné en ville ; Jean résolut d'attendre le fils Pieuchon de qui la chambre ouvrait sur le vestibule. Cette chambre lui ressemblait au point que l'ayant vue, on ne souhaitait plus d'en connaître l'hôte : au mur, râtelier de pipes, affiches du bal des étudiants ; sur la table, une tête de mort insultée par un brûle-gueule ; des livres achetés pour les loisirs des vacances : *Aphrodite, L'Orgie latine, Le Jardin des supplices, Le Journal d'une femme de chambre, Les Morceaux choisis* de Nietzsche attirèrent Jean : il les feuilleta. »

Mauriac, *Le Baiser au Lépreux*, Éd. Grasset

EXERCICE 5

D'après la description de leur salle à manger, esquissez le portrait des gens qui habitent cette maison.

« La pièce où ils se trouvaient était une salle à manger de style rustique, qui devait tenir lieu de salon, et où les objets étaient à leur place, comme dans une vitrine ou comme chez le marchand de meubles. Rien ne traînait, ni une pipe ni un paquet de cigarettes, pas un ouvrage de couture non plus, un journal, n'importe quoi pour suggérer l'idée que des gens passaient ici une partie de leur vie. »

Simenon, *Maigret et l'homme du banc*, 1952. Éd. Presses de la Cité

EXERCICE 6

Ces phrases, extraites du *Roman de la momie*, décrivent le souverain Pharaon. De quel type sont les indices ici rassemblés ? Quel aspect de Pharaon soulignent-ils ? Commentez cet aspect.

« Ses traits, grands, purs, réguliers semblaient l'ouvrage du ciseau. »

« Sa taille haute, bien proportionnée, majestueuse, offrait la noblesse de lignes qu'on admire dans les statues des temples ; »

« cette ombre noire qui ressemblait plutôt à une statue osirienne qu'à un roi vivant. »

« Pressée et comme écrasée contre la poitrine du Pharaon par deux bras de granit, ... »

« Les rides de son front et de ses joues, pareilles à des traces de ciseau sur du granit, ... »

« le dégoût des adorations et comme l'ennui du triomphe avaient figé à jamais cette physionomie, implacablement douce et d'une sérénité granitique. »

Gautier, *Le Roman de la momie*

EXERCICE 7

Qu'il s'agisse d'un film, d'une affiche ou d'un encart (dans un journal), l'argumentation publicitaire utilise régulièrement le récit pour mettre en scène un produit. Le héros de chaque histoire sert, suivant le point de vue adopté, de preuve ou de témoin pour justifier la qualité du produit présenté. Dans les publicités ci-dessous, analysez la mise en scène, le lecteur découvre-t-il le personnage « de l'intérieur » ou « de l'extérieur » ? Expliquez et justifiez le choix fait par le publicitaire pour raconter son histoire.

TAP AIR PORTUGAL. Photo Buiret H.D.M.

DANONE AU LAIT ENTIER
Gervais-Danone
Dupuy-Saatchi & Saatchi-Compton

EXERCICE 8

1) Quels indices sur le personnage de Fabrice peut-on relever dans ce passage ?

2) D'après ce court passage, quelle est la fonction des personnages cités (Fabrice, le comte de Mosca et la duchesse) ?

3) Le lecteur découvre-t-il le héros « de l'intérieur », « de l'extérieur » ou à la fois « de l'intérieur et de l'extérieur » (voir page 77) ? Expliquez votre réponse.

« Fabrice demandait pardon à Dieu de beaucoup de choses, mais, ce qui est remarquable, c'est qu'il ne lui vint pas à l'esprit de compter parmi ses fautes le projet de devenir archevêque, uniquement parce que le comte Mosca était premier ministre, et trouvait cette place et la grande existence qu'elle donne convenables pour le neveu de la duchesse. Il l'avait désirée sans passion, il est vrai, mais enfin il y avait songé, exactement comme à une place de ministre ou de général. Il ne lui était point venu à la pensée que sa conscience pût être intéressée dans ce projet de la duchesse. »

Stendhal, *La Chartreuse de Parme*

EXERCICE 9

Analysez le début de ce récit en bande dessinée. A travers quel point de vue le lecteur découvre-t-il cette histoire ? Analysez les images et le texte pour justifier et expliquer votre réponse.

EXERCICE 10

Dans ses *Confessions*, Rousseau se rappelle qu'enfant, il a été accusé à tort d'avoir cassé un peigne. Quel est le point de vue employé pour présenter le personnage (de l'intérieur ou de l'extérieur) ? En vous appuyant, entre autres, sur les expressions en italique, montrez comment l'auteur parvient à convaincre le lecteur de son innocence ?

« Il y a maintenant près de cinquante ans de cette aventure, et je n'ai pas peur d'être aujourd'hui puni derechef pour le même fait ; eh bien, je déclare à la face du Ciel que j'en étais innocent, que je n'avais ni cassé ni touché le peigne, que je n'avais pas approché de la plaque, et que je n'y avais même pas songé. *Qu'on ne me demande pas* comment ce dégât se fit : je l'ignore et ne puis le comprendre ; ce que je sais très certainement, c'est que j'en étais innocent.

Qu'on se figure un caractère timide et docile dans la vie ordinaire, mais ardent, fier, indomptable dans les passions, un enfant toujours gouverné par la voix de la raison, toujours traité avec douceur, équité, complaisance, qui n'avait pas même l'idée de l'injustice, et qui, pour la première fois, en éprouve une si terrible de la part précisément des gens qu'il chérit et qu'il respecte le plus : quel renversement d'idées ! quel désordre de sentiments ! quel bouleversement dans son cœur, dans sa cervelle, dans tout son petit être intelligent et moral ! Je dis *qu'on s'imagine tout cela*, s'il est possible, car pour moi, je ne me sens pas capable de démêler, de suivre la moindre trace de ce qui se passait alors en moi. »

Rousseau, *Confessions*

Muñoz et Sampayo, *Alack Sinner*. Éd. Casterman

EXERCICE 11

Ce texte est une déclaration d'amour. Solal retrouve Adrienne qu'il a aimée.

1) Étudiez, en vous appuyant sur des exemples précis, comment le lecteur découvre le personnage.

2) Relevez tous les termes qui se rapportent au réseau lexical de la vérité et du mensonge et présentez les points de vue du narrateur, d'Adrienne et de Solal lui-même sur le héros. Quel est votre propre point de vue ?

« — Je vais te montrer comment on séduit une femme. Prestidigitation. Rien dans les mains, rien dans les poches. Rien dans les poches surtout. Je commence.

Elle se disposa à écouter, presque intéressée. Mais sur les lèvres de Solal le sourire extasié, menaçant, enfantin, cessa d'errer. Il se promena, puis s'abattit lourdement sur le fauteuil et songea. Sous une gaieté qui lui apparaissait soudain ridicule et pitoyable, il avait caché son trouble. En réalité, il avait eu si peur en venant. Elle était la seule femme qu'il eût aimée. Depuis si longtemps elle était sur tous les chemins de sa pensée.

Adrienne ne cessait de le regarder, sentait la sincérité de ce silence, n'osait parler, était en proie au remords. Comment avait-elle pu être si dure avec lui ? Quels yeux ! Et il était grand comme un demi-dieu.

Il parla avec la gravité d'une douleur véridique qui osait enfin surgir. Elle était son seul pays. Il avait tellement attendu, toujours espéré. Tous les matins, il avait attendu à Aix la lettre de miracle. Tous les soirs, il pressait son cœur et il en sortait du sang noir. Toutes les nuits, il se disait qu'elle vivait et qu'il ne voyait pas ses yeux. Il n'avait pas oublié un seul mot, un seul geste d'elle. Les trois merveilleuses années de Céphalonie. Elle était la seule, elle était ce qu'il avait connu de plus doux, de plus vivant et de plus noble. Et cætera, la vieille ferblanterie inusable.

— Ma vie est entre tes mains. Si tu me repousses, je meurs. Je t'aime, moi, je t'aime, j'ai tant souffert.

Ému par toutes ces images douloureuses, il pleura sincèrement. Elle fondait de pitié devant cette jeune souffrance.

— Adrienne, une seule fois vous revoir. Nous revoir seuls. Entre les murs de la chambre, je marchais et j'attendais. Dans la solitude, les larmes sur mes doigts étaient mes seules compagnes.

Ses yeux étaient embués de vraie douleur mais la joie d'avoir réussi la dernière phrase le fit respirer largement. Il baissa les franges recourbées où perlaient encore des larmes et médita.

"Un : déclaration d'amour. Bon. Fait. Assez bien. C'est donc pour éveiller intérêt ; pour que j'existe de nouveau à ses yeux. Maintenant voyons le deux et le trois qui restent à faire. Deux : suggérer que je suis aimé ; inventer histoire. On le fera en parlant ; j'ai plus d'idées à haute voix. Donc l'intérêt qu'elle éprouve pour moi est justifié. Bon. Trois : suggérer que la femme qui m'adore est digne d'être aimée par moi. Tout en me défendant très sincèrement d'aimer cette belle mystérieuse, en parler de telle sorte qu'Adrienne soit persuadée que je ne peux pas ne pas commencer bientôt à aimer — quel mot ! — l'extraordinaire concurrente si elle n'y prend garde. Sans le un, impossible d'obtenir jalousie avec deux et trois. Sans deux et trois, un perd valeur. Je fais tout marcher : tendresse maternelle, fierté satisfaite, orgueil en éveil, inquiétude. Ça va. Allons-y. Quels trois serpents je suis."

Lorsqu'il eut fini de parler, elle se leva, se regarda dans la glace. Non, elle n'avait pas vieilli, mais les années passaient tout de même. Et lui était en plein rayonnement de jeunesse. Ah, il aimerait bientôt cette inconnue, plus jeune qu'elle certainement. C'était sans doute grâce à cette inconnue qu'il avait pu changer de vie. Hôtel Ritz et beaux vêtements. Il devait se laisser adorer, mener une vie de paresse. Elle avait le devoir en somme de réparer le mal qu'elle avait fait. C'est à cause d'elle en somme qu'il allait mener bientôt une vie de corruption. Il se trompait lorsqu'il disait qu'il l'aimait. Mais peu importait. Son devoir à elle était de veiller sur lui.

Lui pensait. "Pauvre, je lui ai fait de la peine et elle a mordu. N'empêche, c'est une misérable. Pas de pitié pour moi, sincère et galeux. Mais depuis que je suis bien habillé et que je mens, changement à vue. Ah, misère. Ah, j'aurais voulu autrement. Dommage." Il la supplia du regard. Elle caressa les courtes boucles noires.

— Tout ce que vous voudrez, mon enfant, dit-elle avec la mélancolie sentencieuse des femmes qui s'approchent des solennités du cœur.

Il eut honte pour cette femme intelligente soudain idiote et se leva trop brusquement. Mais il sentit aussitôt la méfiance d'Adrienne. Pour réparer la gaffe, il fit trembler imperceptiblement ses doigts et ses paupières, heurta un guéridon. Elle fut touchée par cette sincérité maladroite. Il eut un regard soumis, baissa les yeux qui, en ce moment, louchaient un peu.

— Quand, Adrienne ?

— Demain soir, si vous voulez, vers huit heures et demie. Au Ritz, avez-vous dit ?

— Soyez bénie, dit le jeune pontife avec beaucoup de gravité.

Il sortit. Elle le suivit du regard, se rappela soudain qu'il avait parlé de prestidigitation, se demanda si elle n'avait pas été jouée et si elle irait vraiment le voir à l'hôtel. »

Albert Cohen, *Solal*, 1930. Éd. Gallimard

16 Le texte poétique

Te regardant assise auprès de ta cousine,
Belle comme une Aurore, et toy comme un Soleil,
Je pensay voir deux fleurs d'un mesme teint pareil,
Croissantes en beauté, l'une à l'autre voisine.

La chaste, saincte, belle et unique Angevine,
Viste comme un esclair sur moy jetta son œil.
Toy comme paresseuse et pleine de sommeil,
D'un seul petit regard tu ne m'estimas digne.

Tu t'entretenois seule au visage abaissé,
Pensive toute à toy, n'aimant rien que toymesme,
Desdaignant un chacun d'un sourcil ramassé,

Comme une qui ne veut qu'on la cherche ou qu'on l'aime.
J'eus peur de ton silence, et m'en allay tout blesme,
Craignant que mon salut n'eust ton œil offensé.

Ronsard, *Sonnets pour Hélène*, 1578

Une allée du Luxembourg

Elle a passé, la jeune fille,
Vive et preste comme un oiseau ;
A la main une fleur qui brille,
A la bouche un refrain nouveau.

C'est peut-être la seule au monde
Dont le cœur au mien répondrait ;
Qui, venant dans ma nuit profonde,
D'un seul regard l'éclairerait !...

Mais non, — ma jeunesse est finie...
Adieu, doux rayon qui m'a lui, —
Parfum, jeune fille, harmonie...
Le bonheur passait, — il a fui !

Nerval, *Odelettes. Petits châteaux de bohême*, 1832

Secrète félicité

O douce créature ô tendre
Sœur du chevreuil brun
Dans cette nuit de l'été vermeil
Apparue.

Farouche douce amie
Montée du plus bas fond d'âges perdus
Tu es venue tu trembles
Tu te présentes nue
A la pointe extrême de ma vie.

Sous la lune pleine
Brillent sans nuage tes yeux jaunes
Immobile merveille
Cristal du silence nocturne
Brûlant écho où je suis consumé.

O parfait bonheur
Dangereusement suspendu.

Fruit fauve à fil de plomb.

Eaux noires saules ployés embûches
Lac froid.
Tourbières ténèbres voraces.

Et si j'osai
Ne te méritant pas
Vers toi m'élever le temps d'un éclair
Oh qu'il se puisse pourtant
Que tu ne retombes pas encore
Secrète félicité !

André Pieyre de Mandiargues, *L'Age de Craie*, 1961. Éd. Gallimard

« Poésie » vient d'un mot grec qui signifie « faire, créer ». Acte de création à l'état pur, la poésie est un travail sur les mots. Le poète s'appuie sur ses souvenirs, la tradition poétique et les renouvelle par sa vision personnelle. Inspiré par son don, il éveille la mémoire profonde des hommes.

Les genres poétiques

- **La poésie dramatique** englobe toute pièce de théâtre en vers.
- **La poésie épique,** très répandue dans la poésie antique, raconte les hauts faits des héros, le destin d'un peuple.
- **La poésie lyrique.** « Lyrique » vient de « lyre », l'instrument accompagnant la poésie antique. Le poète parle de lui-même, exprime des sentiments intimes. Il reprend les thèmes fondamentaux de l'expérience humaine : l'amour, la mort, le temps, la nature, l'enfance, le pouvoir, la création... *Les trois poèmes p. 82 évoquent l'éclair d'une apparition féminine.*

Les genres peuvent se combiner : un monologue lyrique ou un récit épique peuvent se rencontrer à l'intérieur d'une œuvre dramatique.

Les formes poétiques (voir page 90)

1) Forme régulière. Ce peut être une forme fixe ou une succession de strophes régulières. Dans les deux cas, les écarts éventuels sont significatifs. *Exemple :* Le poème de Ronsard est un sonnet, celui de Nerval, une odelette.

2) Forme libre

Le poète crée sa propre forme. Des mètres différents alternent et suscitent un rythme heurté. *Exemple :* Dans « Secrète Félicité », les vers vont de 2 à 10 syllabes.

Le rythme

C'est la musique du poème (à l'origine, la poésie était toujours accompagnée d'un instrument). Il est basé sur le retour, à intervalles plus ou moins réguliers, d'accents toniques. Il donne sa cohérence au poème : difficile de déplacer un mot sans détruire l'équilibre du texte. Deux vers au rythme identique peuvent ainsi être mis en parallèle. *Exemple :* Chez Nerval, les vers 1 et 8 au rythme identique et équilibré (4/4) encadrent la vision idéale de la jeune fille.

Toute rupture du rythme attendu a un effet de mise en valeur. La poésie moderne joue beaucoup sur les contrastes de rythme.

Les rimes

C'est la mémoire interne du poème. Par leur position privilégiée en fin de vers, elles soulignent le rythme, rapprochent ou opposent des mots-clés. *Exemple :* Chez Nerval, « fille/brille », « finie/harmonie », « lui/fui ». Elles créent des associations de mots inédites. *Exemple :* Dans « Secrète félicité », « apparue / perdus / nue / lune... »

Le lexique

■ **La polysémie des mots** (voir pages 7, 17)

La création poétique est un jeu. Elle réactive tous les sens du mot et le charge de connotations. *Exemple :* Dans « Secrète félicité », le « fil de plomb » évoque aussi le plomb du chasseur, la mort...

■ **Les réseaux lexicaux** (voir page 20)

Ils sont rendus plus denses du fait de l'espace relativement restreint du texte poétique. *Exemple :* Chez Nerval, « brille » / « éclairerait » / « rayon »...

■ **Les figures de style** (voir page 32)

Elles sont soulignées par les coupes. *Exemple :* Chez Nerval, le parallélisme des vers 3 et 4.

■ **Les comparaisons et les métaphores** (voir page 28)

La poésie crée des images. *Exemple :* « Cristal du silence nocturne » (Mandiargues). La force du poème réside dans la nouveauté ou le renouvellement original des images.

EXERCICE 1

Voici quatre extraits de l'œuvre poétique de Victor Hugo. A quel genre appartient chacun d'eux ? Justifiez vos réponses.

1) « Oh ! vous êtes un homme effrayant. Mes genoux
Tremblent... Vous m'entraînez vers un gouffre invisible
Oh ! je sens que je suis dans une main terrible !
Vous avez des projets monstrueux. J'entrevoi
Quelque chose d'horrible... — Ayez pitié de moi !
Il faut que je vous dise, — hélas ! jugez vous-même !
Vous ne le saviez pas ! cette femme, je l'aime ! »

2) « J'ai bien assez vécu, puisque dans mes douleurs
Je marche, sans trouver de bras qui me secourent,
Puisque je ris à peine aux enfants qui m'entourent,
Puisque je ne suis plus réjoui par les fleurs ; »

3) « Qui pourrait dire, au fond des cieux pleins de huées,
Ce que fait le tonnerre au milieu des nuées,
Et ce que fait Roland entouré d'ennemis ?
Larges coups, flots de sang par des bouches vomis,
Faces se renversant en arrière livides,
Casques brisés roulant comme des cruches vides,
Flots d'assaillants toujours repoussés, blessés, morts,
Cris de rage ; ô carnage ! ô terreur ! corps à corps
D'un homme contre un tas de gueux épouvantable ! »

4) « A quoi ce proscrit pense-t-il ?
A son champ d'orge ou de laitue,
A sa charrue, à son outil,
A la grande France abattue.
Hélas ! le souvenir le tue.
Pendant qu'on rente les Dupin
Le pauvre exilé souffre et prie.
— On ne peut pas vivre sans pain ;
On ne peut pas non plus vivre sans la patrie. »

EXERCICE 2

Voici trois poèmes ou extraits de poèmes sur le même thème. Lequel ? Justifiez vos réponses.

A. « Vieille sorcière aux blancs cheveux,
Vieille breneuse à cul foireux,
Vieille galeuse horrible et blême,
Vieille lanterne d'oublieur[1],
Vieille onguent fin de triacleur[2],
Vieille voirie d'enfer même.

Les chiens, les tigres et les loups,
Les cirons[3], les tignes[4], les poux,
Les punaises, les vers, les puces,
Les chauves-souris et les chats,
Les sauterelles et les rats,
Te puissent ronger les prépuces. »

De Montgaillard, 1606

1. Oublieur = garçon pâtissier. – 2. Triacleur = saltimbanque. – 3. ciron = parasite. – 4. tigne = teigne.

B. « Marquise, si mon visage
A quelques traits un peu vieux,
Souvenez-vous qu'à mon âge
Vous ne vaudrez guère mieux.

Le temps aux plus belles choses
Se plaît à faire un affront ;
Il saura faner vos roses
Comme il a ridé mon front. »

Corneille, 1666

C. « Ces monstres disloqués furent jadis des femmes,
Éponine ou Laïs ! Monstres brisés, bossus
Ou tordus, aimons-les ! ce sont encor des âmes.
Sous des jupons troués et sous de froids tissus

Ils rampent, flagellés par les bises iniques,
Frémissant au fracas roulant des omnibus,
Et serrant sur leur flanc, ainsi que des reliques
Un petit sac brodé de fleurs ou de rébus. »

Baudelaire, 1859

EXERCICE 3

Voici trois extraits de *Bajazet* de Racine (1672). Relevez les pronoms personnels ou les sujets. A quel genre appartiennent-ils chacun ?

A. « Babylone, Seigneur, à son principe fidèle,
Voyait sans s'étonner notre armée autour d'elle ;
Les Persans rassemblés marchaient à son secours,
Et du camp d'Amurat s'approchaient tous les jours.
Lui-même, fatigué d'un long siège inutile,
Semblait vouloir laisser Babylone tranquille,
Et sans renouveler ses assauts impuissants,
Résolu de combattre, attendait les Persans. »

B. « Oui, je tiens tout de vous ; et j'avais lieu de croire
Que c'était pour vous-même une assez grande gloire,
En voyant devant moi tout l'Empire à genoux,
De m'entendre avouer que je tiens tout de vous.
Je ne m'en défends point, ma bouche le confesse,
Et mon respect saura le confirmer sans cesse :
Je vous dois tout mon sang. Ma vie est votre bien.
Mais enfin voulez-vous... »

C. « Je suis donc arrivée au douloureux moment
Où je vois par mon crime expirer mon amant.
N'était-ce pas assez, cruelle destinée,
Qu'à lui survivre, hélas ! je fusse condamnée ?
Et fallait-il encor que pour comble d'horreurs,
Je ne pusse imputer sa mort qu'à mes fureurs ? »

EXERCICE 4

Voici plusieurs strophes tirées de différents poèmes. Comment s'appellent-elles ? (voir fiche Versification page 92). Indiquez leur mètre et le schéma de leurs rimes.

« Qui prêtera la parole
A la douleur qui m'affole ?
Qui donnera les accents
A la plainte qui me guide ?
Et qui lâchera la bride
A la fureur que je sens ? »

Du Bellay

« O triste, triste était mon âme
A cause, à cause d'une femme.

Je ne me suis pas consolé
Bien que mon cœur s'en soit allé,

Bien que mon cœur, bien que mon âme
Eussent fui loin de cette femme. »

Verlaine

« Adieu faux amour confondu
Avec la femme qui s'éloigne
Avec celle que j'ai perdue
L'année dernière en Allemagne
Et que je ne reverrai plus. »

Apollinaire

EXERCICE 5

Lisez ce poème de J.-B. Chassignet qui a conservé son orthographe du XVIe siècle. Quel en est le thème ? Quelle en est la forme ? Est-ce une forme fixe ou une forme libre ? (voir fiche Formes poétiques, page 90). Quel est le mètre ? Comment s'appelle chacune des strophes ? Établissez le schéma des rimes.

Un cors mangé de vers

« Mortel, pense quel est dessous la couverture
D'un charnier mortuaire un cors mangé de vers,
Descharné, desnervé, où les os descouvers,
Depoulpez, desnouez, delaissent leur jointure ;

Icy l'une des mains tombe de pourriture,
Les yeux d'autre costé destournez à l'envers
Se distillent en glaire, et les muscles divers
Servent aux vers goulus d'ordinaire pasture ;

Le ventre deschiré cornant de puanteur
Infecte l'air voisin de mauvaise senteur,
Et le né my-rongé difforme le visage ;

Puis connoissant l'estat de ta fragilité,
Fonde en Dieu seulement, estimant vanité
Tout ce qui ne te rend plus scavant et plus sage. »

J.-B. Chassignet, *Un Cors mangé de vers*

EXERCICE 6

Ce sonnet de Musset est proposé sans les alinéas. Recopiez le poème en les rétablissant. N'oubliez ni les majuscules, ni les espaces entre les strophes. Indiquez le mètre et le schéma des rimes du sonnet.

« J'ai perdu ma force et ma vie, et mes amis et ma gaîté ; j'ai perdu jusqu'à la fierté qui faisait croire à mon génie. Quand j'ai connu la Vérité, j'ai cru que c'était une amie ; quand je l'ai comprise et sentie, j'en étais déjà dégoûté. Et pourtant elle est éternelle, et ceux qui se sont passés d'elle ici-bas ont tout ignoré. Dieu parle, il faut qu'on lui réponde. Le seul bien qui me reste au monde est d'avoir quelquefois pleuré. »

EXERCICE 7

La forme du poème suivant est-elle régulière ou libre ? Indiquez le nom des strophes, le mètre et le schéma des rimes.

La dernière feuille

« Dans la forêt chauve et rouillée
Il ne reste plus au rameau
Qu'une pauvre feuille oubliée,
Rien qu'une feuille et qu'un oiseau.

Il ne reste plus dans mon âme
Qu'un seul amour pour y chanter,
Mais le vent d'automne qui brame
Ne permet pas de l'écouter ;

L'oiseau s'en va, la feuille tombe,
L'amour s'éteint car c'est l'hiver.
Petit oiseau, viens sur ma tombe
Chanter, quand l'arbre sera vert ! »

Théophile Gautier

EXERCICE 8

Une strophe du poème *Chanson d'automne* est proposée sans sa disposition typographique habituelle. Essayez de la reconstituer : elle comporte huit vers de mètre inégal (1 de 6 syllabes, 2 de 7, 1 de 10, 1 de 12, 2 de 13, 1 de 14), deux groupes de rimes et un vers qui ne rime pas. Rétablissez les majuscules au début des vers. Que signifient les inégalités de mètre ?

« Écoutez la voix du vent dans la nuit, la vieille voix du vent, la lugubre voix du vent, malédiction des morts, berceuse des vivants... Écoutez la voix du vent. Il n'y a plus de feuilles, il n'y a plus de fruits dans les vergers détruits. Les souvenirs sont moins que rien, les espoirs sont très loin. Écoutez la voix du vent. »

Milosz, *Le Poème des décadences*, 1899

EXERCICE 9

Quelle est la forme de ce poème ? Que pouvez-vous dire du rythme ? Quels sont les vers mis en valeur ? Pourquoi sont-ils ainsi détachés ?

Lumière

« Midi
La glace brille
Le soleil à la main
Une femme regarde
ses yeux
Et son chagrin
Le mur d'en face est dépoli
Les rides que le vent fait aux rideaux du lit
Ce qui tremble
On peut regarder dans la chambre
Et l'image s'évanouit
Un nuage passe
La pluie »

Pierre Reverdy, *Source du vent*
Collec. de poche, poésie. Éd. Mercure de France

EXERCICE 10

Le poème suivant ne s'inscrit pas dans une forme fixe. Les rimes sont pratiquement absentes, mais son rythme est très régulier. Établissez-le sous forme de schéma : un tiret (—) représente une syllabe, un accent (') représente un accent tonique, (voir Versification, page 92). Repérez les vers à rythme binaire et ceux à rythme ternaire. Commentez la répartition des vers.

« Je dis : douceur.

Je dis : douceur des mots
Quand tu rentres le soir du travail harassant
Et que les mots t'accueillent
Qui te donnent du temps.

Car on tue dans le monde
Et tout massacre nous vieillit.

Je dis : douceur,
Pensant aussi à des feuilles en voie de sortir
du bourgeon,
A des cieux, à de l'eau dans les journées d'été,
A des poignées de main.

Je dis : douceur, pensant aux heures d'amitié,
A ces mots qui disent
Le temps de la douceur venant pour tout de bon.

Cet air tout neuf,
Qui pour durer s'installera. »

Guillevic, *Douceur.*
Bac F, G, H, 1985, Nouvelle-Calédonie

EXERCICE 11

Le rythme est basé sur le retour d'éléments semblables. Comparez le rythme du poème d'Aragon et celui de la photo. Quels sont leurs points communs ?

Persiennes

« Persienne Persienne Persienne

Persienne persienne persienne persienne persienne persienne persienne persienne persienne persienne persienne persienne persienne

Persienne Persienne Persienne

Persienne ? »

Le Mouvement perpétuel,
Éd. Livre club Diderot (Droits réservés)

EXERCICE 12

Établissez le schéma rythmique du poème suivant. Un écart de rythme détache un mot. Lequel ? Dites pourquoi.

« Saisir, saisir le soir, la pomme et la statue,
Saisir l'ombre et le mur et le bout de la rue.

Saisir le pied, le cou de la femme couchée
Et puis ouvrir les mains. Combien d'oiseaux lâchés

Combien d'oiseaux perdus qui deviennent la rue,
L'ombre, le mur, le soir, la pomme et la statue ! »

Jules Supervielle.
Le Forçat innocent, Éd. Gallimard

EXERCICE 13

Déterminez la richesse et le genre des rimes des quatrains suivants.

« Inquiète, les yeux aigus comme des flèches,
Elle ondule, épiant l'ombre des rameaux lourds,
Quelques taches de sang, éparses, toutes fraîches,
Mouillant sa robe de velours. »

Leconte de Lisle

« Un jour, je vis s'asseoir au pied de ce grand arbre
Un Pauvre qui posa sur ce vieux banc de marbre
Son sac et son chapeau, s'empressa d'achever
Un morceau de pain noir, puis se mit à rêver. »

Vigny

« Nous marchions comme des fiancés
Seuls, dans la nuit verte des prairies ;
Nous partagions ce fruit de féeries
La lune amicale aux insensés. »

Valéry

« Si j'ai du goût, ce n'est guère
Que pour la terre et les pierres.
Je déjeune toujours d'air,
De roc, de charbons, de fer. »

Rimbaud

EXERCICE 14

Trouvez les rimes intérieures.

« C'est que la Terre a peur de rester seule et veuve,
Quand meurt celui qui dit une parole neuve,
Et que tu n'as laissé dans son sein desséché
Tomber qu'un mot du ciel par ma bouche épanché. »

Vigny

« Dans le cadre de plomb des fragiles verrières,
Les maîtres d'autrefois ont peint de hauts barons
Et, de leurs doigts pieux tournant leurs chaperons
Ployé l'humble genou des bourgeois en prières. »

Heredia

EXERCICE 15

Quand vous entendez un poème pour la première fois, les mots à la rime sont ceux qui vous frappent le plus. Voici, données dans l'ordre, les rimes d'un poème de Francis Carco.

1) Trois rimes évoquent la musique. Lesquelles ?

2) Trois rimes évoquent la répétition d'un souvenir. Lesquelles ?

3) Trois rimes évoquent le passé. Lesquelles ?

4) Trois rimes évoquent la souffrance. Lesquelles ?

5) Une rime évoque le poète. Laquelle ? Quel commentaire pouvez-vous faire sur sa place dans le poème ?

6) Enfin, lisez le poème (page 159). Votre interprétation était-elle exacte ?

« .... bohème,
.... temps-là !
.... peine
.... lilas.
.... antienne ?
.... air-là ?
.... peine...
.... bohème.
.... lilas !
.... blême.
.... bois.
.... mêmes,
.... pas.
.... autrefois,
.... « La Marjolaine ».
.... ce temps-là.
.... reviennent.
.... lilas
.... peine.
.... là...
.... semaines :
.... moi... »

EXERCICE 16

1) Le poème d'Aragon *Persiennes* (ex. 11) ne comporte qu'un seul mot. Au lecteur de fournir le travail sur le mot ! A vous d'être inspiré ! En décomposant le mot, trouvez les connotations qu'il engendre. Ordonnez vos remarques (par exemple, du plus évident au moins évident). Voici des pistes :

Persienne → Perse → Orient → magie → ....
Persienne → sienne → .... **→** ....
Persienne → Sienne → ....
Persienne → pers → couleur des yeux → ....
Persienne → percer → souffrance → ....

2) Ce mot peut également être considéré comme une synecdoque (voir page 33). Quel mot remplace-t-il ? Comment ce mot introduit-il un thème lyrique ?

EXERCICE 17

Quels mots à la rime vous frappent le plus ? Pourquoi ?

■ Poème *Nocturne* de Jean-Paul Toulet. Mots à la rime.
frémir / creuse / amoureuse / dormir / falaise / moqueur / cœur / malaise / avoir / plaigne / saigne / pleuvoir.

■ Poème *Hameaux* de Patrice de la Tour du Pin. Mots à la rime :
aimes / torpeur / intime / cœur / crête / enfouis / fête / nuit / fenêtres / s'endormir / disparaître / désirs / s'endorment / envolés / formes / allé / abîmes / torpeur / intime / cœur...

EXERCICE 18

Dans ce court poème, un mot est répété cinq fois. Relevez-le ainsi que les mots du même réseau lexical. En vous référant au dernier vers, dites quel est le rôle de la poésie pour G. Jean.

« Le temps déchire les pendules
Immobiles dans les greniers

Les mains de l'eau défont le temps
Les rivières se perpétuent

L'arbre rassemble ses racines
Dans la terre qui broie le temps

A la frontière des années
Le temps noir se tient à l'affût

Paroles pour tuer le temps »

G. Jean, *Cette chose sans nom*, 1978.
Éd. St-Germain-des-Prés

EXERCICE 19

Le poème suivant est construit sur des répétitions sonores et lexicales. Repérez-les et expliquez comment elles expriment la fusion entre le poète et le monde extérieur. Pourquoi cette fusion est-elle paradoxale ?

« Il pleure dans mon cœur
Comme il pleut sur la ville ;
Quelle est cette langueur
Qui pénètre mon cœur ?

O bruit doux de la pluie
Par terre et sur les toits !
Pour un cœur qui s'ennuie
O le chant de la pluie !

Il pleure sans raison
Dans ce cœur qui s'écœure.
Quoi ! nulle trahison ?...
Ce deuil est sans raison.

C'est bien la pire peine
De ne savoir pourquoi
Sans amour et sans haine
Mon cœur a tant de peine ! »

Verlaine, *Romances sans paroles*, 1872

EXERCICE 20

Lisez ce poème. Quel en est le thème ? Le lexique est-il riche ? Identifiez 3 figures de style concernant les mots en italique. Montrez que l'effet du poème provient de sa composition.

CHANSON
Quel jour sommes-nous
Nous sommes tous les jours
Mon amie
Nous sommes toute la vie
Mon amour
Nous nous aimons et nous vivons
Nous vivons et nous nous aimons
Et nous ne savons pas ce que c'est que la vie
Et nous ne savons pas ce que c'est que le jour
Et nous ne savons pas ce que c'est que l'amour.

Prévert, *Paroles*, 1949. Éd. Gallimard

EXERCICE 21

Sur quelle figure de style est construit ce poème ? Quel est le rapport avec le titre ?

« LA POÉSIE

Je dis que les jours...
Je dis que les nuits...
Je dis que les jus...
Je dis que les lèvres...
Je dis que les pleurs...
— Mais dis-le, dis-le !

Je dis que les temps...
Je dis que les cœurs...
Je dis que les vents...
Je dis que les cieux...
— Mais dis-le, dis-le,
Dis-le, nom de Dieu !
— Je dis que les hommes...
... Ciel, j'allais tout dire
Et me voilà mort. »

Norge, *Les Quatre Vérités*, 1962
Éd. Gallimard

EXERCICE 22

Dans les vers suivants, Victor Hugo déclare la guerre au langage traditionnel de la poésie.

1) Donnez la définition des termes techniques.

2) Commentez la richesse phonétique et l'opposition sémantique de la rime « ravine/divine ».

3) Trouvez trois exemples de personnification. Expliquez leur ton.

4) Quelles sont les images successives utilisées pour qualifier le vers ?

5) Expliquez les revendications poétiques de Hugo.

« Et sur l'Académie, aïeule et douairière,
Cachant sous ses jupons les tropes effarés,
Et sur les bataillons d'alexandrins carrés,
Je fis souffler un vent révolutionnaire.
Je mis un bonnet rouge au vieux dictionnaire.
Plus de mot sénateur ! Plus de mot roturier ! (...)
Et, ce que je faisais, d'autres l'ont fait aussi ;
Mieux que moi. Calliope, Euterpe au ton transi,
Polymnie, ont perdu leur gravité postiche.
Nous faisons basculer la balance hémistiche.
C'est vrai, maudissez-nous. Le vers, qui sur son front
Jadis portait toujours douze plumes en rond,
Et sans cesse sautait sur la double raquette
Qu'on nomme prosodie et qu'on nomme étiquette,
Rompt désormais la règle et trompe le ciseau,
Et s'échappe, volant qui se change en oiseau,
De la cage césure, et fuit vers la ravine,
Et vole dans les cieux, alouette divine. »

Victor Hugo, *Réponse à un acte d'accusation*, 1834.
Les Contemplations

EXERCICE 23

« Apprivoisez » ce poème : dressez sa fiche technique en reprenant toutes les rubriques de la page 83 et passez à l'explication.

LE TEMPS

« Bête comme un moteur, bête comme un alexandrin,
le temps piétine et marche et bouge tout le temps.
Il ne peut pas rester en place, et son chemin
déroule son tricot de vers à soie bavant.

Le temps n'a pas le temps de perdre ses minutes,
ni de trouver jolies les choses ni les gens.
Il a toujours à faire, et s'il trébuche et bute
il repart tout de suite et rattrape le temps.

Mon échelle à monter aux grand'places d'aurore,
ma douce, ma songeuse, et mon seul passe-temps,
dans le chaud mélangé de notre double corps
nous n'entendons plus les gros sabots du temps.

Il n'est pourtant pas loin, bête comme un ruisseau,
il fait bouger le sang et le tic-tac du cœur,
les onze ou douze pieds de mes vers pas très beaux,
bête comme une rime qu'on saurait par cœur. »

Claude Roy, « Le temps » extrait de *Poésies*, 1970. Éd. Gallimard

EXERCICE 24

Certains poètes jouent avec la graphie du poème. Les *Calligrammes* d'Apollinaire (1925) Éditions Gallimard sont les plus connus. En voici deux. Lisez-les attentivement et analysez chaque poème et chaque disposition.

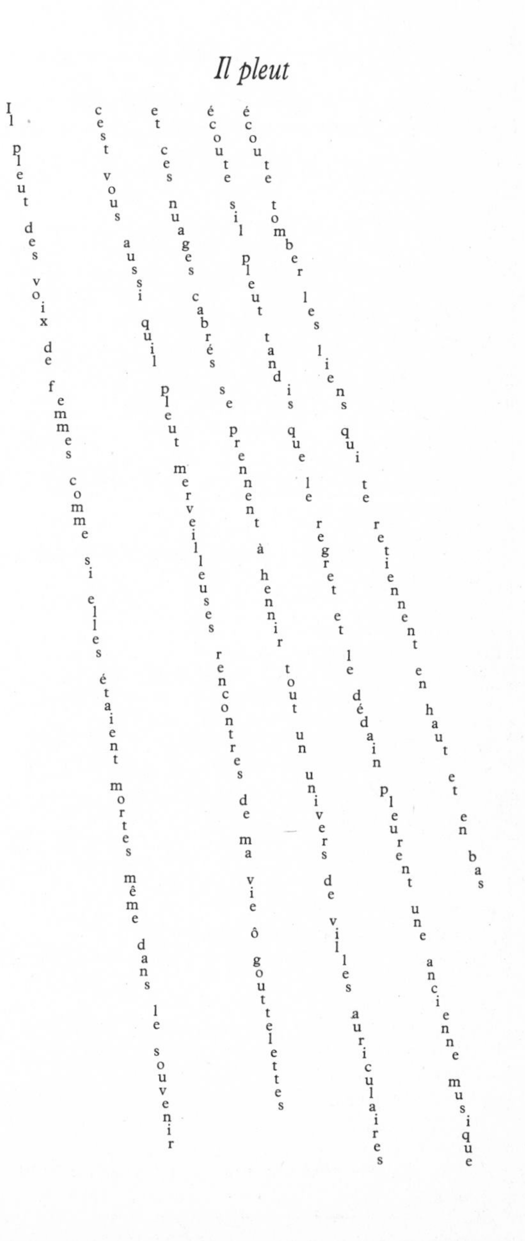

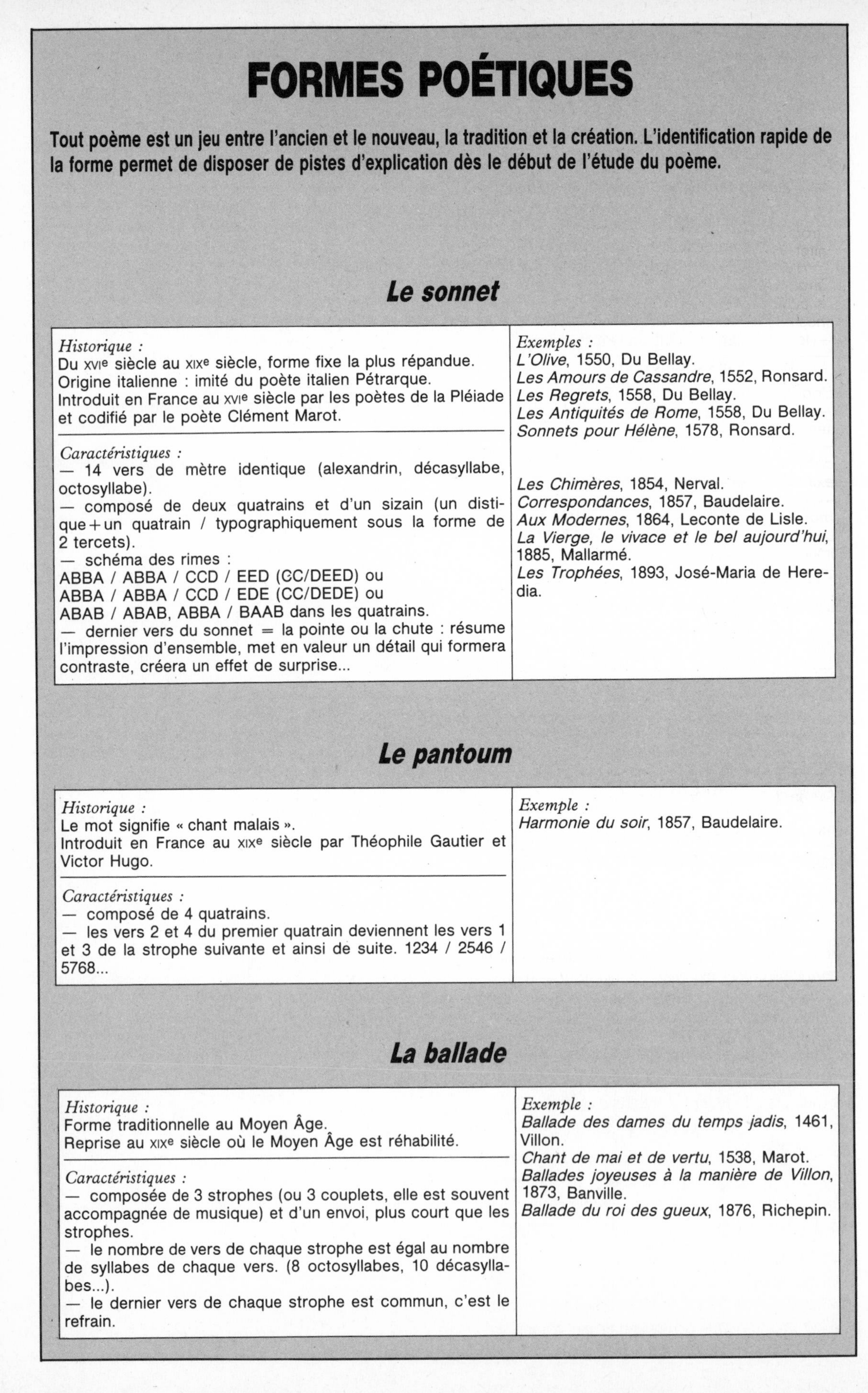

FORMES POÉTIQUES

Tout poème est un jeu entre l'ancien et le nouveau, la tradition et la création. L'identification rapide de la forme permet de disposer de pistes d'explication dès le début de l'étude du poème.

Le sonnet

Historique :
Du XVIe siècle au XIXe siècle, forme fixe la plus répandue.
Origine italienne : imité du poète italien Pétrarque.
Introduit en France au XVIe siècle par les poètes de la Pléiade et codifié par le poète Clément Marot.

Caractéristiques :
— 14 vers de mètre identique (alexandrin, décasyllabe, octosyllabe).
— composé de deux quatrains et d'un sizain (un distique + un quatrain / typographiquement sous la forme de 2 tercets).
— schéma des rimes :
ABBA / ABBA / CCD / EED (CC/DEED) ou
ABBA / ABBA / CCD / EDE (CC/DEDE) ou
ABAB / ABAB, ABBA / BAAB dans les quatrains.
— dernier vers du sonnet = la pointe ou la chute : résume l'impression d'ensemble, met en valeur un détail qui formera contraste, créera un effet de surprise...

Exemples :
L'Olive, 1550, Du Bellay.
Les Amours de Cassandre, 1552, Ronsard.
Les Regrets, 1558, Du Bellay.
Les Antiquités de Rome, 1558, Du Bellay.
Sonnets pour Hélène, 1578, Ronsard.

Les Chimères, 1854, Nerval.
Correspondances, 1857, Baudelaire.
Aux Modernes, 1864, Leconte de Lisle.
La Vierge, le vivace et le bel aujourd'hui, 1885, Mallarmé.
Les Trophées, 1893, José-Maria de Heredia.

Le pantoum

Historique :
Le mot signifie « chant malais ».
Introduit en France au XIXe siècle par Théophile Gautier et Victor Hugo.

Caractéristiques :
— composé de 4 quatrains.
— les vers 2 et 4 du premier quatrain deviennent les vers 1 et 3 de la strophe suivante et ainsi de suite. 1234 / 2546 / 5768...

Exemple :
Harmonie du soir, 1857, Baudelaire.

La ballade

Historique :
Forme traditionnelle au Moyen Âge.
Reprise au XIXe siècle où le Moyen Âge est réhabilité.

Caractéristiques :
— composée de 3 strophes (ou 3 couplets, elle est souvent accompagnée de musique) et d'un envoi, plus court que les strophes.
— le nombre de vers de chaque strophe est égal au nombre de syllabes de chaque vers. (8 octosyllabes, 10 décasyllabes...).
— le dernier vers de chaque strophe est commun, c'est le refrain.

Exemple :
Ballade des dames du temps jadis, 1461, Villon.
Chant de mai et de vertu, 1538, Marot.
Ballades joyeuses à la manière de Villon, 1873, Banville.
Ballade du roi des gueux, 1876, Richepin.

Pour certaines formes poétiques les règles sont moins impératives, ce sont plutôt des ressemblances formelles, des thèmes communs qui définissent ces formes.

L'ode

Historique : Introduite en France par les poètes de la Pléiade qui désiraient imiter les poètes antiques (Pindare, Horace, Anacréon).	*Exemples :* *Quatre premiers livres des odes*, 1550, Ronsard.
Caractéristiques : — composée d'un nombre généralement important de strophes qui comportent le même nombre de vers. — le mètre est souvent l'octosyllabe.	*Cinquième livre*, 1552, Ronsard. *Ode sur la convalescence du Roi*, 1663, Racine. *Ode pour une personne convalescente*, 1723, J.-B. Rousseau.
Contenu : L'ode s'adresse : — à de hauts personnages (dieux, roi, princes et princesses...) — ou à des éléments inanimés qui sont glorifiés (*Salut, champs que j'aimais, et vous, douce verdure, / Et vous, riant exil des bois.* Gilbert) — ou à des notions abstraites qui sont personnifiées (*Ô mort ! tu peux attendre ; éloigne, éloigne-toi ;* Chénier). L'ode utilise un niveau de langue élevé, un ton solennel, des images mythologiques, bibliques.	*La Jeune captive*, 1794, Chénier. *Les Odes*, 1822, Victor Hugo. *Cinq grandes odes*, 1936, Claudel.

La fable

Historique : Une des formes les plus anciennes : — Antiquité : Ésope (620-560) et Phèdre (1er siècle ap. J.-C.) — Moyen Age : à rapprocher du *Roman de Renart* et des Fabliaux	*Exemple :* *Les Fables*, 1668, La Fontaine.
Caractéristiques : — A l'intérieur de la fable, les mètres alternent suivant les nécessités de la narration.	
Contenu : — La fable raconte une petite histoire dont les personnages sont souvent des animaux. La fable a une visée satirique. Elle a également une portée morale qui peut être soulignée en fin de fable sous forme de moralité.	

Les stances

Historique : Origine italienne. Le terme est parfois employé pour strophe.	*Exemples :* *Prière pour le roi Henri le Grand*, 1605, Malherbe.
Caractéristiques : — Les stances sont souvent énoncées à la deuxième personne. Dans une pièce en vers, elles sont intégrées au monologue.	Les stances de Rodrigue dans *Le Cid*, 1637, de Corneille.
Contenu : — Les stances témoignent d'une méditation personnelle sur la vie. *« Souvenez-vous qu'à mon âge Vous ne vaudrez guère mieux »,* *« Ne dites pas : la vie est un joyeux festin ; »*	*Stances à Marquise*, 1666, Corneille. *Stances*, 1899-1901, Jean Moréas.

LA VERSIFICATION

La versification est un ensemble de règles techniques qui régissent la composition des vers réguliers. Elle concerne aussi bien les courtes poésies lyriques, les longs poèmes épiques que les pièces de théâtre en vers. Pendant longtemps, la composition poétique a été régie par des règles rassemblées dans des *Arts Poétiques* (Du Bellay-1549, Malherbe-1674, Verlaine-1874...).

Comment reconnaître un vers ?

Un poème se distingue de la prose par sa mise en page. Les vers sont délimités par le retour à la ligne, ils commencent en général par une majuscule. Mais le vers est avant tout un énoncé au rythme identifiable :
Les roses que j'aimais s'effeuillent chaque jour ; (Moréas)
Un énoncé avec le même nombre de syllabes n'est pas un vers si le rythme ne se dégage pas nettement :
J'aime les roses, mais elles se fanent vite.

C'est ainsi que dans la prose on peut rencontrer des vers blancs :

J'ai le soleil en haine et la pluie en horreur. Le soleil est si pompeux, aux yeux fatigués d'un malade... (Vigny).

Qu'est-ce qu'une strophe ?

C'est un ensemble de vers séparé des autres ensembles par une ligne blanche. La strophe n'est pas un simple regroupement de vers, elle a une cohérence interne : les vers d'une strophe riment ensemble, ont un rythme qui leur est propre, même si le schéma des rimes et le rythme reprennent ceux d'autres strophes du poème.

On distingue, entre autres : **le quatrain** (4 vers), **le quintil** (5 vers), **le sizain** (6 vers), **le dizain** (10 vers).

Le **distique** (2 vers) et le **tercet** (3 vers) constituent des groupes de vers et non pas des strophes car leur faible nombre de vers ne permet pas d'établir un véritable schéma de rimes.

Qu'est-ce qu'une rime ?

C'est la répétition d'un même son vocalique à la fin de deux vers différents.

■ La richesse de la rime est définie par le plus ou moins grand nombre de phonèmes associés par la rime.
Rime pauvre : un seul élément vocalique commun : *fous / cous.*
Rime suffisante : un élément vocalique + une consonne en commun : *peines/veines, œil/orgueil.*
Rime riche : trois éléments en commun (cs + voy + cs ou cs + cs + voy ou voy + cs + cs) : *éperdus/ardus.*

■ Le genre de la rime est défini par leur finale.
Rimes féminines : le mot se termine par un « e » muet *(poésie/choisie, bruyère/sévère).*
Rimes masculines : les autres *(Paris/pourris, doux/poux).* La versification classique exigeait de faire alterner rimes féminines et rimes masculines. Les poètes modernes préfèrent faire alterner rimes vocaliques (joue/roue) et rimes consonantiques (bruyère/sévère).

■ La disposition des rimes est déterminée par leur succession.
Rimes plates (AABB = couteau/bourreau/joue/roue).
Rimes embrassées (ABBA = couteau/joue/roue/bourreau).
Rimes croisées (ABAB = couteau/joue/bourreau/roue).

■ **La rime intérieure**. Les rimes finales peuvent être rappelées par des rimes intérieures. *Il est amer et doux, pendant les nuits d'hiver,* (Baudelaire).

■ **La rime pour l'œil**. La fonction sonore de la rime (« rime pour l'oreille ») a parfois été sacrifiée au profit d'une rime « pour l'œil ».
Il est amer et doux, pendant les nuits d'hiver,
D'écouter, près du feu qui palpite et qui fume,
Les souvenirs lointains lentement s'élever... (Baudelaire).

Qu'est-ce que le rythme ?

A l'origine, la poésie était toujours accompagnée de musique. Elle en a gardé l'essentiel, le rythme. C'est le rapport régulier, perceptible par l'oreille, entre la répartition des accents dans un énoncé et le nombre de syllabes séparant ces accents ; ce nombre constitue **une mesure.** Les e muets en fin de vers ou devant un mot commençant par une voyelle sont élidés : ils ne comptent pas pour une syllabe.

■ **Les accents**. En français, un mot porte un **accent tonique** sur la dernière syllabe ou sur l'avant-dernière si la dernière est un « e » muet. Par ailleurs, dans un groupe nominal ou verbal, le mot le plus important porte un **accent de groupe.** En utilisant le signe (–) pour une syllabe et le signe (') pour un accent, on représente schématiquement le rythme d'un vers :

« O triste, triste était mon âme
– – ' – – ' – – ' – – '
A cause, à cause d'une femme »
– – ' – – ' – – – – '
(Verlaine)

■ **Rythme binaire et rythme ternaire**. Un vers peut comporter 2, 3 ou 4 accents de groupe. Trois accents de groupe dans le vers déterminent un **rythme ternaire.** Le **trimètre,** caractéristique de la poésie romantique est un vers qui comporte trois accents et donc trois mesures. Deux ou quatre accents de groupe déterminent le **rythme binaire.** Le tétramètre est un alexandrin à quatre accents.
Amour, / que t'ay-je fait ! // dy-moy / quel est mon crime
(La Fontaine) (2+4)+(2+4).

■ **Schémas rythmiques**. Le rythme peut être :
Régulier [(3+3)+(3+3)]...
Croissant [2+4+6]...
Décroissant [6+4+2]...
Symétrique [3+2+2+3]...

■ **Le mètre**. C'est le nombre de syllabes prononcées qui amène à distinguer les vers pairs (octosyllabe = 8, décasyllabe = 10, alexandrin = 12) des vers impairs, beaucoup moins fréquents que les vers pairs. « Alexandrin » vient d'un poème du XIIe siècle, *Le Roman d'Alexandre.*

■ **La diérèse et la synérèse**. Pour respecter le mètre, on est parfois amené à dissocier deux sons qui, dans la prose, sont prononcés groupés, c'est la diérèse *(mys-téri-euse).* La synérèse groupe deux sons *(ouvrier).*

■ **Les coupes**. Chaque accent est suivi d'une coupe (/). Dans le type ternaire, trois coupes principales (//) séparent les mesures. Dans le type binaire, une coupe principale, la **césure** (//), sépare deux **hémistiches** (ou demi-vers).

■ **L'enjambement.** Un groupe grammatical est réparti entre la fin d'un vers et le début du vers suivant.

■ **Le rejet** : un groupe placé à la fin d'un vers se termine par un mot placé au début du vers suivant. *Quoique ce soit affreux de te voir couverte*
Ainsi, ... (Rimbaud).

■ **Le contre-rejet** : un mot placé à la fin d'un vers « annonce » un groupe placé au début du vers suivant.
.... *les orgies*
Pleurent leur ancien râle aux anciens lupanars,
(Rimbaud).

Qu'appelle-t-on vers libre ?

Au milieu du XIXe siècle, les poètes s'affranchissent des règles et créent leurs propres formes poétiques. Le poète n'obéit plus à un mètre établi et c'est souvent au lecteur de déterminer le rythme du poème. Les rimes ne sont plus systématiques. Elles sont souvent remplacées par des assonances en fin de vers qui peuvent être soutenues par un réseau assez dense d'allitérations et d'assonances.
La lune noie la nuit
Force reste pourtant aux preuves de vie (Eluard).

Qu'est-ce qu'un verset ?

Le verset est un énoncé poétique dépassant le plus souvent une ligne et signalé par un alinéa. Il est imité de la Bible. Il est décomposable en unités métriques plus petites. Certains poètes du vingtième siècle, Saint-John Perse (1887-1971), Claudel (1868-1955) l'ont souvent employé.

Ainsi un poème n'est point comme un sac de mots, il n'est point seulement
Ces choses qu'il signifie, mais il est lui-même un signe, un acte imaginaire, créant
Le temps nécessaire à sa résolution,
A l'imitation de l'action humaine étudiée dans ses ressorts et dans ses poids (Claudel, *Cinq grandes odes*).

17 Le texte théâtral

Dans cette scène du premier acte du Barbier de Séville, *Bartholo, tuteur de Rosine, surveille jalousement sa pupille qui est courtisée par le Comte.*

Acte premier. Scène III. – Bartholo, Rosine.

1 *(La jalousie du premier étage s'ouvre, et Bartholo et Rosine se mettent à la fenêtre.)*

ROSINE. – Comme le grand air fait plaisir à respirer !... Cette jalousie s'ouvre si rarement...

BARTHOLO. – Quel papier tenez-vous là ?

ROSINE. – Ce sont des couplets de *la Précaution inutile*, que mon maître à chanter m'a 5 donnés hier.

BARTHOLO. – Qu'est-ce que *la Précaution inutile* ?

ROSINE. – C'est une comédie nouvelle.

BARTHOLO. – Quelque drame encore ! quelque sottise d'un nouveau genre !

ROSINE. – Je n'en sais rien.

10 BARTHOLO. – Euh, euh, les journaux et l'autorité nous en feront raison. Siècle barbare !...

ROSINE. – Vous injuriez toujours notre pauvre siècle.

BARTHOLO. – Pardon de la liberté ! Qu'a-t-il produit pour qu'on le loue ? Sottises de toute espèce : la liberté de penser, l'attraction (1), l'électricité, le tolérantisme, l'inoculation (2), le quinquina, l'*Encyclopédie*, et les drames...

15 ROSINE *(Le papier lui échappe et tombe dans la rue).* – Ah ! ma chanson ! ma chanson est tombée en vous écoutant ; courez, courez donc, monsieur ! ma chanson, elle sera perdue !

BARTHOLO. – Que diable aussi, l'on tient ce qu'on tient. *(Il quitte le balcon).*

ROSINE *regarde en dedans et fait signe dans la rue.* – St, st *(Le Comte paraît)* ; ramassez vite et sauvez-vous. *(Le Comte ne fait qu'un saut, ramasse le papier et rentre).*

20 BARTHOLO *sort de la maison et cherche.* – Où donc est-il ? Je ne vois rien.

ROSINE. – Sous le balcon, au pied du mur.

BARTHOLO. – Vous me donnez là une jolie commission ! Il est donc passé quelqu'un ?

ROSINE. – Je n'ai vu personne.

BARTHOLO, *à lui-même.* – Et moi qui ai la bonté de chercher !... Bartholo, vous n'êtes qu'un 25 sot, mon ami : ceci doit vous apprendre à ne jamais ouvrir de jalousies sur la rue. *(Il rentre).*

ROSINE, *toujours au balcon.* – Mon excuse est dans mon malheur : seule, enfermée, en butte à la persécution d'un homme odieux, est-ce un crime de tenter à sortir d'esclavage ?

BARTHOLO, *paraissant au balcon.* – Rentrez, signora ; c'est ma faute si vous avez perdu votre chanson ; mais ce malheur ne vous arrivera plus, je vous jure. *(Il ferme la jalousie à clef).*

Beaumarchais, *Le Barbier de Séville, comédie*, 1775

1) L'attraction universelle de Newton.
2) Allusion aux débuts de la vaccination.

Le texte théâtral est facile à identifier : des répliques précédées par le nom des personnages qui les prononcent. C'est donc un discours qui implique la présence d'un émetteur et d'un destinataire. Or, le théâtre ou art dramatique se veut l'imitation d'une action : le mot « drame » signifie à l'origine « action ». Comment se construit cette action à l'intérieur du texte de la pièce ?

Composition du texte théâtral : les dialogues

Suivant le genre et l'époque (cf. fiche page 100), ils sont en vers ou en prose. Le vers est en général l'alexandrin à rimes plates.

1) À qui parle le personnage sur scène ?
– À un autre personnage sur scène.
– À un personnage qu'il croit être un autre : c'est le **quiproquo**.
– Directement au spectateur, à l'insu des autres personnages : c'est l'**aparté** (lignes 26-27).
– À un confident à qui il expose ses états d'âme : c'est le **faux dialogue**.
– À lui-même : c'est le **monologue** (lignes 24-25).

2) Quel est le rôle du dialogue dans l'action ?
Il renvoie à ce qui précède ou à ce qui s'est passé en dehors de la scène ; il fait progresser l'action : *ROSINE : ramassez vite et sauvez-vous* ; il immobilise l'action : le faux dialogue ou le monologue.

Composition du texte théâtral : les didascalies

C'est l'ensemble des indications imprimées avec la pièce, qui permettent au lecteur de comprendre ce qui est appréhendé globalement par le spectateur : le titre et le genre, la liste des personnages, les repères des actes, les repères des scènes, les déplacements et les gestes, le décor et les lieux.

Les personnages : Qui sont-ils ? Que font-ils ?

1) Un personnage de théâtre est surtout appréhendé de façon externe, par ses paroles et ses actes. Il peut aussi être caractérisé par un autre personnage. Les personnages se coulent parfois dans des moules préexistants : les **types**. *Exemple :* l'avare, le jeune premier... Bartholo est à rapprocher des barbons jaloux de Molière.

2) Par rapport à l'action, les personnages ont une fonction (cf. mod. 15). Celle-ci est constante tout au long de la pièce ou évolue suivant les scènes. *Exemple :* Bartholo a la fonction d'opposant.

L'espace théâtral

Il ne sert pas seulement à planter le décor.
1) Il peut avoir une fonction dramatique, quand l'utilisation d'une cachette, par exemple, fait progresser l'intrigue. *Exemple :* La fenêtre permet à Rosine de communiquer enfin avec le Comte.

2) Il peut avoir une fonction symbolique. *Exemple :* La jalousie (fenêtre à grillage) symbolise la jalousie de Bartholo.

Le temps et la durée de l'action

1) Le temps de l'action est souvent donné par les didascalies, par le choix de personnages historiques et par l'évocation de situations. *Exemple :* le XVIIIe siècle, « siècle barbare » pour Bartholo.

2) Le dialogue théâtral, comme tout dialogue, est en temps réel : il n'y a pas de décalage entre le temps de la fiction et le temps de la narration (cf. mod. 14). Mais, le découpage permet d'intercaler entre chaque acte des moments plus ou moins longs, non représentés, qui pourront faire l'objet d'un récit.

L'action

Chaque acte correspond en général à une étape importante.
- **L'exposition.** Elle est réservée aux premières scènes. Elle donne des indications de lieu, de temps, précise les rapports entre les personnages. *Exemple :* les liens entre Rosine et Bartholo.
- **Le nœud de l'action.** C'est un moment de conflit ; l'issue est incertaine.
- **Le dénouement.** Il est réservé à la scène finale. Inattendu, c'est le coup de théâtre. Heureux, c'est celui de la comédie. Malheureux, c'est celui de la tragédie.

EXERCICE 1

Repérez un aparté, un faux dialogue, un monologue. Justifiez votre réponse par des indices lexicaux.

■ *Le roi Richard III d'Angleterre a fait assassiner ses proches.*

« Bon Dieu, Richard a froid *(enfile un manteau)*. Bon Dieu, Richard crève de chaud *(retire le manteau)*. Bon Dieu, il claque des dents et en même temps la sueur lui coule sous les bras *(remet et retire le manteau)*. En sorte qu'il ne sait plus à quel saint se vouer *(déchire le manteau)*. En vérité Richard n'a ni chaud ni froid. En vérité, si Richard tremble et sue, c'est qu'il a peur. Quelqu'un en veut à Richard. Quelqu'un dans l'ombre veut attenter à la vie de Richard *(saute sur son épée)*. Qu'il se montre ! Qu'il sorte de l'ombre ! Quoi, personne ? Non, personne. Que Richard se rassure, Richard est seul *(baisse son épée)*. Pourtant Richard ne se rassure pas. Il tremble toujours autant et sue. De quoi a-t-il donc peur ? Il ne sait pas. Donc de lui-même *(lève son épée)*. »

B. Chartreux, *Cacodémon roi*, 1984.
Éd. Derives-Solin (Droits réservés)

■ *La reine s'apprête à se venger de Fabiani.*

« LA REINE — Ah ! le voici !

Elle se remet à parler bas à Simon Renard.

FABIANI, *à part, salué par tout le monde et regardant autour de lui.* — Qu'est-ce que cela veut dire ? Il n'y a que de mes ennemis ici, ce matin. La reine parle bas à Simon Renard. Diable ! elle rit ! mauvais signe !

LA REINE, *gracieusement, à Fabiani.* — Dieu vous garde, mylord !

FABIANI, *saisissant sa main, qu'il baise.* — Madame... *A part.* — Elle m'a souri. Le péril n'est pas pour moi. »

Hugo, *Marie Tudor*, 1833

■ *Le commissaire est en vacances dans un hôtel de ville d'eau.*

« LE CONCIERGE — Faites pas le coquet ! Vous avez l'air encore gaillard Monsieur le Commissaire principal... Rose comme un jeune homme !

LE COMMISSAIRE — Je bichonne le portrait : bien forcé. Mais il faut me voir au réveil, pas rasé. Tout cela se fripe terriblement ! Vous avez écouté les informations à la radio, tout à l'heure ?

LE CONCIERGE — Non. J'avais un client.

LE COMMISSAIRE — Il court toujours, l'homme invisible... Ils me font rigoler ! Walter... C'est moi qui l'ai arrêté la première fois, il y a près de trente ans... Après, quand il s'est tiré de cabane et qu'il a recommencé à courir, j'étais déjà à la retraite... Et les collègues, ils ont commencé à se faire baiser régulièrement par lui... »

Anouilh, *L'Arrestation*, 1975. Éd. La Table Ronde

EXERCICE 2

Le chevalier, fiancé à Bertha, l'a abandonnée quand il a rencontré Ondine, la fille des eaux. Il revient à la cour, marié avec Ondine. Montrez comment la progression de l'intrigue est assurée dans les deux petites scènes suivantes. Devinez ce qui va se passer.

ACTE DEUXIÈME - SCÈNE DEUXIÈME - BERTHA. LE CHEVALIER.

« LE CHEVALIER, *ramassant un gant.* — Enfin ! je te trouve !

BERTHA, *attrapant l'oiseau.* — Enfin ! je te tiens ! »

Ils repartent chacun de son côté, sans s'être vus.

SCÈNE QUATRIÈME — BERTHA. LE CHEVALIER.

« LE CHEVALIER, *ramassant le second gant.* — Et voilà la paire !

BERTHA, *rattrapant l'oiseau.* — Ah ! tu t'échappes encore ! »

Ils se cognent brutalement. Bertha va tomber, Hans lui prend les mains. Ils se reconnaissent.

Giraudoux, *Ondine*, 1939. Éd. Grasset

EXERCICE 3

Voici les indications de lieu de différentes pièces. Dites, pour chaque pièce, de quel genre (fiche page 100) elle relève. Vous en déduirez les personnages qui seront en scène.

« La chambre 39 à l'hôtel Ultimus. Une grande pièce confortablement meublée. Au fond, un lit dans une alcôve. Une table au milieu de la chambre. Porte d'entrée au fond à gauche donnant sur le couloir. »

« La scène est à Nymphée, port de mer sur le Bosphore Cimmérien, dans la Taurique Chersonèse. »

« Intérieur bourgeois anglais, avec des fauteuils anglais. Soirée anglaise. (...) Un long moment de silence anglais. La pendule anglaise frappe dix-sept coups anglais. »

« Une terrasse du palais Barbarigo à Venise. C'est une fête de nuit. Des masques traversent par instants le théâtre. Des deux côtés de la terrasse, le palais, splendidement illuminé et résonnant de fanfares. La terrasse couverte d'ombre et de verdure. »

EXERCICE 4

Sous forme de tableau, représentez les apparitions et les rencontres des personnages d'une pièce de votre choix (par exemple, *Andromaque* de Racine). Vous pouvez d'un seul coup d'œil :
– voir à quel moment un personnage apparaît pour la première fois,
– voir qui est le plus souvent présent en scène : est-ce le héros ou un autre personnage ?
– voir comment se répartissent les scènes avec un, deux ou plusieurs personnages,
– voir qui se rencontre, qui ne se rencontre jamais.
Quand vous avez une pièce à étudier, faites systématiquement ce tableau, gardez la feuille avec le texte de façon à vous y référer constamment lors de vos relectures partielles de la pièce.

Acte	Scène	Andromaque	Pyrrhus		
I	1				
	2		■		
	3		■		
	4	■	■		
II	1				
	2				
	3				
	4				
	5				

EXERCICE 5

Voici la liste des personnages des *Femmes savantes* de Molière. Répartissez-les par couples, suivant leur âge, leur sexe, leurs liens de parenté, leurs relations sociales et leurs rapports affectifs.

CHRYSALE, bon bourgeois.
PHILAMINTE, femme de Chrysale.
ARMANDE, HENRIETTE, filles de Chrysale et de Philaminte.
ARISTE, frère de Chrysale.
BÉLISE, sœur de Chrysale.
CLITANDRE, amant d'Henriette.
TRISSOTIN, bel esprit.
VADIUS, savant.
MARTINE, servante de cuisine.
L'ÉPINE, laquais.
JULIEN, valet de Vadius.
Un NOTAIRE.

EXERCICE 6

Dès le début de *Ruy Blas* de Victor Hugo, un des personnages, Don César, est présenté sous trois points de vue différents. Comparez ces trois présentations. Qu'apprend-t-on sur le personnage ? Quelles sont les différences entre ces présentations ? Un vers laisse supposer la façon dont Don César va être utilisé par Don Salluste. Lequel ? Ordonnez vos remarques en rédigeant un paragraphe.

• Don Salluste :
« Ah ! vous voilà, bandit ! »
« C'est grand plaisir de voir un gueux comme cela ! »
« En France, on vous accuse, entre autres actions,
Avec vos compagnons à toute loi rebelles,
D'avoir ouvert sans clef la caisse des gabelles. »
« Don César, la sueur de la honte,
Lorsque je pense à vous, à la face me monte. »

• Une marquise :
« – Quel est donc ce brigand qui, là-bas, nez au vent,
Se carre, l'œil au guet et la hanche en avant,
Plus délabré que Job et plus fier que Bragance
Drapant sa gueuserie avec son arrogance,
Et qui, froissant du poing sous sa manche en haillons
L'épée à lourd pommeau qui lui bat les talons,
Promène, d'une mine altière et magistrale,
Sa cape en dents de scie et ses bas en spirale ? »

• Don César à Don Salluste
« Je suis un grand seigneur, c'est vrai, l'un de vos proches ;
Je m'appelle César, comte de Garofa ;
Mais le sort de folie en naissant me coiffa.
J'étais riche, j'avais des palais, des domaines,
Je pouvais largement rentrer les Célimènes.
Bah ! mes vingt ans n'étaient pas encor révolus
Que j'avais mangé tout ! »
« À présent, je ne suis qu'un joyeux compagnon,
Zafari, que hors vous nul ne peut reconnaître. »
« Je vais dormir avec le ciel bleu sur ma tête.
Je suis heureux ainsi. Pardieu, c'est un beau sort ! »

Hugo, *Ruy Blas*, 1838

EXERCICE 7

Henriette retrouve sa sœur aveugle qui avait été enlevée. Élucidez la fonction de chacun des personnages. Dites quels sont les éléments du texte qui vous ont aidé.

Henriette rouvre les yeux, l'aperçoit et pousse un cri.

« HENRIETTE. — Ah !

Jacques lui met la main sur la bouche, elle se débat.

LOUISE, *s'arrêtant.* — Ce cri...

HENRIETTE, *se dégageant à demi.* — Louise... Louise...

LOUISE, *repoussant la Frochard.* — Henriette !... *Elle redescend l'escalier et rencontre Henriette qui, malgré Jacques, s'est élancée vers elle et la prend dans ses bras.* Ah ! mon Henriette... c'est toi !

Henriette la couvre de baisers sans pouvoir parler.

LOUISE. — Ah ! ma sœur ! ma sœur !

PIERRE, *avec joie.* — Sa sœur !

HENRIETTE, *les regardant.* — Ah ! vous êtes des misérables ! Ma pauvre Louise... Dans quel état je la retrouve... oui, des misérables que je ferai punir... partons.

JACQUES, *furieux en barrant le passage.* — Vous ne sortirez pas. »

D'Ennery, *Les Deux orphelines*, 1874

EXERCICE 8

La pièce *En attendant Godot* de Beckett comporte deux actes. Voici les indications qui sont données au début de chaque acte. Quelles sont les phrases qui indiquent le temps écoulé ? Comment le spectateur, qui ne lit pas ces indications, peut-il se rendre compte du temps écoulé ?

ACTE PREMIER. — *Route à la campagne, avec arbre. Soir. Estragon, assis sur une pierre, essaie d'enlever sa chaussure. Il s'y acharne des deux mains, en ahanant. Il s'arrête, à bout de forces, se repose en haletant, recommence. Même jeu.*

ACTE DEUXIÈME. — *Lendemain. Même heure. Même endroit. Chaussures d'Estragon près de la rampe, talons joints, bouts écartés. Chapeau de Lucky à la même place. L'arbre porte quelques feuilles. Entre Vladimir, vivement. Il s'arrête et regarde longuement l'arbre.*

Beckett, *En attendant Godot*, 1952. Éd. de Minuit

EXERCICE 9

Le temps de l'action : quelle époque est évoquée ? Comment est-elle évoquée ?

« L'ancienne bibliothèque du monastère cistercien de Coufontaines (...). Le grand crucifix de bronze a été descendu, on le voit appuyé contre le mur. A sa place et au-dessus, le portrait du roi Louis-Philippe, en uniforme de la garde nationale, grosses épaulettes et pantalon de casimir blanc. »

Claudel, *Le Pain dur*, 1918. Éd. Gallimard

EXERCICE 10

Relevez et classez les éléments qui font de cette scène une scène d'exposition. Quel est le ton de cette scène ? Quel type de pièce attendez-vous ? Voyez-vous un lien avec le titre de la pièce ?

Bijou dans la forêt vierge

Musique de générique de film d'aventures ; les trois personnages sont saisis dans des poses « arrêt sur image ».

« LE PROFESSEUR. — Dans cette région du monde, on trouve les plus beaux insectes.

BIJOU. — Papa veut compléter sa collection.

LE PROFESSEUR. — Je cherche surtout des insectes carnivores : des coprophages, des phytophages, des xylophages.

LOUIS. — En tant qu'assistant du professeur, j'accompagne l'expédition.

LE PROFESSEUR. — Louis est un jeune homme très sérieux.

BIJOU. — Loulou, un vrai chou.

Louis et Bijou s'embrassent très conventionnellement.

LE PROFESSEUR. — Loulou... Bijou... une idylle se noue. Malgré le climat énervant des tropiques, j'ai confiance en eux.

BIJOU. — J'aime Loulou ; mais je me respecte, et il me respecte, et je ne veux pas faire de peine à papa.

LOUIS. — J'adore Bijou ; est-ce prudent de l'exposer aux dangers de ces contrées ? »

Jacques Kraemer, *Les Immigrés*, 1973.
P. J. Oswald, Coll. « Théâtre en France »

EXERCICE 11

Voici la scène III de l'acte II du *Voyage de monsieur Perrichon*. Monsieur Perrichon effectue un voyage dans les Alpes avec sa femme et sa fille. Daniel et Armand sont tous deux amoureux d'Henriette. Déterminez la nature et le rôle des dialogues. Relevez les éléments comiques (paroles, gestes, jeux de scène). Faites un portrait des principaux personnages. Trouvez leur fonction et imaginez la fin de la pièce.

Scène III. — DANIEL, PERRICHON, ARMAND, MADAME PERRICHON, HENRIETTE, L'AUBERGISTE.

Perrichon entre, soutenu par sa femme et le guide.

« ARMAND. — Vite, de l'eau ! du sel ! du vinaigre !

DANIEL. — Qu'est-il donc arrivé ?

HENRIETTE. — Mon père a manqué de se tuer !

DANIEL. — Est-il possible !

PERRICHON, *assis.* — Ma femme !... ma fille !... Ah ! je me sens mieux !...

HENRIETTE, *lui présentant un verre d'eau sucrée.* — Tiens !... bois !... ça te remettra...

PERRICHON. — Merci... Quelle culbute ! *Il boit.*

MADAME PERRICHON. — C'est ta faute aussi... vouloir monter à cheval, un père de famille... et avec des éperons encore !

PERRICHON. — Les éperons n'y sont pour rien... c'est la bête qui est ombrageuse.

MADAME PERRICHON. — Tu l'auras piquée sans le vouloir, elle s'est cabrée...

HENRIETTE. — Et sans monsieur Armand qui venait d'arriver... mon père disparaissait dans un précipice.

MADAME PERRICHON. — Il y était déjà... Je le voyais rouler comme une boule... Nous poussions des cris !...

HENRIETTE. — Alors, monsieur s'est élancé !...

MADAME PERRICHON. — Avec un courage, un sang-froid !... Vous êtes notre sauveur... car sans vous mon mari... mon pauvre ami...

Elle éclate en sanglots.

ARMAND. — Il n'y a plus de danger... calmez-vous !

MADAME PERRICHON, *pleurant toujours.* — Non ! ça me fait du bien ! *À son mari.* Ça t'apprendra à mettre des éperons. *Sanglotant plus fort.* Tu n'aimes pas ta famille.

HENRIETTE, à *Armand.* — Permettez-moi d'ajouter mes remerciements à ceux de ma mère, je garderai toute ma vie le souvenir de cette journée... Toute ma vie !...

ARMAND. — Ah ! mademoiselle !

PERRICHON *À part.* — À mon tour ! *Haut.* monsieur Armand !... non laissez-moi vous appeler Armand ?

ARMAND. — Comment donc !

PERRICHON. — Armand... Donnez-moi la main... Je ne sais pas faire de phrase, moi... mais tant qu'il battra, vous aurez une place dans le cœur de Perrichon ! *Lui serrant la main.* Je ne vous dis que cela !

MADAME PERRICHON. — Merci !... monsieur Armand !...

HENRIETTE. — Merci, monsieur Armand !

ARMAND. — Mademoiselle Henriette !

DANIEL, à *part.* — Je commence à croire que j'ai eu tort de prendre mon café !

MADAME PERRICHON, à *l'aubergiste.* — Vous ferez reconduire le cheval, nous retournerons tous en voiture...

PERRICHON, *se levant.* — Mais je t'assure, ma chère amie, que je suis assez bon cavalier... *Poussant un cri.* Aïe !

TOUS. — Quoi ?

PERRICHON. — Rien !... les reins ! Vous ferez reconduire le cheval !

MADAME PERRICHON. — Viens te reposer un moment ; au revoir, monsieur Armand !

HENRIETTE. — Au revoir, monsieur Armand !

PERRICHON, *serrant énergiquement la main d'Armand.* — À bientôt... Armand ! *Poussant un second cri.* Aïe !... j'ai trop serré ! »

Il entre à gauche suivi de sa femme et de sa fille.

Labiche, *Le Voyage de Monsieur Perrichon*, 1860

Rappel Vous avez une scène entière à étudier. En vous posant systématiquement les questions suivantes, vous aurez une bonne base pour construire votre explication.	
Quand ?	À quel moment de la pièce ? À quel moment de l'action ?
Où ?	Important si il y a des lieux différents. Le lieu a-t-il une importance dramatique ?
Qui ?	Sont-ce des personnages principaux ou non ? Entrent-ils dans les couples d'opposition ? Que sait-on déjà d'eux ? Est-ce leur première apparition ? Se sont-ils déjà rencontrés ? Se rencontreront-ils encore (Se référer au schéma global de la pièce établi au préalable)
Combien ?	Est-ce que tous parlent ? Y en a-t-il de caché ?
Quoi ?	Que disent-ils ? Quelle est la nature du dialogue ? Apportent-ils des informations nouvelles ? Leur intervention est-elle de longueur égale ?
À qui ?	Quel est le destinataire de leur discours ?
Quels changements subirait la pièce si cette scène était supprimée ?	

LES GENRES THÉÂTRAUX

Le théâtre se veut imitation d'une action de la vie réelle : c'est l'art dramatique (drama = action). On parle d'ailleurs d'une « dramatique » pour une pièce de théâtre à la radio ou à la télévision.

Tragique, comique, dramatique

Le tragique naît toujours d'un conflit : l'homme est écartelé entre la liberté et la fatalité, il agit en même temps qu'il est manipulé par des forces qui le dépassent (les dieux, la raison d'état, son inconscient...).

Le comique provoque le rire en donnant au spectateur une supériorité sur le personnage : comique de situation (quiproquos...), comique de gestes (jeux de scène...), comique de paroles (répétitions...), comique de caractères.

Un effet dramatique, un moment dramatique vise à émouvoir, à toucher le spectateur, fait appel à sa sensibilité.

La règle des trois unités

Elle a été codifiée en France au XVIIe siècle. C'est une convention qui s'appuie sur le principe de vraisemblance : la représentation théâtrale doit au maximum imiter l'action réelle. **Unité de temps :** le temps de l'action ne doit pas dépasser une journée. **Unité d'action :** elle découle de l'unité de temps. En une journée, une seule action est possible. De même, elle sera saisie à un moment de crise. **Unité de lieu :** plusieurs personnages doivent pouvoir s'y rencontrer. C'est pourquoi le lieu est souvent une antichambre ou une place.

La tragédie

Les tragédies les plus représentatives ont été écrites au XVIIe siècle.

Composition	5 actes en vers.
Personnages	illustres, légendaires ou réels : héros antiques, bibliques, princes, rois...
Époque	en général, antérieure à celle de l'écriture : antiquité grecque ou romaine, époque de la Bible.
Lieu	un pays lointain, le plus souvent, des bords de la Méditerranée ; un palais.
Dénouement	« tragique » : la mort. Les héros sont soumis à des forces qui les dépassent.
Effet sur le spectateur	inspirer la terreur et la pitié pour le purifier de ses passions : c'est la catharsis.
Exemples	*Cinna*, Corneille, 1662. *Andromaque*, Racine, 1667. *Zaïre*, Voltaire, 1732.

La comédie

■ **La comédie classique (XVIIe-XVIIIe siècles)**

Personnages	de condition sociale plus modeste que dans la tragédie, des bourgeois, qui ont un métier.
Époque	la même que celle de l'auteur.
Lieu	un intérieur bourgeois, des pièces d'habitation : chambres, salon.
Dénouement	en général, heureux ; parfois, grâce à l'intervention *in extremis* d'un *deus ex machina*.
Effet sur le spectateur	le plaisir, le rire qui peut être moyen de critique, de satire, et même de combat.
Exemples	*Les Femmes savantes*, Molière, 1672. *L'île des esclaves*, Marivaux, 1725. *Le Mariage de Figaro*, Beaumarchais, 1784.

■ Une forme particulière de la comédie : le vaudeville (XIXe siècle)

Il s'agit en général d'une intrigue amoureuse. Celle-ci est bâtie sur une série de quiproquos, de hasards extravagants, de rebondissements inattendus. Les personnages relèvent le plus souvent d'« emplois » figés : le cocu, le galant, l'ingénue... Le vaudeville témoigne du triomphe de la bourgeoisie prospère du second Empire (1850-1914). *Exemples :* Labiche, *Le Voyage de monsieur Perrichon,* 1860 ; Feydeau, *La Puce à l'oreille,* 1907.

Le drame

■ Le drame bourgeois (XVIIIe siècle)

Il se développe au XVIIIe siècle, à un moment où les spectateurs exigent un théâtre plus proche d'eux que ne l'était la tragédie. Il met en scène les membres d'une famille bourgeoise et prône le triomphe de la vertu. Il veut frapper le spectateur par la « vérité » des situations, le toucher, l'émouvoir, le faire pleurer ; le ton pathétique domine. *Exemples :* Diderot, *Le Père de famille,* 1758 Beaumarchais, *Les Deux amis,* 1770.

■ Le drame romantique (première moitié du XIXe siècle)

Personnages	personnages historiques (rois, reines, ducs...), nobles et roturiers, nobles déclassés.
Époque	dépend des personnages, antérieure à celle de l'auteur, mais limitée aux temps modernes (1453-1789).
Lieux	multiples, palais, riches demeures, salles d'apparat, jardins, terrasses, places publiques (description détaillée dans les didascalies).
Théoriciens	Stendhal, *Racine et Shakespeare*, 1824. Hugo, *Préface de Cromwell*, 1827.
Effet visé	atteindre plus de vérité par le mélange des genres (tragique et comique) et par le mélange des tons (sublime et grotesque).
Exemples	*Hernani*, Hugo, 1830. *Lorenzaccio*, Musset, 1834. *Chatterton*, Vigny, 1836.

Le théâtre au XXe siècle

Aucun genre n'impose ses règles, seul le théâtre de boulevard reprend les règles du vaudeville.

■ Le théâtre de boulevard. L'intrigue construite autour du triangle femme, mari, amant se déroule dans un milieu bourgeois. Les situations mises en scène sont généralement conventionnelles. Le dénouement est heureux. *Exemples : La Petite hutte*, André Roussin ; *Fleur de cactus*, Barillet et Grédy.

■ La comédie n'est plus codifiée, et même si sa visée est souvent satirique, chaque auteur impose son genre. *Exemple : Le Bal des voleurs*, 1958, Anouilh.

■ Le théâtre de la responsabilité. Il reprend les thèmes tragiques pour mettre en évidence le problème de la liberté de l'homme. *Exemples : Electre,* 1937, Giraudoux ; *Les Mouches,* 1943, Sartre.

■ Le théâtre de l'absurde : il met en évidence la désintégration de l'intrigue et du discours, seule importe la présence des personnages. *Exemples : La Cantatrice chauve,* 1950, Ionesco ; *En attendant Godot,* 1952, Beckett.

Les recherches du théâtre contemporain portent sur les thèmes, mais aussi et surtout, sur l'art scénique. Le metteur en scène, propose sa propre relecture du théâtre classique et joue sur le décor, l'éclairage, le travail des acteurs, fait appel à la création collective...

18 Le texte de presse

Les bonnes soupières et aujourd'hui

Du haut en bas de la société, un repas sans soupe était jadis inconcevable. Le goût du public et les bienfaits de l'agro-alimentaire aidant, des soupes toutes prêtes ont repris le flambeau.

1 « J'appartiens à une génération de mangeurs de soupe. Il était entendu, dans mon jeune âge, qu'un enfant ne pouvait grandir sans soupe. *« Mange ta soupe »* et *« Finis ton pain »* étaient les deux injonctions proférées le plus souvent dans tous les milieux sociaux, depuis le paysan taciturne jusqu'à la chichiteuse gouvernante anglaise.

5 Dans les familles bourgeoises ou populaires, avec ou sans bénédicité, la mère trempait la soupe, le père la servait. Dans la haute société, on aurait jugé inconvenant de ne point commencer le repas du soir (le « souper », justement) avec un consommé, un velouté, une crème ou une bisque.

« J'ai vu, disait Carême, qui fut officier de bouche de Talleyrand, *mille fois à table les rois,* 10 *les empereurs, et tous mangeaient le potage avec délices... »*

Carême avait exécuté personnellement cent quatre-vingt-seize potages français et quelque trois cents potages étrangers. Comme les cuisiniers réputés de son temps, il honorait les hommes célèbres en baptisant de leur nom un potage. Il distingua de cette façon — qui vaut bien une plaque commémorative ou une épitaphe — Condé, Boieldieu, Lamartine, Buffon et 15 Victor Hugo.

Soupe ? Potage ? Il y a là une sorte de quiproquo. Jadis, tout ce qu'on mettait au pot était potage. La soupe était une tranche de pain qu'on trempait dans ledit potage, et dont on usait même comme assiette pour y poser des mets solides. Avec le temps, l'un a pris une connotation distinguée, l'autre rustique. Quoi qu'il en soit, il y a un demi-siècle encore, la soupe était une 20 institution : elle pouvait même se confondre avec le repas tout entier.

Qu'en est-il aujourd'hui ? Dans les restaurants, du haut en bas de l'échelle, on fait peu de cas du potage. L'opéra culinaire s'exécute sans ouverture. J'ai eu la curiosité de consulter un certain nombre de livres de cuisine écrits depuis quelques années par nos grands chefs. Seul Raymond Oliver, qui appartient encore, pour une partie de lui-même, à la vieille école, donne 25 une soixantaine de recettes de potages. Tous les autres se montrent on ne peut plus discrets.

Les sociologues savent bien qu'on aime manger, en général, ce dont on a été nourri au début de sa vie. Les enfants d'aujourd'hui, ignorant ce qu'est la soupe, devraient donc n'en point demander plus tard. Or voici que la publicité nous invite à absorber de la soupe, en sachet, en paquet, en tablette ou en boîte. Dans l'industrie agro-alimentaire, c'est à qui proposera son 30 œuvre. Et l'on voit, sur nos écrans de télévision, athlètes et nymphes se ruer sur la soupière, cette soupière dont tous les porcelainiers vous diront qu'elle a cessé — avec les raviers — d'inspirer les stylistes des arts de la table.

Il faut bien que les grandes usines à nourriture aient senti, dans le tréfonds du corps social, quelques frémissements, pour se mettre à proposer du potage à un public qui devrait n'y point 35 songer.

Ces frémissements sont sans doute ceux de la nostalgie — qui s'exprime à travers bien des messages publicitaires — de la mode rétro.

Anciens et nouveaux amateurs de soupe seraient bien inspirés de se mettre ou de se remettre à cuisiner la gratinée lyonnaise ou le poireaux-pommes de terre parisien. Ces recettes, et bien 40 d'autres, s'exécutent facilement.

Quant à nos chefs de cuisine, qui appliquent tout leur art à l'innovation et donnent libre carrière à l'imagination créatrice, ils auraient intérêt à ne point rester sourds aux appels de la soupière. »

Jean Ferniot, *L'Événement du Jeudi*, 26 nov.-2 déc. 87

Les articles de presse présentent un certain nombre de traits communs qui les distinguent d'autres types de textes.

Un texte lié à un événement

Tout article de presse renvoie à un événement sur lequel sont fournies diverses informations portant sur les points suivants :

- Quel événement a donné matière à un article ?
- Où se déroule l'événement ? Quelle distance sépare les lecteurs du lieu de l'action ?
- Quand l'événement a-t-il eu lieu ? Est-il antérieur ou postérieur à l'article ?
- Quelles sont les personnes concernées par l'événement ? Sont-elles ou non connues ?
- Comment l'événement s'est-il déroulé ou se déroulera-t-il ?

Exemple : cet article commente un fait de société contemporain – la campagne publicitaire en faveur des soupes toutes prêtes – dans lequel sont impliqués l'industrie agro-alimentaire, les consommateurs, voire les cuisiniers. Le message publicitaire est brièvement évoqué (« Et l'on voit... table »).

L'angle choisi pour parler de l'événement

le regard d'un généraliste	Le journaliste traite de multiples aspects de l'événement : il ne se contente pas de le raconter, il cherche à l'expliquer et envisage éventuellement ses retombées.
le regard d'un spécialiste	Le journaliste fait une approche plus pointue de l'événement en privilégiant un type d'analyse : politique, psychologique, économique, culturelle, etc. *Exemple :* l'accent est ici mis sur l'éclairage historique.
le témoignage	Le journaliste raconte l'événement à travers le regard d'une ou de plusieurs personnes directement impliquées en tant que protagonistes. Il cite leurs propos et décrit leurs réactions.
le procès-verbal	Le journaliste se contente de quelques notations factuelles.
le spectacle	Le journaliste fait un récit circonstancié en donnant à l'événement une tournure dramatique, cocasse, etc.

- N'escomptant guère surprendre le lecteur par une nouvelle souvent déjà diffusée par d'autres médias, la presse s'efforce d'intéresser par la manière dont elle traite l'information.
- Quel que soit l'angle choisi, la présentation n'est jamais totalement objective. La position du journaliste se décèle dans le choix des précisions apportées, le ton adopté et les jugements de valeur explicites ou non.

La connivence entre journaliste et lecteur

Le journaliste établit avec ses lecteurs un rapport de complicité.

La langue. Tout en privilégiant le niveau de langue du public visé, le journaliste peut recourir à un vocabulaire spécifique : termes techniques, termes connotés socialement (langage « jeune ») ou idéologiquement, expressions imagées. *Exemple :* la métaphore « l'opéra culinaire s'exécute sans ouverture ».

La présence du journaliste et du lecteur. Le journaliste peut personnaliser l'information en marquant sa présence par le pronom je (« j'ai eu »). Il peut mettre le lecteur de son côté en présentant comme leur étant commune telle ou telle expérience ou encore l'interpeller (« nos grands chefs », « ... vous diront »).

Les valeurs et les références communes. Le journaliste s'appuie sur les connaissances supposées de son lecteur et fonde son argumentation et ses jugements de valeur sur l'idéologie qui leur est commune, même s'il cherche parfois à bousculer des préjugés. *Exemple :* les lecteurs de ce magazine sont censés connaître Talleyrand mais non Carême.

La mise en page

Elle favorise une lecture rapide : présentation en colonnes étroites, intertitres ponctuant et relançant la lecture, chapeau résumant l'article. Elle oriente le choix du lecteur : par l'importance attribuée à l'article (présence ou non à la « une », position dans la page, grosseur du titre, illustration, encadrement...) et par la formulation du titre et des sous-titres.

EXERCICE 1

1) De quel événement rend compte cet article ? Classez les diverses informations fournies sur lui.

2) Quel est le ton de l'article ?

Tirets assassins, mots diaboliques...

La troisième finale des championnats de France d'orthographe

« Ô mon bateau, tu es le plus beau des bateaux. Pour un candidat (dans chaque catégorie : juniors — seniors — amateurs — seniors professionnels) qui pourrait tout à l'heure chanter ainsi son triomphe, combien devraient se répéter par-devers eux : « qu'allai-je faire en cette galère ? ».

Cette année, en effet, les organisateurs avaient décidé de mener leurs finalistes en bateau... mouche de surcroît. Poussée par un remorqueur, la Gabarre a donc flâné sur la Seine, tandis que Bernard Pivot, divinité tutélaire des championnats, dictait le cru 87 de la dictée diabolique. Il semblait y prendre le plus malin plaisir, et sa joie fut à son comble, quand il postillonna le « psittacisme » qui en laissa plus d'un ébaubi.

Micheline Sommant, linguiste et auteur de la dictée, avait concocté, encore avec un rien de cruauté vis-à-vis des concurrents, une lettre à « M. le président du jury ».

Elle y décrivait avec réalisme et beaucoup d'ironie les préparatifs des candidats : « le virus de l'orthographe m'a rendue tout à la fois irascible, quasi insomniaque et tremblotante » y confie « l'épistolière finaliste » sensée avoir écrit le texte. Nous avions même l'ambiance de la finale : « ah ! le subtil roulis des bateaux ! y avait-il un pied-à-terre plus extravagant si ce n'est un bathyscaphe ? » Le subtil roulis du bateau agitait de légers tremblements la table où planchaient les candidats, ce qui, somme toute, leur permettait de dissimuler leur nervosité. (...) Ils étaient, en effet, 36 414 au départ, 6 848 à la demi-finale et se virent 122 (62 femmes pour 60 hommes) en arrivant au port : 41 avait fait un sans faute.

C'est dire l'enjeu considérable de cette finale où l'on dicta encore hors antenne de croustillantes phrases où les bétyles voisinaient avec la sialorrhée et destinées à départager les irréductibles. »

La Voix du Nord, 13-14 déc. 1987

EXERCICE 2

1) Quel est l'événement présenté ?

2) L'éditorialiste a un regard de spécialiste. Dites s'il privilégie l'approche économique, pratique ou culturelle. Justifiez votre réponse.

ÉDITORIAL
Gérard Dupuy

Le bon géant

« Fast-food contre tambouille familiale, vacances organisées contre voyages personnels — la socialisation de la vie privée par l'intermédiaire d'entreprises commerciales connaît en cette fin de siècle une progression apparemment irrésistible. Le passage de Cendrillon de son humble âtre de naissance au gigantisme des parcs d'attractions est sans doute inscrit dans le patrimoine génétique de l'époque.

On peut regretter l'édulcoration que subit le conte dans cette métamorphose. Mais après tout, combien de parents ont encore la capacité — de mémoire et de temps — pour initier leurs rejetons aux grands archétypes du folklore populaire immémorial ? A cet égard, les parcs de loisirs sont peut-être un moindre mal.

Reste tout de même l'affadissement de ce folklore. Ce n'est pas à Mirapolis que les méchantes demi-sœurs de Cendrillon se raboteront le talon pour se glisser dans la fameuse chaussure de vair — comme dans la version de Grimm. Gargantua, bon géant de polystyrène, a peu de chance d'introduire quiconque à l'éthos des humanistes renaissants pour lesquels Rabelais l'a spécifiquement inventé. Ajoutons aussi qu'il y avait une cohérence entre le fond des contes et la manière familiale, voire grande-familiale, dont ils étaient transmis de génération en génération. Médiatisés par des machines aussi ingénieuses soient-elles, les bienfaits psychologiques que les enfants tirent, selon les psychologues, des contes en sortiront sans doute amoindris.

Du moins maintiendront-ils un lien avec un socle mythologique — et foncièrement rural — qui a imprégné depuis des millénaires les imaginations enfantines. Il est pour le moins dommage que Mirapolis ajoute à ce coktail une note cocoricante qui convient bien mal à son sujet (ce folklore a fait fi des barrières culturelles et s'est imposé, avec des variantes, d'Irlande en Inde). Il est vrai qu'il s'agissait plus d'occuper un créneau commercial et d'ouvrir un contre-feu face à Walt Disney Productions que de rendre hommage à la vérité. Mais cette « francisation » du produit ne pouvait de toute façon être qu'apparente : dans les parcs d'attraction, l'« américanisation » tient moins aux thèmes évoqués qu'au mode de consommation.

Or, justement, avec celui-ci, les Français — avec quelques années de retard sur les Américains — trouvent un surcroît d'imaginaire. Et celui-ci sera ludo-technologique plutôt que sentimentalo-familial. Les parcs d'attractions ne saccagent rien, ils se dressent dans une jachère. Bon vent à leurs visiteurs. »

Libération, 20 mai 1987

EXERCICE 3

1) Repérez les jugements de valeur explicites contenus dans cet extrait.

2) L'auteur approuve-t-il l'initiative de Coluche ?

« De la charité à la solidarité »
Il est vrai que face à la misère et à l'exclusion, l'appel à la justice est insuffisant, souvent même irresponsable, et que seule est efficace la charité, c'est-à-dire la conscience de l'obligation morale à l'égard de l'autre au nom d'un principe non social d'égalité qui doit être affirmé au cœur même des plus extrêmes inégalités sociales. Mais il est plus vrai encore que la charité risque de devenir un alibi si elle n'est pas associée à la solidarité, c'est-à-dire soit au partage des ressources soit à la participation à une lutte commune.

Les actes de solidarité tendent à se dégrader en œuvres de charité ; il faut constamment que leur intention soit sauvée, ce qui ne peut être fait que si l'ensemble de la société prend en charge le coût des initiatives prises par des groupes toujours restreints et animés par une forte conviction. (...)

Le chômage de longue durée et d'autres causes ont fait réapparaître la misère. Des initiatives ont été prises ; la plus visible, celle qui a le mieux su obtenir l'appui des médias, les Restaurants du cœur. Coluche et ceux qui ont partagé et continué son effort avaient une conscience très aiguë des limites de telles initiatives qui peuvent rendre les pauvres encore plus invisibles et débarrasser l'opinion publique de sa mauvaise conscience. Ils voulaient et veulent au contraire que leur action déclenche une intervention des pouvoirs publics et de l'ensemble de la société. »

Alain Touraine, *Le Monde*, 24 fév. 1988

EXERCICE 4

Cette page présente la « une » de trois quotidiens nationaux ainsi que le titre de l'article que chacun a consacré, en page intérieure, au lendemain de l'élection présidentielle en Corée du Sud.

1) Quelle « une » met le plus en relief l'événement ?

2) Quel journal met à la « une » l'accent sur la violence ?

3) Les trois quotidiens soulignent le caractère violent des incidents. Mais à qui chacun attribue-t-il cette violence ?

4) Quel quotidien montre une réserve prudente quant à la fiabilité de l'information diffusée ?

Le Figaro, à la Une.

Corée : élection contestée

Manifestations violentes contre la victoire jugée frauduleuse du candidat officiel.

Le Figaro, en page intérieure.

Élections coréennes

Contestation violente

A Kwangju, patrie du leader de gauche Kim Dae Jung, toute la ville est sortie dans les rues pour manifester et, à Séoul, de violents affrontements ont eu lieu.

Le Figaro, 19-20 déc. 1987

Le Monde, à la Une.

Manifestations en Corée du Sud

Au lendemain de l'élection présidentielle, de violents affrontements avec la police auraient fait plusieurs morts.

Le Monde, en page intérieure.

CORÉE DU SUD :
au lendemain de l'élection présidentielle

L'intervention brutale de la police contre des manifestants à Séoul aurait fait plusieurs morts

Le Monde, 19 déc. 1987

Libération, à la Une.

CORÉE : LA MATRAQUE SORT DES URNES

Des manifestations très violemment réprimées se sont poursuivies hier, alors que Roh Tae Woo était officiellement déclaré vainqueur des élections. Lire page 17.

Libération, en page intérieure.

CORÉE DU SUD

A Kuro, la violence après le vote

Alors que Roh Tae Woo est officiellement proclamé vainqueur de l'élection présidentielle, l'armée a pris d'assaut la mairie de Kuro où étaient retranchés des centaines d'opposants avec des urnes prouvant « des fraudes massives »

Libération, 19-20 déc. 1987

EXERCICE 5

1) Quel événement est à l'origine de cet article ?

2) Quelle approche est privilégiée ?

3) Montrez que le journaliste prend nettement position.

Prima le parole[1]

« La « mise en place » de la nouvelle grille de France Musique a vu ressurgir, tel un serpent de mer, la litanie des protestations des auditeurs qui s'élèvent, comme ils l'ont toujours fait, contre la présence de commentaires généralement dénommés, avec ce bel ensemble qui fait les grandes inepties, « bla bla ».

Ces protestations récurrentes, lassantes à force d'être semblables à elles-mêmes, ont quelque chose d'indécent, de révoltant. Ce n'est pas la parole d'untel ou d'untel qui est mise en cause, mais la Parole en général. Il n'est pas question ici de comparer les mérites de tel ou tel producteur : France Musique abrite, en proportion normale, les hommes intelligents, les stupides et puis aussi cette fraction de la population qui hésite, et toujours hésitera entre ces deux extrêmes.

Vouloir proscrire la parole de France Musique révèle ce qu'il faut bien nommer l'obscurantisme. Nous ne dirons pas qu'il va croissant — ce serait excessif — mais qu'il devient un peu agaçant, à la fin. Car enfin, attendre d'une chaîne comme France Musique qu'elle se borne à diffuser la musique, c'est tout simplement oublier (ignorer) que la musique n'est pas que la musique. C'est-à-dire qu'elle ne se limite pas à être un ensemble de sons qui parviennent à l'oreille, et que l'on consomme plus ou moins volontairement. La musique est un art, une production de l'homme, peut-être la plus haute. Celui-ci s'appelle un compositeur. C'est aussi du papier réglé, qu'un éditeur imprime, que des marchands vendent, que des amateurs achètent. C'est une œuvre qui doit être jouée par d'autres hommes, qui s'appellent les interprètes. On compose, on vend, on joue la musique dans des salles, dans des villes, pour des publics divers, à des époques diverses, sur des instruments qui, à eux seuls, et parce qu'ils sont des serviteurs extraordinairement fraternels, méritent toute l'attention possible.

En un mot, la musique, comme toute manifestation de l'art, est un creuset où viennent se fondre une diffusion radiophonique d'une œuvre musicale. Vouloir ignorer cela, écrire dans les journaux qu'on veut l'ignorer, c'est montrer qu'on ne veut pas savoir, qu'on ne veut pas comprendre, qu'on ne veut pas aimer la musique. C'est imaginer qu'elle a existé, qu'elle existe et qu'elle existera de toute éternité, sans que l'homme y ait jamais été mêlé.

Personne ne proteste contre la nécessité dans laquelle nous nous trouvons tous de nous déplacer pour aller au concert, de prendre un métro, un bus, un taxi pour nous rendre dans une salle de concert. Dire qu'il faut bannir la parole de France Musique équivaut à dire : je veux être dans la salle de concert, mais je ne veux pas y aller ; je ne veux pas voir de chef d'orchestre, de musiciens, de public ; je veux entendre les sons.

Le réflexe de tout enfant curieux, voyant pour la première fois un réveil, est de le démonter. L'éternel protestataire, lui, pense qu'un réveil, ce n'est pas des rouages et des ressorts, mais que c'est l'heure donnée par une boîte dont la fonction est de donner l'heure. Ceux qui veulent une France Musique exempte de parole poussent sur l'art comme le champignon sur le tronc des arbres : ils sont les consommateurs, les parasites d'une situation humaine qu'ils ne connaissent pas, ne veulent pas connaître, et à laquelle ils seront toujours étrangers. Ils sont les pires ennemis des créateurs. Et l'art les vise directement.

Cette situation a quelque chose de cocasse, aussi. Voilà des gens qui revendiquent l'inculture au nom de la culture. Il y a « parole », pour eux, comme il y a « musique ». Au lieu d'exiger de la chaîne le départ des cuistres, des carriéristes, des ignorants, ils veulent être imbéciles. Méfiance, méfiance : il n'est de pire imbécile que celui qui veut l'être davantage. »

Jacques Drillon dans *Le Monde de la musique*, nov. 1987

(1) Titre italien signifiant : d'abord les mots.

EXERCICE 6

Ces deux articles présentent le même reportage télévisé.

1) Analysez le titre et le sous-titre de chacun des articles.

2) Montrez que les deux journalistes commentent différemment la thèse de la manipulation politique que présente l'émission.

3) Dressez le portrait robot du lecteur visé par chaque article.

Supporters insupportables

Les véritables passionnés de football se laissent trop souvent déborder par des voyous. A qui la faute ?

Parler aujourd'hui des supporters, autour d'un terrain de football, c'est évoquer à coup sûr la violence, les bagarres avec, en toile de fond, le drame du Heysel, le 30 mai 1985, à Bruxelles : trente-huit morts, quatre cent cinquante blessés.

Ce jour-là, les hooligans anglais, venus de Liverpool ont porté un coup terrible aux fanatiques du ballon rond. L'équipe de « Reportages » cherchera ce soir à dédouaner les véritables passionnés du football, à les démarquer de ces hordes sauvages qui cherchent un exutoire sur les stades.

Pour expliquer leurs actions dévastatrices, on évoquera une mystérieuse manipulation d'une sorte « d'internationale néo-nazie » dénoncée par deux criminologues belges anonymes. Tout cela est assez flou et ne s'imposait pas. Si ces scientifiques existent, pourquoi leurs rapports restent-ils confidentiels, pourquoi les auteurs restent-ils masqués ? N'assiste-t-on pas, simplement à la naissance d'une rumeur ? Personne ne tient à récupérer les hooligans et encore moins à s'interroger sur les raisons de leur existence, alors, autant en profiter pour radicaliser le phénomène...

Un phénomène qui révolte les véritables supporters. C'est sûr, eux non plus ne sont pas des saints. Leur passion les conduit à des excès, à des réactions bêtasses, démesurées, mais certains le diront : *« On entre dans le foot comme en religion »*. Et nul ne pourra reprocher à cette vieille dame de Lens « maman Foot » de ne vivre que pour le football. Après tout c'est son choix, et peut-être son seul bonheur. Et précisément, ce qui effraie ce témoin inattendu, c'est le déferlement de violence. Pour elle, comme pour beaucoup d'autres à Marseille, Saint-Étienne ou Montpellier, le foot, c'était la fête, l'occasion de retrouver les copains : *« On faisait les cons... »* admet la vieille dame dans un éclat de rire édenté !

Le feu

On faisait les cons, et d'autres faisaient les comptes. Car c'est un aspect qui ne sera pas abordé ce soir, mais qui pourrait constituer une suite logique à ce reportage remarquablement filmé : les supporters cassent quelquefois, mais ils payent souvent. Lorsque l'équipe de Saint-Étienne s'est effondrée, les dirigeants de la chambre de commerce régionale ont publié des chiffres tout à fait officiels : pour la région, le déclin du club était pire, économiquement, que la fermeture de Manufrance survenant à la même époque. Et c'était vrai. A Auxerre, Jean-Pierre Soissons, député maire de la ville, a, lui aussi reconnu publiquement que son excellente équipe de foot menée de main de maître par Guy Roux constituait une entreprise moderne pour la ville.

Voilà pourquoi les supporters sont précieux, pourquoi on tolère certains débordements. Jusqu'au jour où la fête débraillée se transforme en drame. C'est alors l'heure de chercher des coupables, sans jamais se demander si l'on n'a pas joué avec le feu.

Jacques Lesinge, *Le Figaro*, 19-20 déc. 1987

La passion du football

Comment peut-on vibrer pour un simple jeu de ballon au point de s'identifier corps et âme à un joueur ou à une équipe ? Alain Escoubé tente d'apporter quelques explications.

Dans les gradins un peu froids du stade Bollaert à Lens ou au cœur des tribunes en folie du Stadio communale de Turin, c'est la même émotion qui embue les regards lorsqu'un but est réussi. Gros plan : des larmes coulent sur les joues râpeuses d'hommes mûrs. Larmes de joie prestement essuyées d'un revers de main. Après avoir déversé des flots de slogans vengeurs et de jurons, les gorges se nouent pareillement : ici pour un but qui donne la victoire au Racing Club de Lens sur Montpellier ; là pour un penalty de Cabrini qui ressuscite les espoirs de la Juventus face au Panathinaïkos d'Athènes.

Les images tournées dos au terrain par Alain Escoubé et son équipe sont des images d'amour. Sur les visages, on peut lire, traduite à des milliers d'exemplaires, cette passion qui lie tout supporter à sa famille d'adoption : le club. Cet excès de sentiments pour un simple jeu de ballon, cette identification viscérale d'hommes et de femmes à tel joueur ou à telle équipe, intriguent, inquiètent ou amusent. On a ri de cet Anglais de trente ans, « fou de football », qui vient de vendre sa maison dans la banlieue de Londres pour s'installer avec sa femme et ses deux enfants à Barcelone. Il a quitté son emploi d'ingénieur et changé de pays simplement pour voir plus souvent son idole, Gary Lineker, l'avant-centre britannique du club catalan. *« Le voir jouer seulement deux fois par an à Wembley avec l'équipe nationale n'était pas suffisant »*, a-t-il avoué avant son départ.

Cas extrême ? Sans doute. Mais les exemples d'attachement maladif sont légion. Ils sont aussi nombreux que les cohortes bariolées et braillantes qui suivent chaque équipe. *« On ressent des choses qu'on ne peut expliquer. J'ai la chair de poule »*, dit Christian, un Marseillais qui vit avec son épouse au rythme de l'OM. Vingt-quatre heures avant le match, le couple est déjà dans les transes. *« C'est une peur, une angoisse. J'ai les mains moites, je suis mal dans ma peau. C'est inexplicable. Quand le match commence, alors là je me détends un peu »*, confie Christian, dont toutes les économies sont englouties dans le culte de l'OM : abonnement au virage sud du stade vélodrome, achat de babioles aux couleurs bleu et blanc du club, collection de fanions et de maillots qui tapissent la chambre conjugale. Le budget vacances du ménage est exclusivement réservé aux déplacements de l'OM. Une véritable dévotion ! *« Je ne suis pas croyant*, confie Christian, *mais quand l'OM joue, je mets la croix et, à la limite, je prie. »*

Un sociologue parisien, le professeur Demazedier, risque une explication : *« C'est comme la passion amoureuse, ou la passion nationaliste, ou la passion religieuse. C'est cette espèce d'intégrisme de l'amour du sport qui fait qu'ils s'identifient tellement à l'équipe. Ils se projettent tellement dans leurs héros qu'ils en sont malades. »* La barrière entre le supporter ultra et le hooligan peut alors devenir fragile. L'évocation de la tragédie du Heysel, où la bêtise additionnée d'alcool a causé trente-neuf morts le 25 mai 1985, ne suffit pas à fixer le danger dans le temps. Les débordements ne sont plus l'apanage d'excités anglais, et ils sont de plus en plus fréquents.

Au cours du mois qui vient de s'écouler, on recense : une bombe fumigène qui gâche le match Pays-Bas-Chypre et blesse le gardien de but cypriote ; une bouteille de champagne qui assomme un joueur en Espagne ; une bombe lacrymogène qui sème une panique monstre pour la rencontre Split-Marseille ; un projectile en fonte qui atteint le gardien de l'AS Cannes à la tempe ; une émeute meurtrière à la sortie d'un stade au Ghana (huit morts) ; un adolescent de dix-sept ans tabassé à mort dans la région londonienne ; quarante blessés après le jet d'une bombe lacrymogène à Glasgow ; des bagarres à Kiev ; une centaine de supporters arrêtés pour vandalisme après le derby Brême-Hanovre.

Cette liste non limitative est-elle le fruit d'excès spécifiques au football ? Le professeur Demazedier répond non : *« On pourrait en dire autant de la famille. La famille, c'est merveilleux, mais jamais il n'y a tant de drames dans un pays que dans la famille. Ce n'est pas pour ça qu'on va condamner la famille. »* S'il s'agissait alors d'une internationale du hooliganisme, orchestrée par l'extrême droite européenne, ainsi que le suggère un rapport récent de deux criminologues belges, le débat sur les violences dans le football devrait changer de nature. Il faudrait admettre que ce sport a été choisi pour une action politique comme il l'est par ailleurs par des sponsors parce que son universalité en fait un bon support de publicité ou de propagande. Dans ce cas, la passion naïve et pure des « fous du foot » peut devenir une arme par destination.

Jean-Jacques Bozonnet, *Le Monde Radio-TV*, 13-14 déc. 1987

19 L'invention de nouvelles règles d'écriture

Suppression d'une lettre

(Georges Pérec choisit de supprimer la lettre e. Il intitule son livre *La Disparition.*)

« Il ouvrit son frigo mural, il prit du lait froid, il but un grand bol. Il s'apaisait. Il s'assit sur son cosy, il prit un journal qu'il parcourut d'un air distrait. Il alluma un cigarillo qu'il fuma jusqu'au bout quoiqu'il trouvât son parfum irritant. Il toussa. »

G. Pérec, *la Disparition*, Éd. Denoël. 1969

Néologisme

(Boris Vian décrit les préparatifs pour le mariage de ses héros.)

« Le Religieux sortit de la sacristoche, suivi d'un Bedon et d'un Chuiche. Ils portaient de grandes boîtes de carton ondulé pleines d'éléments décoratifs.

— Quand le camion des Peintureurs arrivera, vous le ferez entrer jusqu'à l'autel, Joseph, dit-il au Chuiche.

Presque tous les Chuiches professionnels s'appellent Joseph, en effet.

— On peint tout en jaune ? dit Joseph.

— Avec des raies violettes, dit le Bedon, Emmanuel Judo, grand gaillard sympathique dont l'uniforme et la chaîne d'or brillaient comme des nez froids.

— Oui, dit le Religieux, parce que le Chevêche vient pour la Béniction. Venez, on va décorer le balcon des Musiciens avec tous les éléments qu'il y a dans ces boîtes. »

Boris Vian, *l'Écume des Jours*, Sté Nouvelle des Éditions Pauvert

Substitution de mots

(Jean Tardieu intitule très éloquemment sa petite pièce de théâtre : *Un Mot pour un autre.* Au lever de rideau, Irma la bonne rejoint sa Maîtresse.)

« IRMA *entrant et apportant le courrier* : Madame, la poterne vient d'élimer le fourrage... *(Elle tend le courrier à Madame, puis reste plantée devant elle, dans une attitude renfrognée et boudeuse).*

MADAME *(prenant le courrier)* C'est tronc !... Sourcil bien... *(elle commence à examiner les lettres, puis, s'apercevant qu'Irma est toujours là)* Eh bien, ma quille ! Pourquoi serpez-vous là ? *(Geste de congédiement :)* vous pouvez vidanger. »

Jean Tardieu, *« Un mot pour un autre »*, dans *Le Professeur Froeppel*, Éd. Gallimard. 1978

Jeux sur les sonorités

(Une lectrice vexée, mais qui conserve le sens de l'humour, répond à un journaliste.)

« Fouchtra ! « Le beau Cherge » y va fort ! (N° 153, page 21). Il ne nous jépargne guère, nous, nos bergers jet nos chiens ! Cherait-il rachiste ? Il me chemble plutôt qu'une belle Auvergnate, un jour, a refujé ches avanches... Je penche auchi qu'il n'a jamais vu de « bourrrrrée auvergnate »... Rien de plus jaérien et de plus léger, malgré les lourds chabots. Je me chens chitoyenne du monde, je ne chuis pas chauvine, mais je n'aime pas qu'on rentre dans les clichés jabibuels : Bretons têtus, Écochais javares, Auvergnats pejants et arriérés... Nous jattendons des jexcujes. Groches bijes à touches, de la part des jauvergnats véquechés. »

L'Événement du Jeudi, n° 156

Ordre des mots confié au hasard

« Prix ils sont hier convenant ensuite tableaux / apprécier le rêve époque des yeux / pompeusement que réciter l'évangile genre s'obscurcit — groupe l'apothéose imaginer dit-il fatalité pouvoir des couleurs / tailla cintres ahuri la réalité un enchantement / spectateur tous à effort de la ce n'est plus 10 à 12 / pendant la divagation virevolte descend pression (...) »

Tristan Tzara, *« Pour faire un poème dadaïste*, dans les *Œuvres complètes*, Éd. Flammarion

Les écrivains ont souvent eu la tentation de se pencher sur le langage pour voir comment il pouvait être modifié. A travers les siècles, on découvre des inventions en tout genre, des règles qui, appliquées, transforment plus ou moins la langue et donnent l'occasion de jouer, de s'étonner, et de réfléchir sur les pouvoirs du langage et sur ses plaisirs.

	La règle	**Exemples et commentaires**
Suppressions de lettres	Écrire sans utiliser une ou plusieurs lettres de l'alphabet, en remplaçant par des mots et expressions équivalents les mots et expressions qui contiennent les lettres éliminées.	Georges Pérec ne peut faire fumer à son héros ni cigarette, ni cigare, ni pipe, mais le cigarillo. Et il lui aurait été difficile de mettre en scène une femme, le pronom personnel sujet lui aurait trop fait défaut !
Néologismes	Écrire des mots qui n'existent pas, sans perturber la syntaxe. Ces néologismes peuvent être assez transparents, ou rendre au contraire le message obscur par leur étrangeté ou leur nombre.	Les néologismes de Boris Vian ne sont ici que des fantaisies disséminées dans le texte. Parfois ils sont inventés pour désigner un objet imaginaire, comme le fameux pianoktail au début de *l'Écume des Jours*.
Modifications des expressions lexicalisées	• L'expression est légèrement transformée, ce qui provoque un effet de surprise. • Un des mots est pris dans un sens autre que celui qu'il a dans l'expression. Là encore, on obtient un effet de surprise, mais qui surgit plus tard, quand le récit se poursuit.	*Exemple :* « On aurait entendu une mouche *violée* » (Boris Vian) *Exemple :* « Exécutez cette ordonnance, suggéra Colin. Le pharmacien saisit le papier, le plia en deux, en fit une bande longue et serrée et l'introduisit dans une petite guillotine de bureau.
Substitutions de mots	Employer un mot à la place d'un autre, soit de façon totalement arbitraire, soit en créant une règle elle-même arbitraire.	Les substitutions de Jean Tardieu sont parfois guidées par les sonorités, mais elles sont en général arbitraires et seule la mise en scène permet de comprendre le texte.
Jeux sur les sonorités	• Ne pas respecter, en écrivant, les limites des mots, et écrire de façon fantaisiste ce qu'on entend.	*Exemple :* voir la lettre de Charles Fourier (exercice 6, page 111).
	• Créer des déformations diverses des sons, qui rendent le texte encore plus amusant quand il est lu à haute voix.	La lectrice de l'*Événement du Jeudi*, en exagérant son accent « auvergnat », montre combien il est ridicule d'attribuer cet accent aux auvergnats.
Ordre confié au hasard	Ne conserver que les mots, parfaitement écrits, mais confier au hasard leur ordre d'apparition.	Le texte de Tristan Tzara fut sorti, mot après mot, d'un sac dans lequel les mots avaient été mélangés.
Invention d'un nouveau langage	Tout inventer, mots et syntaxe, pour créer un langage qui, non compris, entretiendra mystère ou comique.	*Exemple :* Dans *le Bourgeois Gentilhomme* de Molière, Cléante, qui veut épouser la fille de M. Jourdain, se fait passer pour une Altesse turque : « oustin yoc catamalequi basum base alla moran »...

Il existe bien d'autres possibilités, plus ou moins connues. Si l'on prend par exemple la règle de la suppression d'une voyelle, on peut l'inverser et bâtir un texte en n'utilisant qu'une seule voyelle ; Georges Pérec lui-même donne la réplique à sa *Disparition* en écrivant *les Revenentes* qui n'utilisent que la voyelle e. On peut supprimer des syllabes ou des phrases. La suppression de termes ou de passages entiers s'appelle le caviardage, mot créé sous le Tsar Alexandre III, la censure consistant à noircir (comme du caviar) ce qui ne devait pas être lu. Et d'autres inventions encore peuvent naître de l'imagination des auteurs fascinés par la magie du langage...

EXERCICE 1

Voici un court extrait du roman de Georges Pérec dans lequel se trouve supprimée la lettre E. A votre tour, choisissez une lettre et écrivez le réveil d'un personnage sans employer cette lettre.

« Anton Voyl n'arrivait pas à dormir. Il alluma. Son Jaz marquait minuit vingt. Il poussa un profond soupir, s'assit dans son lit, s'appuyant sur son polochon. Il prit un roman, il l'ouvrit, il lut ; mais il n'y saisissait qu'un imbroglio confus, il butait à tout instant sur un mot dont il ignorait la signification.

Il abandonna son roman sur son lit. Il alla à son lavabo ; il mouilla un gant qu'il passa sur son front, sur son cou.

Son pouls battait trop fort. Il avait chaud. Il ouvrit son vasistas, scruta la nuit. Il faisait doux. Un bruit indistinct montait du faubourg (...) »

Georges Pérec, *La Disparition*, Éd. Denoël

EXERCICE 2

Dans le poème suivant, trouvez les néologismes. A votre avis, que signifient-ils et pourquoi Rimbaud les a-t-il introduits dans ce poème ?

Le cœur du pitre

« Mon triste cœur bave à la poupe,
Mon cœur est plein de caporal :
Ils y lancent des jets de soupe,
Mon triste cœur bave à la poupe :
Sous les quolibets de la troupe
Qui pousse un rire général,
Mon triste cœur bave à la poupe,
Mon cœur est plein de caporal !

Ithyphalliques et pioupiesques
Leurs insultes l'ont dépravé !
A la vesprée ils font des fresques
Ithyphalliques et pioupiesques.
O flots abracadabrantesques,
Prenez mon cœur, qu'il soit sauvé :

Ithyphalliques et pioupiesques
Leurs insultes l'ont dépravé !

Quand ils auront tari leurs chiques,
Comment agir, ô cœur volé ?
Ce seront des refrains bachiques
Quand ils auront tari leurs chiques :
J'aurai des sursauts stomachiques
Si mon cœur triste est ravalé :
Quand ils auront tari leurs chiques,
Comment agir, ô cœur volé ? »

Rimbaud, *Poésies*

EXERCICE 3

Le metteur en scène Gildas Bourdet a créé une pièce *Le Saperleau*, dont il a inventé le langage. Le héros, un « raté » fort vulgaire, voit passer sur la scène une jeune fille qui lui semble charmante ; il en oublie sa conquête précédente à laquelle il se proposait d'offrir un « drolurieux bejet » (en l'occurence, une petite culotte à dentelles !). Lisez les deux répliques suivantes en analysant de quelle façon sont formés les mots imaginés.

Morvianne : « M'ai cru perceviser d'un drolurieux bejet que Vous avez cachepoté là tout heure... de quoi s'agite ? Le Saperleau : « Nientout, nientout ! Mon morvechoir, sans doute. (à part) ah la finarde, elle m'accoinste ! que faire-je ? Et si je lui offriandais pour elle ? Dieu donné que l'autre n'a pas l'heur d'arveniendre et que je ne l'amourre plus, étant vu que c'est iceluite à l'enquelle je veux désornavant pamoiser mon cœur. En mon thorax la bamboula que voilà ! Et d'avec quelle soudainierie ! J'en suis virebordé moi-même, plaf ! Me voilà sur l'autre ! »

Gildas Bourdet, *Le Saperleau*

EXERCICE 4

Voici *La Cigale et la Fourmi* réécrite par le groupe Oulipo. Leur méthode ? Le remplacement de presque chaque mot par le 7e de même nature qui suit dans le dictionnaire ! Lisez cette « fable », puis appliquez la méthode en « traduisant » un poème très célèbre.

« La cimaise ayant chaponné tout l'éternueur
se tuba fort dépurative quand la bixacée fut verdie :
pas un sexué pétrographique morio de mouffette ou de verrat.
Elle alla crocher frange
Chez la fraction sa volcanique
La processionnant de lui primer
Quelque gramen pour lui succomber
Jusqu'à la salanque nucléaire.
« Je vous peinerai, lui discorda-t-elle,
avant l'apanage, folâtrerie d'Annamite !
interlocutoire et priodonte. »
La fraction n'est pas prévisible :
c'est là son moléculaire défi.
« Que ferriez-vous au tendon cher ?
discorda-t-elle à cette énarthrose.
— Nuncupation et joyau à tout vendeur,
Je chaponnais, ne vous déploie.
— Vous chaponniez ? J'en suis fort alarmante.
Eh bien ! débagoulez maintenant. »

Oulipo, *La Cimaise et la fraction*, Éd. Gallimard

EXERCICE 5

Valéry Larbaud (1881-1957), grand voyageur, écrit en utilisant à la fois le lexique de plusieurs langues. Il en a lui-même donné la traduction que vous trouverez ci-dessous. En cherchant dans tous les dictionnaires de langues vivantes (et mortes) que vous pouvez consulter, essayez de dire en quelles langues ce texte est écrit.

Puis, à votre tour, en utilisant des mots que vous avez repérés dans le texte et d'autres mots que vous connaissez, écrivez quelques lignes pour décrire un paysage.

La Neige

« Un ano màs und iam eccoti mit uns again
Pauvre et petit on the graves dos mossos amados
édredon
Epure pionsly tapàudolos in their sleep
Dal pallio glorios das virgens und infants.
With the mind's eye tì sequo sobre l'europa estasa,
On the vas Northern pianure dormida, nitida nix,
Oder on lone Karpathian slopes donde, zapada,
Nigorum brazilor albo disposa velo bist du.
Doch in loco nullo more te colunt els meus
pensaments
Quam in Esquilino Monte, ove della nostra Roma
Corona de platàs ores,
Dum alta iaces on the fields so duss kein Wege seve,
Yel alma, d'ici détachée, su camin finds no ceo. »

Encore une année et te revoici déjà parmi nous,
Pauvre et petit, sur les tombes de nos aimés,
édredon.
Et pourtant les recouvrant pieusement dans leur sommeil.
Du pallium glorieux des vierges et des enfants.
Des yeux de la pensée je te suis sur l'Europe
étendue,
Ou sur les pentes solitaires des Carpathes, où tu es,
neige,
Des noirs sapins blancs voile de mariée.
Mais en aucun lieu mes pensers ne te vénèrent plus
Que sur le Mont Esquilin où tu es de notre Rome
Couronne d'argent,
Tandis que tu recouvres profondément les champs,
cachant les routes,
Et que l'âme, d'ici détachée, trouve son chemin dans les cieux.

Valéry Larbaud, *les Poésies de A.O. Barnabooth.*
Éd. Gallimard. 1913

EXERCICE 6

A vous de traduire et de réécrire cette célèbre lettre de Charles Fourier en l'orthographiant correctement.

« Geai ressue mât chair l'or, lin vite à sion queue tu mats à dresser pourras l'air dix nez rats sein ment dés, dix manches d'œufs sept ambre.

Croix jettant sue plie allant presse m'en deux tond couse ain as eux rang drap déz somme ah scions scie en gage hante.

Dix manchons nos rats don l'age oie deux-temps bras serre, toît était-ce heure étai pas rends ; ai-je eaux ré, jean suisse hure, dupe les ire have ou art lac homme édit, eh ah ah si ce thé aux fesses teint.

Ile nia riz inde nous veau an sept lieues longe houe en corps l'aime atteint elle haie sou art os bis liard queue jet-mouton gros pet raie sans est-ce vin cœur, émoi comte i nue aile ment vingt culs.

Mat hante alors dine haire à tout j'ourlais six os — elle haleine ode ou oie ; toussait faute œil sont à pisser pas raie le m'aime. (...) »

Charles Fourier, *Lettre à sa cousine Laure*

EXERCICE 7

Voici les consignes données par Tristan Tzara dans *Pour faire un poème dadaïste.* Lisez-les, et fabriquez votre propre poème.

« Prenez un journal.
Prenez des ciseaux.
Choisissez dans ce journal un article ayant la longueur que vous comptez donner à votre poème.
Découpez l'article.
Découpez ensuite avec soin chacun des mots qui forment cet article et mettez-les dans un sac.
Agitez doucement.
Sortez ensuite chaque coupure l'une après l'autre.
Copiez consciencieusement dans l'ordre où elles ont quitté le sac.
Le poème vous ressemblera.
Et vous voilà un écrivain infiniment original et d'une sensibilité charmante, encore qu'incomprise du vulgaire. »

Tristan Tzara, Éd. Flammarion

EXERCICE 8

Amusez-vous à imaginer la langue d'un extra-terrestre, et écrivez un court dialogue pour lequel vous n'oublierez pas de donner... la traduction !

20 Comment présenter une opinion

Julien Green (né en 1900), est un écrivain français d'origine américaine, aux héros tourmentés (Adrienne Mesurat *1927,* Minuit *1936). Il évoque ici la création romanesque et prend position sur la question souvent débattue des rapports de la fiction et du réel.*

1 « On croirait que ce qui est vrai dans la vie est vrai d'une façon absolue, ou en tout cas devrait être vrai dans un roman dont le but est de donner une image de la vie. Mais il n'en va pas ainsi. Rien de plus inerte que certains romans de l'époque dite naturaliste et qui cependant furent écrits 5 avec un souci d'exactitude presque maladif. Les fiches, les notations méticuleuses n'ont jamais pu donner la vie à un roman. Il y a là une loi mystérieuse à laquelle on n'échappe pas. Pour écrire un roman qui ait quelque chance de durer, c'est-à-dire que deux ou trois générations — pas beaucoup plus — puissent se passer de main en main, il est nécessaire 10 d'avoir ce qu'on pourrait appeler le sens de la vie, sans quoi toutes les observations du monde ne serviront à rien.

◄ *confronter deux opinions*

Je ne dis pas que l'observation soit inutile ; elle est au contraire indispensable, mais il n'empêche que les mots les plus vrais que prononcent les personnages de Balzac ne soient des mots selon toute 15 probabilité inventés. Balzac retrouvait le secret de la vie en inventant, et qu'est-ce que l'invention, en effet, sinon l'acte par lequel on trouve[1] ? L'observation et le souvenir sont les deux sources de l'invention, mais ce n'est ni en observant, ni en se souvenant que le romancier s'apparente à la vie, c'est en inventant. La vie invente sans cesse. Il est vrai que, de temps 20 à autre, la vie qui est un fort vieux romancier a des heures de lassitude et qu'elle tend à se répéter, mais ce n'est pas en copiant ce qu'elle a déjà écrit que nous pouvons produire le même effet qu'elle, c'est en inventant comme elle fait, avec la plus grande liberté possible. Du reste, nos inventions, même celles que nous jugeons les plus audacieuses, sont bien 25 timides comparées à celles dont la vie nous fournit l'exemple. Je voudrais bien savoir quel romancier oserait écrire une vie comparable à celle de Napoléon et espérer être cru, et j'admire les critiques qui lisent les romans et qui, devant tel ou tel épisode hors de l'ordinaire quotidien, s'écrient : « Ceci n'est pas vraisemblable ! » Ne lisent-ils jamais les journaux ? Le 30 journal, avec toutes ses incohérences et le pitoyable laisser-aller de son style, n'en demeure pas moins une page de roman extraordinaire. L'erreur de la plupart des critiques est de s'imaginer que la vérité est nécessairement banale et qu'en faisant banal et ennuyeux on reste dans le vrai. C'est un point de vue bien timoré. Je ne veux pas dire que la vérité romanesque 35 soit dans le fantastique, mais bien que la vie n'a jamais reculé devant aucune invraisemblance et qu'elle se moque de la critique. Or la vie est le modèle suprême de tous les romanciers. (...)

◄ *énoncer une idée en lui donnant une portée générale*

◄ *présenter ironiquement l'opinion d'autrui*

◄ *présenter et dévaloriser l'opinion d'autrui*

◄ *donner une portée générale à une opinion*

Si le romancier tire la matière de ses livres de son expérience personnelle, il est nécessaire qu'il sache l'art de transmuer la vie en roman, car 40 la vie est un roman qui a besoin d'être récrit. Or cette transmutation est extraordinairement difficile à réussir. Comment se fait-elle ? Pour ma part, je n'en sais rien. »

◄ *présenter son opinion*

Julien Green. (Bac. Liban, sept. 86)

1. Le mot « inventer » vient du latin « invenire » dont le sens premier est « trouver ».

La formulation d'une opinion peut se faire de manière implicite ou explicite. Dans le premier cas, seule la sagacité du lecteur permet de repérer l'opinion émise. En effet, aucun repère, aucun signal n'introduit celle-ci. Dans le second cas, l'opinion est introduite de façon explicite : on recourt à un verbe qui désigne l'action de penser, de juger, de s'exprimer, on utilise des substantifs tels que « formule », « opinion », « sentiment », « avis », « conviction », « thèse », etc. Le sujet des verbes, les déterminants des substantifs renseignent sur l'identité de l'auteur de l'opinion.

OBJECTIF	MÉTHODE	TECHNIQUES À UTILISER
Présenter sa propre opinion	Revendiquer clairement la « paternité » de l'idée.	• Utiliser le pronom *je*, ou bien le *nous*, mais il faut savoir que le *nous* marque une certaine modestie (ne pas oublier dans ce cas, d'accorder au singulier — au féminin ou au masculin —). • Choisir les tournures : *à mon avis..., pour ma part...*, etc. • A éviter : la répétition de *je pense que..., j'estime que...*
Présenter sa propre opinion et lui donner une portée générale	Il est possible de ne pas spécifier l'origine du point de vue.	• Recourir à une tournure impersonnelle : *il semble que* (ou dans le texte la ligne 9). • Utiliser le pronom *on. On souligne le plus souvent...* • Trouver une formule frappante (l. 40).
Reprendre une opinion à son compte	Réutiliser et citer l'opinion ou le lieu commun. *Exemple :* a beau mentir qui vient de loin.	• Ne pas citer l'origine du point de vue, utiliser le *on* ainsi qu'une tournure impersonnelle.
Présenter une opinion	Rendre compte fidèlement de l'opinion d'autrui.	• Préciser l'identité de l'auteur de l'opinion (nom, catégorie sociale, profession...) ou rester vague *(certains..., d'autres...).* • Résumer l'idée ou la citer.
Présenter et commenter une opinion	Fournir deux informations : 1. ce que pense autrui ; 2. ce que l'on pense personnellement.	• Selon le cas, présenter l'auteur de l'opinion, ou rester vague. • Résumer l'idée ou la citer. • Faire un commentaire explicite (*exemple :* lignes 31-34) et qualifier positivement ou négativement cette opinion ou celui qui la soutient.
Confronter plusieurs opinions	1. Renforcer une opinion en présentant d'autres points de vue allant dans le même sens. 2. Mettre en évidence les divergences d'opinion sur le même sujet.	• Résumer chaque point de vue ou faire une citation. • Enchaîner logiquement ces points de vue. • Présenter en dernier l'opinion à mettre en relief.

Afin d'affirmer avec plus de vigueur son opinion, il est possible de donner l'impression d'un dialogue avec son interlocuteur.

- En devançant ses éventuelles objections,
Exemple : ligne 19 l'auteur fait une concession pour mieux réaffirmer ensuite son point de vue.
- En corrigeant par avance certaines erreurs d'interprétation,
Exemple : l'auteur met en garde contre certaines extrapolations (ligne 12 et ligne 34).
- En formulant une question rhétorique,
Exemple : un lecteur aurait sans doute aimé poser la question de la ligne 41, qui introduit habilement une nouvelle réflexion de J. Green.

EXERCICE 1

Certains des extraits comportent des termes désignant l'action de penser ou de s'exprimer ; repérez ces mots. Déterminez à qui doit être attribuée l'opinion présentée ; justifiez votre réponse.

- Les philosophes des Lumières ont estimé que combattre les préjugés était une des tâches des intellectuels.
- « L'homme moderne s'enivre de dissipation. Abus de vitesse, abus de lumière, abus de toniques, de stupéfiants, d'excitants... » Valéry
- La question est de savoir si cette adaptation cinématographique a des qualités esthétiques ; mon sentiment à ce sujet est que ce film fera date dans l'histoire du cinéma.
- On peut avancer qu'il y a deux sortes de romans : ceux dont on n'a jamais fini d'explorer la richesse, ceux qui, une fois « consommés », n'ont plus de secret.
- A ce discours alarmiste, nous pourrions présenter l'objection suivante : il existe tout de même des hommes de bonne volonté.

EXERCICE 2

Pour chacune des phrases suivantes, dites si elle présente une opinion personnelle, un lieu commun, ou si elle reproduit l'opinion d'autrui de façon neutre ou partiale.

- On ne peut que souhaiter que ce film remporte le succès qu'il mérite.
- Nous apprécions les efforts consentis par la ville pour aménager des espaces verts.
- D'après les experts, les causes de l'accident seraient d'origine criminelle.
- On s'imaginait donc que les progrès scientifiques garantiraient dans un proche avenir le bonheur de l'humanité ?

EXERCICE 3

Qui est à chaque fois l'auteur des expressions entre guillemets dans les deux passages suivants :

« A la fin des années cinquante, les lycéens étaient, selon l'expression de Barthes, des “petits messieurs”. Aujourd'hui, ce sont des “jeunes”. Immense mutation » A. Finkielkraut

« Plus l'acteur est grand, plus il s'intéresse à la technique de son art. “Plus on a de talent, et plus il faut le travailler”, me dit un grand acteur. » Stanislavski

EXERCICE 4

1) Voici une série de citations. Présentez chacune d'elles en une phrase, en variant vos formules (voir page 186).

2) Citez chacun des auteurs en suggérant votre propre opinion sur le problème soulevé.

- « Plutôt souffrir que mourir
C'est la devise des hommes. » La Fontaine, *La Mort et le bûcheron*
- « Les hommes n'ayant pas pu guérir la mort, la misère, l'ignorance, ils se sont avisés, pour se rendre heureux, de n'y point penser. » Pascal, *Pensée n° 133*
- « Dans notre civilisation, celui qui diffère de moi, loin de me léser, m'enrichit. » Saint-Exupéry
- « Le plus grand effort de l'amitié n'est pas de montrer nos défauts à un ami, c'est de lui faire voir les siens. » La Rochefoucauld
- « L'homme est un animal enfermé — à l'extérieur de sa cage. Il s'agite *hors de soi.* » Valéry

EXERCICE 5

1) Ce passage présente quatre opinions différentes, dont celle de l'auteur. A qui attribuer les trois autres ?

2) Repérez les liens logiques entre chaque opinion.

3) Quelle est la position de l'auteur par rapport à chacun des trois autres points de vue ?

La fête

« Aussi, plusieurs auteurs ont-ils cru déceler des analogies entre fêtes et révolutions. C'est là une vue superficielle qui méconnaît un autre principe essentiel de la fête, à savoir qu'elle est par essence hors de la réalité sociale normale. En vérité, elle confirme la hiérarchie en la niant pour un instant bien déterminé, car elle situe le contrordre (1) dans un monde différent. Sans doute les inversions des statuts sociaux, même dans ce contexte, ont-elles pu éveiller les inquiétudes chez les détenteurs du pouvoir. Tout le monde n'aime pas la plaisanterie. Mais d'autres, peut-être plus avisés, pouvaient juger efficace ce défoulement organisé, limité, institutionnalisé. »

Jean Cazeneuve, *La Vie dans la société moderne*, 1982.
(Extrait, bac. Paris. 1985)

(1) L'ordre inversé.

EXERCICE 6

1) Ce texte présente plusieurs points de vue ; lesquels ? A qui chacun d'eux sont-ils attribués ?

2) Malgré l'absence du pronom « je », l'auteur défend ses convictions. Quelle phrase résume le mieux son point de vue ?

3) Comment Régine Pernoud met-elle en valeur sa position personnelle ?

Une leçon de relativisme

« L'étude de l'Histoire permet, enfin, de situer exactement la notion de progrès. On se fait généralement du progrès une idée fort élémentaire. Comme l'écrit Lewis Mumford (1), on est porté à penser que, si les rues de nos villes étaient sales au XIXe siècle, elles devaient avoir été six cents fois plus sales six cents ans auparavant. Combien d'étudiants croient de bonne foi que ce qui s'est passé au XIXe, par exemple le travail des enfants dans les usines, avait toujours existé et que seuls la lutte des classes et le syndicalisme à la fin du XIXe siècle ont débarrassé l'humanité de cette tare ! Combien de militantes de mouvements féministes pensent de bonne foi que la femme a toujours été confinée dans un gynécée (2) au moins moral et que seuls les progrès de notre XXe siècle lui ont accordé quelque liberté d'expression, de travail, de vie personnelle ! Pour l'historien le progrès général ne fait pas de doute : mais non moins le fait qu'il ne s'agit jamais de progrès continu, uniforme, déterminé. Que l'humanité avance sur certains points, recule sur d'autres, et cela d'autant plus aisément que tel élan qui fait l'effet d'un progrès à un moment donné fera, par la suite, l'effet d'une régression. Au XVIe siècle, on n'a nullement douté que l'humanité ne fût en progrès, et notamment du point de vue économique ; fort peu de gens ont pris conscience que, comme le clamait Las Casas (3) et quelques autres frères dominicains du Nouveau Monde, ce progrès économique se faisait en rétablissant l'esclavage par un gigantesque mouvement de réaction et que, par conséquent, un pas en avant ici peut se payer d'un recul ailleurs. L'humanité progresse indiscutablement, mais pas uniformément ni partout. »

Régine Pernoud, *Pour en finir avec le Moyen Âge.*
(Bac., Toulouse, 1986)

(1) Historien et sociologue américain qui s'est intéressé aux problèmes de l'urbanisme.
(2) Dans l'antiquité grecque ce terme désignait l'appartement des femmes, placé dans la maison en arrière des pièces réservées aux hommes.
(3) Religieux dominicain espagnol du XVIe siècle. Il défendit les Indiens contre l'oppression des conquérants.

EXERCICE 7

1) Quelle expression de Caillois reformule l'idée attribuée à Nerval ?

2) Par quels procédés Caillois met-il en évidence son désaccord avec l'opinion citée ?

3) Développez votre opinion personnelle, en utilisant comme citations des formules de Caillois. Songez à la littérature mais aussi à la musique, à la chanson, au cinéma.

L'originalité

« Le premier qui compara la femme à une rose était un poète, le second un imbécile ». Cette proposition, qu'on attribue à Nerval, formule exactement le mérite suprême qu'il est commun de consentir à l'originalité. Elle affirme sans nuance que l'invention fait le talent. Il suit que pour apprécier bien la valeur d'une œuvre d'art, il est nécessaire de la situer exactement dans la chronologie : précède-t-elle, on doit l'admirer, et la mépriser si elle suit. C'est peut-être trop accorder à l'histoire. Je reconnais volontiers la gloire des novateurs, mais elle n'est pas durable. Une invention vient. On l'améliore bientôt et on oublie le premier et balbutiant essai, qui demanda pourtant de l'ingéniosité. Rien n'échappe à cette loi plus rigoureuse qu'équitable : l'important n'est pas d'inaugurer, c'est d'exceller. De fait, il n'y a pas de certitude dans la nouveauté, sinon qu'elle est passagère. »

Roger Caillois. (Bac., Besançon)

EXERCICE 8

Présentez en deux ou trois lignes, et de six manières différentes chacune des opinions suivantes.

a) attribuez-vous l'opinion présentée ;
b) attribuez-la à un groupe de personnes dont vous vous excluez ;
c) valorisez cette opinion ;
d) dévalorisez-la ;
e) suivez à la fois la deuxième et la quatrième consigne ;
f) recourez au style indirect libre en reformulant ces opinions en fonctions d'un locuteur typique.

Opinion n° 1 : Les romans policiers sont les seuls romans captivants.
Opinion n° 2 : L'adolescent a raison de ne pas partager les mêmes valeurs que les adultes.
Opinion n° 3 : La fin justifie les moyens.

COMMENT PRENDRE DES NOTES

Quand vous suivez un cours, ou une conférence, ou un quelconque enregistrement dont vous désirez retenir personnellement le contenu, un problème se pose : celui qui parle va plus vite que vous qui écrivez, et vous avez besoin d'une trace écrite claire, logique et efficace. Alors apprenez à prendre des notes..:

Le matériel

Utilisez des feuilles de classeur : le cahier empêche toute forme de refonte ultérieure.

Et préparez tout à l'avance pour gagner du temps. Indiquez, en haut de chaque page : le numéro de page, le titre (éventuellement, entre parenthèses, la référence à l'ensemble plus vaste dans lequel ce titre s'inscrit), la matière, la date.

Ménagez à droite une marge importante qui permettra d'écrire des compléments.

La connaissance préalable du plan

Ce plan vous servira de guide. Il vous faut donc l'écrire sur un brouillon pour l'avoir sans cesse sous les yeux au fur et à mesure qu'avancera la prise de notes. Mais comment vous le procurer ?

S'il s'agit d'une intervention orale, demandez si possible son plan à l'intervenant. S'il s'agit d'un petit écrit (article de magazine, chapitre d'ouvrage...), découvrez-le par une première lecture ; après avoir bien délimité les étapes du texte, vous pourrez prendre vos notes, en seconde lecture, étape par étape. Pour la mise en notes d'un ouvrage entier, reportez-vous à la p. 62 et adoptez le système des fiches de lecture.

Utilisez les abréviations (p. 10)

Ne vous laissez pas perturber par un problème de compréhension : si un passage n'est pas compris, laissez un blanc avec un point d'interrogation au crayon, dans la marge. Le retour sur ce passage (question au professeur, à un camarade, recherche personnelle...) se fera plus tard.

Visualisez bien vos notes

Allez à la ligne dès qu'une idée nouvelle est abordée. Passez une ligne à chaque changement de partie. Employez titres et sous-titres. Faites des énumérations par séries de tirets, et mettez des accolades. Utilisez éventuellement des systèmes de flèches pour relier les idées les unes aux autres.

Relisez vos notes

Améliorez la présentation :

Avec une couleur qui tranche bien sur celle de votre écrit, encadrez les titres et soulignez les sous-titres. Mettez bien en relief (surligneur, signe ⚠ dans la marge) ce sur quoi l'intervenant a particulièrement insisté. Encadrez les conclusions partielles ou générales. Mettez entre crochets (ou barrez) ce qui est superflu : hors-sujet, répétitions, détails.

Apportez des compléments de contenu.

Vous pouvez alors ajouter l'explication d'un passage non compris lors de la prise de notes, des références bibliographiques, un report à des pages de manuel sur le sujet, une citation illustrant bien le propos, une réflexion personnelle suggérée par la relecture. Si ce sont des remarques courtes, incluez-les dans votre texte. Sinon, utilisez la marge. Attribuez à chaque complément un numéro que vous reporterez dans vos notes.

Exemple

P01/BAUDELAIRE

(étude pr liste oral Bac)
Frçais – 10-04

A) Sa vie (1821-1867) ⓓ

I Enfance (→ fin lycée)

1) Père

artiste : peint → goût de B. pr peinture (cf. : *Salons*)
ms vieux → meurt qd B. = 5 ans
B. gardera souvenir lointain ms attendri : influence certaine du père.

2) Mère

B. seul av. elle pt 1 an 1/2 = gd attach^{t} réciproque ds solitude ⓐ

3) Beau-père

Mère se remarie av le commandant Aupick : évén^{t} inattendu + beau-père ts ≠ de B. = B. se sent trahi par sa mère :
– trahison de la 1re femmes = ttes les femmes sont traîtres ⓑ
– attach^{t} pr la mère devient et reste conflictuel ⓒ

4) Solitude

B. mis en pension, à Paris puis Lyon, prsuit études ds solitude :
– renfermé
– profs peu compréhensifs — de là son impression
– pas de camarades — d'être maudit

Enfance peu heureuse qui laissera traces ds vie adulte : relaθ aux femmes, mythe du poète maudit...

II Jeunesse

1) Conflit av famille

Aupick veut que B. soit diplomate ou militaire ĉ lui. Ms B. veut être écrivain = ne suit pas cours à la fac, (ce qui exaspère mère et beau-père). Fréquente poètes et artistes ds cafés (bohème) = Auspick, pr lui apprendre à vivre, décide de le confier à un capitaine de navire, pr voyage jusqu'aux Indes.

2) Le voyage

B. fausse compagnie au capitaine à l'île Bourbon aujourd'hui île de la Réunion et reste deux mois ds l'île. Exp. majeure

⇒ goût pr les paysages exotiques
(cf. : « Parfum exotique »)
pr les femmes créoles et sensualité
(cf. : J. Duval) ⓕ

⇒ exp. de l'échec : évasion impossible ⓖ

3) Le dandy ⓔ

De retour à Paris, B. reçoit l'héritage de son père.

ⓓ cf. manuel : *Textes et documents* XIXe, Nathan, p. 378

ⓐ lettre à sa mère bcq + tard : *« ce fut le bon tps des tendresses maternelles ».*

ⓑ cf. : ds *Invitation au Voyage*, la femme idéale, son âme sœur, conserve de « *traîtres* yeux ».

ⓒ sa correspondance av elle sera tjrs parsemée de reproches. Selon lui elle est incapable de le comprendre.

ⓕ il ne ramène pas Jeanne Duval de l'île, il la rencontre ensuite à Paris.

ⓖ *« Amer savoir, celui qu'on tire du voyage » (Le Voyage).*

ⓔ cf. : cours sur le dandysme et sa philosophie (Frçais - 3-01)

21 Comment relier les idées entre elles

Ce texte présente le raisonnement du détective Dupin au sujet d'un fait divers mystérieux. Il comporte par conséquent de nombreux liens logiques.

1 « Il me semble que le mystère est considéré comme insoluble, par la raison même qui devrait le faire regarder comme facile à résoudre, — je veux parler du caractère excessif sous lequel il apparaît. Les gens de police sont confondus par l'absence apparente de motifs légitimant, non le meurtre en lui-même, mais l'atrocité du meurtre. Ils se sont embarrassés **aussi** par
5 l'impossibilité apparente de concilier les voix qui se disputaient avec ce fait qu'on n'a trouvé en haut de l'escalier d'autre personne que Mlle l'Espanaye, assassinée, et qu' il n'y avait aucun moyen de sortir sans être vu des gens qui montaient l'escalier. L'étrange désordre de la chambre, — le corps fourré, la tête en bas, dans la cheminée, — l'effrayante mutilation du corps de la vieille dame, — ces considérations, jointes à celles que j'ai mentionnées et à d'autres
10 dont je n'ai pas besoin de parler, ont suffi pour paralyser l'action des agents du ministère et pour dérouter complètement leur perspicacité si vantée. Ils ont commis la très grosse et très commune faute de confondre l'extraordinaire avec l'abstrus[1]. **Mais** c'est justement en suivant ces déviations du cours ordinaire de la nature que la raison trouvera son chemin, si
15 la chose est possible, et marchera vers la vérité. Dans des investigations du genre de celle qui nous occupe, il ne faut pas tant se demander comment les choses se sont passées qu'étudier en quoi elles se distinguent de tout ce qui est arrivé jusqu'à présent. **Bref**, la facilité avec laquelle j'arriverai, — ou je suis déjà arrivé, — à la solution du mystère, est en raison directe de son insolubilité apparente aux yeux de la police.
20 Je fixai mon homme avec un étonnement muet.

— J'attends maintenant, continua-t-il en jetant un regard sur la porte de notre chambre, j'attends un individu qui, bien qu' il ne soit peut-être pas l'auteur de cette boucherie, doit se trouver en partie impliqué dans sa perpétration. Il est probable qu'il est innocent de la partie atroce du crime. J'espère ne pas me tromper dans cette hypothèse ; **car** c'est sur cette
25 hypothèse que je fonde l'espérance de déchiffrer l'énigme entière. J'attends l'homme ici, — dans cette chambre, — d'une minute à l'autre. **Il est vrai** qu' il peut fort bien ne pas venir, **mais** il y a quelques probabilités pour qu'il vienne. S'il vient, il sera nécessaire de le garder. Voici des pistolets, et nous savons tous deux à quoi ils servent quand l'occasion l'exige. »

Edgar Poe, *Double assassinat dans la rue Morgue, Contes* (traduction de Baudelaire)

1. Abstrus : difficile à comprendre.

Les liens logiques, ou termes d'articulation, sont des mots ou des locutions qui explicitent le rapport que l'on établit entre deux faits ou deux idées. Ce sont des maillons qui relient les unités de sens.

MÉTHODE

Pour classer les idées et les faits

additionner, préciser l'ordre des éléments	premièrement, d'abord, tout d'abord, en premier lieu *(pour débuter)* ; en outre, de plus, par ailleurs, ensuite... *(pour les éléments suivants)* ; enfin, en dernier lieu,... *(pour terminer).*
mettre en parallèle, hiérarchiser	également, de même, ainsi que, d'une part... d'autre part, soit... soit, surtout, au premier chef, avant tout, non seulement... mais encore.

Pour développer une idée

1. **Introduire** une explication (c'est-à-dire, en d'autres termes), un exemple (ainsi, par exemple, notamment, comme), une preuve (en effet, du fait de), une incidente (or), un nouvel élément (et puis, d'ailleurs, certes, bien que).
2. **Surenchérir** ou **atténuer** (voire, même, du moins, tout au moins).

Pour opposer des idées ou des faits

marquer une forte contradiction	mais, en revanche, alors que, tandis que, au contraire, et non.
rectifier	en réalité, en vérité, en fait.
marquer faiblement une opposition	cependant, néanmoins, pourtant, toutefois.
s'opposer à la conclusion prévisible	« mais » modifie l'issue d'un développement *Exemple :* il fait froid et je suis enrhumé mais je vais prendre l'air (conclusion plus attendue : je ne sortirai pas).

Pour établir une relation de cause à conséquence

présenter une cause	parce que, sous l'effet de, à force de, en raison de, grâce à (valorisant) ; faute de (dévalorisant) ; puisque, car, en effet (catégorique) ; non que, mais parce que, sous prétexte que (pour réfuter une explication avancée par d'autres).
présenter une conséquence	si bien que, c'est pourquoi, par conséquent, en conséquence, ainsi, aussi, au point que, dès lors, d'où, de ce fait, donc, bref (plus familier), tant... que, ...

Liens logiques et unités de sens

- Un terme d'articulation relie plusieurs unités de sens. Celles-ci peuvent être de longueurs variables : mots, membres de phrases, phrases complètes, paragraphes.
Exemple : « mais » (ligne 4), oppose deux faits à l'intérieur d'une même phrase. « Mais » (ligne 13) oppose la description de la démarche policière à celle de Dupin.
- Un terme d'articulation peut s'inscrire dans une argumentation. Ainsi, dans le syllogisme (A) ou (B) donc (C) les termes *or, donc* ordonnent une série de faits ou d'arguments les uns par rapport aux autres.

Liens logiques implicites

L'absence de liens logiques n'équivaut pas à une absence de cohérence ; c'est le contexte qui permet de restituer le maillon manquant. Il faut tenir compte aussi des pronoms (ceci...), des adjectifs démonstratifs, de moyens lexicaux divers, de la ponctuation et de la présentation du texte.
Exemple : l'expression « par la raison même que » (ligne 1) introduit une cause, l'expression « jointes à » additionne des faits. Dupin n'explicite pas le rapport de cause à conséquence — évident — entre sa dernière remarque et son geste ; on aurait pu avoir : *en conséquence, voici des pistolets.*

EXERCICE 1

1) Repérez tous les liens logiques contenus dans ce passage.

2) Classez-les selon leur rôle.

3) Substituez à chacun une articulation logique équivalente en modifiant éventuellement la phrase.

La violence en Grande-Bretagne

« ... l'incidence de la violence, élevée avant la Première Guerre mondiale, a diminué entre les deux guerres, puis a recommencé à augmenter depuis la Seconde Guerre mondiale, sans cependant jamais atteindre des niveaux proches de ceux d'avant 1914. Nos recherches laissent supposer que la diminution de la violence a été la tendance dominante au XXe siècle en Grande-Bretagne, et que la « poussée dé-civilisatrice » des deux premières décennies, bien que non négligeable, n'a pris, au moins jusqu'ici, que des proportions relativement limitées. En fait, nos données s'accordent parfaitement avec la théorie du « processus civilisateur » de Norbert Elias. Elias explique que les manières et les critères sociaux sont devenus de plus en plus élaborés et de ce fait plus raffinés. De ce fait, la pression sociale s'accentue et les gens doivent de plus en plus contrôler leur comportement et leurs sentiments, ce qui entraîne une baisse de la violence. D'autre part, les Britanniques sont devenus plus sensibles à la violence et la tolèrent moins : d'où l'exagération de leur sensibilité à l'augmentation de cette violence. »

La Recherche, juin 1987

EXERCICE 2

Dans les phrases suivantes, le terme choisi pour marquer la cause comporte une nuance qui ne convient guère au contexte ; remplacez-le par un lien plus pertinent.

- Grâce au dépeuplement du village, on a pu fermer l'école.
- Il apprécie les romans policiers sous prétexte que le suspense y est très grand.
- Faute de méchanceté, il a beaucoup d'amis.
- Son estomac lui dit qu'il est l'heure de manger, en raison de sa faim.
- Sous l'effet de son grand âge, il n'a pu venir témoigner au procès.

EXERCICE 3

1) Dans chacune des phrases suivantes, repérez le lien logique et dites s'il marque la cause ou la conséquence.

2) Modifiez chaque phrase en substituant un lien causal à un temps exprimant la conséquence (ou vice versa), mais sans perturber le sens.

- Il a tellement marché que ses souliers ont rendu l'âme.
- Sous l'effet d'une propagande quelconque, beaucoup trop de gens abdiquent tout esprit critique.
- D'où êtes-vous ? demanda-t-elle. Aussi Pierre comprit-il qu'elle ne l'avait pas reconnu.
- Il perdit la vue ; dès lors, il développa ses autres sens.
- Si nous ne sommes pas de retour à midi, c'est que nous aurons perdu notre chemin.
- Maintenant qu'un fort pourcentage de la population est vacciné, les risques d'épidémie sont supprimés.

EXERCICE 4

On a supprimé les liens logiques. Puisez dans la liste suivante des termes explicitant la logique du développement. Attention, quatre intrus se sont glissés dans la liste !
Liste : en revanche, d'autant plus que, en fait, voire, or, parce que, également, en effet.

« (Il serait utile) d'introduire la science-fiction dans les programmes d'études et de permettre ainsi aux jeunes gens de prendre connaissance des chefs-d'œuvre de cette littérature de façon systématique. On pourrait l'introduire..., sous une forme appropriée, dans les écoles d'ingénieurs,... actuellement l'écart qui sépare dans le temps la science-fiction et la réalité technologique se réduit considérablement.

Il ne faut pas oublier,..., que les livres de science-fiction ont été souvent prophétiques en matière de développement technologique. A l'heure actuelle, l'un des domaines de pointe de celui-ci est la robotique..., rappelons-le, le mot « robot » est une trouvaille de l'écrivain tchèque Karel Capek (1890-1938). Aujourd'hui, les robots ont quitté la sphère de la science-fiction et fonctionnent dans les usines. »

Courrier de l'Unesco, nov. 1984. (Bac., Nice, sept. 1985)

EXERCICE 5

Réécrivez ces phrases en explicitant le rapport indiqué entre parenthèses.

- Il ne s'en serait pas sorti sans l'aide de ses amis ; cette période de sa vie aurait été plus pénible encore (atténuation).
- Il ne fera pas le trajet en train demain car il est trop chargé ; il y a des rumeurs de grève (renforcement).
- En matière de sécurité routière, il s'agit d'éduquer le public ; il faut lui faire prendre conscience des dangers (éclaircissement).
- Comment réussir cet examen ? En travaillant beaucoup ; en travaillant méthodiquement (gradation).
- Dupont est absent. Il est malade ; il n'a pas trouvé l'adresse (alternative).
- Ce roman est passionnant ; le début est un peu lent (concession).
- Il était devenu sourd ; c'était un mélomane ; il a beaucoup souffert de son infirmité (incidente).
- La vitalité de l'économie de marché dépend d'une bonne information des consommateurs ; la publicité désinforme ; la publicité peut nuire à l'économie (syllogisme).

EXERCICE 6

Quelles sont les idées mises en rapport par l'articulation notée en caractères gras. Quelle relation cette articulation établit-elle d'une idée à une autre ?

« Ne pas dire ce qui est vrai et dire ce qui est faux sont deux choses très différentes, mais dont peut néanmoins résulter le même effet ; car ce résultat est assurément bien le même toutes les fois que cet effet est nul. Partout où la vérité est indifférente, l'erreur contraire est indifférente aussi ; **d'où** il suit qu'en pareil cas celui qui trompe en disant le contraire de la vérité n'est pas plus injuste que celui qui trompe en ne la déclarant pas ; car en fait de vérités inutiles, l'erreur n'a rien de pire que l'ignorance. Que je croie le sable qui est au fond de la mer blanc ou rouge, cela n'importe pas plus que d'ignorer de quelle couleur il est. Comment pourrait-on être injuste en ne nuisant à personne, puisque l'injustice ne consiste que dans le tort fait à autrui ? »

Jean-Jacques Rousseau, *Les Rêveries du promeneur solitaire*, 1782 (4e promenade)

EXERCICE 7

Les étapes de ce raisonnement sont fournies dans le désordre. Reconstruisez un paragraphe cohérent.

- En effet, l'enquête historique a montré qu'il n'existe aucune conduite universelle et nécessaire de la mère.
- Dès lors, une conclusion cruelle s'impose : l'amour maternel n'est qu'un sentiment.
- L'instinct maternel est un mythe.
- C'est-à-dire que ce sentiment peut exister ou ne pas exister, être ou disparaître.
- Au contraire, on a pu constater que les attitudes de la mère varient selon sa culture, ses ambitions ou ses frustrations.
- Par conséquent, il est essentiellement contingent.

d'après Élizabeth Badinter, *L'Amour en plus*, Flammarion, 1980

EXERCICE 8

1) Pour chaque alinéa, un rapport logique unit les idées exprimées. Par quels moyens lexicaux ?

2) Explicitez ce rapport par un terme d'articulation, en effectuant les modifications nécessaires.

- Cet article est maladroit. A cette critique, il faut ajouter le fait que le journaliste s'est contenté de développer des lieux communs.
- Cet écrivain joue beaucoup avec le langage ; il en résulte que son traducteur a dû fabriquer de nombreux néologismes.
- Beaucoup d'Occidentaux mangent trop ; ce n'est pas le cas de tous, j'en conviens, mais c'est à la fois inquiétant et choquant.
- Il a mauvaise presse ; j'entends par-là qu'il a une piètre réputation.
- Le tabagisme a continué de progresser en France. Cela s'explique en partie par le faible écho des campagnes de sensibilisation auprès des jeunes.
- Les émissions télévisées sont fréquemment interrompues par des messages publicitaires ; ce phénomène engendre le mécontentement de nombreux téléspectateurs.

22 Comment construire un paragraphe

Les Caractères *de La Bruyère (*XVII*e siècle) se présentent sous la forme de dix sept chapitres composés d'une série de fragments numérotés. Chaque fragment a pour objectif de critiquer un aspect de la société et (ou) d'établir une vérité d'ordre général. La rigueur et la diversité des constructions contribuent à la force de persuasion de l'ouvrage.*

1. Un argument explique l'idée directrice

« Tout écrivain, pour écrire nettement, doit se mettre à la place de ses lecteurs, examiner son propre ouvrage comme quelque chose qui lui est nouveau, qu'il lit pour la première fois, où il n'a nulle part, et que l'auteur aurait soumis à sa critique ; et se persuader ensuite qu'on n'est pas entendu seulement à cause que l'on s'entend soi-même, mais parce qu'on est en effet intelligible. »

Des ouvrages de l'esprit, L, 56

2. L'idée directrice est la conclusion de l'argument

« Quand je vois d'une part auprès des grands, à leur table, et quelquefois dans leur familiarité, de ces hommes alertes, empressés, intrigants, aventuriers, esprits dangereux et nuisibles, et que je considère d'autre part quelle peine ont les personnes de mérite à en approcher, je ne suis pas toujours disposé à croire que les méchants soient soufferts par intérêt, ou que les gens de bien soient regardés comme inutiles ; je trouve plus mon compte à me confirmer dans cette pensée, que grandeur et discernement sont deux choses différentes, et l'amour pour la vertu et pour les vertueux une troisième chose. »

Des Grands, X, 13

3. Les arguments s'organisent en confrontation

« Il y a dans quelques femmes une grandeur artificielle, attachée au mouvement des yeux, à un air de tête, aux façons de marcher, et qui ne va pas plus loin ; un esprit éblouissant qui impose, et que l'on n'estime que parce qu'il n'est pas approfondi. Il y a dans quelques autres une grandeur simple, naturelle, indépendante du geste et de la démarche, qui a sa source dans le cœur, et qui est comme une suite de leur haute naissance ; un mérite paisible, mais solide, accompagné de mille vertus qu'elles ne peuvent couvrir de toute leur modestie, qui échappent, et qui se montrent à ceux qui ont des yeux. »

Des Femmes, III, 2

4. Le paragraphe contient une concession

« L'on dit par belle humeur, et dans la liberté de la conversation, de ces choses froides, qu'à la vérité l'on donne pour telles, et que l'on ne trouve bonnes que parce qu'elles sont extrêmement mauvaises. Cette manière basse de plaisanter a passé du peuple, à qui elle appartient, jusque dans une grande partie de la jeunesse de la cour, qu'elle a déjà infectée. Il est vrai qu'il y entre trop de fadeur et de grossièreté pour devoir craindre qu'elle s'étende plus loin, et qu'elle fasse de plus grands progrès dans un pays qui est le centre du bon goût et de la politesse. L'on doit cependant en inspirer le dégoût à ceux qui la pratiquent ; car bien que ce ne soit jamais sérieusement, elle ne laisse pas de tenir la place, dans leur esprit et dans le commerce ordinaire, de quelque chose de meilleur. »

De la société et de la conversation, VI, 71

5. Le paragraphe s'achève en induction

« Celui qui, logé chez soi dans un palais, avec deux appartements pour les deux saisons, vient coucher au Louvre dans un entresol n'en use pas ainsi par modestie ; cet autre qui, pour conserver une taille fine, s'abstient du vin et ne fait qu'un seul repas n'est ni sobre ni tempérant ; et d'un troisième qui, importuné d'un ami pauvre, lui donne enfin quelque secours, l'on dit qu'il achète son repos, et nullement qu'il est libéral. Le motif seul fait le mérite des actions des hommes, et le désintéressement y met la perfection. »

Du mérite personnel, II, 41

Chaque paragraphe ne comporte qu'une idée importante, l'idée directrice, et l'objectif du paragraphe est de la développer au mieux en utilisant des idées arguments et des exemples. Les auteurs évidemment ne respectent cette organisation que lorsqu'ils veulent atteindre la plus grande rigueur dans leur démonstration, c'est cette rigueur-là qu'il faut vouloir dans les dissertations et les discussions.

Les composants du paragraphe

- L'idée directrice : elle est celle pour laquelle le paragraphe est construit ; chaque paragraphe n'en comporte donc qu'une ; le changement d'idée directrice oblige au changement de paragraphe, avec passage à la ligne et commencement en retrait du paragraphe suivant.
- Les idées-arguments : elles développent l'idée directrice pour la faire comprendre et la justifier ; sans elles les idées directrices restent des affirmations gratuites.
- Les exemples : parfois ils servent aussi d'arguments, mais leur rôle est le plus souvent d'illustrer une idée-argument déjà donnée (page 127) ; ils peuvent parfois être absents si les arguments théoriques sont suffisamment explicites.

Le lien entre l'idée directrice et une idée-argument

Construction	Interprétation
L'idée directrice placée avant l'idée-argument	L'idée-argument sert à bien faire comprendre l'idée directrice, à l'expliquer. Dans l'extrait 1, l'idée-argument explique ce que signifie, pour l'écrivain, se mettre à la place du lecteur.
L'idée directrice placée après l'idée-argument	L'idée directrice se révèle en conclusion de l'idée-argument. Dans l'extrait 2, l'idée directrice commence à « Je trouve plus... » : elle est la conséquence de ce qui est développé dans les lignes précédentes.
L'idée directrice suivie de plusieurs idées-arguments juxtaposées	La force de persuasion doit surgir de l'accumulation des arguments. *Exemple :* l'extrait 2.
Une idée directrice sous-entendue	La ou les idées-arguments donnent une telle force à la démonstration que le lecteur en déduit lui-même l'idée directrice. *Exemple :* l'extrait 3.

Le lien entre les idées-arguments

Confrontation	Le rapprochement ou l'opposition de deux réalités ou de deux idées exprimées en arguments permet d'aboutir à l'idée directrice. *Exemple :* Dans l'extrait 3, l'opposition entre 2 types de femmes conduit à penser que le deuxième est hautement préférable.
Concession	On accorde quelque chose (« Certes... ») avant de développer l'idée qu'on veut défendre. Cela sert souvent à ménager le lecteur quand l'idée directrice est difficile à admettre. *Exemple :* Dans l'extrait 4, la concession commence à « Il est vrai que », pour mieux préparer l'argumentation de l'idée directrice.
Induction	Les idées-arguments prennent la forme d'une série de faits particuliers permettant de tirer une conclusion d'ordre général qui est l'idée directrice. *Exemple :* Dans l'extrait 2, la dernière phrase contient une idée directrice qui se dégage des 3 faits exposés.
Déduction	Deux ou plusieurs idées-arguments s'enchaînent dans un lien de cause à conséquence, et ce raisonnement démontre l'idée-maîtresse. *Exemple :* Le syllogisme est une déduction : tous les hommes sont mortels ; or je suis un homme ; donc je suis mortel.

Lorsqu'un paragraphe contient plusieurs idées-arguments, celles-ci peuvent être organisées en un raisonnement logique.

EXERCICE 1

Dans le texte suivant, repérez l'idée directrice (I.D.), les trois idées-arguments (I.A.) et les trois exemples (Ex.). Écrivez ensuite le texte à l'intérieur du schéma suivant :

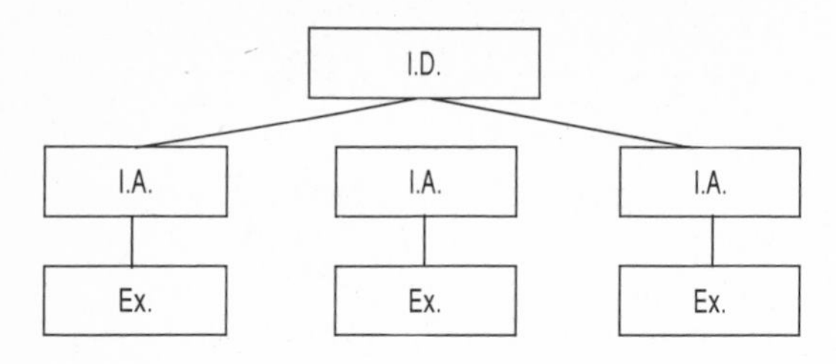

« Il y a plusieurs façons d'entendre le mot « génération ». Il peut désigner les gens ayant eu une expérience historique commune particulièrement frappante. Ainsi parle-t-on de la génération de la guerre de 1914 ou de la Résistance ou de celle de mai 1968. On peut aussi identifier la génération à une classe d'âge : tous les gens ayant eu vingt ans dans les années 50 ou 70. On peut enfin penser à l'expérience familiale : la génération des enfants, par opposition à celle des parents et des grands-parents (...) »

F. Gaussen.
Bac. (Acad. d'Orléans-Tours)

EXERCICE 2

Rendez, à chaque idée directrice, l'idée-argument qui lui convient. Justifiez votre réponse.

Les trois idées directrices

1) Les romans de science-fiction anticipent parfois les découvertes techniques.
2) L'auteur de science-fiction peut montrer beaucoup d'imagination.
3) La science-fiction permet de critiquer le présent.

Les trois idées-arguments

a) L'imagination est souvent au service d'une réflexion sur ce que peuvent engendrer notre organisation sociale et nos découvertes techniques ; de ce fait, nous pouvons voir quels sont dans notre monde les dangers que nous devons craindre et les réalisations prometteuses que nous pouvons louer.
b) Un auteur de science-fiction, en effet, pour donner de la vraisemblance aux inventions qu'il imagine, étudiera ce que ses contemporains commencent à être capables de construire, et c'est ainsi qu'il lui arrivera d'en saisir les perspectives plus lointaines.
c) La science-fiction n'est pas obligée de respecter les cadres étroits de la réalité, et l'auteur se permet donc de peindre des êtres, des découvertes techniques, des formes de sociétés qui n'existent dans aucun lieu du monde.

EXERCICE 3

Retrouvez l'idée directrice par laquelle commençait le texte suivant, et rédigez-la. Puis inscrivez le texte dans un schéma du type de celui de l'exercice 1.

« ...... D'abord, parce qu'elle permet au sourd de s'exprimer lui-même. Ainsi on a pu observer qu'un petit enfant sourd à qui on enseigne les signes se développe d'une façon tout à fait « normale » sur le plan affectif et intellectuel et l'on a vu des cas de jeunes sourds, complètement repliés sur eux-mêmes qui, les ayant appris, ont commencé à vivre et à s'épanouir d'une manière foudroyante. Ensuite, parce que la langue des signes française est une vraie langue, riche en nuances, dotée de sa syntaxe propre, qui représente pour nous la seule possibilité d'accéder à un enseignement de type intellectuel. Encore aujourd'hui, les sourds sont menuisiers, peintres en bâtiments ou relieurs : très peu ont pu passer le baccalauréat. »

propos d'un sourd rapportés dans *La Vie* n° 2135

EXERCICE 4

Justifiez par une accumulation d'arguments, dans un paragraphe bien construit, une ou plusieurs des idées directrices suivantes :

— En Français, il faut une réforme de l'orthographe qui la simplifiera.
— Les radios locales sont plus (ou moins ! à vous de choisir !) intéressantes que les radios nationales.
— Les fast-food sont (ou ne sont pas !) un excellent moyen de restauration.

EXERCICE 5

Dans le passage suivant, où se trouve exactement l'idée directrice ? De quel type de comparaison est-elle déduite ?

« Aux yeux de beaucoup, y compris de beaucoup de Français, la démocratie semblait, il y a cinquante ans, le contraire d'une « idée neuve en Europe », un symbole d'impuissance, une formule en voie de disparition. Aujourd'hui, grâce notamment à la hausse du niveau de vie et au développement de l'éducation, ce régime apparemment condamné n'a jamais été plus répandu. Plus personne n'envisage un retour de la dictature en Allemagne, en Italie, en Espagne, en Grèce, au Portugal. Elle a fortement reculé, au cours des dernières années, en Amérique latine et, maintenant, en Asie du Sud-Est. (...) »

André Fontaine, *Le Monde*, 9-09-1987

EXERCICE 6

Dans le paragraphe suivant, dégagez les idées-arguments et l'idée directrice. De quel raisonnement l'idée directrice découle-t-elle ? Quel schéma pourrait-on ici utiliser pour représenter graphiquement le paragraphe ?

« Quand d'une part le langage — et l'esprit — risquent d'être conditionnés par les mass media (dont les intentions peuvent être moins désintéressées que les nôtres) ; quand d'autre part le langage le plus parlé est celui des « bulles » de la bande dessinée, celui des clichés et des onomatopées, quand toute l'éloquence du doute et de la révolte se réduit à des « bof » et des « ralbol », quand la « littérature » se limite pour beaucoup au texte des chansons à la mode, des « tubes » ; devant l'indéniable pauvreté d'un langage qui n'a souvent de relief que celui de la violence ; alors les études littéraires, à tous les niveaux, doivent remonter le courant de la paresse verbale, enseigner la justesse et la nuance. »

Maurice Maucuer
Bac. (Acad. de Dijon)

EXERCICE 7

Construisez un paragraphe dans lequel vous exposerez un certain nombre de faits desquels vous induirez l'idée maîtresse suivante : ne pas savoir lire est un handicap grave dans la vie quotidienne.

EXERCICE 8

Dans le texte suivant, repérez les mots de liaison : de quel type de raisonnement s'agit-il ? Composez à votre tour un paragraphe sur la nécessité de (ou de ne pas) autoriser légalement l'avortement, en mettant en œuvre le même type de raisonnement que dans le texte.

« Le livre fut, du XVe au XXe siècle, l'instrument par excellence de la connaissance. Certes, son histoire ne commence pas avec l'invention de l'imprimerie ; il fut, dans l'antiquité, tablette d'argile enduite de cire, écorce d'arbre ou volume (rouleau) de papyrus, puis parchemin en forme de codex (c'est-à-dire de feuilles assemblées), puis, à partir du XIIIe siècle, papier. Mais l'imprimerie changea le rapport des hommes à la culture ; elle fit perdre au maître son statut privilégié de détenteur du savoir ; à terme, elle transforma les structures sociales en transférant le capital culturel des clercs à la bourgeoisie. »

Claude Abastado
Bac. (Acad. de Nouvelle-Calédonie, 1987)

EXERCICE 9

Dans le texte suivant, quel mot de liaison pourrait-on mettre entre la première et la deuxième phrase ? Quels sont les deux autres mots de liaison du texte ? Quel est en conséquence le type de raisonnement ?
Inscrivez le texte dans un schéma de type :

I.A. ⟹ I.A. ⟹ I.A. ⟹ I.D.

Sur le même modèle, écrivez un paragraphe développant l'idée directrice que les jeunes veulent avant tout vivre le présent (argument à utiliser : le phénomène de la crise et l'avenir incertain).

« L'homme ne peut observer les phénomènes qui l'entourent que dans des limites très restreintes ; le plus grand nombre échappe naturellement à ses sens, et l'observation simple ne lui suffit pas. Pour étendre ses connaissances, il a dû amplifier, à l'aide d'appareils spéciaux, la puissance de ses organes, en même temps qu'il s'est armé d'instruments divers qui lui ont servi à pénétrer dans l'intérieur des corps pour les décomposer et en étudier les parties cachées. Il y a ainsi une gradation nécessaire à établir entre les divers procédés d'investigation ou de recherches, qui peuvent être simples ou complexes : les premiers s'adressent aux objets les plus faciles à examiner et pour lesquels nos sens suffisent ; les seconds, à l'aide de moyens variés, rendent accessibles à notre observation des objets ou des phénomènes qui sans cela nous seraient toujours demeurés inconnus, parce que dans l'état naturel ils sont hors de notre portée. L'investigation, tantôt simple, tantôt armée et perfectionnée, est donc destinée à nous faire découvrir et constater les phénomènes plus ou moins cachés qui nous entourent. »

Claude Bernard, *Introduction à la médecine expérimentale;* 1865

EXERCICE 10

Vous comparerez, dans un paragraphe bien construit en trois arguments, voiture individuelle et transports en commun, et vous en déduirez une idée directrice. Puis vous écrirez votre paragraphe dans le schéma suivant :

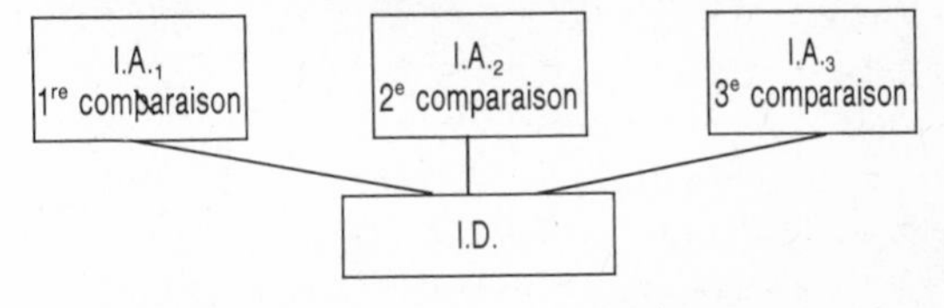

23 Comment trouver des exemples

Que fut la période héroïque des États-Unis ? On peut l'imaginer dans une bande dessinée (Lucky Luke) *ou un roman (Cendrars), on peut la décrire dans un récit (Stevenson) ou l'analyser dans un ouvrage théorique, dans tous les cas des exemples peuvent illustrer et justifier ce qui est montré.*

1 « A l'époque de la Révolution, les lois foncières des États et les lois fédérales sont souvent contradictoires. Beaucoup d'États, dans un effort pour encourager le peuplement, favorisent l'occupation sans titre en accordant un droit de préemption aux occupants qui ont mis la terre en valeur sans avoir de titre. C'est le cas des États les plus peuplés, comme la Virginie, la
5 Pennsylvanie, la Caroline du Sud et le Massachusetts. Dans les années 1770, par exemple, la législation de l'État de Virginie garantit aux occupants d'une terre un droit de préemption sur 400 acres, et jusqu'à 1 000 acres de terres bonifiées à 2 cents 1/2 l'acre. »

B. Karsky, *Annales (Économies, Sociétés, Civilisations), 38e année, n° 6. Éd. Armand Colin*

Cendrars, poète et romancier contemporain, raconte l'histoire d'un grand pionnier de l'Ouest.

1 « Dès la rétrocession du Texas et de la Californie, le gouvernement de Washington a étendu les lois fédérales à ces deux territoires ; mais il y a pénurie de magistrats et au moment de la ruée, aucune autorité n'a prise sur ces foules cosmopolites assoiffées d'or. Quand le gouverneur de Monterey envoie des troupes pour maintenir l'ordre, les soldats abandonnent armes et
5 bagages et se sauvent dans les mines, et si un vaisseau de guerre, envoyé par le gouvernement fédéral pour faire respecter la loi, débarque un équipage armé, le commandant ne revoit jamais plus un seul de ses matelots (...) »

Blaise Cendrars, *L'Or.* Éd. Denoël

Stevenson, le célèbre écrivain anglais du XVIIIe siècle, raconte son voyage en Amérique.

1 « Bien que très largement répandue en Amérique, l'égalité ne descend pas jusqu'à l'émigrant. C'est dans n'importe quel train américain que le cri de « Tout le monde à bord ! » rappelle au passager qu'il est l'heure de remonter s'asseoir à sa place. Je découvris pourtant, dès l'instant où je me retrouvai seul avec mes émigrants, et ce jusqu'à San Francisco, que, pour nous, on
5 se dispensait de cette cérémonie. Le convoi filant hors de la gare sans avertir, il fallait toujours le surveiller du coin de l'œil, même en mangeant. »

R. L. Stevenson, *La Route de Silvérado* en Californie au temps des chercheurs d'or. Éd. Phébus

« Lucky Luke »

1 « Il est plaisant, par exemple, de voir le redoutable Billy the Kid représenté en gamin de douze ans *(Billy the Kid, L'Escorte)*, plutôt qu'en jeune homme de vingt ans (né en 1859, William Bonney, alias le Kid, devint l'homme de main d'un « roi du bétail », John Chisum, et fut abattu en juillet 1881, après trois ans de tueries). Le fait d'identifier l'*outlaw* à un enfant cruel et
5 paresseux, mais aussi amateur de chocolats et de caramels, permet d'accentuer la satire sociale (la lâcheté des habitants) et de faire le procès d'une certaine éducation (ayant maté le gredin, Lucky Luke lui administre une solide fessée, sous les yeux horrifiés des adultes). De même, si la représentation caricaturale des quatre Dalton a peu à voir avec la réalité (pourvus de nombreux frères et sœurs, les Dalton ne furent que trois — Grat, Bob et Emmet — à attaquer
10 trains et banques), elle introduit un élément comique par l'étagement rigoureux des sinistres têtes et par la reproduction en quatre exemplaires de la méchanceté et de la bêtise (à vrai dire, la stupidité des Dalton, certes voulue, est fort monotone). Comme le style des dessins le rappelle à chaque instant, l'univers de Lucky Luke est d'abord et essentiellement parodique. »

Philippe Gauthier, Lucky Luke le cow-boy exemplaire, *l'Histoire n° 91*

L'exemple sert à renforcer une argumentation : il illustre, justifie, ou aide à mettre en place une idée ; il en est le support concret. Le choix et la présentation de l'exemple, quel que soit son domaine, contribue à la force de conviction du propos.

Où trouver des exemples ?

	Le type d'exemple	Les limites du type
Dans l'expérience vécue	Anecdotes qui racontent : — soit ce qu'on a soi-même vécu — soit ce que d'autres ont vécu (qu'on l'ait observé ou qu'on en ait été transformé) *Exemple :* Stevenson raconte ses expériences dans les gares de l'Ouest américain.	Une anecdote, fait isolé, ne permet pas une généralisation. *Exemple :* c'est parce que Stevenson a vécu de nombreuses fois cette situation qu'il peut en tirer une conclusion.
L'imagination	Création d'une histoire vraisemblable, d'une sorte de fable montrant que les choses pourraient se passer ainsi.	Ce n'est que l'expression subjective d'un possible. Ce type d'exemple illustre, mais ne confirme pas la véracité de l'idée.
Les données économiques et sociales	Enquêtes, documents, statistiques et chiffres apportent la preuve que ce qui est avancé s'inscrit bien dans la réalité économique, sociale, humaine, que l'on écrit. *Exemple :* le premier texte.	Il convient de s'appuyer sur des sources sûres, fiables, et de ne donner que des chiffres incontestables. *Exemple :* dans le premier texte, l'auteur s'appuie sur des actes juridiques authentiques.
La culture artistique et historique	Les connaissances en littérature, peinture, musique, cinéma, histoire peuvent servir pour diverses illustrations, comparaisons, confirmations. *Exemple :* dans le texte sur Lucky Luke, les références historiques.	Elles sont toujours les bienvenues, mais ne commettre aucune erreur qui serait le signe d'une connaissance mal assimilée. *Exemple :* les erreurs sur les noms des auteurs ou des œuvres citées.

Quand introduire les exemples ?

- **Avant l'idée : l'exemple argumentatif**

Exemple → Analyse de l'exemple → Idée

L'exemple est alors le point de départ d'une analyse, il permet la démonstration. Il convient de l'analyser avec soin pour que l'idée à exprimer aille de soi.
Exemple : L'analyse concrète de quelques personnages mène Ph. Gauthier à l'idée de parodie.

- **Après l'idée : l'exemple illustratif**

L'exemple est dans ce cas une illustration qui permet de mieux comprendre, sous une forme concrète ce que l'idée a affirmé de façon plus abstraite.
Exemple : dans le second texte, des faits concrets, des anecdotes illustrent l'impuissance des autorités.
L'exemple est alors introduit par une formule : *par exemple, ainsi, pour illustrer cette idée, on peut mentionner, comme en témoigne...*

D'une manière générale, ne donner que des informations qui situent l'exemple et, bien entendu, concernent l'idée développée. S'écarter de cette contrainte, c'est risquer la digression.

Quelle erreur éviter ?

D'une manière générale, ne donner que des informations qui situent l'exemple et, bien entendu, concernent l'idée développée. S'écarter de cette contrainte, c'est risquer la digression.
C'est ainsi qu'il ne faut pas se laisser entraîner par l'aspect de récit que prend souvent l'exemple : on ne se trouve pas dans un texte à dominante narrative ou descriptive, mais dans un texte à dominante explicative ou argumentative (voir mod. 10). Le récit, s'il y en a un, doit rester subordonné à la démonstration.
Exemple : dans le texte 4, l'épisode de la fessée pourrait donner lieu à un récit pittoresque : l'auteur ne fournit que les informations essentielles concrétisant rapidement l'idée qui vient d'être énoncée.

EXERCICE 1

Dans l'extrait suivant, à quel domaine appartient chacun des exemples qui illustrent la définition de la mélancolie ?

« Un tableau de Chirico m'en convainc : *Le mystère et la mélancolie d'une rue*, la roulotte, les arcades, les rails, l'ombre portée d'une invisible statue, la petite fille courant après son cerceau. La mélancolie vous prend toujours à revers. Elle est le courant qui vous emporte et qui ne se remonte pas. A chaque fois, elle vous enfonce un peu plus dans les sables de la mort. Elle est l'instant de l'aléatoire d'exister. Elle est une véritable crise de l'être. Je songe aussi à un poème de Pierre-Jean Jouve : *La mélancolie d'une belle journée* « implacablement belle et chaude » dans son déroulement qui conduit à la mort. Elle est ce qui n'a pas lieu : un orage de printemps, une rose trop tôt fleurie, un enfant qui ne comprend pas. Pour citer encore Romano Guardini, la mélancolie est « un rapport aux obscurs fondements de l'Être ».

Bernard Delvaille, *Magazine Littéraire*, n° 244

EXERCICE 2

Retrouvez la composition du passage suivant : l'idée directrice, les deux arguments, les deux exemples. Puis actualisez-le en remplaçant les exemples imaginés par l'auteur par deux exemples que vous relèverez dans les comportements sociaux de nos contemporains.

« Paris est peut-être la ville du monde la plus sensuelle, et où l'on raffine le plus sur les plaisirs ; mais c'est peut-être celle où l'on mène la vie la plus dure. Pour qu'un homme vive délicieusement, il faut que cent autres travaillent sans relâche. Une femme s'est mise dans la tête qu'elle devait paraître à une assemblée avec une certaine parure ; il faut que, dès ce moment, cinquante artisans ne dorment plus et n'aient plus le loisir de boire et de manger : elle commande, et elle est obéie plus promptement que ne serait notre monarque, parce que l'intérêt est le plus grand monarque de la terre.

Cette ardeur pour le travail, cette passion de s'enrichir, passe de condition en condition, depuis les artisans jusques aux grands. Personne n'aime à être plus pauvre que celui qu'il vient de voir immédiatement au-dessous de lui. Vous voyez à Paris un homme qui a de quoi vivre jusqu'au jour du jugement, qui travaille sans cesse et court risque d'accourcir ses jours, pour amasser, dit-il, de quoi vivre. »

Montesquieu, *Lettres Persanes*, lettre 106. 1721

EXERCICE 3

Lisez l'idée développée ci-dessous. Puis amenez et rédigez, comme exemple, la situation que suggère le dessin humoristique de Plantu.

Idée : Chaque génération cherche à conquérir son identité face à la génération précédente. Et ceux qui, jeunes, se sont opposés aux adultes de leur époque, découvrent plus tard l'opposition de leurs propres enfants qui à leur tour suivent la mode de leur temps et n'ont guère envie d'adhérer à des valeurs parentales qu'ils considèrent comme désuètes.

Plantu, *Le Monde*, supplément au n° 1327

EXERCICE 4

Dans les deux passages suivants du même texte, repérez les exemples donnés, et distinguez l'illustration de l'exemple participant à l'argumentation.

« L'homme poli, s'il se présente en même temps qu'une autre personne devant une porte étroite, s'appliquera toujours à s'effacer, pour laisser le pas au partenaire, que ce partenaire soit un ami, un compagnon ou simplement un étranger rencontré par hasard. Cet acte de politesse est parfois un acte de modestie, ce n'est jamais un sujet d'humiliation. L'homme fort, sûr de sa valeur, sait fort bien qu'il ne démontrera pas cette valeur en passant obstinément le premier partout. L'orgueil véritable ne s'accommode pas de satisfactions grossières. (...)

Le machinisme a mis à la disposition de tous et de chacun une puissance démesurée. Il est très difficile de conserver la raison quand on dispose d'une telle puissance. L'homme qui, volontiers, s'effacerait devant une porte pour laisser passer son voisin, cet homme, s'il pilote une « quinze chevaux », entend bien dépasser le modeste possesseur d'une voiture de dix chevaux. Ne le voudrait-il pas qu'il y est en quelque sorte contraint par les lois de la matière. Sa machine lui force la main. Il donne un coup de klaxon qui signifie : « Rangez-vous, et sans tarder, puisque je suis plus fort que vous. Rangez-vous ! Laissez-moi passer. A vous de recevoir la fange de mes roues. A vous de respirer les gaz puants de mon moteur. D'ailleurs, je ne vous boucherai pas longtemps la vue. Je vous suis bien supérieur par la cylindrée, par la souplesse, par les reprises, par toutes ces vertus mirifiques, célébrées par les affiches et les prospectus. Rangez-vous ou je vous bouscule, car je manque de patience ».

Georges Duhamel.
Bac. Acad. de Lille, session 1987

EXERCICE 5

Voici une idée : « La lecture des romans peut être dangereuse pour les imaginations trop vives, qui courent le risque de confondre fiction et réalité dans leur compréhension de l'existence ». Composez successivement deux exemples pour soutenir cette idée :

1) Un exemple illustratif : vous racontez, à la suite de l'idée, ce qui est arrivé à quelqu'un lisant trop de romans (ex. : Emma Bovary).

2) Un exemple argumentatif : vous commencez alors par l'exemple, vous en déduisez ensuite l'idée.

EXERCICE 6

L'ouvrage *Les Pieds sur terre*, dans lequel A. G. Haudricourt, homme d'une grande curiosité intellectuelle, raconte ses propres itinéraires, est propice aux digressions enrichissantes. Dans l'extrait suivant, trouvez d'abord l'exemple puis recherchez ce qui, dans l'exemple, n'est pas strictement nécessaire à la démonstration de l'idée directrice. Quel est à votre avis l'intérêt de cette digression ?

« Prenons comme exemple un enquêteur français, ethnographe ou ethnologue, n'ayant aucune notion de linguistique. Il connaît la façon d'écrire sa propre langue et les langues étrangères qu'il a pu apprendre. Or, le français, tout comme l'anglais, est une langue à orthographe traditionnelle dans laquelle les lettres de l'écriture ne correspondent pas régulièrement aux sons. En français traditionnel, l'orthographe est quelque chose de très important du point de vue sociologique, c'est une sorte de rite de passage entre l'enfance et l'âge adulte et dès le XIXe siècle un mode de sélection pour le recrutement des fonctionnaires ainsi qu'un moyen de restructuration de la société française après la Révolution. L'orthographe est en quelque sorte un moyen pour mesurer le conformisme des gens ; c'est la raison pour laquelle les notations phonétiques ressemblent à ce que l'on appelle « l'orthographe des cuisinières ». Le premier pas pour un chercheur en linguistique consiste donc à se débarrasser des habitudes orthographiques, en prenant l'habitude d'écrire toujours le même son par la même lettre : c'est l'écriture phonétique. L'enquêteur doit savoir comment noter sans ambiguïté un son de sa propre langue. Lorsqu'il entendra les sons de mots de langues étrangères, ou bien il les identifiera avec les sons de sa langue maternelle, ou bien il n'y reconnaîtra rien et ne saura pas comment les noter. Il nous faut donc, en analysant la façon dont on produit les sons du langage, donner la possibilité de reproduire et de reconnaître des sons étrangers. »

A. G. Haudricourt, P. Dibie, *Les Pieds sur terre.*
Éd. A. M. Métailié

EXERCICE 7

Pour montrer l'importance que prend le monde ouvrier dans le roman réaliste de la fin du XIXe siècle, vous décidez de choisir Zola parce que vous possédez sur lui les renseignements ci-dessous.

1) Parmi ces renseignements, tous ne sont pas utiles à votre démonstration, lesquels retenez-vous, et pourquoi ?

2) Rédigez l'exemple avec les renseignements que vous aurez retenus.

Renseignements : Zola a écrit *l'Assommoir* — et *Son Excellence Eugène Rougon* — Pour écrire *Germinal*, Zola a fait un stage de deux mois dans les mines d'Anzin — Zola est né à Paris, en 1840 — Zola pense que les êtres sont déterminés à la fois par leur hérédité et leur appartenance sociale, et veut le démontrer dans ses romans.

24 La question de vocabulaire

Les extraits suivants sont tirés de divers sujets du baccalauréat de technicien. Les expressions en italiques sont celles dont l'explication a été demandée aux candidats.

Extrait 1

« (...) Les règles de transmission des prénoms expliquent leur stabilité pluriséculaire. Dans une société relativement fermée comme l'était la société rurale d'autrefois, *le besoin d'individualisation était bridé* et ce besoin ne passait certainement pas par l'originalité du prénom (...) ».

Jacques Gelis. (Académie d'Aix-Marseille/Toulouse)

Extrait 2

« (...) Un homme de grand mérite n'éprouve aucune vergogne s'il aide quelque visiteur à passer son pardessus. Il pense dans le fond de son cœur : « Va, mon ami ! Je peux te laisser passer devant moi et t'aider à endosser tes vêtements et même t'ouvrir la porte. Tout cela ne m'empêchera pas d'être ce que je suis. L'orgueil suprême est de ne pas prêter une attention trop sourcilleuse aux conventions de cette sorte ; le juste orgueil, c'est d'être constamment au-dessus de toutes ces misères. Si je me sentais un très pauvre sire, gonflé de vent et d'amertume, je tiendrais sans nul doute à passer le premier, à toutes forces, sauvagement. Loué soit l'*orgueil libérateur* qui me délivre de toutes les bassesses ! » (...).

G. Duhamel. (Académie d'Amiens)

Extrait 3

« (...) Aucun enseignement sérieux ne peut se donner en plein vent. Et quant à ce qui est enseigné, si concret que cela semble, si pratique même, c'est nécessairement étranger à la vie et décalé vers l'abstraction. Apprentis ouvriers, apprentis députés, tous doivent d'abord *faire leurs gammes.* (...) »

Roger Ikor. (Académie des Antilles)

Extrait 4

« (...) Les immigrés (...) sont payés juste assez pour que, du fond de leur misère, dans leurs douars écrasés de soleil et leurs villages aux terres arides, d'autres, malheureux comme eux, rêvent de devenir, à leur tour, manœuvres chez Renault, mineurs dans le Pas-de-Calais, éboueurs à Paris, cet *eldorado* (...). »

Pierre Viansson-Ponté. (Académie de Besançon)

Extrait 5

« A propos d'un peuple indien d'Amérique centrale, les Lacandons : « (...) Que de fois n'ai-je pas été émerveillé de voir (...) avec quelle *érudition* ils étaient capables de discerner les diverses variétés de baies, de lianes, d'animaux, de pierres ; quels indices, pour nous invisibles, les guidaient dans la pénombre de la grande forêt. Dans ce monde à eux, c'étaient eux les savants et moi l'ignorant : il s'ouvrait sous leurs yeux comme un livre que l'on déchiffre sans peine, alors que pour moi il demeurait scellé. »

Jacques Soustelle. (Académie d'Amiens et académies rattachées)

Extrait 6

« (...) Très longtemps on a confondu la non-violence avec le *pacifisme bêlant*, et le pacifisme — bêlant ou non — avec la lâcheté. La non-violence semblait le contraire même du courage alors qu'elle exige plus de courage que n'en requiert la violence. D'abord parce que nous avons des tendances à l'agressivité et que la *violence satisfait en nous bien des désirs viscéraux.* Ensuite parce que la violence entraîne une *pluie de médailles* et l'estime de tous. La violence, hélas, c'est très flatteur. Les héros des films de violence plaisent au public et séduisent les femmes et les jeunes (...). »

Gilbert Cesbron. (Académie de Limoges et académies rattachées)

Le sujet de type I, après le résumé, comporte une question de vocabulaire. Il s'agit d'expliquer parfois des mots, plus fréquemment des expressions ou même des propositions, qui soulèvent dans le texte un problème de compréhension. Au barème, l'exercice compte pour deux points faciles à gagner si la méthode est bien appliquée en deux temps : explication générale, référence au contexte.

Explication générale d'un mot

Cela revient à bâtir une définition. Mais celle-ci, à la différence du dictionnaire, doit être composée de phrases complètement rédigées.

1) Noter la nature du mot.
Exemple : (extrait 4) « Eldorado » est un nom qui...

2) Retrouver, si c'est possible, l'origine du mot (son étymologie), pour mieux le comprendre.
Exemple : ... qui vient de l'espagnol el dorado signifiant « le doré »...

3) Donner sa signification : le contexte est alors important car il permet de deviner le sens d'un mot inconnu et de choisir la bonne acception si le terme est polysémique.
Exemple : ... et qui désigne un paradis terrestre où tout est parfait, en l'absence de pauvreté...

4) Donner éventuellement un exemple pour illustrer la définition.
Exemple : ... comme dans le pays où séjourna Candide et qui porte précisément ce nom.

Explication générale d'une expression

Il faut repérer pourquoi l'explication est demandée. 4 cas sont possibles :

■ L'explication comporte un ou deux mots difficiles.
En phrases complètes, donner d'abord le sens de ces mots, puis le sens de l'expression.
Exemple : (extrait 1) L'individualisation, c'est le fait de se distinguer des autres ; être bridé, c'est être retenu, surveillé. L'expression signifie donc qu'il n'était pas permis de se distinguer librement des autres.

■ C'est une explication consacrée, lexicalisée.
Dire à quel niveau de langue elle appartient, ou à quel langage spécialisé. Puis trouver une expression équivalente non lexicalisée, construite dans une langue courante, pour la définir.
Exemple : « Faire des gammes » (extrait 3) est une expression empruntée à la musique : c'est répéter sur un instrument de musique des séries de notes qui se suivent.

■ C'est une expression-clef essentielle à la compréhension du passage.
Dans ce cas, montrer la portée de l'expression dans le texte. Si l'expression ne comporte pas de difficultés, inutile de passer par l'explication générale.
Exemple : (extrait 2) L'explication générale de « orgueil libérateur » n'est pas nécessaire.

■ L'expression comporte un effet de style.
Analyser cet effet de style : image, comparaison, néologisme, tour ironique...
Exemple : (extrait 6) « Pluie de médailles » est une métaphore soulignant l'abondance de médailles.

Référence au contexte

Elle permet, une fois acquis le sens du mot ou de l'expression, de mieux comprendre le passage dans lequel il se trouve.

■ Si le sens dans le texte est le même que le sens général.
Il suffit alors de terminer l'explication en se servant du contexte comme d'un exemple d'utilisation du sens du mot (on peut alors ne pas donner d'autre exemple).
Exemple : (eldorado)... c'est ainsi que pour les immigrés chassés de chez eux par la misère, Paris peut donner de loin l'impression d'être un paradis florissant.

■ Si le sens dans le texte est original.
Il faut alors bien montrer la nuance de sens apporté par cet emploi inhabituel.
Exemple : (extrait 5) Le terme d'érudition n'est habituellement pas employé pour parler du savoir des « sauvages » ; l'auteur insiste ainsi sur le fait que leur savoir vaut le nôtre.

EXERCICE 1

Une définition doit respecter la nature du mot. Les définitions suivantes ne le font pas, pourquoi ?

Réfutation : C'est détruire par des arguments solides ce qu'un autre a affirmé.
Molester : C'est quand on fait subir des violences à quelqu'un.
Indolent : C'est celui qui évite de se donner de la peine, qui reste volontiers passif.
Succinctement : C'est s'exprimer en peu de mots.

EXERCICE 2

Parmi ces définitions, laquelle correspond à un verbe, à un adverbe, et lesquelles correspondent à un nom ou à un adjectif. De quels mots s'agit-il ?

— Relatif à une région précise, à un lieu déterminé.
— Partie d'un bâtiment considérée surtout par rapport à sa destination.
— De bon gré, avec plaisir.
— S'écouler d'une manière presque imperceptible (à propos d'un liquide).
— Se dit d'une chose qui a du prix, de la valeur.
— Étendue, mesure de la surface d'un corps et spécialement d'un terrain.

EXERCICE 3

Voici une liste de 22 termes plus ou moins courants, composés à partir d'anciens mots grecs dont vous trouverez ensuite la liste et la traduction. Définissez chaque terme en partant de son étymologie, c'est-à-dire du sens des deux racines qui le composent.

Mots à expliquer : héliotropisme ; xylophone ; nécropole ; nécrophile ; nécrophage ; nécrologie ; biographie ; biologie ; bibliographie ; bibliophile ; phonographe ; gérontocratie ; gérontologie ; mégalomane ; pyromane ; misanthrope ; xénophile ; philanthrope ; misogyne ; dactylographie ; mégalopole ; démocratie.

Mots grecs : cratos : pouvoir ; logos : discours sur, science ; misos : haine ; bios : vie ; philos : qui aime ; polis : ville ; phônè : voix ; gyné : femme ; pyr : feu ; mégas : grand ; mania : folie ; gerôn : vieillard ; biblion : livre ; xénos : étranger ; phagein : manger ; nécros : mort ; graphein : écrire ; dactylos : doigt ; hélios : soleil ; xylon : bois ; trepein : tourner ; démos : peuple ; anthropos : être humain.

EXERCICE 4

Les extraits suivants sont tous tirés de la *Lettre sur les aveugles* (1746), dans laquelle Diderot étudie les sensations, la morale, et la pensée des aveugles, pour en tirer leçon. Aidez-vous du contexte pour donner la définition des mots mis en italiques.

— « Il s'exprime aussi *sensément* que nous sur les qualités et les défauts de l'organe qui lui manque (...). Il discourt si bien et si juste de tant de choses qui lui sont absolument inconnues, que son *commerce* ôterait beaucoup de force à cette *induction* que nous faisons tous, sans savoir pourquoi, de ce qui se passe en nous à ce qui se passe au-dedans des autres. »

— « L'aveugle du Puisaux estime la proximité du feu aux degrés de la chaleur ; la *plénitude* des *vaisseaux*, au bruit que font en tombant les liqueurs qu'il transvase, et le voisinage des corps, à l'action de l'air sur son visage. »

— « Il y a trois choses à distinguer dans toute question mêlée de physique et de géométrie : le phénomène à expliquer, les suppositions du géomètre et le calcul qui résulte des suppositions. Or, il est évident que, quelque soit la *pénétration* d'un aveugle, les phénomènes de la lumière et des couleurs lui sont inconnus. Il *entendra* les suppositions, parce qu'elles sont toutes relatives à des causes palpables, mais nullement la raison que le géomètre avait de les préférer à d'autres : car il faudrait qu'il pût comparer les suppositions même avec les phénomènes. »

— « L'exemple de cet illustre aveugle prouve que le *tact* peut devenir plus délicat que la vue lorsqu'il est perfectionné par l'exercice ; car, en parcourant des mains une suite de médailles, il discernait les vraies des fausses. »

EXERCICE 5

Voici quelques mots : aléatoire ; envergure ; spécieux ; indexé ; polyglotte ; sadisme. Chacun de ces mots correspond à une phrase ci-dessous qui pourrait lui servir d'exemple. Laquelle ?

— C'est ainsi qu'on peut qualifier mon argument si je dis que les OVNI existent parce que je ne vois pas pourquoi ils n'existeraient pas.
— Le linguiste Georges Dumezil en fut un fameux.
— De tous les oiseaux c'est l'albatros qui possède la plus grande.
— C'est exactement de cette maladie mentale que Jacques Lantier est atteint dans *La Bête humaine*.
— Comme peut l'être la réussite à un examen quand il n'a pas été bien préparé !
— Les syndicats demandent que les salaires le soient sur l'augmentation des prix.

EXERCICE 6

Quel exemple pourriez-vous trouver pour illustrer chacune des trois définitions suivantes ?

Fédération : C'est l'union de plusieurs États qui, tout en conservant chacun une certaine autonomie, reconnaissent l'autorité d'un pouvoir unique dans certains secteurs et constituent un seul État pour l'étranger.
Symbole : Ce nom s'emploie pour désigner tout ce qui est ou peut être considéré comme le signe figuratif d'une chose qui ne tombe pas sous le sens.
Déduction : C'est une opération de l'esprit consistant à passer logiquement d'une observation ou d'une étape d'un raisonnement à l'étape suivante.

EXERCICE 7

Les extraits suivants ont tous été donnés à diverses sessions du baccalauréat de technicien. A votre tour bâtissez une explication complète de chacun des mots en italiques.

« Nos contemporains recherchent pour leurs enfants le prénom rare ou celui dont la consonance leur paraît élégante, mais en voulant se distinguer, ils tombent en réalité dans le plus parfait *conformisme* puisqu'ils ne font que répercuter la mode du moment. »

Jacques Gelis. (Académie d'Aix-Marseille)

« Le *patrimoine*, le passé, la mémoire individuelle et collective apparaissent bien, depuis quelque temps, comme des investissements à ne pas négliger. Le phénomène est-il purement conjoncturel, ou bien exprime-t-il une tendance à moyen ou à long terme ? Sur le plan économique, la *conjoncture* entre assurément pour une part importante dans certains succès — peut-être les plus spectaculaires — des partisans actifs et militants de la protection du patrimoine. »

Michel Berthod. (Académie de Caen)

« Devenir intelligent (...) c'est procéder au dressage de cet animal *rétif*, paresseux, qu'est notre cerveau ; c'est le contraindre à aller au bout des questionnements, à ne pas se satisfaire trop facilement de réponses toutes faites. »

Albert Jacquard. (Académie de Toulouse)

« C'est toute l'organisation de l'établissement, la répartition du temps et de l'espace, le partage des responsabilités qui demanderaient à être modifiés pour que, progressivement, les élèves cessent d'être des usagers passifs — et *vindicatifs* — et deviennent des partenaires et des acteurs. »

Frédéric Gaussen. (Académie de Besançon)

EXERCICE 8

Les expressions suivantes sont tirées de divers sujets. Dites pourquoi elles ont été choisies : mot difficile, expression lexicalisée, expression-clef, effet de style. (Parfois, plusieurs raisons motivent un choix).

crime de lèse-majesté ; passe-temps dérisoire ; « médiocriser » une œuvre géniale ; la valeur intrinsèque des choses ; le sport réhabilite des qualités qui n'ont plus guère de prix dans la compétition sociale ; un marché de dupes ; d'un cynisme alarmant ; le pacifisme bêlant.

EXERCICE 9

Voici une liste d'expressions lexicalisées. En vous aidant éventuellement du dictionnaire, dites pour chacune à quel niveau de langue ou à quel langage spécialisé elle appartient, et donnez-lui une définition.

L'espérance de vie à la naissance ; le complexe d'Œdipe ; la loi du talion ; un cheval de bataille ; prendre des vessies pour des lanternes ; lever la séance ; organisation scientifique du travail ; faire des coupes sombres.

EXERCICE 10

Dans chacun des deux extraits suivants, trouvez l'expression-clef et expliquez pourquoi elle est une expression-clef.

— « On a faussé en ces derniers temps l'enseignement et l'étude de la littérature. On l'a prise pour matière de programme, qu'il faut avoir parcourue, effleurée, dévorée, tant bien que mal, le plus vite possible, pour n'être pas « collé » : quitte ensuite, comme pour tout le reste, à n'y songer de la vie. Ainsi, voulant tout enseigner et tout apprendre, absolument tout, n'admettant aucune ignorance partielle, on aboutit à un savoir littéral sans vertu littéraire. »

Gustave Lanson. (Académie d'Amiens)

— « Vous le savez, mais vous ne l'avez peut-être pas assez médité, à quel point l'ère moderne est parlante. Nos villes sont couvertes de gigantesques écritures. La nuit même est peuplée de mots de feu. Dès le matin, des feuilles imprimées innombrables sont aux mains des passants, des voyageurs dans les trains, et des paresseux dans leurs lits. Il suffit de tourner un bouton dans sa chambre pour entendre les voix du monde, et parfois les voix de nos maîtres. »

P. Valéry. (Académie d'Amiens)

EXERCICE 11

Dans chacun des extraits suivants, et en tenant compte de tout le passage, expliquez la recherche de style contenue dans l'expression soulignée.

— « Aux yeux du petit enfant, ses parents sont des dieux tutélaires, tout-puissants, omniscients, dont il faut essayer de capter la bienveillance par des moyens appropriés. Mais un moment vient où cette vénération aveugle cède la place à une attitude où la critique et la perspicacité interviennent peu à peu pour discréditer les idoles de naguère. »

G. Gusdorf. (Acad. d'Aix-Marseille)

— « Les horreurs de ce qu'on a appelé l'univers concentrationnaire, cet enfer terrestre où la cruauté, la torture, l'assassinat sont tenus pour légitimes, ces horreurs n'ont été possibles que dans la mesure où des doctrines brutales ont nié l'identité de la personne humaine chez les êtres de tous pays, de toutes classes et de toutes races. »

André Maurois. (Acad. de Poitiers et Limoges)

— « "Dadas" et "hobbies" — photographie, horticulture, tourisme, bricolage, pêche — deviennent occupations de premier plan dans une société où besognes et corvées incombent progressivement aux machines. Chaque année davantage les hommes pratiqueront les arts, la philosophie, la politique, les seules occupations dont les citoyens de la République d'Athènes se jugeassent dignes. Des citoyens à joies entières. »

Georges Elgozy. (Acad. de Rouen)

— « A l'écoute de notre corps nous allons de découverte en découverte pour nous délivrer d'un obscurantisme moyenâgeux. Nous trouvons donc fort regrettable qu'à côté de nos exigences sur les connaissances livresques nous permettions encore cet analphabétisme corporel. »

Revue *Après-Demain*. (Acad. de Nouvelle-Calédonie)

— « Jusqu'où peut-on aller au nom de la connaissance ? (..) La question est tout à fait à l'ordre du jour dans le domaine des manipulations génétiques. Sur les implications à long terme, sur les risques de jouer à l'apprenti sorcier avec les gènes humains, certains se contentent du commentaire traditionnel : « Si vous ne le faites pas, d'autres le feront à votre place ».

H. Reeves. (Groupement interacadémique II, 1987)

EXERCICE 12

Les termes en italiques sont polysémiques. Expliquez-les en choisissant l'acception correspondant au contexte.

1) — Cet enfant était une petite *nature* mais a surmonté avec courage bien des difficultés.
— Rousseau a contribué, par sa description de la montagne, au développement du sentiment de la *nature*.

2) — Cet individu est vraiment trop *suffisant*. Il met mal à l'aise ses collaborateurs.
— Son niveau n'est pas *suffisant* pour permettre le passage en classe supérieure.

3) — Il s'efforça de ne pas montrer qu'il *appréhendait* l'intervention chirurgicale.
— Les dirigeants auraient dû *appréhender* plus tôt le malaise social pour éviter une crise ouverte.

4) — Les débats concernant la *constitution* sont à la une.
— La *constitution* de ce dossier lui a demandé beaucoup de temps.
— Sa forte *constitution* lui a permis de survivre.

EXERCICE 13

Expliquez tous les mots en italiques dans le texte suivant :

« Si l'un des premiers devoirs qui *incombent* au professeur de français, et même à tous les autres, est d'apprendre aux élèves à parler, comment acceptons-nous qu'ils demeurent si souvent muets en classe ? Les enfants ne se font encore pas trop prier pour essayer de traduire tant bien que mal les idées qui traversent leur esprit. Mais les adolescents, plus timides parce qu'ils ont plus d'*amour-propre*, se réfugient dans un *farouche* silence. Pourtant, c'est seulement en parlant, et à haute voix, et devant un maître et des camarades prompts à les contredire, qu'ils commenceront à serrer leur pensée d'un peu près et à réfléchir sérieusement. Il faut, dans leur intérêt, les contraindre à tenter l'aventure et à braver les rieurs.

On confie parfois à un élève le soin de faire un exposé et on le fait monter dans la *chaire*. Grand honneur ! Mais comme il aborde l'exercice après une longue préparation au cours de laquelle il a peut-être reçu une aide étrangère, comme il parle muni de notes et de livres auxquels il emprunte des citations, comme il est à peu près assuré de n'être pas interrompu tout le temps que durera sa leçon, l'épreuve ne me semble pas très *probante* (...) »

Pierre Clarac, *l'Enseignement du Français*
(Bac. G.H.)

EXERCICE 14

Après avoir bien compris le texte, faites l'explication complète de chacun des mots et expressions en italiques.

« A la fin des années cinquante, les lycéens étaient encore, selon l'expression de Barthes, des "petits messieurs". Aujourd'hui, ce sont les "jeunes". Immense mutation. Triés sur le volet, les petits messieurs cumulaient l'*arrogance* de leur origine sociale et l'impatience de leur *précocité*. Maintenant que l'enseignement secondaire s'est ouvert à la majorité des adolescents, c'est *l'âge qui sert de signe de ralliement*. On ne se distingue pas des non-lycéens en singeant l'adulte important ; on se distingue du monde adulte en arborant sa jeunesse. Le folklore des petits messieurs inversait pour rire la hiérarchie sociale par la *pseudo-royauté conférée au cancre* et par la *disqualification du fort en thème*. Les jeunes n'ont plus guère de folklore : ils ont ce qu'on appelle une culture. Qu'est-ce que l'adolescence ? Un peuple, un monde, un continent qui développe *ombrageusement* ses valeurs propres, ses goûts, ses savoirs, ses habitudes vestimentaires, son *idiome* et — au travers de la musique rock — son *système particulier de communication*. »

Alain Finkielkraut. (Académie de Montpellier)

EXERCICE 15

Voici un sujet d'examen. Vous remarquerez que la définition des mots rares ou spécialisés avait été donnée aux candidats. On leur avait demandé d'expliquer les deux expressions en italiques. Expliquez-les à votre tour.

« On ne se figure pas ce que sont les tireuses de cartes pour les classes inférieures parisiennes, ni l'influence immense qu'elles exercent sur les déterminations des personnes sans instruction ; car les cuisinières, les portières, les femmes entretenues, les ouvriers, tous ceux qui, dans Paris, vivent d'espérances, consultent les êtres privilégiés qui possèdent l'étrange et inexpliqué pouvoir de lire dans l'avenir. La croyance aux sciences occultes est bien plus répandue que ne l'imaginent les savants, les avocats, les notaires, les médecins, les magistrats et les philosophes. Le peuple a *des instincts indélébiles*. Parmi ces instincts, celui qu'on nomme si sottement *superstition*, est aussi bien dans le sang du peuple que dans l'esprit des gens supérieurs. Plus d'un homme d'État consulte, à Paris, les tireuses de cartes. Pour les incrédules, l'astrologie judiciaire (1) (alliance de mots excessivement bizarre) n'est que l'exploitation d'un sentiment inné, l'un des plus forts de notre nature, la Curiosité. Les incrédules nient donc complètement les rapports que la divination établit entre la destinée humaine et la configuration qu'on en obtient par les sept ou huit moyens principaux qui composent l'astrologie judiciaire. Mais il en est des *sciences occultes* comme de tant d'effets naturels repoussés par les esprits forts ou par les philosophes matérialistes, c'est-à-dire ceux qui s'en tiennent uniquement aux faits visibles, solides, aux résultats de la cornue ou des balances de la physique et de la chimie modernes ; ces sciences subsistent, elles continuent leur marche, sans progrès d'ailleurs, car depuis environ deux siècles la culture en est abandonnée par les esprits d'élite.

En ne regardant que le côté possible de la divination, croire que les événements antérieurs de la vie d'un homme, que les secrets connus de lui seul peuvent être immédiatement représentés par des cartes qu'il mêle, qu'il coupe et que le diseur d'horoscope divise en paquets d'après les lois mystérieuses, c'est l'absurde ; mais c'est l'absurde qui condamnait la vapeur, qui condamne encore la navigation aérienne, qui condamnait les inventions de la poudre et de l'imprimerie, celle des lunettes, de la gravure, et la dernière grande découverte, la daguerréotypie (2). Si quelqu'un fût venu dire à Napoléon qu'un édifice et qu'un homme sont incessamment et à toute heure représentés par une image dans l'atmosphère, que tous les objets existants y ont un spectre saisissable, perceptible, il aurait logé cet homme à Charenton, comme Richelieu logea Salomon de Caus à Bicêtre (3), lorsque le martyr normand lui apporta l'immense conquête de la navigation à vapeur. Et c'est là cependant ce que Daguerre a prouvé par sa découverte. Eh bien, si Dieu a imprimé, pour certains yeux clairvoyants, la destinée de chaque homme dans sa physionomie, en prenant ce mot comme l'expression totale du corps, pourquoi la main ne résumerait-elle pas la physionomie, puisque la main est l'action humaine tout entière et son seul moyen de manifestation ? De là la chiromancie (4). »

Balzac, *Le Cousin Pons* (1846)

(1) Partie de l'astrologie qui avait pour but de prédire l'avenir d'après la configuration des astres.
(2) La photographie appelée d'abord ainsi du nom d'un de ses inventeurs : Daguerre.
(3) Charenton, et Bicêtre sont aussi les noms de deux asiles d'aliénés célèbres.
(4) Chiromancie : art de prédire l'avenir d'après l'examen de la main.

Baccalauréat F-G-H, 1987, Toulouse

L'ORTHOGRAPHE : COMMENT FAIRE FACE

Si votre orthographe n'est pas irréprochable, il est un peu tard pour espérer rendre un devoir exempt d'erreurs. Néanmoins, il est possible de parer au plus pressé pour maîtriser ces mots qui vous désobéissent. Premier objectif : cerner les mots rebelles. Deuxième objectif : être à l'affût dans la phrase.

Cerner les mots rebelles

Constituez des fiches de mots sur un support de votre choix que vous pourrez consulter à n'importe quel moment, en n'importe quel lieu. L'apprentissage de l'orthographe est en grande partie visuel, voir et revoir le mot aide à sa mémorisation.

■ **Les noms propres littéraires : Apollinaire avec 1 « p » ou 2 « p » ?**
Ces fautes irritent particulièrement l'examinateur car elles donnent l'impression que vous ne connaissez ce nom que par ouï-dire. Constituez une fiche où vous écrirez simplement, à partir des ouvrages que vous aurez lus ou étudiés :
— Les titres : *Le Roi des Aulnes, Mémoires d'outre-tombe*...
— Les auteurs : Villiers de l'Isle-Adam, Barbey d'Aurevilly, Montesquieu, Desbordes-Valmore...
— Les personnages : M. Homais, César Birotteau, Chatterton...
— Les noms de lieu : Carthage, Yonville...

■ **Les mots de l'analyse littéraire : métaphore avec « ph » ou « f » ?**
De la même façon, établissez une fiche où vous noterez ces mots que l'on emploie surtout à l'oral en classe, mais qui sont néanmoins indispensables pour le commentaire composé. La consultation de l'index de ce manuel peut vous aider à ne rien oublier.

■ **Les termes de la langue journalistique : phénomène avec « è » ou « ai » ?**
Vous glanerez ces mots dans les textes qui vous sont proposés pour le résumé. Vous les utiliserez lors de la discussion ou de l'essai. *Exemple :* consommation, contestation, discussion, ambivalence, développement...

■ **Les adverbes ou les locutions adverbiales :**
Certains reviennent systématiquement dans un devoir : d'ailleurs, de toute façon, différemment, entre autres, en tout point...

■ **Enfin, vos petites bêtes noires.**
Ce sont les fautes qui vous sont personnelles, celles que l'on vous a cent fois corrigées, mais qui néanmoins reviennent à la charge. A vous d'en dresser l'inventaire, de copier ces mots jusqu'à pouvoir les écrire sans erreur.

Être à l'affût dans la phrase

Vous connaissez les règles d'accord, mais pris par votre argumentation, vous avez oublié de les appliquer. Après avoir écrit un devoir, faites une relecture purement grammaticale en surveillant systématiquement :

■ **La conjugaison et l'accord des verbes : il conclut avec un « t » ou un « e » ?**
L'emploi de certains verbes à la conjugaison peu familière est souvent indispensable. Recopiez-les dans votre fichier à la forme où vous les emploierez, essentiellement la troisième personne du singulier ou la première personne du pluriel.
Exemple : nous conclurons, il nous convainc, nous inventorions, le texte nous émeut...

■ **Le pluriel des noms : un mot-clé / des mots importants ?**
Vous n'hésitez plus pour les *bijoux* et les *coraux*, mais vous hésitez à aligner les *demi-journées* de travail ! Rappelez-vous que le pluriel des noms composés dépend du sens, que les éléments verbaux et les mots d'origine étrangère ne se mettent en général pas au pluriel, alors que deux noms, deux adjectifs ou un nom et un adjectif pourront se mettre au pluriel. A chaque rencontre, votre dictionnaire vous confirmera le pluriel.
Exemple : les chefs-d'œuvre.

■ **Débusquer les paronymes.**
Ils perturbent la lecture du correcteur et risquent de lui faire perdre le fil de votre raisonnement.
Exemple : L'auteur *évoque* le passé de son personnage / Le personnage *invoque* son protecteur...
Le journaliste conteste ces *assertions* / nous remarquons l'*insertion* de mots italiens...

A consulter

- Les fiches de mots qui vous feront gagner du temps en recherche.
- Un dictionnaire (n'oubliez pas qu'il donne le pluriel et qu'il contient des tableaux de conjugaison).
- Un dictionnaire de conjugaison : *Larousse, Nathan* ou *Hatier.*
- Une grammaire qui règlera vos désaccords : *La Grammaire française* col. *Repères Pratiques Nathan.*

Le fichier de vocabulaire, un outil indispensable

Le mot à définir

DECRYPTER

Les repères syntaxiques → ① Verbe transitif

Les sens du mot : commencer par le sens qu'il a dans le contexte où il a été trouvé. Ajouter, en les numérotant, les autres sens que peut prendre ce mot. → ② = Découvrir la signification d'un message écrit dans un code qu'on ne connaissait pas.

Les autres mots de la même famille qu'on décide de retenir, avec si nécessaire une brève définition entre parenthèses. → ③ Décryptage ; cryptogramme (message écrit en caractères secrets ; crypte (partie souterraine cachée d'une église, où l'on enterrait les morts).

La phrase dans laquelle le mot a été trouvé. → ④ – "Les décodeurs indispensables aux abonnés de "Canal Plus" suscitent toujours polémiques et rumeurs ... Le décodeur décrypte un message et rien de plus". (Var. Matin, 29.05.87)

Éventuellement, la phrase trouvée dans le dictionnaire. → – "......"

Phrase inventée. → – "Le médecin a tellement mal écrit son ordonnance que je ne parviens pas à la décrypter".

Phrases trouvées ultérieurement. →
– "Les vivants qu'on ignore dans les cryptes du temps dorment si bien avec les morts qu'une même tombe les confond déjà". (Céline)
– "Le souvenir de ce à quoi le nazisme a abouti nous guide pour décrypter l'actualité : nous vivons dans un monde où l'apartheid existe". (Le Monde, 25.05.87)

25 La préparation du résumé

Le texte est extrait d'un article rédigé par un spécialiste d'économie. Sur la colonne de gauche, on a le schéma de cette page. Cette mise en évidence du plan du texte prépare l'élaboration d'un résumé.

Le soleil donne plus de lumière qu'une bougie

entrée en matière : depuis lgtps, débat sur effets dvpt tech. sur emploi

I. Machine et nombre d'emplois

1) Machine menace emploi, en apparence = bcp d'ex. de rejets de la machine

MAIS

2) Chgt au XIXe siècle
Certes tjs révoltes ≠ machine
↓
Mais industriels défenseurs puissants de la machine
↓
En fait désormais lutte ≠ machine
≃ lutte ≠ capitalisme

MAIS AUSSI ↓

II. Machine et évolution des métiers

1) Disparition de certains métiers

Inversement

2) Création de nouveaux métiers

« Les débats sur les effets du développement des techniques sur l'emploi ne sont pas nouveaux ; l'idée de « progrès » technique ne recouvre pas nécessairement et simplement celle de progrès pour l'emploi./ Dans l'histoire des sociétés de nombreux conflits sont nés de cette opposition du moins apparente entre la machine et le travail des hommes. [Au IIIe siècle de notre ère, l'empereur Dioclétien refusait déjà l'utilisation d'une machine pour soulever et dresser les colonnes d'un temple qu'il faisait construire afin de pouvoir « nourrir le petit peuple »]. [Les réactions sont plus vives, quelques siècles plus tard, lorsqu'en 1626, à Leyde, les édiles municipaux, suppriment non seulement la machine (un nouveau métier à tisser) mais aussi son inventeur en le noyant en secret]. Les exemples abondent de ces rejets souvent violents, parfois superstitieux ou irrationnels, de la machine, perçue comme destructrice d'emplois.//

Le XIXe siècle et la révolution industrielle marquent une certaine rupture / ; certes des révoltes « anti-progrès » subsistent, [dont la plus célèbre peut-être, est celle des Canuts de Lyon en 1831]. Mais la bourgeoisie industrielle impose l'utilisation de la machine ; celle-ci devient pour le développement économique une évidence : [« Dire qu'il est préférable d'employer des machines, c'est dire que le soleil donne plus de lumière qu'une bougie » n'hésite pas à dire Napoléon à ce propos]./ En fait, [comme le montre fort bien Alfred Sauvy à propos de Marx], le refus de la machine se transforme en refus du système capitaliste, qui génère en lui-même un certain type d'utilisation de la machine.//

Mais en même temps l'histoire montre que la machine ne fait pas que modifier la quantité de travail possible, elle en transforme le contenu /. Combien de métiers autrefois importants ont-ils complètement disparu : [que l'on pense aux copistes qui disparaissent bien sûr avec l'apparition de l'imprimerie ;] [que l'on pense à ces 20 000 porteurs d'eau à Paris que Sébastien Mercier considérait comme « incapables de tout autre travail car ils ont la sangle imprimée entre les deux épaules (...) »]. /Et, inversement, on admet aujourd'hui que dans moins de quinze ans, d'ici l'an 2 000, un Français sur quatre exercera une activité qui n'existe pas aujourd'hui.// »

Dominique Gambier, *« Les nouvelles technologies accroissent-elles le chômage ? », La Recherche, supplément au n° 183,* déc. 1986

L'étude minutieuse du texte à résumer (type I), précède toute ébauche de rédaction. Les extraits donnés à l'examen sont didactiques (article de fond d'un journal, ouvrage spécialisé). Il faut donc parvenir à une claire conscience de leur structure logique afin de la mettre ensuite en évidence lors de la rédaction du résumé.

Première lecture : l'approche globale du texte

1) Lire intégralement le texte.

- Observer la date de publication, c'est une indication essentielle. Repérer le nom de l'auteur, puis le titre donné au passage. Ce titre est souvent vague ou trompeur : l'idée directrice du texte.
- Lire attentivement : signaler dans la marge du texte, par un point d'interrogation, un passage mal compris, mais ne pas s'attarder sur ces difficultés avant d'avoir lu tout le texte.

2) Faire un premier bilan.

Caractériser le texte en répondant si possible aux questions suivantes :
— de quoi le texte parle-t-il ? Noter les principaux thèmes rencontrés ;
— comment l'auteur en parle-t-il ? Caractériser le ton dominant et le type de développement (exposition de faits, défense d'un point de vue personnel...) ;
— quelle est l'intention générale de l'auteur ?
Exemple : Thèmes du texte de Gambier : les rapports réels entre emploi et machine, la manière dont ces rapports ont été perçus. Ton du texte : souci d'objectivité. Intention du texte : fournir éclairage historique à débat actuel.

Deuxième lecture : l'analyse du déroulement du texte

1) Distinguer les étapes du texte.

- Encadrer les principales articulations logiques ; tracer une barre verticale à la fin d'un passage présentant une unité de sens (cela ne correspond pas nécessairement à un alinéa, le texte pouvant être compact ou morcelé). On signale ainsi un changement dans le système d'énonciation, la présentation d'un autre aspect du même problème, l'introduction d'un nouveau point de vue.
- Expliciter les liens logiques perceptibles à la lecture mais non formulés par l'auteur.

Exemple : Entre les deux premiers paragraphes, le rapport d'opposition (rupture) est à signaler.

- Élucider les obscurités rencontrées.

2) Faire un second bilan.

- Déterminer l'idée directrice du texte ; corriger éventuellement la première interprétation.
- Caractériser plus précisément la démarche de l'auteur : réfutation, démonstration, plaidoyer, etc.

Exemple : Gambier s'appuie sur des faits historiques et des opinions d'hommes du passé. Recherche des constantes et des évolutions.

Troisième lecture : la mise en évidence de l'essentiel

1) Analyser chaque étape

- Étape par étape, rechercher l'idée essentielle et souligner les expressions ou propositions la mettant en évidence.
- Mettre entre crochets ce qui ne doit pas être retenu : un exemple, une image, une courte digression. En revanche conserver un exemple ayant le statut d'argument, ou, mieux, dégager l'idée suggérée.

Exemple : « L'an 2000 », ligne 37, vise à montrer que la technique crée de nouveaux emplois.

2) Schématiser le plan du texte

- Mettre une feuille de brouillon à côté du texte ; chaque étape du plan est ainsi placée exactement au niveau du développement de cette étape dans le texte.
- Indiquer sous forme de titre, pour chaque étape, l'idée essentielle, retrouvée à l'aide des termes soulignés. Inscrire le lien logique qui la sépare de l'étape suivante.
- Préciser la hiérarchie des idées, en numérotant différemment, étapes intermédiaires et grandes étapes.
- Inventer éventuellement un titre synthétique explicitant l'unité de plusieurs étapes.

Exemple : « Machine et nombre d'emploi » est le thème commun aux deux premiers paragraphes.

EXERCICE 1

Quelle est l'idée directrice de cet extrait ?

« Dès que les migrations inutiles échappèrent au monopole des *happy few*, et que la bourgeoisie traditionnellement casanière fut prise de bougeotte, l'élite écœurée proclama la fin du voyage. Où sont, dit-elle, les aventures d'antan ? Tout est banalisé, rabâché, uniformisé, l'équipée individuelle s'est dégradée en déplacement grégaire, la visite guidée succède à la découverte, partout c'est la planification qui règne, et l'ennui : rien ne sert de courir, il fallait partir avant. Cette déploration romantique des « good old times » commence vers le milieu du XIXe siècle, elle accompagne donc presque depuis sa naissance le développement de l'industrie touristique. »

Pascal Bruckner, Alain Finkielkraut,
Au Coin de la rue, l'aventure. Éd. Seuil. 1979

EXERCICE 2

1) Voici un développement constitué de six phrases. Quelle expression indique le thème abordé ?

2) Quelles phrases débutent de la même manière ? Que décrivent-elles en commun ?

3) Quelle opposition principale ce texte met-il en relief ? Séparez par une barre les deux termes de cette opposition.

4) Ce texte se présentait à l'origine en deux paragraphes. Quels étaient-ils. ?

Le terroir

« Le réveil du sentiment d'appartenance régionale que l'on constate aujourd'hui se manifeste sur des plans très divers.

C'est l'intérêt accru porté à la langue régionale, là où elle existe, porté au dialecte ou au patois dans les pays de langue d'oïl, dont la langue fut toujours le français.

C'est l'intérêt manifesté au patrimoine culturel et naturel local, intérêt de connaissance — et l'on observe à cet égard que jamais les ouvrages d'histoire et de géographie locales ne sont si bien vendus — intérêt d'action pour la sauvegarde, qu'il s'agisse de la restauration des monuments ou de la préservation des sites.

On remarquera que cette sensibilisation de l'opinion publique atteint pour la première fois toutes les générations, alors que jusqu'à un passé tout proche, la connaissance et la défense du patrimoine local étaient essentiellement le fait d'une population âgée, de traditions aristocratiques ou bourgeoises, chez qui le goût du passé se confondait avec une sorte de nostalgie pour l'époque de sa jeunesse, et une attitude de méfiance à l'égard du présent et de l'avenir, attitude d'essence conservatrice ou réactionnaire.

Aujourd'hui, toutes les tendances idéologiques participent à la défense du patrimoine local, y compris celles que l'on classe à gauche ou à l'extrême gauche.

Et les jeunes se montrent souvent plus véhéments que les anciens. »

Jean-Louis Bruch, *Les Amis de Sèvres*, 1979.
(Bac. Clermont-Ferrand, 1982)

EXERCICE 3

Lisez cet extrait de la préface du premier *Recueil des Gazettes* (un des premiers hebdomadaires).
— De quoi le texte parle-t-il ?
— Comment l'auteur en parle-t-il ? (ton dominant, type de développement).
— Quelle est l'intention générale de l'auteur ?

« La nouveauté de ce dessein, son utilité, sa difficulté et son sujet (mon lecteur), vous doivent une préface...

La publication des gazettes est, à la vérité, nouvelle ; mais en France seulement, et cette nouveauté ne leur peut acquérir que de la grâce, qu'elles se conserveront toujours aisément... Surtout seront-elles maintenues pour l'utilité qu'en reçoivent le public et les particuliers : le public, pour ce qu'elles empêchent plusieurs faux bruits qui servent souvent d'allumettes aux mouvements et séditions intestines ; voire, si l'on en croit César et ses *Commentaires*, dès le temps de nos aïeux leur faisaient entreprendre (1) précipitamment des guerres dont ils se repentaient tout à loisir... ; les particuliers, chacun d'eux ajustant volontiers ses affaires au modèle du temps. Ainsi un marchand ne va plus trafiquer (2) en une ville assiégée ou ruinée, ni le soldat chercher emploi dans le pays où il n'y a point de guerre ; sans parler du soulagement qu'elles apportent à ceux qui écrivent à leurs amis, auxquels ils étaient auparavant obligés, pour contenter leur curiosité, de décrire laborieusement des nouvelles le plus souvent inventées à plaisir, et fondées sur l'incertitude d'un simple ouï-dire. Encore que le seul contentement que leur variété produit ainsi fréquemment, et qui sert d'un agréable divertissement aux compagnies qu'elle empêche (3) des médisances et autres vices que l'oisiveté produit, dût suffire à les rendre recommandables. Du moins sont-elles en ce point exemptes de blâme, qu'elles ne sont pas aucunement (4) nuisibles à la foule du peuple, non plus que le reste de mes innocentes inventions ; étant permis à chacun de s'en passer, si bon lui semble. »

Théophraste Renaudot, Préface au public du premier
Recueil des Gazettes, 1633

(1) Le sujet est « faux bruits ».
(2) Faire un commerce lointain.
(3) A quoi elle ôte le moyen de médire.
(4) Elles ne sont point nuisibles.

EXERCICE 4

1) Quelle est l'intention générale de l'auteur ?

2) Quelle est l'idée maîtresse du second paragraphe ? Soulignez les termes les plus explicites. Quelle est la précision la plus importante : celle introduite par « bien sûr », ou celle introduite par « mais ».

« [raconter une histoire] est une performance qui réussit plus ou moins bien selon les jours. Cette réussite dépend à la fois de celui qui raconte et de celui (ou de ceux) qui écoute. Cette spontanéité de l'improvisation se retrouve même lorsqu'on la dit pour la centième fois. On sait que les enfants ne se lassent jamais de réentendre la même chose. C'est alors un jeu pour eux de rectifier les détails qui varient. Bref, c'est un dialogue.

L'histoire imprimée, et lue, ne peut avoir cette malléabilité. Elle est définitive, enfermée dans un texte et dans un livre. Bien sûr, on peut la lire de manière « vivante », on peut s'arrêter sur les passages palpitants, et passer sur d'autres plus rapidement. Mais ce n'est pas la même chose, ni pour celui qui lit, ni pour celui qui écoute. L'enfant ne demandera pas de détails supplémentaires (« De quelle couleur était sa robe ? »...) »

Liliane Maury, *Le Monde de l'éducation*, déc. 1981
(Bac. Nancy, 1982 - Extrait)

EXERCICE 5

1) Quel est le ton de cet extrait d'une revue de consommateurs ? Justifiez votre réponse.

2) Quelle est l'intention de l'auteur ?

3) Repérez dans cet extrait deux constatations objectives, une explication, deux jugements de valeur et deux exemples ; mettez les exemples entre crochets, encadrez les articulations logiques, soulignez les termes les plus importants.

4) Déduisez des réponses précédentes la structure logique du texte ; mettez-la en évidence par un schéma.

« Le mécanisme mis en place par la société Américana France et d'autres sociétés, dites d'édition, est « enfantin » : le prix bas de l'album constitue l'appât : 2 F par exemplaire de la série « Les combats de Goldorak » ; un livret de 20 pages d'images constellées de 288 trous blancs à remplir avec les fameuses vignettes autocollantes ; ces dernières sont en vente à 50 centimes la pochette des cinq, soit 10 centimes l'image. Coût théorique d'un album rempli : 28,80 F de vignettes et 2 F pour le livret, soit 30,80 F. Il y a déjà là un véritable abus compte tenu de l'indigence des textes, des dessins et de la qualité très médiocre de l'album ainsi constitué.

En fait, aucun enfant n'arrive à remplir son album avec cette somme. Pour une raison simple : les inventeurs de la formule ont pris soin de calculer soigneusement le remplissage des pochettes de façon que les enfants accumulent le maximum d'images en double : sur 104 pochettes rassemblées dans une boîte que reçoivent des fabricants les papetiers, nous avons trouvé en effet à 24 reprises deux pochettes remplies d'images toutes identiques et 18 fois deux pochettes remplies de 4 images identiques et d'une différente : manœuvre particulièrement habile pour multiplier les achats des enfants et rendre plus difficiles les échanges que ceux-ci essaient de réaliser dans la cour de récréation. »

« Plainte contre Goldorak », *Que choisir.*
(Bac. F-G-H Bordeaux et acad. rattachées, 1982 - Extrait)

EXERCICE 6

1) L'information contenue dans la première phrase de ce paragraphe est-elle importante ?

2) Quelles sont les deux principales constatations exposées dans ce paragraphe ? Séparez-les par une barre.

3) Schématisez en utilisant des flèches le déroulement de l'argumentation dans ce paragraphe.

Sexisme ?

« Il est bien sûr impossible de rendre compte et d'analyser les innombrables mesures qui ont été prises récemment en matière politique familiale et sociale. Il s'en dégage pourtant, à l'examen attentif, plusieurs constatations intéressantes. Par exemple, partout la société cherche à compenser partiellement la défaillance ou la disparition du mari ou du père : allocations pour veuves, allocations particulières pour les mères célibataires, dispositions pour que les épouses séparées ou divorcées perçoivent une pension de leur ex-mari, etc. A la lecture de tous ces dispositifs — et indépendamment de l'appréciation de leur suffisance ou de leur efficacité —, on voit se dessiner en silhouette le rôle de l'homme ; par le biais des avantages qu'elle se sent dans l'obligation de consentir aux femmes et aux enfants privés ou séparés du mari ou du père, la société entérine le rôle de pourvoyeur de l'homme. Il n'y a pas de symétrie : le veuf qui reste seul avec cinq enfants ne reçoit aucun dédommagement, si minime soit-il, de la société pour la perte de sa femme. Même si ces aides et protections sont notoirement insuffisantes, la société cherche à se substituer à l'homme ou à contraindre l'homme, de manière que son absence soit plus ou moins compensée en argent. »

Évelyne Sullerot, *Le Fait féminin*, 1978
(Bac. D, 1982, sujet national - Extrait)

EXERCICE 7

Lisez attentivement ce texte, puis, pour chacune des phrases suivantes, dites si elle expose une idée contenue dans le texte, si elle déforme un passage, ou si elle est en contradiction avec ce que pense l'auteur.

Phrases

- L'excès d'images de violence empêche le spectateur de comprendre ce qu'est la violence.
- Il suffirait que les adultes boudent les spectacles violents pour que la violence n'existe plus.
- Il faut se questionner avant tout sur notre propre agressivité au lieu de se contenter d'attaquer les médias.
- On ne doit être violent que contre certains ennemis.
- Il faut censurer les images violentes à la télévision.

Texte

« La fréquence des images de violence au cinéma et sur les écrans de télévision encourage les accès de violence intempestifs et, en même temps, augmente la peur de la violence, sans aider le spectateur à comprendre sa nature. Nous avons besoin d'apprendre comment nous pourrions adopter des mesures qui nous permettraient de contenir et de contrôler l'énergie nécessaire à la violence pour l'orienter vers des fins plus constructives. Comme je l'ai dit plus haut, ce qui manque à nos systèmes éducatifs et à nos mass media, c'est l'enseignement et la promotion de « modes satisfaisants de comportement » en ce qui concerne la violence.

Mais ce qui est important, ce sont les tendances délinquantes et violentes qui existent en nous et non pas leur expression dans les bandes dessinées, les films ou à la télévision, ni la question de savoir si les mass media alimentent ces tendances et rendent leur contrôle plus difficile. Le comportement des enfants et des adolescents, en ce qui concerne la violence, ne fait que refléter le modèle présenté par les adultes. Si ceux-ci n'aimaient pas voir les images violentes, les médias n'en offriraient pas avec une telle insistance une si grande variété, et les enfants et les adolescents auraient infiniment moins d'occasions d'en voir et de se laisser influencer par elles.

L'ignorance ne peut pas être un moyen de protection, surtout en matière de violence. J'ai essayé de montrer ailleurs que l'ignorance de la nature de la violence, par exemple sous le régime nazi, ne menait pas au bonheur, mais à la mort. Ceux qui, sous le règne de Hitler, et malgré la persécution nazie, voulaient croire à tout prix que tous les hommes sont bons, et que la violence n'existe que chez de rares pervers, n'ont pas pu se protéger avec efficacité et beaucoup n'ont pas tardé à trouver la mort. La violence existe, c'est certain, et nous l'avons tous en nous en puissance à notre naissance. Mais nous naissons aussi avec des tendances opposées que nous devons soigneusement entretenir si nous voulons contrebalancer celles qui nous poussent à agir d'une façon destructive. Mais, pour cela, il faut que nous connaissions la nature de l'ennemi, et ce n'est pas en niant son existence que nous y parviendrons.

En affirmant qu'il n'y a pas ou qu'il ne doit pas y avoir place pour la violence dans notre nature affective, nous évitons de chercher les moyens éducatifs qui permettraient de contrôler les tendances violentes, nous essayons, de cette façon, d'obliger chaque individu à refouler ses pulsions agressives, puisque nous ne lui avons pas appris à les contrôler et à les neutraliser et que nous ne lui avons pas donné de moyens d'expression de remplacement dans le cadre de la société. C'est pourquoi tant de gens sont disposés à trouver tout au moins une satisfaction imaginative de leurs tendances violentes fournis par les mass media. »

Bruno Bettelheim, *Survivre*, 1979.
(Bac. Nantes, 1984)

EXERCICE 8

1) A propos du texte de l'exercice précédent, critiquez les titres suivants puis rédigez l'idée directrice de cet extrait.

- **Les médias responsables de la délinquance.**
- **Comment supprimer en nous toute tendance agressive ?**
- **Délinquance : les insuffisances du système éducatif.**
- **Le succès des spectacles violents : symptôme d'un manque dans l'éducation.**

2) Repérez la structure du texte : retrouvez les étapes indiquées dans ce plan en plaçant des barres dans le texte. Encadrez les articulations logiques.

Plan

Introduction : les médias au banc des accusés.

I. Pourquoi des comportements violents ?

1) Pas de véritable éducation dans ce domaine (ni école, ni médias)
surtout
2) Cause profonde : l'existence de pulsion agressives même chez l'adulte.

II. Quel remède ?

1) Véritable solution : prendre conscience que l'agressivité est naturelle
Mais
2) Fausse solution actuelle : imposer refoulement de notre violence
C'est pourquoi
Conclusion : succès actuel des compensations imaginaires.

EXERCICE 9

1) Quelle caractérisation vous paraît convenir au texte suivant ?
– Texte polémique – Description d'une utopie – Texte engagé – Analyse politique – Texte prospectif – Texte autobiographique

2) Relisez le texte et indiquez les étapes du développement ; analysez en détail la structure des paragraphes 2 et 3 (éventuellement consultez la page 123).

3) Schématisez la structure du texte en recourant à des titres concis.

L'œuf du serpent

« Je pense que l'espèce d'oppression dont les peuples démocratiques sont menacés ne ressemblera à rien de ce qui l'a précédée dans le monde ; nos contemporains ne sauraient en retrouver l'image dans leurs souvenirs. Je cherche en vain moi-même une expression qui reproduise exactement l'idée que je m'en forme et la renferme ; les anciens mots de despotisme et de tyrannie ne conviennent point. La chose est nouvelle, il faut donc tâcher de la définir, puisque je ne peux la nommer.

Je veux imaginer sous quels traits nouveaux le despotisme pourrait se produire dans le monde : je vois une foule innombrable d'hommes semblables et égaux qui tournent sans repos sur eux-mêmes pour se procurer de petits et vulgaires plaisirs, dont ils remplissent leur âme. Chacun d'eux, retiré à l'écart, est comme étranger à la destinée de tous les autres : ses enfants et ses amis particuliers forment pour lui toute l'espèce humaine ; quand au demeurant de ses concitoyens, il est à côté d'eux, mais il ne les voit pas ; il les touche et ne les sent point ; il n'existe qu'en lui-même et pour lui seul, et, s'il lui reste encore une famille, on peut dire du moins qu'il n'a plus de patrie.

Au-dessus de ceux-là s'élève un pouvoir immense et tutélaire, qui se charge seul d'assurer leur jouissance et de veiller sur leur sort. Il est absolu, détaillé, régulier, prévoyant et doux. Il ressemblerait à la puissance paternelle si, comme elle, il avait pour recherche de préparer les hommes à l'âge viril ; mais il ne cherche, au contraire, qu'à les fixer irrévocablement dans l'enfance ; il aime que les citoyens se réjouissent, pourvu qu'ils ne songent qu'à se réjouir. Il travaille volontiers à leur bonheur ; mais il veut en être l'unique agent et le seul arbitre ; il pourvoit à leur sécurité, prévoit et assure leurs besoins, facilite leurs plaisirs, conduit leurs principales affaires, dirige leur industrie, règle leurs héritages ; que ne peut-il leur ôter entièrement le trouble et la peine de vivre ? »

Tocqueville, *De la démocratie en Amérique*, 1840, Livre II, 4e partie

EXERCICE 10

Menez toute la préparation au résumé sur le texte suivant.

Un grand comédien doit-il se laisser guider par sa sensibilité ?

« Si le comédien était sensible, de bonne foi, lui serait-il permis de jouer deux fois de suite le même rôle avec la même chaleur et le même succès ? Très chaud à la première représentation, il serait épuisé et froid comme un marbre à la troisième. Au lieu qu'imitateur attentif et disciple réfléchi de la nature, la première fois qu'il se présentera sur la scène sous le nom d'Auguste, de Cinna, d'Orosmane, d'Agamemnon, de Mahomet (1), copiste rigoureux de lui-même ou de ses études, et observateur continu de nos sensations, son jeu loin de s'affaiblir, se fortifiera des réflexions nouvelles qu'il aura recueillies ; il s'exaltera ou se tempérera, et vous en serez de plus en plus satisfait. S'il est lui quand il joue, comment cessera-t-il d'être lui ? S'il veut cesser d'être lui, comment saisira-t-il le point juste auquel il faut qu'il se place et s'arrête ?

Ce qui me confirme dans mon opinion, c'est l'inégalité des acteurs qui jouent d'âme. Ne vous attendez de leur part à aucune unité ; leur jeu est alternativement fort et faible, chaud et froid, plat et sublime. Ils manqueront demain l'endroit où ils auront excellé aujourd'hui ; en revanche, ils excelleront dans celui qu'ils auront manqué la veille. Au lieu que le comédien qui jouera de réflexion, d'étude de la nature humaine, d'imitation constante d'après quelque modèle idéal, d'imagination, de mémoire, sera un, le même à toutes les représentations, toujours également parfait : tout a été mesuré, combiné, appris, ordonné dans sa tête ; il n'y a dans sa déclamation ni monotonie, ni dissonance. La chaleur a son progrès, ses élans, ses rémissions, son commencement, son milieu, son extrême. Ce sont les mêmes accents, les mêmes positions, les mêmes mouvements ; s'il y a quelque différence d'une représentation à l'autre, c'est ordinairement à l'avantage de la dernière. Il ne sera pas journalier (2) : c'est une glace toujours disposée à montrer les objets et à les montrer avec la même précision, la même force et la même vérité. Ainsi que le poète, il va sans cesse puiser dans le fonds inépuisable de la nature, au lieu qu'il aura bientôt vu le terme de sa propre richesse. »

Diderot, *Paradoxe sur le comédien*, 1773

(1) Personnages de pièces de Corneille, de Racine et de Voltaire.
(2) Journalier signifie en français classique « incertain », « changeant ».

26 La rédaction du résumé

Texte

1 « Je n'avais, je n'ai, aucune prévention contre la maternité ; les poupons ne m'avaient jamais intéressée, mais, un peu plus âgés, les enfants me charmaient, souvent ; je m'étais proposé d'en avoir à moi au temps où je songeais à épouser mon cousin Jacques. Si à présent je me détournais de ce projet, c'est d'abord parce que mon bonheur était trop compact pour qu'aucune
5 nouveauté pût m'allécher. Un enfant n'eût pas resserré les liens qui nous unissaient Sartre et moi ; je ne souhaitais pas que l'existence de Sartre se reflétât et se prolongeât dans celle d'un autre : il se suffisait, il me suffisait. Et je me suffisais : je ne rêvais pas du tout de me retrouver dans une chair issue de moi. D'ailleurs, je me sentais si peu d'affinités avec mes parents que d'avance les fils, les filles que je pourrais avoir m'apparaissaient comme des étrangers ;
10 j'escomptais de leur part ou de l'indifférence, ou de l'hostilité tant j'avais eu d'aversion pour la vie de famille. Aucun fantasme affectif ne m'incitait donc à la maternité. Et, d'autre part, elle ne me paraissait pas compatible avec la voie dans laquelle je m'engageais : je savais que pour devenir un écrivain j'avais besoin de beaucoup de temps et d'une grande liberté. Je ne détestais pas jouer la difficulté ; mais il ne s'agissait pas d'un jeu : la valeur, le sens même de
15 ma vie se trouvaient en question. Pour risquer de les compromettre, il aurait fallu qu'un enfant représentât à mes yeux un accomplissement aussi essentiel qu'une œuvre : ce n'était pas le cas. J'ai raconté combien, vers nos quinze ans, Zaza m'avait scandalisée en affirmant qu'il valait autant avoir des enfants que d'écrire des livres : je continuais à ne pas voir de commune mesure entre ces deux destins. Par la littérature, pensais-je, on justifie le monde en le créant à neuf,
20 dans la pureté de l'imaginaire, et, du même coup, on sauve sa propre existence ; enfanter, c'est accroître vainement le nombre des êtres qui sont sur terre, sans justification. On ne s'étonne pas qu'une carmélite, ayant choisi de prier pour tous les hommes, renonce à engendrer des individus singuliers. Ma vocation non plus ne souffrait pas d'entraves et elle me retenait de poursuivre aucun dessein qui lui fût étranger. Ainsi, mon entreprise m'imposait une attitude
25 qu'aucun de mes élans ne contrariait et sur laquelle je ne fus jamais tentée de revenir. Je n'ai pas eu l'impression de refuser la maternité ; elle n'était pas mon lot ; en demeurant sans enfant, j'accomplissais ma condition naturelle. »

Simone de Beauvoir, *La Force de l'âge*, 1960, Éd. Gallimard

Résumé

Même si autrefois j'avais désiré être mère, cela ne me convenait plus parce que mon existence avec Sartre était assez riche pour nous combler. De plus, mes mauvaises relations avec mes parents ne me laissaient guère en espérer de meilleures avec ma progéniture. Je n'étais donc pas motivée affectivement.

D'autre part, je ne pouvais pas être à la fois mère et écrivain, car écrire exigeait de moi une disponibilité totale. Or, je préférais depuis longtemps l'œuvre littéraire : par elle, on recrée un univers et on donne ainsi un sens à sa vie, ce que ne permet pas la maternité.

En me vouant à la littérature, je renonçais donc tout naturellement à avoir des enfants.

(118 mots)

Pour réussir la rédaction du résumé, il faut d'abord avoir soigneusement étudié le texte (page 139), et respecter les sept règles définies par les textes officiels : « réduire le texte au quart environ » (avec une tolérance de +/– 10 %), ne pas changer le système d'énonciation, reformuler différemment « avec correction et concision » les idées essentielles, ne pas les déformer, respecter leur enchaînement, ne pas ajouter de commentaire personnel, enfin, indiquer le nombre de mots utilisés.

Reformuler la première étape du plan

Relire les éléments soulignés dans le texte, puis cacher le texte. Reformuler mentalement l'idée, enfin, l'écrire au brouillon avec le moins de mots possible.

Vérifier la reformulation

1) N'y a-t-il aucune erreur de sens ? Corriger même les approximations et les formules vagues.

2) Le style est-il vraiment personnel ? Vérifier que le vocabulaire de l'auteur n'est repris que très exceptionnellement, mais aussi que le résumé n'imite pas la structure des phrases du passage concerné.
Exemple : Malgré un vocabulaire différent, une phrase comme « être mère, c'est augmenter inutilement le nombre des hommes qui existent » ne serait pas une véritable reformulation des lignes 20-21.

3) Le système d'énonciation est-il conservé ? Ne pas introduire le résumé par des formules telles que « l'auteur démontre que ». Vérifier que le système des pronoms du texte ainsi que les temps sont restés les mêmes.
Exemple : Le résumé emploie le « je » de Simone de Beauvoir, et comme le texte à la ligne 19, le résumé passe au présent pour énoncer une vérité générale.

Indiquer le rapport logique entre la première et la seconde étape

Ne pas reprendre systématiquement la formule du texte mais chercher des équivalences.
Exemple : La conclusion, introduite par « ainsi » dans le texte, est signalée par « donc » dans le résumé.

Reformuler l'étape suivante

Procéder comme pour la première étape du texte et faire de même avec les autres étapes éventuelles.

Relire le résumé : vérifier sa cohérence

1) On doit pouvoir comprendre parfaitement le résumé sans connaître le texte de départ. Les pronoms, en particulier, doivent renvoyer sans ambiguïté à ce qu'ils représentent dans le résumé et non à ce qu'ils représenteraient dans le texte de l'auteur.
Exemple : Le « elle », employée dans le résumé, renvoie clairement à « l'œuvre littéraire », terme du résumé, et ne sous-entend pas « littérature » mot utilisé par S. de Beauvoir, ligne 19.

2) La disposition en paragraphes doit mettre en évidence le plan du texte.

Vérifier la longueur du résumé

1) Compter le nombre de mots du résumé. Est considéré comme mot toute lettre ou suite de lettres séparée de la suivante par un blanc ou un quelconque signe de ponctuation (« c'est-à-dire », selon cette convention, fait quatre mots). Puis vérifier si ce nombre ne dépasse pas de 10 % le nombre de mots autorisé.
Exemple : Résumé à faire : 115 mots. La tolérance est de plus ou moins 10 %, le résumé doit se situer obligatoirement entre 104 et 126 mots.

2) Si le résumé est trop long, il faut gagner en concision (voir page 152).
Si le résumé est trop court, c'est qu'une idée essentielle a été oubliée. Reprendre le plan et vérifier si chaque étape a été résumée. Si aucun oubli n'est repérable ainsi, c'est que le plan est mauvais : revoir alors la préparation (page 139).

Relire le résumé : vérifier son style

1) Supprimer les répétitions maladroites.

2) Corriger les fautes de syntaxe, d'orthographe, de ponctuation.

3) Compter de nouveau les mots une fois toutes les corrections apportées.

EXERCICE 1

Modifiez la formulation des pages ci-dessous afin de fournir les mêmes informations en une seule phrase de deux lignes maximum. Comptez le nombre de mots avant et après écriture : combien en avez-vous supprimé ?

- Il arrive souvent qu'un élève ait le courage de faire beaucoup d'opérations alors qu'il aurait pu résoudre son problème de mathématique avec une méthode plus rapide, à condition de réfléchir un peu plus.

d'après A. Jacquard

- Parce que vous avez avoué votre vol, vous serez moins pénalisé ; cela ne fait aucun doute : la punition qu'on avait prévue va être adoucie.
- Certains la redoutent, d'autres sont confiants. De toute façon, l'évolution du monde nous entraîne sans qu'on n'y puisse rien.

EXERCICE 2

Résumez chacun des deux textes suivants en une seule phrase complexe mettant en relief l'opposition principale du paragraphe.

Texte 1

« Une des données de la société dans laquelle nous vivons est qu'en effet depuis la réforme, les mathématiques y jouent et fort méchamment le rôle d'« outil de sélection ». Tout le monde le sait, tout le monde le dit, et le savoir et le dire c'est prendre un peu de distance face aux dommages qu'elles exercent indûment dans la vie de tous par écoliers et lycéens interposés. Seulement voilà. Dans la pratique, tout se passe comme si on ne le savait pas, et qu'on assimilait effectivement les capacités de réussite sociale d'un sujet à ses notes en mathématiques. »

Stella Baruk, « L'enflure des maths », *Le Magazine littéraire*, mars 1987

Texte 2

« L'intérêt porté à l'enfance serait-il une invention moderne ? Pendant le Moyen Âge, période qui nous retient ici, les parents auraient simplement « mignoté » leurs bébés et n'auraient éprouvé pour eux qu'un sentiment superficiel. La précarité du début de la vie expliquerait un certain fatalisme et une indifférence de la part des parents résignés à ce qu'un autre enfant remplace celui qui est mort trop vite. Ne peut-on imaginer, au contraire, que la terrible mortalité infantile a suscité une protection intense et une tendresse d'autant plus forte qu'elle risquait d'être éphémère ? »

Danielle Jacquart, *L'Histoire*, n° 99, avril 1987

EXERCICE 3

1) Montrez qu'à deux reprises le système d'énonciation du texte ci-dessous n'est pas conservé dans le résumé.

2) Repérez les cinq faux sens contenus dans le résumé.

3) Il fallait résumer ce texte en 70 mots (+/– 10 %) : combien y a-t-il de mots en trop ?

La mécanisation

Texte

« Il n'est pas nécessaire d'être diplômé de Harvard pour constater que les hommes sortent des usines, des bureaux ou des magasins à mesure qu'y entrent les machines. Il est déjà techniquement possible de placer un bloc de métal à l'embouchure d'une chaîne et de le voir sortir sous la forme d'une automobile, sans que l'homme y ait mis la main ou peu s'en faut.

Ce qui est réalisable pour l'automobile l'est à peu près pour tout, du médicament au potage en sachet. Il n'y a guère que le convoyage des produits de base sur les lieux de production qui nécessite, pour le moment encore, l'intervention humaine des conducteurs de trains ou de camions.

A ce rythme-là, dans un délai que l'esprit peut concevoir tant il est aux dimensions de la vie humaine, le travail, et pas seulement dans les secteurs dits de production, va se raréfier puisque, semble-t-il, il n'est que la mécanisation pour protéger le profit, et qu'il est peu de domaines où la mécanisation ne puisse se glisser. Combien seront-ils, à terme, les privilégiés du travail ? Pas beaucoup. Pas assez.

Les phénomènes de dislocation sociale qui s'ensuivront tombent sous le sens. Les Écritures ont beau nous dire que l'obligation de gagner son pain à la sueur de son front fut une malédiction divine fulminée contre le Couple originel, l'habitude s'en est prise au fil des temps. »

Philippe Boucher, « Journal d'un amateur », *Le Monde*, 17/1/87

Résumé

Une enquête sur l'emploi dans l'industrie — que l'on a le droit de mener même sans diplôme — permet de constater que l'introduction de nouvelles machines a supprimé des emplois. Cela se vérifie dans tous nos secteurs de production. Alors, comme l'esprit est capable de le comprendre, on n'aura bientôt besoin que de travailleurs issus des couches les plus aisées. Le journaliste prévoit que le corps social en sera profondément perturbé, malgré l'enseignement de la Bible.

81 mots

EXERCICE 4

1) Quel est le rapport logique établi entre les deux premiers paragraphes ?

2) Ce texte propose deux définitions du fou, dont une médicale. Quelles sont-elles ? Quel passage sert de transition entre ces deux caractérisations du malade mental ?

3) Après avoir cherché plusieurs possibilités pour exprimer la notion de panique (verbe, adjectif...), reformulez en une seule phrase complexe les deux premiers paragraphes.

4) En mettant en évidence le rapport posé entre les deux définitions du fou, résumez les paragraphes trois et quatre en 40 mots environ.

Pour respecter plus facilement le nombre de mots, aidez-vous des conseils de la fiche concision.

« Paradoxalement, dans une société aussi bien organisée, aussi pacifiée et policée que la nôtre, où le fou ne court plus les rues, l'image du « fou-en-liberté » déclenche de véritables paniques chez des individus apparemment normaux.

C'est sans doute qu'au départ le malade mental est celui qui ne paye pas sa dette de civilité dans le face à face de la vie quotidienne. Il interpelle l'ordre social (par exemple : par un refus immotivé d'aller au travail, par une altercation sur la voie publique, par un comportement personnel bizarre...), qui, aussitôt, l'interpelle, lui, le fou, en le priant de s'expliquer sur son ordre mental personnel.

Comme l'a bien vu Jacques Vorrèche, le fou, c'est l'anti-diplomate par excellence ; il ne respecte pas les règles de civilité, ne commerce pas avec autrui selon le rituel requis ; il détruit le décorum qui règle nos échanges personnels. Et ce n'est certes pas un hasard du vocabulaire si les bouffons sont aussi appelés des fous. Ils remplissent la même fonction de dégonflage, de dérision des grands airs que les maîtres du monde se donnent si volontiers.

Il y a dans les règles de savoir-vivre une notion essentielle : la maîtrise de soi. C'est aussi une notion centrale en psychiatrie. Elle permet la distinction importante pour la pathologie mentale entre la psychose et la névrose. Est seulement *névrosé* l'individu qui sait se retenir de faire ce qui lui passe par la tête. Est, par contre, *psychotique* celui qui ne sait plus se tenir. »

Roland Jaccard, *l'Exil intérieur.* (Bac. F-G-H, Amiens)
Presses Universitaires de France

EXERCICE 5

1) Montrez que chacun des deux résumés proposés pour le texte ci-dessous a une formulation trop proche du texte de départ, par le vocabulaire et par la syntaxe.

2) Ces résumés ne sont pas entièrement mauvais. En leur empruntant certains termes qui vous paraissent bien choisis, résumez ce texte en 50 mots (+/– 10 %).

Texte

« Si, pour ma part, j'ai été frappée par les thèmes du temps et de l'antimaternel chez Beauvoir, c'est parce que j'ai longtemps eu des obsessions identiques. Moi non plus, je ne voulais pas avoir d'enfants ; c'est un choix qui fut mien et que j'ai défendu avec tant de fougue que je le respecterai toujours. La liberté plus grande du célibataire, et surtout de la célibataire, par rapport aux gens mariés, est incontestable. Le temps dont elle dispose – pour travailler, voyager, et s'instruire – est objectivement, quantitativement, plus important que le temps d'une mère. Mais je me suis aperçue que, malgré tout, le temps avait tendance à passer, et que je n'aimais pas sa manière de le faire. J'avais beau le mesurer, le distribuer, et m'efforcer d'en profiter au maximum, je ne réussissais pas à le mater, à l'immobiliser ; il me glissait toujours entre les doigts.

Et si, après quelques dix années de vie de femme adulte-indépendante-célibataire-activiste, j'ai désiré partager ma vie avec un enfant (et aussi avec un homme, mais ça c'est une autre histoire), ce fut entre autres raisons pour changer ce rapport-là au temps. »

Nancy Huston, in *Lettre internationale,*
n° 11, hiver 86/87

Résumé 1

J'ai eu des obsessions identiques à celles de Beauvoir – à savoir le refus de la maternité, la conviction que les gens mariés disposent de moins de liberté et de temps qu'une célibataire – jusqu'à ce que je m'aperçoive qu'en définitive le temps passait un peu en vain. Si je suis devenue mère, ce fut pour transformer cette relation au temps.

Résumé 2

J'ai longtemps eu des préoccupations semblables à celles de Beauvoir : je ne désirais pas enfanter et trouvais qu'une célibataire est plus libre qu'une mère. Cependant, malgré une vie très active, le temps m'échappait. C'est pourquoi j'ai accepté de me consacrer à l'éducation d'un enfant.

EXERCICE 6

Lisez le texte ci-dessous et répondez aux questions suivantes :

1) Formulez différemment les idées exprimées dans les passages en italique.

2) Analysez le développement de l'argumentation dans le paragraphe 5 : distinguez-en les 4 étapes. Quelle est l'idée essentielle ?

3) Voici les principales étapes du texte. Indiquez le ou les paragraphes correspondant à chaque étape et détaillez ce schéma en précisant les étapes intermédiaires et les liens logiques essentiels.

– introduction
– les limites de l'intérêt porté au corps
– ce que devrait être l'éducation corporelle
– conclusion

L'éducation physique et la connaissance de soi

« L'intérêt actuel pour le corps a suscité la création d'une nouvelle branche commerciale : yoga, relaxation, massages, instituts pour les jambes, pour le ventre... *nous ne savons plus à quel saint nous vouer.*

Il est évident que toutes les couches sociales n'ont pas accès à ces satisfactions corporelles. Outre le coût élevé de ces pratiques, la sélection se fait aussi par l'appartenance socioculturelle. L'ouvrier n'a pas à son propos ni la même attitude, ni le même intérêt que le cadre. Pour lutter contre ces inégalités, l'existence de fédérations comme celles de gymnastique volontaire est une solution utile, mais elle ne saurait suffire. *C'est dès l'école, par une extension de l'éducation physique et sportive que nous contribuerons le mieux à la démocratisation.*

Lorsque l'attention avec laquelle nous nous préoccupons de nos automobiles, lorsque l'énergie que nous y consacrons sont plus grandes que celles s'adressant à l'aspect physique de nous-mêmes, nous faisons de l'homme le principal oublié de notre civilisation.

A l'écoute de notre corps nous allons de découverte en découverte pour nous délivrer d'un obscurantisme moyenâgeux. Nous trouvons donc fort regrettable qu'à côté de nos exigences sur les connaissances livresques, nous permettions encore cet analphabétisme corporel. *C'est encore une des caractéristiques de notre monde actuel de décentrer la connaissance sur ce qui nous est extérieur. N'est-il pas plus urgent de se connaître soi-même ?*

Nous touchons là un des particularismes de l'éducation corporelle, à la fois objet et sujet. Objet lorsque nous la limitons à l'apprentissage de techniques, sujet lorsque développant notre potentiel, elle facilite d'autres acquisitions : étude de l'homme par l'homme à travers son expression naturelle, le mouvement. Jusqu'alors essentiellement constituée de « savoir-faire », l'éducation physique et sportive doit se développer pour le « savoir » et pour un « savoir-être »... Elle ne sera pas une discipline comme les autres si elle étend sa dimension au-delà des limites sportives. Préparer l'enfant à mieux vivre ses activités physiques et sportives, c'est bien, mais cela demeure insuffisant lorsque l'on sait que l'on pratique le sport quelques heures par semaine, quelques années de notre existence, alors que nous vivons notre corps vingt-quatre heures sur vingt-quatre. Si nous entendons bien affirmer l'intérêt de la situation sportive pour le bien-être et la puissance du corps, nous entendons aussi nous préoccuper du corps quotidien, sans lui éviter ni le plaisir, ni la contrainte. Il nous plaît autant de penser à l'homme qui danse qu'à l'homme qui lutte, autant à celui qui se distrait qu'à celui qui travaille. *Aussi la disponibilité corporelle et les techniques gestuelles nous semblent aussi utiles à l'exercice de la profession qu'à la pratique sportive.*

En situant l'éducation physique et sportive au niveau des préoccupations du corps, en revendiquant l'extension de ses techniques jusqu'aux gestes quotidiens sinon utilitaires et professionnels, *nous sollicitons pour elle un rôle essentiel.* »

Revue *Après-demain*, août-sept-oct 1980.
(Bac. F-G-H, académie de Besançon)

EXERCICE 7

Transformez chacune des phrases suivantes pour diminuer leur longueur. Votre objectif : gagner au moins cinq mots par phrase.

• Ce démarcheur qui venait mal à propos fut vite éconduit par Dupont.
• Que vous soyez incapable d'éprouver de la pitié m'afflige.
• Il a été conduit à assumer seul de trop lourdes responsabilités parce qu'il n'a pas fait confiance à ceux qui l'entouraient.
• Une enquête menée avec beaucoup de soin ne démentira pas ce que le détective supposait d'emblée.
• Il ne faut pas se cacher que les conditions dans lesquelles se trouve l'entreprise sont très mauvaises.
• Quand il pratique un sport plusieurs fois par semaine, il est en bonne forme physique mais lorsqu'il reste longtemps enfermé, il dépérit.
• Étant donné le résultat de vos différentes actions auprès du ministre pour obtenir — en vain — que le procès soit révisé, il ne faut plus nourrir d'espoirs inutiles.

EXERCICE 8

Pour chacune des phrases suivantes, opérez la transformation syntaxique nécessaire afin de remplacer les passages en italique par une tournure plus concise.

- *Qu'il arrive toujours à l'heure* est appréciable.
- *Bien qu'il ait fait preuve d'un grand courage*, il n'a pu mener à bien sa tentative.
- *Au cas où les circonstances le permettraient*, avertissez-moi de son arrivée discrètement.
- Sa nomination, *qui n'est pas encore officielle*, fait déjà beaucoup d'envieux.

EXERCICE 9

Dans le texte suivant, remplacez les passages en italique par quelques mots ou une expression.

« Aussi, lorsqu'il vint à parler de tracer un chemin de fer de l'extrême ouest à l'extrême est, les coureurs de bois se mirent à maudire les rails dévoreurs de forêts. Ils en voulurent longtemps *aux ouvreurs de tranchées, aux bûcherons, aux tailleurs de traverses ; aux poseurs de rails, aux bâtisseurs de gares.* Les plus âgés riaient des ingénieurs en prédisant leur destruction par ces espaces qu'ils voulaient conquérir. Comment des *machines à feu, des locomotives, d'énormes wagons* parviendraient-ils à vaincre des montagnes qu'eux-mêmes ne franchissaient que difficilement ? »

Bernard Clavel, *Harricana*, Éd. Albin Michel

EXERCICE 10

Préparez le résumé du texte ci-dessous puis rédigez-le en 170 mots (+/– 10 %).

L'ordinateur à la maison

« D'alléchantes publicités vantent son aspect gestionnaire, mathématicien ou sa capacité de super-machine à écrire. Pour le grand public, ce « cerveau » reste réservé à une élite technico-professionnelle.

A une informatique chère, élitiste et sclérosée, vient de succéder depuis quelques années une informatique pour tous, où chacun peut acheter son ordinateur pour le même prix qu'un poste de télévision, une informatique sortie de son milieu intellectuel et technique qui permet d'installer un ordinateur individuel dans sa maison entre la bibliothèque et la table du salon.

Aujourd'hui, les jeux vidéo représentent l'essentiel des usagers classiques de l'ordinateur individuel à la maison. L'écran de télévision fourmille d'affreux petits bonshommes verts qu'il faut absolument détruire, un petit diable vous salue et danse sur une musique rythmée par des claquettes, un mur de briques se dresse devant vous, des piranhas affamés vous agressent. Les touches du clavier deviennent de redoutables lance-missiles qui doivent anéantir les envahisseurs venus de l'espace. Ici votre ordinateur se transforme en joueur d'échecs redoutable, là un bolide dévale une route escarpée. La plupart de ces jeux vous passionnent tellement qu'ils vous dépaysent, au point de vous faire oublier votre fauteuil... ou le rôti qui est au four.

Les constructeurs soulignent le caractère ludique de l'ordinateur, et il existe déjà quantité de programmes de jeux qui ne nécessitent aucune connaissance en programmation. Ces jeux sont vendus sous forme de cassettes ou de disquettes qui s'incorporent sans problème dans les supports de la machine. Dans les années futures, le prix des jeux vidéo diminuera sans nul doute, grâce à la progression toujours constante de l'informatique et de ses techniques. Il est cependant dommage de limiter l'usage d'un ordinateur individuel aux seules applications ludiques, aussi captivantes soient-elles, comme le font bon nombre d'utilisateurs. Un ordinateur se révèle à l'utilisateur averti bien plus riche et bien plus varié qu'un simple « jeu de café ».

« Un précepteur pour vos enfants » : tel pourrait être le slogan publicitaire d'un quelconque constructeur d'ordinateur individuels. Sachez que cela est tout à fait possible. Le clavier et l'écran remplaçant la craie et l'ardoise, votre ordinateur individuel se transforme en professeur de mathématiques, de français, de langue... Un professeur infatigable qui ne s'arrêtera que si vous le voulez, ou... si les plombs sautent. Un peu froid sans doute et peu bavard, il peut néanmoins complimenter son élève comme le réprimander, sans le faire frémir, et, à l'occasion, en l'amusant. L'ordinateur pose des questions suivant la matière et le degré de difficulté choisis, fait réciter les leçons, corrige les erreurs de déclinaisons ou dessine une carte de France.

L'enfant trouve auprès de ce précepteur des connaissances énormes, une patience que rien n'use, et surtout une totale disponibilité. Il s'enrichit, se cultive et insère l'ordinateur de façon tout à fait normale dans son univers quotidien, entre son circuit de voitures et ses livres. Les enfants, qui apprivoisent beaucoup mieux et plus vite la machine que leurs aînés, se trouvent mieux préparés à la vie dans une société ou l'électronique de pointe est appelée à jouer un rôle de plus en plus important. »

Article de Xavier-Frédéric Ardouin dans le mensuel *L'ordinateur individuel*, 1982.
(Bac. F-G-H, académie de Caen)

EXERCICE 11

1) Préparez le résumé (voir page 139) du texte ci-dessous.

2) Corrigez les trois résumés proposés :

a) repérez les passages qui déforment la démonstration de l'auteur, en précisant le type de faute (faux sens, contresens, erreur dans l'enchaînement, oubli d'une idée importante, détail superflu) ;

b) repérez les passages mal reformulés et dites pourquoi (montage de citations, calque syntaxique, vocabulaire non renouvelé, système d'énonciation infidèle) ;

c) que pensez-vous du découpage et de la présentation adoptée pour chaque résumé ? Vérifiez le total des mots.

Texte

« La crainte de la différence, allant parfois jusqu'à son refus, est un réflexe largement répandu. Les enfants ont peur de se distinguer des autres. Les adolescents sont les premiers à suivre les modes. Mais, bien plus grave, les adultes se méfient presque instinctivement de tous ceux qui n'appartiennent pas à leur collectivité, entraînant rivalités de palier, discussions entre administrations, discordes entre nations, haines religieuses ou raciales.

Et pourtant ce réflexe est à la fois un non-sens biologique et une erreur fondamentale sur le plan culturel.

Sur le plan biologique, trois notions en aideront la compréhension :

D'abord, chaque être vivant est différent ; il est même unique tant il y a de variations possibles dans sa composition chimique. C'est le produit du mélange des caractères paternels et maternels, ceux-ci provenant eux-mêmes d'un mélange des caractères des quatre grands-parents. De plus, ces caractères (ou gènes) présentent dans les populations de multiples variantes. Pour l'homme, le nombre des combinaisons possibles dépasse, a-t-on dit, le nombre des atomes contenus dans tout l'univers connu. A chaque génération apparaissent donc, fruits de la loterie génétique, des êtres nouveaux, uniques car formés d'une combinaison entièrement nouvelle des caractères génétiques. La nature a bien pris soin d'assurer que ce mélange se reproduise à intervalles réguliers ; le sexe et la mort le répètent à chaque génération.

Ensuite, selon le processus darwinien de la sélection naturelle, les individus ayant reçu, par hasard, les combinaisons les rendant les plus aptes à vivre dans un certain milieu, survivent et ont le plus de descendants, alors que les moins aptes en ont moins. Ainsi, grâce à la diversité des individus qui la composent, une espèce pourra-t-elle s'adapter à d'éventuels changements d'environnement, de climat ou à l'apparition de nouveaux parasites ou agents pathogènes. La différence entre individus est donc une nécessité absolue pour la perpétuation d'une espèce. Elle est la base de toute vie animale ou végétale.

Enfin, l'environnement façonne les variétés à l'intérieur des espèces : l'hirondelle nord-africaine n'est pas identique à celle de Norvège, le peuplier d'Italie diffère de celui du nord de l'Europe, le type humain méditerranéen diffère du type nordique, etc. Sur l'homme moderne l'influence de l'environnement joue peut-être moins qu'autrefois, mais son rôle est déterminant sur son psychisme. Deux vrais jumeaux qui ne diffèrent en rien sur le plan génétique subissent, surtout s'ils sont séparés, des influences externes différentes et deviennent ainsi deux êtres différents. Seul l'homme passe de l'individualité à la personnalité parce qu'il s'approprie à partir de son milieu social un patrimoine culturel.

De ces considérations, il apparaît donc clairement que l'unicité de chaque homme lui confère une dignité particulière donnant, s'il en était besoin, une raison supplémentaire de le respecter (...). »

Jean Dausset (professeur de médecine)
Reproduit du *Le Courrier de l'Unesco*, sept. 1986, p. 34

Résumé 1

Il faut se défier des différences. C'est ce que font les enfants, les adolescents, et les adultes. D'où rivalités de palier, guerres, haines religieuses ou raciales.

D'une part, chaque être est le produit des gènes paternels et maternels. Il y a beaucoup de combinaisons possibles dans les populations. Chaque naissance est le fruit du hasard, ce qui est regrettable.

D'autre part, la sélection naturelle s'exerçant, une espèce non homogène peut survivre aux bouleversements climatiques, aux nouvelles maladies. Les variétés sont très nombreuses dans chaque espèce. Mais aujourd'hui l'homme dépend moins des contraintes naturelles. Les jumeaux, qui se ressemblent biologiquement, sont influencés, particulièrement quand ils ne sont pas élevés ensemble, par des facteurs différents, et ne sont donc pas identiques. L'homme devient un personnage important quand il réussit à faire fortune par le biais des relations qu'il a dans la société.

C'est pourquoi, en cas de besoin, il faut respecter chaque individu.

157 mots

Résumé 2

La peur de la différence, allant jusqu'à un rejet de l'autre, est une réaction très courante. Mais les gens redoutent les étrangers qui provoquent des conflits entre voisins, entre pays.

Cette peur est pourtant une attitude nuisible au développement des cultures.

D'abord, la génétique m'apprend que les gènes de chacun ont une double origine — maternelle et paternelle

– et que la quantité des associations génétiques réalisables est plus élevée que celle des atomes du cosmos. En conséquence, il est pertinent de parler de « loterie génétique ». Le renouvellement de l'espèce est ainsi garanti.

L'auteur rappelle la thèse de Darwin ; selon les gènes que possède chaque membre d'une espèce, ce dernier s'adaptera ou non à son environnement. On peut donc se demander si une espèce est capable de résister aux mutations de son cadre de vie. La différence est la base de toute vie animale ou végétale.

Enfin, les hommes sont conditionnés par la culture qu'ils reçoivent.

Certains pensent qu'on doit respecter les différences.

160 mots

Résumé 3

On redoute la différence. Ainsi, comme le fait remarquer J. Dausset, un jeune aime plutôt imiter ceux de sa génération que se distinguer. Néanmoins, cette méfiance est culturellement néfaste et ne saurait se justifier scientifiquement, comme le confirmeront les trois données suivantes : premièrement, chacun est différent et même unique. L'enfant est influencé par le tempérament de ses deux parents. Les individus sont le résultat de la « loterie génétique ». Deuxièmement, comme l'a analysé Darwin, seuls certains membres d'une espèce survivent, par exemple ceux qui ont les moyens physiques de résister à une grave maladie. Que les individus diffèrent est absolument nécessaire sinon l'espèce s'éteindra. En définitive, chaque espèce se diversifie sous l'effet de l'environnement. C'est vrai en particulier de l'homme. Deux jumeaux subissent des influences différentes et deviennent deux être différents. D'après ces remarques, on voit bien que la spécificité de chacun lui attribue une importance justifiant qu'on le respecte.

160 mots

EXERCICE 12

Préparez le résumé du texte ci-dessous puis rédigez-le en 110 mots (+/– 10 %).

« Et puis ce soir on s'en ira
Au cinéma »

« Ces vers de Guillaume Apollinaire écrits en 1917 ne sont plus aujourd'hui de saison. On ne fréquente plus le cinéma pour lui-même, pour sa magie propre, celle qu'André Bazin avait su définir en une phrase : *« Le cinéma substitue à notre regard un monde qui s'accorde à nos désirs. »* C'est la télé désormais que l'on allume à tout hasard, avec la curiosité souvent de regarder un film que l'on a manqué à sa sortie en salle.

Entre cette curiosité, si facilement distraite, et l'hypnose, bientôt centenaire, liée au spectacle cinématographique, on voit clairement la différence : la télévision prend la place d'un objet dans notre champ de vision, alors qu'autrefois dans les grandes salles nous nous laissions absorber par la nuit environnante au moins autant que par la lumière de l'écran.

Le cinéma, à la fin des années vingt, évoquait l'idée d'un vaisseau en partance. Robert Desnos parlait d'une salle du boulevard de Clichy comme d'*« un grand embarcadère pour on ne sait où »*. Nous ne prenons plus aujourd'hui le risque de partir ainsi à l'aventure. Nous continuons encore chaque soir à nous endormir sans avoir programmé le contenu de nos rêves, mais nous choisissons soigneusement les films que nous allons voir. Nous n'allons plus au cinéma, c'est lui qui vient à nous, soit immédiatement, parce que nous voulons voir sans délai – en salle – le dernier Rohmer (1) ou le dernier Kubrick (2), soit par fausse inadvertance, lorsque la télé nous impose ses programmes du soir, en feignant de nous les proposer.

Économiquement parlant, le cinéma n'est pas en crise. C'est sa diffusion traditionnelle, l'exploitation des films en salle, qui devient aléatoire. On continue néanmoins à parler d'une « crise du cinéma » et l'on a raison. Le langage nous renseigne fort bien sur ce point : on ne dit pas : « Je vais à la musique » lorsque l'on se rend à un concert, ni « je vais à la littérature » en entrant dans une librairie. L'expression cinématographique au contraire paraît inséparable de sa condition primordiale de diffusion, c'est-à-dire des salles de projection. L'histoire du cinéma ne commence pas avec Edison qui montrait des images animées, par une fente, dans un appareil à sous. Ce sont les projections des films de Louis Lumière qui ont créé le véritable ébranlement initial.

La fin des « cinémas » serait donc dramatique pour le cinéma, comme la disparition des théâtres et des music-halls de quartier le fut pour l'art du spectacle. Nous n'en sommes pas là, heureusement, et l'on voit bien comment d'authentiques créateurs réagissent par un surcroît d'acuité face à cette maladie de l'attention qui nous atteint tous à des degrés divers et dont la crise du cinéma n'est qu'un symptôme particulièrement révélateur. »

Claude Jean-Philippe, *Passage*, déc. 1987

(1) Cinéaste français.
(2) Cinéaste américain.

DES ASTUCES POUR ÉCRIRE EFFICACEMENT

Être concis, c'est fournir un grand nombre d'informations en peu de mots. Voici un inventaire utile pour le résumé de texte et la dissertation.

Les transformations du lexique pour être concis

■ Supprimez les pléonasmes. « C'est une expérience concluante qui met fin à toute discussion » est inutile, « c'est une expérience concluante » est suffisant.

■ Remplacez les périphrases par le terme propre.
Exemple : « Des attitudes d'opposition aux progrès de la vérité et de l'instruction » (13 mots) devient : « ... des attitudes obscurantistes » (3 mots).

■ Lorsque c'est possible, remplacez les énumérations par un terme générique. « Les trawmays, les bus et le métro » = les transports urbains.

Les transformations de la syntaxe dans le résumé

■ Les conjonctives. Voyez s'il n'est pas possible de nominaliser.
Exemple : « Ils réclament avec force que le traître soit châtié » (9 mots) ; « Ils réclament avec force le châtiment du traître ».

■ Les subordonnées circonstancielles. Pour les éviter, deux solutions : la nominalisation (ou la tournure participiale) ou bien le remplacement par un adverbe.
Exemple : « Avant qu'il n'ait pu s'expliquer, il fut réduit au silence » (13 mots) ; « Avant d'avoir pu s'expliquer, il fut réduit au silence » (11 mots).

■ Les tours prépositionnels. Les remplacer par une construction directe : « Je compte sur un succès », devient : « J'escompte un succès ».

■ La tournure passive peut se remplacer par la voix active : « Les pêcheurs ont été surpris par la tempête » (8 mots), « La tempête a surpris les pêcheurs » (6 mots).

■ Remplacer une formule négative par une forme affirmative : « Je ne sais pas si... » (5 mots), « J'ignore si... » (3 mots).

■ La coordination peut parfois se remplacer par un signe de ponctuation (: ,).

■ La subordination peut aussi, dans certains cas, être remplacée par une virgule ou deux points. « Ils sont rentrés trempés parce qu'il a plu » (9 mots) ; « Ils sont rentrés trempés : il a plu » (7 mots).

La concision : un trait de style

Exprimés en une courte phrase, pensées, opinions et préceptes retiennent davantage l'attention. Quel journaliste ne s'est pas amusé à relever les « petites phrases » de telle ou telle personnalité ? Une tournure concise est plus frappante et plus aisément mémorisable. La « sagesse des nations » n'est-elle pas contenue en quelques proverbes ? Il est d'autres termes qui désignent un énoncé concis : un **apophtegme,** une **formule** ; un **aphorisme,** une **maxime** ; un **adage,** une **sentence.**

Écrire en pensant au lecteur

Celui-ci doit vous comprendre sans faire de contresens, or un contresens provient souvent d'une ambiguïté dans une formulation. Vous devez donc en toutes circonstances prévenir les erreurs d'interprétation.

■ Vous citez un chiffre important : préférez un pourcentage, sinon donnez un point de comparaison *(c'est-à-dire trois fois plus élevé que...)* qui rendra votre chiffre « parlant ».

■ Vous abordez un concept, une idée-clef ; expliquez son sens par une définition, une illustration ou une comparaison.

Savoir choisir ses mots

Terme concret ou terme abstrait ?	D'une manière générale, recourez aux deux types de mots afin de parler à la fois à l'affectivité et à la raison. Préférez, si vous avez le choix une formulation concrète à une formulation abstraite. Votre lecteur comprendra rapidement votre pensée et évitera de s'interroger sur ce que vous avez voulu dire.
Terme générique ou terme spécifique ?	Choisissez toujours un mot en fonction du degré de précision à atteindre. Recourez à un terme générique lorsque vous souhaitez être synthétique (dans un résumé par exemple), mais évitez le vocabulaire trop vague.
Terme courant ou lexique spécialisé ?	Tout dépend de ce que vous expliquez et de votre lecteur. Chaque fois que c'est possible, préférez le terme courant plutôt que le vocabulaire spécialisé. Ceci vous évitera d'apparaître comme quelqu'un de pédant et hermétique. Toutefois, utilisez le terme spécialisé quand une précision extrême est nécessaire ; en particulier, utilisez le vocabulaire de l'analyse stylistique pour caractériser un texte littéraire.

Jouer sur les nuances

Un mot peut parfois en suggérer beaucoup plus qu'une phrase entière. Écrire : « un auteur médiocre » a plus de force que « un auteur dont on peut vraisemblablement dire qu'il est médiocre ». Un simple terme valorisant ou péjoratif suffit à donner son point de vue.

Toutefois, gardez le sens de la nuance, tenez compte de la force d'un mot. Vous pouvez l'atténuer ou le renforcer par un adjectif, un adverbe, un indéfini. Vous pouvez aussi corriger une première formulation inadéquate : « plus exactement... », « disons plutôt... », « pour mieux dire... ».

Tirer parti de la valeur des modes

L'indicatif présente, en général, les faits comme réels ou certains. Au contraire, le conditionnel marque une réserve prudente ou atténue l'expression d'un désir, d'une volonté.

De même, le subjonctif utilisé dans une relative, au lieu de l'indicatif également possible, marque l'éventualité. Dire : « un film qui soit aussi riche que le roman dont il est inspiré », n'implique pas qu'on affirme qu'un tel film existe.

Soigner sa mise en page

« Mettre son texte en scène » permet de suggérer habilement une façon de le lire et donc de le comprendre. La mise en page facilite le travail du lecteur qu'il convient de séduire (votre copie est peut-être la 81e d'un paquet qui en contient 100 !).

Tracez les marges (lorsqu'elles n'existent pas). Marquez nettement le passage à un autre paragraphe par un alinéa (2 ou 3 carreaux...). Veillez à ce que les majuscules se distinguent nettement des minuscules. Évitez les ratures, mais aussi les marques d'effaceur, en tout cas, ne laissez pas de blanc au milieu d'une ligne sous prétexte que votre correcteur n'est pas sec !

27 Expliquer un texte

1 « Louange à vous, mères de tous les pays, louange à vous en votre sœur ma mère, en la majesté de ma mère morte. Mères de toute la terre, Nos Dames les mères, je vous salue vieilles chéries, vous qui nous avez appris à faire les nœuds des lacets de nos souliers, qui nous avez appris à nous moucher, oui, qui nous avez montré qu'il faut souffler dans le mouchoir et y faire
5 feufeu, comme vous nous disiez, vous, mères de tous les pays, vous qui patiemment enfourniez, cuillère après cuillère, la semoule que nous, bébés, faisions tant de chichis pour accepter, vous qui, pour nous encourager à avaler des pruneaux cuits, nous expliquiez que les pruneaux sont de petits nègres qui veulent rentrer dans leur maison et alors le petit crétin, ravi et soudain poète, ouvrait la porte de la maison, vous qui nous avez appris à nous gargariser et qui faisiez
10 reureu pour nous encourager et nous montrer, vous qui étiez sans cesse à arranger nos mèches bouclées et nos cravates, pour que nous fussions jolis avant l'arrivée des visites ou avant notre départ pour l'école, vous qui sans cesse harnachiez et pomponniez vos vilains nigauds petits poneys de fils dont vous étiez les bouleversantes propriétaires, vous qui nettoyiez tout de nous et nos sales genoux terreux ou écorchés et nos sales petits nez de marmots morveux, vous qui
15 n'aviez aucun dégoût de nous, vous, toujours si faibles avec nous, indulgentes qui plus tard vous laissiez si facilement embobiner et refaire par vos fils adolescents et leur donniez toutes vos économies, je vous salue, majesté de nos mères. »

Albert Cohen, *Le Livre de ma Mère*, 1954. Éd. Gallimard, (Bac. F-G-H, 1986, académie d'Aix-Marseille/Toulouse)

Le titre

Le Livre de ma Mère *laisse envisager une œuvre autobiographique (« ma »), mais aussi plus ambitieuse : « Le Livre », c'est le nom de la Bible. D'ores et déjà, deux pistes de recherche peuvent être envisagées : quelle est la part du témoignage personnel ? Quel est le rôle de l'écrivain d'après Cohen ?*

Lecture externe du texte

Le texte est compact, dense, aucun paragraphe n'apparaît. Par contre, « Nos Dames » se détache par ses deux majuscules et évoque Notre Dame, l'église, mais aussi la prière. L'abondance des « vous qui » semble aller dans le sens de cette impression (« Notre Dame qui êtes aux cieux »...).

Le début du texte (« Louange à vous ») et la fin du texte (« majesté de nos mères ») confirment cette idée de prière ; le pluriel indique que l'auteur dépasse son expérience personnelle.

Lecture du texte : l'histoire

Effectivement, Cohen s'adresse aux mères du monde entier pour les glorifier et les remercier de leur infini dévouement envers leurs fils.

L'étude linéaire

*La première phrase est très courte et s'oppose à l'immense deuxième phrase qui se développe jusqu'à la fin. Cette phrase ne contient pas de verbe, mais possède toutes les caractéristiques de la prière qui est un genre oral : énonciation à la deuxième personne, lexique, répétitions (« louange à vous »), assonances (« l*ouange à v*ous, mères de* tous *les pays »), allitérations («* majesté de ma mère morte *»). Par la syntaxe, l'auteur met en parallèle son expérience personnelle et l'expérience de l'humanité. Son œuvre se veut universelle.*

Commence alors la deuxième phrase, immense. L'idée de prière est confirmée par « je vous salue ». En établissant un lien étroit entre les deux mots « mères / terre », la paronomase souligne encore l'universalité de cette expérience. Le pluriel, les majuscules « Nos Dames », le mot « toute » donne un ton emphatique aussitôt démenti par le calembour « vieilles chéries » (Vierge Marie !). Apparaît alors une nouvelle dimension du texte, l'ironie attendrie (« chéries »).

Ensuite, le texte sera rythmé par l'anaphore « vous qui ». Et, à nouveau, apparaît un contraste entre la solennité de la prière et le contenu trivial « les lacets, les mouchoirs, la semoule », les mots « feufeu », « chichis », d'un registre de langue familier. Le redoublement dans ces mots évoque l'éternelle répétition des tâches maternelles. Le dévouement des mères sera d'autant plus glorifié qu'il est humble et obscur.

La métaphore enfantine des pruneaux introduit l'humour et rend hommage à la mère qui fait de son fils un poète ; l'idée est reprise par l'antithèse « crétin/poète ».

L'explication linéaire permet d'aborder un texte de façon efficace. Elle aide à repérer, analyser et regrouper les éléments qui fondent l'unité du texte. Elle dégage des « hypothèses de lecture » qui seront à la base de l'élaboration du commentaire composé à l'écrit et de la lecture méthodique à l'oral.

Première lecture : la lecture externe

Lire tout ce qui entoure le texte et le parcourir en diagonale.

1) Le titre, l'auteur, la date. Ces indications sont toujours fournies avec le texte. Si le livre est connu, il est possible de situer le texte dans l'ouvrage et dans l'œuvre de l'auteur. Sinon, le titre, souvent évocateur, peut donner des informations sur les héros ou le thème.

2) Le texte lui-même

- Un coup d'œil sur la disposition peut permettre d'envisager la nature d'un texte : dialogues, nombre de paragraphes, proportion des paragraphes, changements de caractères, dates, signature.
- Un coup d'œil sur les premiers et les derniers mots peut donner des indications sur le contenu.

Deuxième lecture : l'histoire racontée

Lire tout le texte pour trouver les réponses aux questions suivantes : où cela se passe-t-il ?, quand ?, combien de personnages ?, comment s'appellent-ils ?, que font-ils ?, que disent-ils ? Résumer l'histoire en une ou deux phrases. Vérifier dans le dictionnaire les mots au sens obscur.

Troisième lecture : l'étude linéaire

Ce qu'il faut repérer	*Les commentaires possibles*
• Le lexique	un ou des champs lexicaux, les thèmes, le registre de langue
• La syntaxe, place des mots, mots de liaison	rythme du texte, enchaînements idées principales, idées secondaires
• Le verbe : mode, temps, aspect, personne	réalité/irréalité du texte, situation dans le temps, durée, type d'énonciation
• Le sujet / les compléments	quels sont les éléments sujets ? qui est le narrateur ? le personnage agit-il ou subit-il ?
• La ponctuation	ton du texte, rythme
• La présence éventuelle d'images et de figures de style	effet propre à chaque image, l'originalité du texte
• Les allitérations et assonances	mise en valeur de certains mots, musique du texte
• Répétitions, parallélismes, oppositions, ruptures	toujours à commenter

L'étude linéaire se fait, au fil du texte, proposition par proposition, ou phrase par phrase.
A la fin de l'explication, regrouper et ordonner les remarques par centres d'intérêt.
Exemple : l'amour maternel, l'image de l'enfance, la prière, la formation d'un écrivain.

La progression du texte

Les indices qui permettent de la repérer	*Ce qu'ils peuvent indiquer*
Les changements de pronoms, de sujet Les changements de temps, les adverbes de temps Les compléments, les adverbes de lieu Les conjonctions, et les adverbes	variation de la focalisation ordre chronologique, logique ? répartition spatiale texte bâti sur une accumulation, une comparaison, une opposition

EXERCICE 1

Écrivez en une phrase ce que vous suggère le titre des romans que vous n'avez pas lus. (La lecture de l'ouvrage permettra de confirmer ou d'infirmer votre première impression).

Terre natale (Marcel Arland), *L'Insurgé* (Vallès), *Tendre bestiaire* (Genevoix), *Le Paysan de Paris* (Aragon), *Romansonge* (André Stil), *Voyage au bout de la nuit* (Céline), *La Légende de Saint Julien l'hospitalier* (Gustave Flaubert), *Cela s'appelle l'aurore* (Roblès), *Memory Lane* (Modiano), *Le journal d'une femme de chambre* (Mirbeau), *Nous* (Claude Roy), *Quel petit vélo à guidon chromé au fond de la cour ?* (Pérec).

EXERCICE 2

Survolez ces passages en ne vous laissant accrocher que par les particularités typographiques et la ponctuation. Formulez par écrit vos remarques avant de lire attentivement le texte.

« L'Ouest ? Qu'est-ce que c'est ? Qu'est-ce qu'il y a ? Pourquoi y a-t-il tant d'hommes qui s'y rendent et qui n'en reviennent jamais ? Ils sont tués par les Peaux Rouges ; mais celui qui traverse les déserts ? Il est arrêté par les montagnes ; mais celui qui franchit le col ? Où est-il ? Qu'a-t-il vu ? »

Cendrars, *L'Or*, 1960. Éd. Denoël

« — Ah ! vous sentez venir le printemps, vous ? Moi, je n'ai jamais eu aussi froid de ma vie !... Donc vous êtes un sculpteur né. Ce n'est pas discutable. Il me semble que vous avez un avenir... Mais si vous restez ici, dans vos friches et vos bois... mon Dieu qu'il fait froid... vous ne pourrez jamais vous épanouir !...

Que serez-vous ? Rien... Et pourtant ce serait un crime de laisser ce talent inemployé... Bien entendu, il vous faudra des conseils, une formation solide... Nous vous donnerons tout cela... Si vous le voulez...

— Dites-moi ce que je dois faire ! dit résolument Gilbert. »

Vincenot, *Le Pape des escargots*, 1972. Éd. Denoël

« Joints, éther, coco, héro, tout est bon pour décoller, planer, s'arracher à la merde. Tout ce qui est négociable est vendu pour une taffe, pour une sniffe. Ça peut être ce que tu as chouravé à un étalage, dans un supermarché. Ça peut être ton cul dans les cas désespérés. Mais on tient, on s'accroche, on veut rien larguer. Tenir. Tenir. Mot d'ordre inconscient et collectif. Tout est foutu.

Soit. Mais tenir. Être là. Tenir jusqu'au dernier jour : celui de l'Apocalypse. Qui ne saurait tarder. »

Page, *Tchao Pantin*, 1982. Éd. Denoël

EXERCICE 3

Voici le début et la fin de textes à expliquer. Quelles informations sur le contenu et la nature du texte pouvez-vous en dégager ? N'oubliez pas de vous référer au titre et à l'auteur.

Début : « De seconde en seconde, les éjections perdaient de leur violence, les rugissements de leur intensité. »

Fin : « Tout était maintenant somptueux, étale, presque paisible. » Haroun Tazieff, *Niragongo ou le volcan interdit*. (Bac. F, 1977)

Début : « Quel pays ! L'envahisseur le dote de villas et de garages, d'automobiles, de faux « mas » où l'on danse. »

Fin : « — garde-moi... » Colette, *Provence, garde-moi*. (Bac. G-H, 1977)

Début : « Derrière moi, debout, se tenait Balandran. Je me levai et nous nous regardâmes en silence. »

Fin : « Je lui dis : « C'est vous, Balandran ? »

Il me dit : « C'est moi Balandran, Monsieur Martial. » Henri Bosco, *Malicroix*. (Bac. F, 1977)

Début : « J'entends Théodecte de l'antichambre ; il grossit sa voix à mesure qu'il s'approche ».

Fin : « Je cède enfin et je disparais, incapable de souffrir plus longtemps Théodecte et ceux qui le souffrent. » La Bruyère, *Les Caractères*. (Bac. F-G-H, 1985)

Début : « Je suis comme ceux qui s'endorment, comme les enfants. Je m'affaiblis, je m'adoucis, je ferme les yeux ; je rêve à la maison. »

Fin : « Où suis-je ? Où est Marie ? Et même qu'est-ce qu'elle est ? Je ne sais pas, je ne sais pas. J'ignore la blessure de ma chair, et est-ce que je sais la blessure de mon cœur ? » Henri Barbusse, *Clarté*. (Bac. F-G-H, 1983)

EXERCICE 4

Même exercice. Voici les premiers et les derniers vers de poèmes à expliquer. Rappelez-vous que le début et la fin sont des endroits-clés d'un vers.

« Le tout est de tout dire et je manque de mots

....

La justice debout le bonheur bien planté. »

Eluard, *Tout dire*. (Bac. G-H, 1977)

« Un poème a mijoté tout le jour
Et n'est pas venu

....

Comme une note qui persiste, stridente,
Annihile le monde entier. »

Saint-Denys-Garneau. (Bac. F-G-H, 1985)

« Le jeune facteur est mort
Il n'avait que dix-sept ans.

....

L'hiver a tué le printemps
Tout est fini pour nous dès maintenant. »

Georges Moustaki, *Le Facteur.* (Bac. F-G-H)

« Accablé de paresse et de mélancolie,
Je rêve dans un lit où je suis fagoté,

....

Une main hors des draps, cher Baudoin, à peine
Ai-je pu me résoudre à t'écrire ces vers. »

Saint-Amant, *Le Paresseux.*

EXERCICE 5

Procédez à une lecture externe de ce texte, puis lisez-le attentivement et rédigez-en un court résumé de une ou deux phrases. Vous pouvez vous aider des mots-clés qui sont en italiques.

« ... *Enfants,* nous ne connaissions guère que les *Landes* : l'être collectif dénommé « les garçons » et dont je n'étais qu'une parcelle, avait décidé que hors le pays des pins, du sable et des cigales, il n'était pas de *vacances* heureuses. A peine connaissions-nous la propriété de vignes que plus tard je devais tant aimer. Notre mère assurait que nous n'eussions voulu pour rien au monde du sort des malheureux enfants qui croyaient s'amuser à Royan, à Arcachon ou à Bagnères. Nous en étions nous-mêmes persuadés. Ainsi *sont entrés en moi,* pour l'éternité, *ces étés implacables, cette forêt crépitante de cigales sous un ciel d'airain que parfois ternissait l'immense voile de soufre des incendies* ; alors les tocsins haletants arrachaient les bourgs à leur torpeur. Aussi brûlant qu'ait été l'après-midi, le ruisseau appelé La Hure, et ce qu'il traîne après soi de brouillards flottants et de prairies marécageuses, dispensait, *le soir, une fraîcheur* dangereuse qu'au seuil de la maison nous recevions, immobiles et la face levée. Cette haleine de menthe, d'herbes trempées d'eau, s'unissait à tout ce que *la lande, délivrée du soleil, fournaise soudain refroidie, abandonne d'elle-même à la nuit : parfum* de bruyère brûlée, de sable tiède et de résine — odeur délicieuse de ce pays couvert de cendres, peuplé d'arbres aux flancs ouverts ; je songeais aux cœurs que la grâce incendie et qui ont choisi de souffrir. C'est pourquoi *l'automne dans la lande* est un tel miracle : dans bien d'autres pays, l'arrière-saison « fait saigner les feuillages, change en or sombre les fougères » (ainsi que j'écrivais, dans mes narrations qui avaient l'honneur d'être lues devant toute la classe), mais nulle part elle n'est, comme dans nos landes consumées, une telle *libération* : les palombes, sous le trouble azur du mois d'octobre, sont le signe qu'est fini le déluge de feu. »

François Mauriac, *Commencement d'une vie.*
(Bac. F-G-H, 1983, Groupe I)

EXERCICE 6

Les mots de cet exercice sont extraits du texte de l'exercice précédent. Répondez aux questions qui vous sont posées.

- « Enfants » : ce mot annonce un thème important. Lequel ? Qu'indique le pluriel ?
- « Landes » : ce mot est associé à « enfants » par deux moyens. Lesquels ? Qu'implique ce rapprochement ? Quel est le nouveau thème amorcé ?
- « dont je n'étais qu'une parcelle » : l'auteur émerge dans le texte de façon indirecte. Pourquoi ?
- « parcelle » : comment Mauriac utilise-t-il la polysémie du mot ?
- « le pays des pins, du sable et des cigales » : quelle est la figure de style employée ? Sur quoi attire-t-elle l'attention ?
- « que plus tard je devais tant aimer » : qu'indique cette proposition sur le déroulement du récit ?
- « Notre mère » : qu'indique l'emploi de la première personne du pluriel ?
- A quoi sert l'évocation des vignes et des stations balnéaires ?
- « les malheureux enfants qui croyaient s'amuser » : quelle est la figure de style employée ? Qu'apprend-t-on sur la mère ?
- « connaissions / assurait » : qu'indique l'imparfait ?
- « Nous / nous-mêmes / moi » : commentez le changement de personne.
- « Ainsi sont entrés en moi » : comment le changement de temps souligne-t-il le sens du verbe ? Comment l'auteur se situe-t-il par rapport à ses souvenirs ?
- « Entrés / éternité / été » : commentez le rapprochement de ces mots.
- « éternité » : quelle connotation possède ce mot ?
- « crépitante » : quel est le bruit que ce mot désigne d'ordinaire ? Comment l'image « forêt crépitante de cigales » prend-t-elle une seconde signification ? Quel est le mot qui vient confirmer cette seconde signification ?
- « airain / tocsin » : par quelle figure de style « airain » annonce-t-il « tocsin » ?
- « les tocsins haletants arrachaient les bourgs à leur torpeur » : quel est l'effet de cette personnification ?
- « brûlant » : à quel réseau lexical déjà repéré rattachez-vous ce mot ?
- Comparez la phrase qui commence par « Ainsi » et celle qui commence par « Aussi ».
- Arrivé au milieu du texte (ligne 15), faites un premier bilan. L'observation des pronoms doit vous permettre de dégager deux parties dans le passage analysé.

EXERCICE 7

Dites en une phrase ce que décrit ce texte. Comment est organisée cette description ? Comment apparaît le personnage narrateur ? Le premier et le dernier mot évoquent une image, laquelle ? En vous appuyant sur cette image ainsi que sur les mots « vie » et « avenir », dites quel est le centre d'intérêt du texte.

« Fendant la double file des immenses édifices étagés en tuyaux d'orgue très divers de hauteur, de forme et de matière, les grandes avenues toutes droites que baigne la tendre lumière de la belle saison un peu moite s'enfoncent à perte de vue, coupées perpendiculairement par de moindres artères et si longues, dirait-on, que pour les suivre jusqu'au point extraordinairement éloigné où se clôt la perspective il faudrait avoir toute une vie devant soi. Voies new-yorkaises à l'image ambiguë de l'avenir, pour l'œil étrave. »

Michel Leiris, *Le Ruban au cou d'Olympia*.
Éd. Gallimard

EXERCICE 8

Le texte suivant décrit la mer effaçant les empreintes de pas sur le sable.
Comment se justifie l'absence de ponctuation ? Pourquoi n'y a-t-il pas de verbe principal, mais beaucoup de participes présents ? Quels sont les mots qui expriment la fragilité ? Le texte tout entier peut être considéré comme une métonymie. Commentez-la. Quelle représentation de la femme implique-t-elle ?
Quel rôle joue le mot « puis » dans la progression du texte ?
Quel centre d'intérêt pouvez-vous dégager ?

« (...) empreintes de leurs pieds nus en forme de guitare molle allongée étranglée en son milieu couronnée par les marques des cinq orteils perles en creux d'une faible concavité quelquefois à peine marquées plus profondes toutefois pour celle qui avait marché le plus près de l'eau dans le sable plat humide, les contours des empreintes alors très nets formant de petites falaises s'effritant parfois minuscules éboulis, puis les traces disparaissant sur plusieurs mètres lorqu'une vague plus forte s'était étalée les effaçant complètement d'autres fois elles restaient encore visibles mais comme érodées imprécises cuvettes à demi comblées les bords mous arrondis un peu d'eau persistant parfois achevant de disparaître bue »

Claude Simon, *La Chevelure de Bérénice*.
Éd. Minuit

EXERCICE 9

Abordez ce texte par une rapide lecture externe. Puis, commentez les mots en italique. Regroupez ensuite vos remarques suivant ces entrées :

	mouvement haut/bas	sons, lumière toucher	création
lexique : ver, subs, adv, adj	....	....	....
sujets	....	....	....
longueur des phrases	....	....	....
temps	....	....	....
comparaisons	....	....	....

Magique magie

« *Tout à coup, sans qu'un mot eût été prononcé*, Bolbina *éleva* les mains et, *de ces mains*, prirent *merveilleusement* leur essor *sept* boules de métal, douces et fluides, qui *montaient, tombaient, remontaient* avec une lenteur *prestigieuse*, cependant que, les bras très largement ouverts, le jongleur admirait *de toute son âme*, sur son *pâle* visage incliné en arrière, leur docilité. *Soudain* du bout des doigts *jaillirent* sept *étoiles de verre* qui s'élevèrent à leur tour en se glissant entre les boules, dans l'*orbe de ce monde chimérique. Or* ce *monde tournait silencieusement* comme eussent tourné dans le ciel sept astres et leurs sept planètes, en étincelant sur cet homme qui, par moments, semblait ne pas *croire au miracle* et paraissait épouvanté. *De ces mains délicates* et aimantées les boules et les étoiles s'échappaient, *aussi légères que des plumes blanches* et, décrivant à la faveur des facilités de l'espace leurs courbes élastiques, elles effleuraient, au *sommet* de la course, un point toujours *fuyant*, d'où sans hâte elles *retombaient* pour se fondre à nouveau et se charger de *force ascensionnelle* dans la *paume sensible* du *magicien*. De temps à autre, il poussait un soupir de fatigue. Ses yeux, écarquillés tour à tour de crainte et d'espoir, *charmaient la matière infidèle par l'innocence de ses constructions inutiles et prestigieuses. Et la matière obéissait*. Peu à peu elle *s'allégeait* jusqu'à ne plus laisser dans l'air que des *formes* volantes : et alors le jongleur ne semblait plus les voir, mais les *écouter*. Du bout de ces dix doigts nerveux, il caressait les forces qui *descendent* dans *l'ombre* du *rayonnement* lointain des *étoiles* pour *faciliter* leur tâche aux jongleurs. »

Henri Bosco, *Antonin*.
Éd. Gallimard (Bac., 1986, Aix-Marseille)

EXERCICE 10

Préparez l'explication à l'aide des indications données ci-dessous. Passez à l'étude linéaire en vous attachant plus particulièrement aux mots en italique. Précisez comment s'articulent les deux moments du poème.

« *Seuls*, dans leur *nid*, *palais* délicat de bambous,
Loin des pla*ges*, du *spleen*, du t*ap*a*ge* des gares
Et des clubs d'électeurs aux stupides bagarres,
Ils s'adorent, depuis *Avril*, et *font les fous* !

Et comme ils ont *tiré rideaux* l*ourds* et ve*rrous*
Et n'ont d'autre souci, parmi les fleurs *bizarres*,
Que faire chère exquise, et fumer tabacs *rares*
Ils sont *encore au mois des lilas fleurant doux*,

Cependant qu'au dehors *déjà le vent d'automne*
Dans un *« de profundis »* sceptique et monotone
Emporte sous le ciel par les brumes *sali*,

Les feuilles *d'or* des bois et les placards moroses
Jaunes, bleus, verts *fielleux*, écarlates ou roses,
Des candidats *noyés* par l'averse et l'*oubli*. »

Jules Laforgue, *Les Amoureux*.
(Bac. F-G-H, 1986, Nouvelle-Calédonie)

Rappel : comment « apprivoiser » un poème avant de passer à l'explication.

En dresser la « fiche technique » :

- **Le poème relève-t-il d'une forme fixe ou d'un genre codifié ?**
- **Sinon, quel est le nombre de strophes, leur longueur ?**
- **Faire un schéma complet du rythme, souligner les parallélismes, les symétries, les gradations, les écarts, souvent significatifs.**
- **Examiner les rimes : genre, disposition, richesse, oppositions ou rapprochements sémantiques éventuels.**
- **Lire lentement chaque vers pour repérer allitérations ou assonances.**
- **Observer les mots situés aux endroits forts du vers, à la fin bien sûr, mais aussi au début et à l'hémistiche.**
- **Y a-t-il accord ou discordance entre le schéma du vers et la syntaxe de la phrase ?**

EXERCICE 11

Montrez le parallélisme entre le mouvement du texte et le regard du narrateur.

« Sous un petit soleil d'hiver, qui était pâle et tondu comme un moine, nous retrouvâmes le chemin des vacances. Il était grandement élargi : Décembre, cantonnier nocturne, avait brûlé les herbes folles, et dégagé le pied des murs. La molle poussière de l'été, cette farine minérale dont un seul coup de pied bien placé pouvait soulever de si beaux nuages, était maintenant pétrifiée, et le haut relief des ornières durcies se brisait en mottes sous nos pas. A la crête des murs, les figuiers amaigris dressaient les branches de leurs squelettes, et les clématites pendaient comme de noirs bouts de ficelle. Ni cigales, ni sauterelles. Pas un son, pas un mouvement. Seuls, les oliviers des vacances avaient gardé toutes leurs feuilles, mais je vis bien qu'ils frissonnaient, et qu'ils n'avaient pas envie de parler. »

Marcel Pagnol, *Le Château de ma mère*.
(Bac. F-G-H, 1983, Paris)

EXERCICE 12

Faites une explication complète du poème suivant.

« Je me souviens de la bohême,
De mes amours de ces temps-là !
O mes amours, j'ai trop de peine
Quand refleurissent les lilas.
Qu'est-ce que c'est que cette antienne ?
Qu'est-ce que c'est que cet air-là ?
O mes amours, j'ai trop de peine...
Le temps n'est plus de la bohême.
Au diable soient tous les lilas !
Il pleut dans le petit jour blême.
Il pleut, nous n'irons plus au bois.
Toutes les amours sont les mêmes,
Les morts ne ressuscitent pas.
Un vieil orgue, comme autrefois,
Moud, essouflé, « La Marjolaine ».
O mes amours de ce temps-là.
Jamais les mortes ne reviennent.
Elles dorment sous les lilas
Où les oiseaux chantent ma peine.
Sous les lilas qu'on a mis là...
Les jours s'en vont et les semaines :
O mes amours, priez pour moi... »

Francis Carco, *Mortefontaine*
Éditions Albin Michel

28 Analyser un sujet

Sujet

[Gandhi écrivait] : [« Il faut un minimum de bien-être et de confort ; mais passé cette limite, ce qui devait nous aider devient source de gêne. Vouloir créer un nombre illimité de besoins pour avoir ensuite à les satisfaire n'est que poursuite du vent. Ce faux-idéal n'est qu'un traquenard. »]

[Pensez-vous comme Gandhi que maîtriser ses besoins peut conduire au bonheur ?] [Vous illustrerez votre réflexion en vous appuyant sur des exemples précis], [tirés de votre expérience personnelle, de vos lectures ou de l'observation du monde qui vous entoure.]

(Bac. F-G-H, Toulouse et acad. rattachées, 1984)

Les différentes parties du sujet

Opinion *de Gandhi. « Il faut un minimum de bien-être et de confort ; mais passé... poursuite du vent. Ce faux-idéal n'est qu'un traquenard »*
Question *: « Pensez-vous comme Gandhi que maîtriser ses besoins peut conduire au bonheur ? »*
Directives *: concernant la méthode : « vous illustrerez »*
concernant les exemples : « expérience personnelle »
« lectures »
« observation du monde »

La signification de l'énoncé

Conditions de vie	***Résultat***	***Pourquoi***	***Jugement de Gandhi***
Bonnes	Besoins satisfaits par un minimum de bien-être et de confort	Ce minimum est une aide	
Mauvaises (insatisfaisantes)	La limite du minimum de bien-être est franchie par excès»	— l'excès devient une « source de gène » ; — « nombre illimité de besoins ».	« poursuite du vent », « faux-idéal », « traquenard »

Le problème à résoudre

Maîtriser ses besoins peut-il conduire au bonheur ?

Le domaine de réflexion

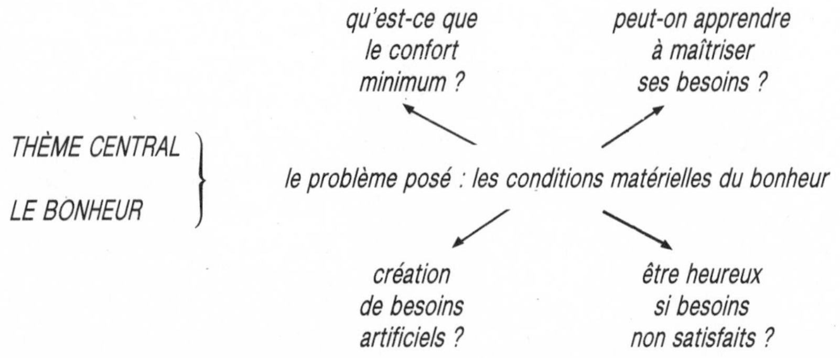

THÈME CENTRAL
LE BONHEUR

le problème posé : les conditions matérielles du bonheur

→ qu'est-ce que le confort minimum ?
→ peut-on apprendre à maîtriser ses besoins ?
→ création de besoins artificiels ?
→ être heureux si besoins non satisfaits ?

A l'examen, deux des trois sujets au choix exigent le développement d'une argumentation : la « dissertation » (type III) et la « discussion » qui suit le résumé (type I), dissertation en modèle réduit. Les principales règles de méthode sont donc communes à ces deux exercices. Il faut consacrer un quart d'heure à l'analyse. Ceci pour éviter le hors sujet.

Repérer les différentes parties du sujet

La présentation d'une ou de plusieurs opinions	• Cette représentation se fait le plus souvent par le biais d'une citation. • Repérer l'origine du point de vue : auteur, profession, nationalité, ainsi que la date et les circonstances de l'opinion.
Les questions posées au candidat	• Elles peuvent être directes ou indirectes, et même prendre la forme d'une injonction *(vous vous interrogerez sur...)*. • Elles portent sur l'opinion présentée, elles sont parfois formulées de manière vague *(qu'en pensez-vous ?)*. • Elles peuvent aussi proposer un thème de réflexion, à confronter à l'opinion présentée éventuellement, dans l'énoncé ci-contre.
Les directives	• Elles concernent la méthode et, souvent, les exemples à choisir. En réalité, il s'agit de rappels incomplets concernant les principes de l'exercice. Même si toutes les règles ne sont pas répétées, les respecter est évidement impératif. *Exemple :* On rappelle, dans le sujet sur Gandhi, qu'il faut des exemples précis et dans quels domaines les choisir.

Ces différents composants de l'énoncé ne sont pas tous présents dans tous les sujets, leur ordre est en outre variable ; un énoncé long, guide souvent davantage et peut donc être plus facile.

Élucider la signification de l'énoncé

1) Vérifier le sens littéral des passages qui posent problème, ou des images *(poursuite du vent)*.

2) Encadrer les liens logiques, souligner les mots et les expressions-clefs.

3) Dégager le thème central, à travers une analyse du vocabulaire.

4) Expliciter la ou les opinions présentées ; lorsqu'il s'agit d'une citation longue, la résumer ; sinon, chercher une formulation équivalente.

5) Situer l'auteur, si possible, afin de mieux évaluer la portée de son opinion.
Exemple : La figure de Gandhi évoque la notion de sagesse, la pauvreté mais aussi l'ascèse.

Dégager le problème à résoudre

Si l'énoncé présente une ou plusieurs opinions et oriente la réflexion	• Répondre à la question de l'examinateur. Attention, cette question peut limiter ou élargir le thème abordé dans la citation. *Exemple :* C'est le cas du sujet page de gauche, la question coïncide avec le thème de réflexion de Gandhi ; la problématique est explicitée.
Si l'énoncé n'oriente pas la réflexion	• Il suffit pour formuler le problème, de mettre à la forme interrogative le point de vue exposé. *Exemple :* « La fin justifie les moyens », qu'en pensez-vous ? Le problème est : la fin justifie-t-elle les moyens ? Ce qu'on peut reformuler ainsi : l'objectif visé légitime-t-il tous les moyens utilisés pour y parvenir ?

Cerner avec rigueur le domaine de réflexion

1) Le débat général dans lequel s'inscrit le problème : le déterminer revient à souligner l'enjeu du sujet traité. Mais tout en s'appuyant sur la définition de notions générales (*exemple :* le bonheur), il faut n'étudier que le problème soulevé par l'énoncé ; il s'agit d'entrer dans le vif du sujet.

2) Les pistes de réflexion : tout problème peut être étudié à partir de questions secondaires ; en discerner le plus grand nombre mais éviter de sortir du cadre délimité par l'énoncé ; ne pas se contenter, dans le cas d'une discussion, des pistes présentes dans le texte à résumer.

EXERCICE 1

Quelle est l'opinion présentée dans l'énoncé suivant ? Quelle précision et quelle directive vous donne-t-on ?

Énoncé :

En défendant l'enseignement de l'histoire, Régine Pernoud dit : « Il est dangereux de faire des amnésiques. » Pensez-vous, comme elle, que la connaissance du passé est indispensable ? Vous illustrerez votre réponse par des exemples précis.

(Bac. F-G-H, Lyon et acad. rattachées, 1987)

EXERCICE 2

Quels sont les trois composants de cet énoncé ?

Énoncé de discussion :

Partagez-vous l'opinion de Simone de Beauvoir qui estime que, dans la société moderne, les vieillards sont des objets de rebut ? Vous développerez votre point de vue à l'aide d'exemples précis empruntés à la vie quotidienne et à la littérature.

(Bac. Aix-Marseille, 1984)

EXERCICE 3

1) Quelle est l'opinion présentée ? Dégagez les informations données sur cette opinion.

2) L'énoncé ne propose aucune question explicite. Choisissez parmi les questions suivantes celle sous-entendue dans le sujet :

— Aimez-vous le fantastique ?

— Que pensez-vous de l'interprétation de Caillois ?

— Y a-t-il un décalage entre ce que l'homme peut et ce qu'il souhaiterait pouvoir ?

3) Sur quel aspect de l'exercice portent les consignes de l'examinateur ?

Énoncé :

Dans son livre *Au cœur du fantastique*, publié en 1965, Roger Caillois, réfléchissant sur le fantastique au sens large (histoires extraordinaires, contes féeriques, récits de science-fiction, etc.) pense que ce dernier exprime « la tension entre ce que l'homme peut et ce qu'il souhaiterait pouvoir ».

Vous commenterez ce jugement en vous appuyant sur des exemples empruntés à votre culture personnelle, littéraire, cinématographique...

(Bac. F-G-H, Paris et acad. rattachées, 1987)

EXERCICE 4

1) Cet énoncé présente-t-il une opinion ? Sur quoi porte la question de l'examinateur ?

2) Cet énoncé comporte deux questions indirectes ; lesquelles ? Quel est leur rôle ?

3) Quel conseil de méthode donne-t-on ?

Énoncé :

Que représentent pour vous les héros ? Vous vous demanderez ce que signifie ce besoin d'admirer des êtres réels ou de fiction, de les aimer ou de les imiter, et vous appuierez votre réflexion sur des exemples pris dans vos lectures et dans votre expérience personnelle.

(Bac. Aix-Marseille et acad. rattachées, F-G-H, 1987)

EXERCICE 5

Montrez, par une analyse de l'énoncé suivant, que les deux points de vue présentés s'opposent effectivement.

Énoncé :

Beaucoup de lecteurs pensent que le compte rendu d'une œuvre par un critique suffit à en donner la connaissance. Or Alain a écrit, dans ses *Propos sur l'esthétique*, en 1949 : « Ce que dit l'œuvre, nul résumé, nulle imitation, nulle amplification ne peut le dire... » Vous examinerez ces deux points de vue opposés, en appuyant votre réflexion sur des exemples précis, empruntés à votre expérience personnelle et à vos lectures.

(Bac. Nice-Corse, 1987)

EXERCICE 6

1) Repérez les trois composants de l'énoncé.

2) Faites l'étude lexicale de la citation : disposez en deux colonnes les termes des deux principaux champs lexicaux. Quel est leur rapport logique ?

3) Résumez l'opinion présentée.

Énoncé :

« La mode satisfait à la fois le désir de réunion, de communauté avec les autres, et celui de l'isolement, de la différenciation. L'individu à la mode se sent différent, original et, en même temps, l'objet de l'approbation du plus grand nombre, qui se conduit comme lui. »

Sans vous limiter au domaine vestimentaire et en vous appuyant sur des faits précis, vous dites ce que vous pensez de cette réflexion d'un sociologue contemporain.

(Bac. F-G-H, Amiens et acad. rattachées, 1985)

EXERCICE 7

1) Dans l'énoncé suivant, le mot « irrécupérable » a-t-il une valeur négative ?

2) A quelle expression équivalente de Tournier correspond la formule « développer la personnalité » ?

3) Disposez sous forme de tableau le résultat de votre étude lexicale ; une colonne pour ce qui est dit des moyens éducatifs, une autre concernant la finalité de l'éducation.

4) Combien d'objectifs différents sont présentés ici ? Lequel peut être qualifié d'humaniste ?

Énoncé :

Un auteur contemporain (Michel Tournier) déclare : « Il n'y a pas de véritable éducation sans une part totalement inutile, invendable, irrécupérable. » Qu'en pensez-vous ? L'éducation doit-elle avoir pour but de préparer l'enfant à son futur métier ou de développer sa personnalité ?

(Bac. F-G-H, 1980, Groupe 1)

EXERCICE 8

1) Cet énoncé propose-t-il de débattre « pour ou contre la science et la technique » ? Justifiez votre réponse.

2) Faudra-t-il envisager les conséquences des sciences et des techniques sur l'environnement ?

3) La question suivante définit-elle correctement le problème à traiter : « Quelles sont les conséquences de la science et de la technique sur l'être humain ? »

Énoncé :

Pensez-vous que la science et la technique déshumanisent l'individu ou qu'au contraire, elles le libèrent de contraintes naturelles qu'il a longtemps subies et lui permettent ainsi d'élargir le champ de ses possibilités ?

EXERCICE 9

Explicitez l'opinion de Raymond Queneau puis dégagez la problématique de ce sujet.

Énoncé :

Raymond Queneau a écrit : « L'homme ne s'accomplit que dans la ville ».

En partant à la fois de votre expérience personnelle et de vos lectures, dites ce que vous en pensez.

EXERCICE 10

1) Repérez les différents composants de cet énoncé.

2) Résumez chacune des deux citations ; précisez leur rapport logique.

3) Quel est le thème commun à ces deux citations ? Quelle formule de l'énoncé vous aide à le repérer ?

4) Dégagez la problématique de ce sujet.

Énoncé :

« Notre civilisation est une somme de connaissances et de souvenirs accumulés par les générations qui nous ont précédés. Nous ne pouvons y participer qu'en prenant contact avec la pensée de ces générations. »

A. Maurois, mai 1961

« Les jeunes gens admettent très difficilement la valeur de l'expérience. La mutation brusque que nous vivons, l'avènement de la société scientifique, disqualifie sérieusement, il faut le dire, l'expérience des générations précédentes. »

T. De Bourbon-Busset, 1962

En confrontant ces deux opinions, vous direz quelle importance vous attribuez à l'expérience des générations précédentes dans votre formation personnelle. Vous illustrerez votre argumentation par des exemples.

(Bac. F, Lyon et acad. rattachées)

EXERCICE 11

1) Dégagez la problématique du sujet ci-dessous.

2) Parmi les débats généraux suivants, quel est celui dans lequel s'inscrit directement ce sujet ?

■ La confiance ■ La violence ■ Les fondements de la vie sociale ■ L'homme est-il un animal sociable ?

Énoncé :

« C'est sur la confiance que repose toute l'existence de l'homme social », affirme Bertrand de Jouvenel. Avez-vous vous-même le sentiment que votre vie sociale repose sur la confiance ?

(Bac. Toulouse, 1987)

EXERCICE 12

1) Dégagez la problématique du sujet suivant. Devez-vous parler de l'art en général ?

2) Dans quel débat plus général s'inscrit le problème à débattre ?

Énoncé :

Dans le discours qu'il prononce en Suède lors de la remise de son prix Nobel, Albert Camus disait : « L'art n'est pas à mes yeux une réjouissance solitaire. Il est un moyen d'émouvoir le plus grand nombre en leur offrant une image privilégiée des souffrances et des joies communes. » En l'appliquant au domaine de la littérature, vous direz quelles réflexions vous inspire cette formule, sans omettre de vous appuyer sur des exemples précis et variés.

(Bac. Lille, sept. 86)

EXERCICE 13

1) L'énoncé n° 1 est-il l'équivalent de celui-ci : « Ce n'est pas pour apprendre la vérité qu'on lit un roman » ? Justifiez votre réponse.

2) Étudiez l'adaptation cinématographique d'un roman serait particulièrement opportun pour l'un de ces deux sujets. Lequel ?

3) Les deux énoncés invitent à aborder un problème plus vaste qui concerne l'art. Quel est ce problème ?

Énoncé n° 1 :

Pensez-vous que l'œuvre littéraire nous détourne de la réalité ou qu'au contraire elle nous aide à comprendre les choses de la vie ?

Énoncé n° 2 :

« Ce n'est pas pour voir la vérité qu'on paie sa place au cinéma », affirme un personnage de Jean Anouilh.
Êtes-vous de cet avis ?

(Bac. F, Amiens et acad. rattachées)

EXERCICE 14

Quelles pistes de réflexion conduiraient à un hors-sujet ? Pourquoi ?

Énoncé :

En vous appuyant sur des exemples concrets tirés de votre expérience personnelle, de vos lectures ou de films, discutez l'opinion suivante : « Les amitiés d'adolescence jouent un rôle considérable dans le développement de la personnalité. »

- **Pistes de réflexion**

- Les amitiés d'adolescence peuvent avoir des conséquences différentes.
- La mentalité d'un adolescent oriente le choix qu'il fait de ses amis.
- Des adultes s'enrichissent au contact des adolescents.
- Il existe plusieurs sortes d'amitiés juvéniles.
- L'adolescent est très sensible à la mode.
- L'adolescent est souvent en conflit avec ses parents.
- L'adolescent recherche souvent une « âme sœur ».

EXERCICE 15

1) Reformulez de manière personnelle le problème à débattre.

2) Triez parmi les pistes de recherches suivantes celles qui entrent dans le sujet et celles qui conduiraient à un hors-sujet.

Énoncé :

Pensez-vous que l'éducation physique et sportive participe à la connaissance de soi ? Comment ? Est-ce, à votre avis, son objectif principal ?

(Bac. F-G-H, Besançon et acad. rattachées, 1985)

- **Pistes de réflexion**

- Les jeux collectifs confrontent les uns aux autres et permettent à chacun d'affirmer sa personnalité.
- Grâce aux tests on sait exactement les performances dont est capable chaque individu.
- Il y a de nombreux obstacles au développement du sport à l'école.
- Les cours de sport développent la maîtrise du corps.
- Après un exercice physique très violent, il est parfois difficile de travailler.
- Le sport permet de découvrir ses limites physiques et psychologiques.
- On peut faire un parallélisme entre combat et compétition sportive, et combat et compétition sociale.

EXERCICE 16

Dégagez la problématique de la discussion suivante. Cherchez au moins cinq pistes de réflexion.

Énoncé :

« Comment concevez-vous les rapports entre la recherche scientifique, d'une part, la morale et le respect de l'homme, d'autre part ? Fondez votre réflexion sur des faits précis empruntés aussi bien à vos lectures qu'à l'actualité.

(Bac. F-G-H, Orléans-Tours, 1987)

EXERCICE 17

En considérant ces deux définitions comme deux points de vue sur le divertissement, montrez qu'elles impliquent deux jugements de valeur différents, sur un même problème. Une piste de réflexion cherchant à montrer qu'ils sont compatibles serait-elle ou non hors-sujet ?

Énoncé :

Le dictionnaire donne les définitions suivantes du terme « divertissement » :

1) Action de détourner, d'écarter. Activité qui détourne l'homme des problèmes essentiels qui devaient le préoccuper.

2) Action de distraire, de se recréer.

Que vous suggèrent-elles ? Organisez votre réflexion de manière rigoureuse en vous appuyant sur des exemples précis puisés dans vos connaissances littéraires, théâtrales, cinématographiques, musicales.

(Bac. F-G-H, Besançon et acad. rattachées, 1986)

EXERCICE 18

1) Dégagez la problématique des sujets suivants.

2) Est-il possible de ne parler que du cinéma pour l'un de ces sujets ?

Énoncé n° 1 :

« Le public est un enfant toujours prêt à accepter ce qui le divertira » affirmait naguère le cinéaste René Clair. Discutez cette réflexion en vous appuyant sur des exemples variés de spectacles.

Énoncé n° 2 :

Charles Chaplin écrivait en 1918 : « J'aime mille fois mieux obtenir le rire par un acte intelligent que par des brutalités ou des banalités ».

En prenant des exemples variés dans des genres différents de votre choix (romans, pièces de théâtre, films, bandes dessinées, etc...) et dans des œuvres que vous connaissez bien, vous direz librement quelles réflexions vous inspire cette opinion.

(Bac. G-H, Aix et acad. rattachées)

EXERCICE 19

Voici le titre d'une lettre publiée dans le courrier des lecteurs d'un quotidien : « L'art sur le stade ». A votre avis, quelles questions aborde cette lettre ?

EXERCICE 20

Analysez entièrement les énoncés ci-dessous en suivant méthodiquement les étapes indiquées p. 161.

Énoncé 1 :

L'écrivain contemporain Claude Roy, écrit *(Défense de la littérature)* : « Certains esprits refusent le roman. Ils y voient une amusette, un gaspillage de forces. Ils trouvent la vie (ou l'histoire) plus riche en histoire, la science plus excitante, et que la philosophie donne mieux à penser. Comment peut-on lire des romans ? Moi, Monsieur, je ne lis que des Mémoires. Et moi que des traités scientifiques. Pas de temps à perdre. » Vous direz, en vous appuyant sur des exemples précis, ce que vous pensez de ces reproches adressés par « certains esprits » au roman.

(Groupe II, bac. F-G-H)

Énoncé 2 :

La Bruyère écrivait : « Il faut faire comme les autres, maxime suspecte qui signifie presque toujours *il faut mal faire.* » Pouvez-vous commenter ce jugement en montrant, par des exemples, comment la contagion des usages, des modes, des préjugés, la crainte de l'opinion, le respect humain risquent d'entretenir et d'aggraver les erreurs et les défaillances morales ?

(Groupe 5, bac. F)

Énoncé 3 :

Des sociologues expliquent certaines attitudes contemporaines, comme le refus du travail ou celui d'avoir des enfants, par la crainte de lendemains de plus en plus incertains.

Parmi les causes d'une possible angoisse face à l'avenir, quelle est, ou quelles sont celle(s) qui vous touche(nt) le plus et pourquoi ? Si, à l'inverse, vous envisagez le futur avec optimisme, vous développerez vos raisons. Dans tous les cas, vous organiserez votre pensée dans un développement structuré.

(Bac. F-G-H, Nice et acad. rattachées, juin 86)

Énoncé 4 :

« Un des grands charmes de voyager, ce n'est pas tant de se déplacer dans l'espace que de se dépayser dans le temps, de se trouver, par exemple, au hasard d'un incident de route en panne chez les cannibales ou au détour d'une piste dans le désert en rade en plein Moyen Age. » Faut-il aller si loin pour éprouver le double dépaysement, dans l'espace et dans le temps, évoqué par Cendrars. Vous pourrez faire état d'expériences diverses, dont peut-être celle de la lecture.

(Bac. F-G-H, Paris et acad. rattachées, sept. 85)

Énoncé 5 :

Michel Tournier déclare : « Oui, nous vivons enfermés chacun dans notre cage de verre ». Dans un développement composé, en justifiant et en illustrant vos analyses, vous direz dans quelle mesure vous souscrivez à cette affirmation.

(Bac. Lille et acad. rattachées, sept. 86)

FAITES DES BROUILLONS !

Chaque année, des candidats glissent dans leur copie un brouillon qu'ils n'ont pas eu le temps de recopier... Le correcteur ne sait que faire de cet « embrouillamini » ! Mais il n'apprécie pas davantage une copie confuse, fût-elle achevée. Soyez donc « débrouillard » : préparez un brouillon efficace.

Ce qu'il peut faire gagner

- Du temps : tout ce qui passe par la tête peut être noté aussitôt et réutilisé à bon escient plus tard. Au propre, on ne peut pas brûler les étapes ; on risque de chercher longtemps comment illustrer une idée et de laisser échapper d'autres arguments.
- De la clarté : l'organisation est le fruit d'un travail qui doit se faire au brouillon.
- De l'élégance : les ratures, les répétitions sont inévitables, mais peu agréables pour celui qui vous lit, et l'effaceur ne permet guère de rendre une copie soignée !

Fabriquez-le

- Utilisez uniquement le recto de la feuille (pour éviter d'oublier le verso et pouvoir mettre en regard la totalité des feuilles), choisissez un format unique (compatible avec la taille de votre table de travail), numérotez les brouillons et indiquez la référence du travail préparé.
- Séparez par des traits horizontaux et verticaux les différentes étapes du travail.
- Recourez aux abréviations (cf. fiche abréviation) mais évitez les fautes de langue qui risquent de se retrouver sur la copie et ne font pas gagner du temps !
- Restez lisible et adoptez une mise en page aérée (une large marge) : sinon, l'aspect du brouillon vous découragera de chercher à l'améliorer, ou vous contraindra à fabriquer plusieurs brouillons successifs.

Sachez l'utiliser

- Ne recopiez pas le brouillon dans son état premier ! Améliorez-le d'abord. Fabriquez éventuellement un second brouillon, mais à partir des corrections apportées au premier. Barrez la partie du brouillon utilisée, au fur et à mesure de la rédaction au propre, mais conserver votre brouillon, par précaution, jusqu'à ce que le travail préparé soit terminé.

Le brouillon pense-bête

Quelques notes jetées sur une feuille, avec indication de l'ordre dans lequel elles devront être développées, permettent de fournir une réponse assez complète et cohérente lorsque vous êtes interrogé sur vos connaissances. La rédaction peut se faire directement, après ce travail, dans une langue simple et claire.

Exemple : Brouillon préparatoire à une définition de *La Pléiade.*

Exemple 1 :

déf. — ④ doctrine -> imitation Antiquité – cf. Défense lgue fr. – création mots modernité – importance poésie

② origine du mot -> constellation. groupe 7 poètes antiq.

① période -> 2e mi. XVIe s.

③ nom des poètes -> Ronsard, Du Bellay, Baïf, etc

Le brouillon pense-clair

Il permet l'élaboration méthodique d'une réflexion. Il sert à préparer une argumentation ou à analyser un texte. Ce genre de travail demande beaucoup de tâtonnements, mais l'utilisation rationelle de l'espace de la page aide à y voir clair.

- Rangez : partagez la feuille en plusieurs parties. Le plus simple est de constituer autant de colonnes que de pistes de réflexion et de placer directement l'idée, l'exemple ou le mot trouvé (selon l'exercice) dans la bonne rubrique. Un simple coup d'œil sur ces listes permet en outre de comparer leurs importances respectives.
- Hiérarchisez : vous pouvez mettre en évidence les liens qui unissent des faits ou des idées par une présentation en arbre, ou schématiser le déroulement d'un raisonnement en entourant les liens logiques et en fléchant.
- Ordonnez : prévoyez le déroulement de votre développement grâce à une codification par des chiffres et des lettres, des décalages entre les titres, des couleurs.

Exemple 2 :

SOURCE DU COMIQUE CHEZ MOLIERE — Caractère — HARPAGON
— Situation
—

J'aime le théâtre de MOLIERE (parce que) 1) rire — (ex) -> Harpagon
2)

Amélioration voulue	Moyens utilisés	Signes de correction
• suppression de quelques mots	*rature claire*	la ~~table~~ porte
• addition de quelques mots	*au-dessus de la ligne à corriger*	table et la voyait la porte
• addition de quelques phrases	*dans la marge , entourer l'ajout et indiquer sa place par une flèche*	
• mise en relation de deux passages	*tracer une ligne pour les unir*	... aux murs. On voyait aussi la
• addition d'un paragraphe	*sur une autre feuille, numéroter cet ajout et reporter le numéro sur le brouillon*	
• réorganisation de la phrase	*délimiter les passages à intervertir*	à New York il va
• suppression d'un alinéa	*relier les passages à faire suivre*	à New York. Il part ensuite...
• création d'un alinéa supplémentaire	*signaler le début de l'alinéa*	Moment clé du texte la vision du héros va provoquer une série d'événements contradictoires
• réorganisation du plan	*entourer le passage, flécher et numéroter*	
• reformulation complète	*barrer le passage et réécrire entre les lignes ou sur une autre feuille (voir addition d'un paragraphe)*	

29 Comment réunir des idées

Il n'est pas de discussion intéressante qui ne brasse beaucoup d'idées. Encore faut-il parvenir à mettre clairement sur le papier des réflexions venant à l'esprit sans ordre préalable. Cette page présente des extraits d'un travail de recherches d'idées.

Énoncé

« Dans un livre on s'intéresse à des personnes et à des événements que l'on n'aurait aucun goût de fréquenter dans la vie ». Que pensez-vous de cette remarque d'un des personnages de Frédéric Tristan dans *Les Égarés.*

1er brouillon

Personnages	*Événements-situations*
a *livre montrant un personnage sombrant dans la déchéance ; ex. Gervaise (Zola)* b *des héros représentatifs de la société contemporaine* b *ex. personnages de* Malataverne c *ex. Folcoche (Bazin) personnage fascinant mais qui aimerait l'avoir comme mère ?* d *le héros traditionnel : personnage exceptionnel* e *héros comiques — que leurs défauts rendraient odieux dans la réalité* f *des personnages d'adolescent dont on raconte la formation et auxquels on s'identifie* g *ex. de nouveaux types de personnages : robots, extra-terrestres...* h *personnages à la personnalité très complexe, difficiles à comprendre, comme les êtres réels* h *ex. Thérèse Desqueyroux (Mauriac)*	i *œuvres réalistes contemporaines évoquant notre société* j *des aventures extraordinaires* k *livres mettant en scène des conflits familiaux* l *ex. récits de meurtre* m *bien des lecteurs de science-fiction hésiteraient à monter dans une fusée...* n *ex. Voltaire* Candide */ la guerre* o *romans historiques : passé passionnant* p *romans nous plongeant dans un autre milieu social* q *roman analysant des conflits sociaux.* q *ex.* Germinal *Zola* r *la mort d'un personnage* r *ex. Ionesco* Le Roi se meurt s *Danger couru par le héros* s *ex.* Vol de Nuit

2e brouillon

a c e : *personnages antipathiques à certains égard, mais intéressants* — *la littérature rend captivant ce qu'on fuit dans la réalité*

k l m n r s : *des situations pénibles ou redoutables*

b f h i q : *livre intéressant parce qu'il peint un univers familier*

d g j o p : *littérature = évasion de notre vie quotidienne*

Compter seulement sur son inspiration pour nourrir le développement d'une discussion ou d'une dissertation est imprudent. Un certain nombre de démarches aident à rassembler assez rapidement des arguments suffisamment variés.

MÉTHODE

Rassembler des idées

- Inscrire idées et exemples venant à l'esprit. Noter sur un brouillon toutes les réflexions qui s'imposent à l'esprit. Afin de mettre d'emblée un peu d'ordre, distinguer les exemples des idées par *ex.* et utiliser le système des colonnes afin de classer différentes pistes de réflexion ou différents points de vue.

Enrichir le matériau initial

Préciser	Approfondir l'analyse d'une idée à l'aide de questions simples : qui ? quoi ? comment ? où ? pourquoi ? Ne conserver que les précisions intéressantes. *Exemple :* comment les romans historiques rendent-ils le passé passionnant ?
Illustrer	Illustrer chaque idée émise en s'efforçant de diversifier ses exemples.
Expliciter un argument	Commenter, en fonction du sujet, un exemple préalablement noté.
Comparer	Comparer deux phénomènes, deux situations, deux notions proches afin de cerner la spécificité de chacun. Rapprocher une observation d'une autre, afin de dégager un point commun. Attention : rapprocher deux époques, deux arts peut être fructueux à conditions qu'on ne néglige pas la spécificité de chacun. Sinon, on simplifie abusivement un phénomène. *Exemple :* comparer l'attitude du lecteur et celle du public du cinéma.
Diversifier les approches d'un problème	• Porter plusieurs éclairages sur un même phénomène afin d'en cerner la complexité : points de vue artistique, intellectuel, économique, historique, moral, religieux, politique, scientifique, technique, psychologique, juridique, financier, social, militaire, individuel, collectif, familial, qualitatif, quantitatif... Ne conserver que les approches les plus pertinentes pour le sujet à traiter. *Exemple :* tenir compte de la psychologie, du milieu social, de la culture des différents lecteurs.
Contredire	Formuler une opinion contredisant l'idée émise : est-elle vraiment absurde ? Si oui, pourquoi ? Sinon, quelle faiblesse de la première idée révèle-t-elle ? Qui est susceptible de défendre cette seconde position ?
Se documenter	• Utiliser une documentation pour vérifier les idées émises : on a trop souvent tendance à répéter des lieux communs parfois peu fondés. • Chercher une illustration précise. • « Récupérer » une idée ; mais ne pas se laisser séduire par une réflexion intéressante mais hors sujet.

Faire un examen critique du matériau réuni. Éliminer l'idée hors sujet, la répétition d'idées, et l'idée peu solide, qu'on n'a pas réussi à illustrer. Chercher des exemples meilleurs ; plus convaincants, plus variés.

Organiser ses idées

- Faire un premier tri : attribuer une lettre minuscule à chaque note — en utilisant la même lettre pour l'idée et l'exemple qui lui est associé. Constituer sur un autre brouillon des séries d'idées convergentes à partir de la première liste ; désigner les idées par leur lettre. Expliciter l'idée générale développée par les éléments de chaque série ; est-ce bien une réponse partielle — ou partiale — au problème posé ?
- Rendre le classement plus cohérent

Si certains points notés restent isolés	Repartir sur de nouvelles bases de classement afin de pouvoir intégrer chaque idée à une série. Ne jamais se contenter de réunir les idées restantes dans un ensemble sans unité.
Si les mêmes idées se retrouvent dans plusieurs séries	Modifier radicalement le classement. Chaque série doit constituer un ensemble autonome et consistant.
Si le nombre de série dépasse trois	Faire la synthèse de plusieurs séries en rapprochant celles qui ont un point commun.

EXERCICE 1

A propos de l'énoncé suivant, voici quelques idées. Allongez cette liste grâce aux démarches suivantes :
— illustrez les idées,
— commentez les exemples,
— comparez la ville et la campagne,
— contredisez l'opinion présentée dans l'énoncé,
— précisez votre jugement sur votre ville.

Énoncé

« Rendre possible la vie en commun est avant tout l'affaire des architectes et des urbanistes ». Discutez ce point de vue.

Notes :

— ex. : il existe des ghettos dans certaines villes,
— il faut prévoir des installations pour les loisirs,
— ex. : certains locataires sont bruyants,
— certains urbanistes modernes ont voulu éviter les tensions entre piétons et automobilistes,
— j'aime (ou je n'aime pas) la ville où je fais mes études.

EXERCICE 2

Voici une idée générale : « L'outil, aujourd'hui, garde encore tout son prestige face à la machine ». Regroupez les idées de la liste suivante en fonction du type d'argument dont elles relèvent : économique ou sociologique et cherchez d'autres types d'arguments.

— L'outil facilite le travail de l'homme tandis que la machine supprime parfois des emplois.
— Ce qui explique l'attachement de l'homme à ses outils, c'est qu'ils sont personnalisés.
— De nombreux artisans aiment leur travail, alors que beaucoup d'ouvriers attendent impatiemment la sortie de l'usine.
— Un bon outil est plus résistant qu'une machine.

EXERCICE 3

Voici quelques pistes de réflexion au sujet du problème suivant : « L'école prépare-t-elle les jeunes à affronter les réalités de la vie ? » Ouvrez davantage le débat en cherchant d'autres aspects du problème.
— L'école est un lieu coupé du monde du travail.
— L'école confronte l'enfant à certains problèmes posés par toute vie en société.
— On n'apprend pas à l'école à gérer son budget, à affronter la maladie...
— A travers l'étude de l'histoire de l'humanité, on comprend mieux l'actualité.
— Côtoyer des personnages fictifs, les analyser, élargit notre horizon social.

EXERCICE 4

1) Rassemblez un grand nombre d'idées et d'exemples sur le sujet suivant : « Estimez-vous que les nouvelles techniques peuvent apporter des solutions définitives à certains grands problèmes de société ? »

2) Utilisez avec pertinence le document ci-dessous afin de trouver d'autres idées et d'autres exemples.

Compte rendu d'un ouvrage récent

J. L. Baudoin, C. Labrusse-Riou,
Produire l'homme : de quel droit ? Étude juridique et éthique des procréations artificielles,
288 p., PUF, 145 F.

« Les techniques de procréation artificielle qui se mettent en place depuis plusieurs années ont des effets culturels nombreux ; elles soulèvent des questions que l'éthique et le droit traditionnels ont souvent du mal à résoudre. Insémination artificielle, fécondation *in vitro*, transferts d'embryons, mères porteuses, autant de réalités techniques et commerciales qui remettent en cause des habitudes et des normes, qui nous obligent, entre autres, à réfléchir une nouvelle fois à la notion de personne, aux notions de paternité et de maternité, au statut du corps humain, etc. Est-il légitime qu'une femme loue son utérus pour porter l'enfant d'une autre ? Un couple qui se procure un embryon est-il un couple de véritables « parents » ou bien a-t-il procédé à une sorte d'« adoption » ? Les problèmes de ce genre prolifèrent ; et, bien qu'il existe déjà des textes juridiques assez précis, il n'est pas toujours facile de les traiter de façon réaliste. Pratiquement, en effet, on se rend compte que les nouvelles techniques donnent une acuité accrue à des problèmes que, jusqu'ici, on pouvait considérer comme marginaux. Les auteurs de cet ouvrage ont donc jugé utile de décrire avec précision la situation actuelle et de mettre en lumière les enjeux. Selon eux, il convient de combler l'écart qui se creuse entre le droit et la pratique ; et de contrôler politiquement et éthiquement les développements quasi « sauvages » qu'on constate dans ce secteur de la biotechnologie humaine. Ils posent en particulier cette question : qui doit formuler les nouvelles normes ? Tout est à faire, ou presque. Et pour le faire, il faudrait qu'un certain consensus se réalise sur des options fondamentales. Mais comment ? Dans un premier temps, en tout cas, il faut prendre conscience de ce qui se passe, percevoir les implications lointaines des pratiques qui s'instaurent et se développent. »

La Recherche, n° 194, déc 87

EXERCICE 5

La liste ci-dessous comporte des idées concernant le débat suivant : « informer le public dans le domaine scientifique permettrait-il d'éviter des catastrophes ?

1) Trois de ces idées sont suffisamment générales pour servir à classer les autres idées. Lesquelles ?

2) Constituez les trois séries d'idées.

1) Les nouveautés scientifiques sont mal connues du grand public pour de multiples raisons.
2) L'autorité du plus grand nombre n'est pas toujours fiable.
3) Tout le monde n'est pas prêt à lutter pour la survie de l'humanité.
4) Une bonne vulgarisation scientifique est possible.
5) Posséder des connaissances scientifiques ne conduit pas nécessairement à agir en conséquence.
6) Certains ne sont pas capables de comprendre les nouveautés scientifiques.
7) Il est difficile pour un non-spécialiste de vérifier les données diffusées : des manipulations politiciennes sont possibles.
8) La sagesse des décisions influencées par l'opinion publique, même informée, n'est pas garantie.
9) Il existe des magazines et des émissions radiophoniques ou télévisées diffusant des informations scientifiques claires.
10) Certains sont dépourvus de curiosité à l'égard de la science.
11) Le grand public a peu de moyens pour orienter les programmes de recherche.
12) Les préoccupations éthiques sont souvent négligées au profit d'impératifs économiques ou politiques.

EXERCICE 6

Réunissez idées et exemples en nombre suffisant puis dégagez des idées générales permettant de commenter cette réflexion d'Évelyne Sullerot : « Les femmes qui travaillent ne justifient pas leur situation par une apologie du travail, mais par une critique de la vie au foyer ».

EXERCICE 7

Dégagez une idée plus générale permettant de faire la synthèse de chacun de ces couples d'idées sur la valeur de la politesse.

- **L'hypocrite utilise souvent les règles de politesse pour masquer ses opinions et ses sentiments.**
Des gestes de politesse faits machinalement perdent de leur prix.

- **Céder sa place assise avec le sourire épargne à autrui le sentiment d'être importun.**
Faire les présentations aide ceux qui ne se connaissaient pas auparavant à entrer en conversation.

- **La manière dont est prononcée telle ou telle formule de politesse importe plus que le choix de l'expression elle-même.**
Se montrer soucieux de respecter les usages de la famille étrangère qui nous accueille rend d'éventuelles maladresses plus aisément pardonnables.

EXERCICE 8

1) Dans la liste d'idées ci-dessous, deux remarques conduiraient à un hors sujet : lesquelles ? Justifiez votre réponse.

2) Classez les idées qui conviennent à ce sujet en trois séries.

Énoncé

« Les hommes ont peur du rire parce que le rire retranche, exclut, agresse. Les hommes ont besoin du rire, parce que le rire détend, désarme, relie ». Vous réfléchirez à cette double présentation du rire en faisant référence à votre vie quotidienne, aux artistes qui veulent nous faire rire, à des œuvres littéraires.

Idées :

— En attendant les résultats d'un examen, il est bon d'aller voir un film comique.
— Le fou rire est communicatif.
— Être la risée d'un groupe est une situation pénible.
— Faire rire peut être une arme défensive : on met ainsi les rieurs de son côté.
— Beaucoup d'auteurs satiriques ont pris pour cible des travers humains.
— Il vaut mieux faire rire par un jeu de mots spirituel que par une plaisanterie vulgaire.
— Il arrive qu'un état de grande nervosité provoque un fou rire déplacé.
— Les auteurs comiques ont souvent insisté sur la valeur médicale du rire.
— Les auteurs de comédies ont exploité la vertu comique du quiproquo.
— Le ridicule ne tue pas, dit-on. Pourtant, on le redoute.
— Il faut qu'une certaine complicité règne dans un groupe pour qu'on puisse rire librement et joyeusement.

30 Comment bâtir un plan

Cette page présente deux exemples de plan pour un même sujet.

Énoncé :

Au cours de l'été 1985, une campagne publicitaire d'incitation à la prudence s'adressait aux automobilistes en ces termes : « Poussez pas ? On n'est pas des bœufs ! » — « On roule cool ! »

L'Académie française s'en émut au nom de la défense de la langue.

En utilisant vos observations sur la langue que vous employez et entendez, sur l'écriture des livres et journaux que vous lisez, pouvez-vous apporter votre contribution à ce débat ?

(Bac. F-G-H, Bordeaux et acad. rattachées, juin 1986)

Problématique

La langue française est-elle menacée par ceux qui n'en respectent ni la syntaxe, ni le lexique ?

Raisonnement 1

*Les règles du français sont souvent bafouées. **Certes**, on ne doit pas empêcher la langue d'évoluer **mais** il faut lutter contre son appauvrissement. **En réalité**, choisir la facilité est à long terme une menace pour notre langue.*

Raisonnement 2

*La langue française doit être respectée ; **mais** une langue en bonne santé ne craint pas les écarts qu'on lui fait subir par rapport à la norme. **En vérité**, développer l'amour et la connaissance du français est plus fructueux que censurer certaines formulations.*

Plan 1

I. La langue française est souvent malmenée

1) Beaucoup de Français maîtrisent mal leur langue maternelle.
2) Les médias et les hommes politiques multiplient les fautes de langue.
3) La langue de certains romans, de BD, et de certains dialogues de films actuels est d'une pauvreté affligeante.

II. On ne peut autoriser n'importe quelle évolution

1) On aurait tort d'empêcher le français d'évoluer.
2) Mais il faut veiller à ce que ses caractéristiques fondamentales soient respectées.
Exemple : particularités phonétiques et syntaxiques.
3) Il faut lutter contre l'abus d'anglicismes.
Exemple : position d'Etiemble ≠ le franglais.

III. Le français risque de pâtir de ces négligences

1) Encourager l'emploi de mots étrangers à la mode favorise l'ignorance de la richesse lexicale du français.
2) Une règle syntaxique non respectée finit par sortir de l'usage.
Exemple : l'imparfait du subj. à l'écrit.
Exemple : « malgré que » est désormais admis.
3) L'indifférence des locuteurs français envers leur langue favorise son recul à l'étranger.

Plan 2

I. Il faut respecter la langue française

1) Pour que soient conservées ses caractéristiques phonétiques, lexicales et syntaxiques.
Exemple : « cool » le son [u] se note en français « ou ».
2) Pour que le français reste un outil de communication efficace.

II. On ne doit pas trop craindre les écarts par rapport à la norme

1) Le français n'a cessé d'évoluer : c'est ce qui l'a maintenu vivant.
Exemple : ancien français - moyen français - français classique - français moderne.
2) A chaque époque, des locutions ont joué avec leur langue tout en l'utilisant par ailleurs de façon grammaticale.
Exemple : les Précieuses du XVIIe - la publicité.
3) Les écrivains s'écartent souvent de la norme.
Exemple : du Bellay : incitation à innovations lexicales. Queneau : le « néo-français ».

III. Mieux vaut développer l'amour et la connaissance de la langue que se montrer puriste

1) Une politique linguistique répressive est vouée à l'échec.
2) Une bonne connaissance du lexique est une garantie contre les excès.
Exemple : possibilités de néologismes à partir de mots français et d'acclimatation d'emprunts étrangers.
3) Ceux qui aiment parler et écrire leur langue en sont les meilleurs défenseurs.

Avant de rédiger une discussion (type I) ou une dissertation (type III), il faut prévoir leur déroulement, c'est-à-dire la structure du développement : c'est ce qu'on appelle « faire un plan ». Cette élaboration se fait communément à partir des idées générales préalablement dégagées (voir page 161) mais un plan d'ensemble peut, le cas échéant, servir de cadre théorique à une recherche systématique d'idées.

Établir une progression d'ensemble

1) Choisir un ordre valorisant l'opinion à défendre

- Le point de départ : il doit permettre de clarifier les termes du débat. Ainsi, lorsque l'énoncé expose une thèse, il faut expliquer et illustrer celle-ci, avant de la discuter ; sinon, exposer d'abord un point de vue très répandu.
- Le point d'arrivée : il doit développer la position la plus pertinente, la plus solide. Cette étape contiendra donc les analyses les plus complexes, sinon les plus originales.

2) Mener progressivement et logiquement à la conclusion

Ne pas se contenter de dresser un catalogue d'idées, se contredisant parfois de façon flagrante (X a raison / X a tort). Élaborer un raisonnement confrontant les différents points de vue à examiner : préciser les rapports logiques liant les idées générales et résumer la démonstration en deux ou trois phrases bien enchaînées. La ou les étapes intermédiaires sont fonction de la relation existant entre le point de départ et le point d'arrivée.

POSITION PERSONNELLE CONCERNANT LA THÈSE INITIALE	DÉMARCHE A SUIVRE
« Je ne suis pas du tout d'accord ! »	• Première étape → Justifiez la thèse initiale. • Étape(s) intermédiaire(s) → Critiquez abondamment la thèse initiale. • Dernière étape → Présentez une critique plus constructive.
« Je suis à peu près d'accord »	• Première étape → Justifiez la thèse initiale. • Étape(s) intermédiaire(s) → La défendre : présentez les objections que les adversaires de cette thèse pourraient émettre, leur répondre. • Dernière étape → Nuancez, approfondissez la thèse initiale.
« Ce n'est pas entièrement faux mais c'est simpliste »	• Première étape → Justifiez la thèse initiale. • Étape(s) intermédiaire(s) → Critiquez (antithèse) la thèse initiale. • Dernière étape → Dépassez ces contradictions afin de ne pas rester enfermé dans une opposition simpliste : tenez compte de ce qui reste valable dans la thèse et dans l'antithèse, (plan dialectique) et tentez de concilier ces éléments ; il vous faut pour cela prendre un peu de hauteur par rapport au sujet, et poser autrement le problème (synthèse).

Bâtir un plan détaillé

1) Préparer le développement de chaque idée générale. Utiliser autant de feuilles que d'idées générales, en les partageant horizontalement en deux. Sélectionner les idées directrices et les exemples les plus pertinents et les noter sur la moitié supérieure de la feuille consacrée à l'idée générale concernée.

2) Comparez ensuite ces parties du développement et les équilibrer. Chercher éventuellement d'autres réflexions pour étoffer une idée générale peu développée. La dernière partie du devoir peut être légèrement plus consistante mais l'inverse est à éviter.

3) Ordonner les idées directrices en allant de l'argument le plus faible au plus convaincant ; leur attribuer un numéro (1, 2...). Les relier, en explicitant par un terme d'articulation leur rapport logique.

Rédiger les transitions

Afin d'aboutir à un développement continu, rédiger une transition entre chaque idée générale. Procéder ainsi : tracer d'abord un bilan rapide de l'étape qui s'achève, poser ensuite des questions pour faire rebondir le débat, et annoncer l'idée générale suivante (à noter dans le bas de la feuille).

EXERCICE 1

Lisez l'énoncé suivant et dégagez la problématique. Déterminez l'idée générale à développer en premier lieu.

Énoncé :

« L'obsession envahissante du fonctionnalisme a uniformisé les architectures, banalisé les paysages urbains », remarquait naguère Bernard Oudin. Qu'en pensez-vous ? Appuyez-vous sur des exemples.

(Discussion, bac., sujet national)

EXERCICE 2

1) D'après l'énoncé suivant, dégagez la problématique du sujet.

2) Quel point de vue pourrait être développé dans la première étape du devoir ?

Énoncé :

En faisant appel à votre expérience personnelle et à vos lectures, vous direz si vous pensez comme J. Vorrèche, que les règles de civilité sont purement arbitraires et ne visent qu'à imposer un ordre social.

(Discussion, bac. F-G-H, Amiens et acad. rattachées)

EXERCICE 3

1) Lisez l'énoncé et déterminez le problème à débattre.

2) Par quel constat simple pourriez-vous débuter votre devoir ? Par quelle analyse plus subtile pourriez-vous le terminer ?

Énoncé :

Les nouvelles technologies ont-elles modifié votre vie quotidienne ?

(Discussion, bac. Nouvelle Calédonie, 1985)

EXERCICE 4

1) Lisez le sujet suivant et dégagez-en la problématique.

2) Déterminez l'idée générale par laquelle débuter l'argumentation.

3) Déterminez l'idée générale sur laquelle vous souhaiteriez terminer.

Énoncé :

Si naguère il s'agissait d'être « en phase » avec la société dans laquelle on vivait, « l'important est maintenant d'être « débranché », de retrouver une « autonomie passive ou créatrice » constate un journaliste.

Vous discuterez cette analyse en vous interrogeant notamment sur le rôle joué par certaines technologies et sur certaines modes.

EXERCICE 5

De ces deux raisonnements discutant de la valeur des jeux électroniques, un seul est vraiment cohérent ; lequel ? Justifiez votre réponse.

A. Les jeux électroniques sont aujourd'hui assez variés. Certes, ils ne contribuent pas au développement moteur de l'enfant, mais ils familiarisent, sur un mode ludique, avec la technologie moderne.

B. Les jeux électroniques familiarisent l'enfant avec la technologie moderne. Certes, les types de jeux sont variés. D'ailleurs, il existe d'autres jeux pour exercer le corps.

EXERCICE 6

1) Voici trois idées générales concernant la valeur de la télématique. Résumez l'argumentation en enchaînant ces idées générales.

2) Élaborez une autre argumentation en respectant l'ordre suivant : 3, 1, 2.

1) La télématique facilite beaucoup de démarches.

2) La télématique ne favorise pas les échanges humains.

3) La télématique ne saurait fournir la solution de tous les problèmes.

EXERCICE 7

1) Lisez l'énoncé et les idées générales proposées. Choisissez trois ou quatre idées générales et rédigez un raisonnement aboutissant à défendre, de façon nuancée, la position d'Alain.

2) Faites de même, mais avec l'intention de contredire l'auteur.

3) Bâtissez un raisonnement dialectique à partir de trois idées générales de cette liste.

Énoncé :

« On n'instruit pas en amusant », disait le philosophe Alain. En faisant appel à votre expérience vous direz si vous êtes ou non d'accord avec cette opinion.

(Bac. F-G-H, Amiens, 1983)

Idées générales :

- Certains auteurs satiriques ont prétendu donner une leçon au public.
- On ne peut instruire efficacement sans exiger un travail sérieux.
- Le passage du rire à la réflexion n'est pas automatique.
- Il existe des jeux éducatifs.
- Si on n'accorde pas un minimum de détente, la tranmission des connaissances en pâtira.
- Certaines connaissances sont si passionnantes qu'elles chassent l'ennui.

EXERCICE 8

1) Quelle est la problématique de l'énoncé ci-dessous ?

2) A chaque opinion rattachez le raisonnement qui lui convient.

Énoncé :

« Censurer les médias est une atteinte aux droits de l'homme ».

Idées :

1) Je suis contre la censure !
2) Je suis pour la liberté d'expression, mais elle entre parfois en contradiction avec d'autres valeurs.
3) Il existe des émissions et des magazines immoraux. C'est scandaleux qu'on s'enrichisse de cette manière !

Raisonnement

a) Ce que les médias diffusent dégrade souvent l'homme, flatte sa bassesse. En outre, certaines émissions peuvent traumatiser un enfant. Par conséquent, il faut n'autoriser que ce qui est instructif et les divertissements de qualité.

b) Il faut éviter de censurer les médias. Toutefois, dans certains cas, il est dangereux ou répréhensible de diffuser certaines informations. En fait, la liberté d'informer doit avoir pour limite le respect des autres droits de l'homme.

c) Il ne faut pas censurer les médias ; d'ailleurs, les arguments des partisans de la censure manquent en général de pertinence. En fait, les pays où la censure est la plus sévère sont ceux où l'on bafoue le plus les droits de l'homme.

EXERCICE 9

1) Précisez le rapport logique liant l'opinion de Bernanos au point de vue suivant : les pays modernes disposent de moyens énormes pour uniformiser les populations.

2) Élaborez un raisonnement défendant cette dernière position.

3) Élaborez un autre raisonnement défendant l'idée qu'une solide culture humaniste reste une des meilleures garanties de la liberté individuelle.

Énoncé :

« L'individu dispose d'un petit nombre de moyens, chaque jour réduit, de résister à la pression de la masse, comme un sous-marin en plongée à celle de l'eau » affirmait Georges Bernanos. Commentez ce jugement en vous référant à l'actualité mais aussi au passé.

EXERCICE 10

Soit l'idée générale suivante : « Rien n'est aussi dangereux que la certitude d'avoir raison » (François Jacob, biologiste). Classez les idées directrices proposées en fonction de leur importance relative : mettez en dernier celles qui vous semblent le mieux défendre l'affirmation de F. Jacob.

- Le fanatisme religieux est responsable, aujourd'hui encore, de nombreux crimes.
- Beaucoup d'hommes ont payé de leur vie leur fidélité à leurs convctions personnelles.
- Être trop arrogant, parce qu'on croit détenir la vérité, peut rendre difficile les contacts humains.
- Dans le domaine scientifique, un chercheur qui n'accepterait pas de remettre en cause une loi établie ne peut progresser.
- Un auditoire manquant d'esprit critique peut être manipulé par celui qui affirme posséder la vérité.
- Un détective s'en tenant à ses premiers soupçons risque de négliger des indices importants.
- La certitude d'avoir raison peut rendre sourd à tout argument contredisant avec pertinence son opinion et peut empêcher d'évoluer.

EXERCICE 11

1) Voici dans l'ordre de leur développement, les trois étapes du plan d'une argumentation sur « le vaste choix offert aux adolescents d'aujourd'hui en matière de loisirs ». Explicitez leur rapport logique.

2) Parmi les transitions proposées pour relier les deux premières parties, une seule convient. Laquelle ? Pourquoi ?

3) Rédigez une transition reliant les deux premières parties du développement.

■ **Plan** :
I. Les loisirs pour adolescents sont aujourd'hui très nombreux.
II. Il n'est pas toujours possible de profiter des loisirs.
III. Le plus important est d'apprendre, dès l'adolescence, à tirer profit avec sagesse de ses loisirs.

■ **Transitions proposées** :
— Passons maintenant à la seconde partie du développement : est-il toujours possible de profiter des loisirs proposés ?
— La diversité des loisirs proposés aux adolescents est incontestable. Cependant, sont-ils toujours accessibles, et autorisés par les parents ?
— Les adolescents ont beaucoup de choix pour leurs loisirs. Montrons dans une seconde partie qu'il ne leur est pas toujours possible d'en profiter.
— Nous venons de montrer combien les jeunes ont de nombreuses possibilités aujourd'hui pour occuper leurs temps libres. Nous allons maintenant examiner les difficultés qui se présentent parfois.

EXERCICE 12

Rédigez une transition permettant de relier les deux idées générales suivantes :
— Actuellement, la musique envahit notre vie quotidienne.
— Nombreux sont ceux qui ne savent pas écouter véritablement de la musique.

EXERCICE 13

1) Dans l'article dont est extrait ce passage, un intellectuel d'origine orientale s'interroge sur l'identité française. Quelle est l'idée générale développée ?

2) Quels sont les principaux arguments exposés dans ce passage ? Lequel est le plus amplement analysé ?

3) Le dernier paragraphe est une transition. Quels en sont les deux composants ?

4) Que doit être logiquement l'idée générale développée dans la suite de l'article ?

Comment peut-on être Français ?

« J'ai voué autrefois à ce monde que fut la culture de la langue française un véritable culte.

La vocation de la France n'a-t-elle pas été dès le commencement un certain universalisme ? Face à l'Allemagne qui a cultivé la différence et la spécificité du *Volksgeist*, c'est-à-dire la différence inhérente à la notion même de la culture, la France n'a-t-elle pas été la détentrice du flambeau de la civilisation, c'est-à-dire de l'universel exerçant son empire par delà les particularismes locaux ?

Pour moi qui ait vécu en marge de l'Occident, la langue française donnait accès aux valeurs essentielles de cette civilisation, ouvrait les portes de l'humanisme, m'initiait aux normes d'une raison harmonieuse, affranchie de la tutelle des instances occultes, m'apprenait le goût de la mesure, de l'élégance, la méthode analytique de l'esprit et m'ouvrait enfin l'œil de la critique.

Passer du langage symbolique des poètes persans aux idées claires et distinctes de Descartes, à la lucidité déconcertante de La Bruyère, à l'ironie généreuse de Voltaire, aux sublimes ambiguïtés de Diderot était plus qu'un changement de registre. C'était un débarquement dans une autre constellation.

C'était aussi une fête somptueuse de l'esprit. Voici donc des êtres libres, soustraits à l'emprise des images primordiales, libérés de l'aura magique de la tradition, confinés aux seules ressources de l'esprit, et qui discouraient brillamment sur la grandeur et la misère de la condition humaine, s'attaquaient sans merci à tous les tabous de tous les âges, sans complaisance, avec un courage qui me faisait frémir d'espoir. Autant les spéculations mystiques de mes maîtres à penser m'anéantissaient dans les gouffres ensorcelants du sans-limite, autant les penseurs français m'investissaient dans le cœur des choses, m'apprenaient les limites de l'imagination, la concision du trait réussi, les contours bien tracés de l'analyse et la prudence des conclusions.

Pour moi la France en dehors de l'hexagone était une façon d'être dans le monde : j'allais presque dire un niveau de la conscience humaine et universelle. Mais depuis qu'être Français est devenu un problème au même titre qu'être Persan ou Chinois, où se trouve donc à présent cette France spirituelle dont nous cherchions le modèle exemplaire avec tant de candeur ? (...) »

Daryush Shayegan, *La Quinzaine littéraire*, n° 491, août 1987

EXERCICE 14

1) Voici un énoncé, le résumé de l'argumentation et, dans le désordre, trois idées générales et des idées directrices. Mettez au point un plan en trois parties.

2) Rédigez les deux transitions nécessaires.

Énoncé

« Étrange époque, où il est plus facile de désintégrer l'atome que de vaincre un préjugé ». Commentez et discutez ces propos d'Einstein.

Raisonnement

Dans de nombreux domaines, on constate la persistance de préjugés à côté de prouesses scientifiques. La science, certes, a parfois permis d'ébranler certaines idées reçues mais ce sont surtout ces dernières qui ont fait obstacle au progrès scientifique. En fait, la science est impuissante face aux préjugés ne concernant pas les lois de la nature.

Éléments du plan

— En sciences humaines, l'impact de l'idéologie l'emporte, semble-t-il, sur les données expérimentales.
— Les connaissances scientifiques n'aident guère à extirper une idée reçue.
— Les progrès de la génétique n'ont pas supprimé le racisme.
— Un homme de science peut partager des vues obscurantistes dans d'autres domaines.
— Les préjugés esthétiques ne sauraient être combattus par la science.
— Des connaissances scientifiques ont été détournées au profit de préjugés parfois odieux.
— Le décalage souligné par Einstein n'est pas nouveau mais il est plus criant de nos jours.
— Les scientifiques ont eu à lutter contre des préjugés.
— Les préjugés sont encore nombreux, même dans les pays très en pointe scientifiquement.
— De nombreuses découvertes ont discrédité des préjugés ancestraux.
— Les progrès de la diététique n'ont pas évacué la part d'irrationnel de nos pratiques alimentaires.
— Notre meilleure connaissance de l'univers ne permet pas de juger la valeur des différentes hypothèses métaphysiques.
— Certaines découvertes concernant l'univers ont été en contradiction avec la représentation officielle.

EXERCICE 15

A partir des notes proposées et en vous aidant de vos propres réflexions, bâtissez un plan qui répondrait à l'énoncé ci-desous.

Énoncé :

Un auteur contemporain a écrit : « Apporter un message aux hommes, vouloir diriger le cours du monde ou le sauver, c'est l'affaire des fondateurs de religions, des moralistes, des hommes politiques... Une œuvre d'art n'a rien à voir avec les doctrines ». En vous référant à des œuvres d'art, littéraires ou autres, que vous connaissez, vous direz ce que vous pensez de cette conception de l'art et de l'artiste.

(Bac. F-G-H, Antilles-Guyane, 1985)

Premières notes

— L'œuvre d'art n'est pas un manifeste.
— La leçon d'une œuvre est trop ambiguë pour être efficace immédiatement.
— Certains artistes ont jugé nécessaire d'avoir, en plus, une activité politique.
— Beaucoup d'artistes ont été censurés en raison des idées exprimées dans leur œuvre.
— Il existe des auteurs « engagés ».
— L'objectivité absolue est impossible.
— Les conflits idéologiques d'une époque sont un matériau de choix pour les dramaturges et les cinéastes.
— S'il est vrai que toute œuvre comporte une dimension idéologique, ce n'est pas à cette dernière qu'elle doit son statut d'œuvre d'art.
— Dans la Préface à *Mlle de Maupin*, Th. Gautier affirme que « tout ce qui est utile est laid ».
— Les procédés stylistiques mis en œuvre pour défendre ses convictions répondent autant à des préoccupations esthétiques que didactiques.
— Élucider l'éventuel « message » d'une œuvre n'en épuise pas la richesse.

EXERCICE 16

Après avoir précisé la problématique du sujet proposé, construisez un plan détaillé intégrant des exemples.

Énoncé

Que pensez-vous de l'idée exprimée par Pierre-Jakez Hélias dans un entretien radiodiffusé : « Il est facile d'être de son temps. La belle affaire ! N'importe quel imbécile peut être de son temps ! Il suffit de suivre tout le monde et de bêler avec le troupeau ».

(Bac. F-G-H, Orléans-Tours, juin 1983)

LE BON USAGE DES CITATIONS

Une citation est une reproduction exacte des paroles ou des écrits d'un autre. Les médias en émaillent leurs discours. Vous-mêmes êtes invité à recourir à ce procédé dans de multiples exercices. Solution pratique ou exercice imposé, citer peut aussi prolonger le plaisir de la lecture.

A quoi sert une citation ?

- A rendre compte de l'opinion d'autrui en conservant la formulation d'origine.
- A prouver l'exactitude de l'interprétation que l'on fait des pensées de quelqu'un : la citation accrédite le commentaire qu'on donne.
- A fournir un « échantillon » particulièrement caractéristique de la pensée et du style d'un auteur.
- A agrémenter son propre discours : une formule frappante attire davantage l'attention que son résumé.
- A faire partager le plaisir qu'on a pris à lire un écrivain.

Où trouver des citations ?

- Les dictionnaires de citations doivent être utilisés avec précaution, en raison de l'absence de contexte : renseignez-vous sur l'auteur avant de reprendre son propos.
- Recopiez un passage d'un texte apprécié est intéressant ; on se constitue ainsi un répertoire personnel de citations dont on connaît le contexte : pensez à noter les références.

Citer ou reformuler ?

Un passage peut mériter d'être cité lorsque la pensée exprimée est profonde et perdrait à être « traduite ». Un passage peut être cité, pour sa valeur illustrative : l'idée exprimée peut bien être d'une affligeante banalité, inepte, voire scandaleuse, la citer prend valeur de témoignage. Un extrait, généralement bref, heureusement formulé (d'une manière brillante, poétique...) gagne à être cité plutôt que paraphrasé. Certains propos peuvent être cités, moins pour leur valeur, qu'en raison du prestige de celui qui en est l'auteur : ce dernier est supposé « faire autorité » ; ne pas abuser de ce genre de références : ce serait abdiquer parfois tout esprit critique !

La citation dans les exercices scolaires

- En tant que moyen commode pour rendre compte d'une opinion, la citation peut appuyer une argumentation. Il ne faut pas se contenter de citer un point de vue, mais le commenter en fonction de l'argument que l'on développe (voir page 113).
- Dans l'introduction d'une dissertation ou d'une discussion, la citation peut remplir deux rôles : soit présenter une opinion à commenter, soit, dans l'entrée en matière, accrocher l'attention du lecteur.
- En tant qu'extrait exemplaire du style d'un écrivain, la citation est l'un des matériaux indispensables d'une dissertation sur un sujet littéraire : présenter plusieurs vers est nécessaire lorsqu'on évoque la poésie.
- Le commentaire composé comme l'explication méthodique imposent le recours fréquent à des citations : soit pour orner des repères textuels, soit pour servir d'illustration aux analyses stylistiques.
- Témoignage d'une expérience de lecture, ou, à tout le moins, de connaissances littéraires, la citation de grands auteurs rend compte, dans une certaine mesure, de votre culture et de la nature de vos goûts. Mais attention : ne soyez pas pédant et montrez que vous avez assimilé ce que vous citez !

L'intégration au discours

• A l'écrit, les guillements délimitent le passage cité. A l'oral, dites « je cite ». Présentez la source à laquelle vous puisez : recourez au style indirect ou donnez — à l'écrit — les références entre parenthèses.
• Si vous ne retenez que quelques termes d'une citation et non une ou plusieurs phrases, intégrez ces mots dans votre texte. Faites les modifications grammaticales nécessaires mais en les signalant : mettez entre crochets les changements concernant les pronoms ou le système temporel ; signalez par des points de suspension une coupure.
• Si vous voulez mettre en évidence quelques termes des propos cités, ayez à l'oral une diction expressive. A l'écrit, soulignez le passage jugé important, et précisez ensuite qu'il s'agit d'une mise en relief personnelle, par la formule « nous soulignons » mise entre parenthèses.

Le respect de l'esprit et de la lettre

• Si on choisit de citer des propos, il faut le faire avec exactitude ; conservez en particulier les particularités de l'expression (les procédés de mises en relief utilisés par l'auteur, voire une erreur, à signaler par [sic]. Ne présentez pas des vers comme de la prose : conservez la mise en page d'un extrait de poème ou indiquez par une barre les limites des vers : « La haute cheminée,/ Béant, illuminée,/ Dévore un chêne entier ! » (Victor Hugo). Et n'oubliez pas de citer l'auteur des propos cités.
• Compensez par des indications complémentaires l'absence du contexte de la citation : il peut s'agir de clarifier le sens littéral ou de préciser l'importance relative de cette opinion pour l'auteur. N'oubliez pas qu'une phrase extraite de son contexte peut signifier le contraire de l'opinion défendue par celui que vous citez !

Quelques citations

« La vraie liberté, c'est pouvoir toute chose sur soi »
Montaigne XVIe

« Il est plus honteux de se défier de ses amis que d'en être trompé »
La Rochefoucauld XVIIe

« Il connaît l'univers, et ne se connaît pas »
La Fontaine XVIIe

« Deux excès : exclure la raison, n'admettre que la raison »
Pascal XVIIe

« L'argent qu'on possède est l'instrument de la liberté ; celui qu'on pourchasse est celui de la servitude »
Rousseau XVIIIe

« Un poète est un monde enfermé dans un homme »
Hugo XIXe

« Rien n'est plus dangereux qu'une idée quand on n'a qu'une idée »
Alain XXe

« L'amour, c'est l'espace et le temps rendus sensibles au cœur »
Proust XXe

« Les grands artistes ne sont pas les transcripteurs du monde, ils en sont les RIVAUX »
Malraux XXe

31 Introduction et conclusion

Bien qu'il soit beaucoup plus long qu'un devoir, l'essai que Jean-Paul Sartre a publié sur Baudelaire en 1947 offre un exemple de conclusion qui fait parfaitement écho à son introduction. Cette introduction et cette conclusion, tout en étant évidemment plus développées que ce qui se pratique dans un devoir, révèlent bien le rôle que jouent ces deux étapes dans un texte de réflexion.

Introduction

« Il n'a pas eu la vie qu'il méritait. » De cette maxime consolante, la vie de Baudelaire semble une illustration magnifique. Il ne méritait pas, certes, cette mère, cette gêne perpétuelle, ce conseil de famille, cette maîtresse avaricieuse, ni cette syphilis — et quoi de plus injuste que sa fin prématurée ? Pourtant, à la réflexion, un doute surgit : si l'on considère l'homme lui-même, il n'est pas sans faille ni, semble-t-il, sans contradictions : ce pervers a adopté une fois pour toutes la morale la plus banale et la plus rigoureuse, ce raffiné fréquente les prostituées les plus misérables, c'est le goût de la misère qui le retient auprès du maigre corps de Louchette et son amour pour « l'affreuse Juive » est comme une préfiguration de celui qu'il portera plus tard à Jeanne Duval ; ce solitaire a une peur affreuse de la solitude, il ne sort jamais sans compagnon, il aspire à un foyer, à une vie familiale, cet apologiste de l'effort est un « aboulique » incapable de s'astreindre à un travail régulier ; il a lancé des invitations au voyage, il a réclamé des dépaysements, rêvé de pays inconnus, mais il hésitait six mois avant de partir pour Honfleur et l'unique voyage qu'il a fait lui a semblé un long supplice ; il affiche du mépris et même de la haine pour les graves personnages qu'on a chargés de sa tutelle, pourtant il n'a jamais cherché à se délivrer d'eux ni manqué une occasion de subir leurs admonestations paternelles. Est-il donc si différent de l'existence qu'il a menée ? Et s'il avait mérité sa vie ? Si, au contraire des idées reçues, les hommes n'avaient jamais que la vie qu'ils méritent ? Il faut y regarder de plus près. »

Conclusion

« Dans cette vie si close, si serrée, il semble qu'un accident, une intervention du hasard permettrait de respirer, donnerait un répit à l'*heautontimoroumenos.* Mais nous y chercherions en vain une circonstance dont il ne soit pleinement et lucidement responsable. Chaque événement nous renvoie le reflet de cette totalité indécomposable qu'il fut du premier jour jusqu'au dernier. Il a refusé l'expérience, rien n'est venu du dehors le changer et il n'a rien appris ; c'est à peine si la mort du général Aupick a modifié ses relations avec sa mère ; pour le reste, son histoire est celle d'une très lente et très douloureuse décomposition. Tel il était à vingt ans, tel nous le retrouvons à la veille de sa mort : il est simplement plus sombre, plus nerveux, moins vif ; de son talent, de son admirable intelligence, il ne reste plus que des souvenirs. Et telle est sans doute sa singularité, cette « différence » qu'il a cherchée jusqu'à la mort et qui ne pouvait paraître qu'aux yeux des autres : il a été une expérience en vase clos, quelque chose comme l'*homunculus* du *Second Faust,* et les circonstances quasi abstraites de l'expérience lui ont permis de témoigner avec un éclat inégalable de cette vérité : le choix libre que l'homme fait de soi-même s'identifie absolument avec ce qu'on appelle sa destinée. »

Jean-Paul Sartre, *Baudelaire.* Éd. Gallimard

La copie rédigée le jour du bac sera lue par un examinateur qui en aura probablement déjà parcouru quelques dizaines sur le même sujet. Il faut donc éveiller son intérêt : c'est le but de l'introduction. Mais ce lecteur doit aussi garder une impression finale favorable, grâce à la conclusion. Situées à deux endroits-clés du devoir, introduction et conclusion, plus longues pour le sujet de type III que pour la discussion du type I, doivent dans tous les cas être particulièrement soignées.

L'introduction : 3 étapes

1) Le contexte, c'est une entrée en matière qui situe le sujet. Il peut être à dominante littéraire, artistique, historique, sociologique... Il se détermine après l'analyse du sujet (cf. mod. 28). Il fait appel à des connaissances scolaires précises : les thèmes étudiés, les mouvements littéraires, les rapports entre un auteur et son époque, une statistique parlante constituent autant d'entrées en matière. Mais il fait aussi appel aux connaissances personnelles acquises par l'expérience, les médias, qui ont toutes les chances d'être plus originales. En effet, les généralités passe-partout — reparcourir l'histoire de la littérature depuis l'Antiquité — sont à éviter absolument.

Exemple : L'introduction de Sartre commence par une maxime qui place le débat sur un plan plus général que la simple biographie d'un auteur.

2) Le sujet lui-même. Il est relié au contexte par un lien logique. Si l'énoncé du sujet comporte une citation, la citation courte est donnée en entier, mais seules sont reprises les expressions-clés d'une citation longue ; le nom de l'auteur ne doit pas être oublié. Dans tous les cas, il faut faire comme si le lecteur de la copie ignorait l'énoncé du sujet : la présentation doit être claire et suffisante.

3) La présentation concise du plan adopté. Il faut faire attention de ne pas transformer ces indications en réponses anticipées : les réponses ne peuvent venir que du développement achevé, dans la conclusion. C'est pourquoi la présentation peut éventuellement se faire sous forme de questions, à condition de ne pas les multiplier.

Exemple : Dans l'introduction de Sartre, les questions posées servent de fil directeur pour le corps de l'ouvrage.

La conclusion : 2 étapes

1) Une représentation synthétique et personnelle aux questions posées dans l'introduction : c'est le bilan de ce que le développement permet de penser. Cette réponse doit être ferme, même si elle est nuancée. Il ne faut ni reprendre le développement, ni introduire de nouveaux exemples ou de nouvelles idées.

Exemple : Sartre n'ajoute aucune nouvelle anecdote ou découverte sur la vie de Baudelaire ; il ne donne que les grandes lignes de son comportement, telles qu'il pense pouvoir les déduire de tout ce qui a été analysé dans son essai.

2) L'élargissement : il consiste en une nouvelle orientation de la pensée, une piste donnée pour des recherches ultérieures ; il n'est possible que si le bilan effectué permet l'ouverture vers une autre question qui prolongera la réflexion au-delà du sujet. Il faut renoncer à cet élargissement si ne se pressentent que des pistes artificielles sans grand rapport avec le sujet.

Exemple : Sartre n'offre pas d'élargissement, sa dernière phrase possède toute la force d'une formule finale définitive.

Comment rédiger introduction et conclusion

- Moments-clés du devoir, elles doivent être particulièrement soignées et bien écrites. Il faut donc, à la différence du développement, les rédiger entièrement au brouillon.
- L'une comme l'autre exigent que le plan soit construit. Elles doivent être composées après l'analyse du sujet et l'élaboration du plan, et toutes les deux avant de rédiger le développement. Car si la conclusion est écrite à la fin, la fatigue risque de provoquer un relâchement qui nuira à l'impression favorable finale.
- Sur la copie, introduction et conclusion sont séparées du développement par un alinéa.

EXERCICE 1

Les deux sujets suivants sont de type I. Repérez pour chacun les étapes de l'introduction et de la conclusion.

Sujet 1

Après un extrait des *Écrits sur le roman* de Michel Butor, est posée en discussion la question suivante : Par quels moyens à votre avis le romancier peut-il « susciter ce dont il nous entretient » pour nous faire croire à la réalité de sa fiction ?

Introduction : Dans *Écrits sur le roman*, Michel Butor met très fortement l'accent sur le paradoxe de ce genre littéraire : comment peut-il « faire vrai » alors qu'il se donne d'emblée comme une fiction ? Cette réflexion initiale conduit à se demander quels sont les moyens dont dispose le romancier pour résoudre ce problème et « susciter ce dont il nous entretient ». Puisera-t-il dans le réel les éléments qui permettent « d'emporter la créance », ou demandera-t-il au texte lui-même de faire naître l'indispensable adhésion du lecteur ?

Conclusion : Le romancier est celui qui donne aux mots le pouvoir de créer un monde auquel le lecteur va adhérer pendant le temps de sa lecture. Il ne faut donc pas s'étonner s'il utilise autant la force de l'écriture que les éléments du réel pour faire croire à la réalité de ce dont il parle. Mais on pourrait se demander, s'il est légitime d'attendre du roman qu'il nous dévoile la réalité et qu'il nous aide à la mieux comprendre.

Sujet 2

Le texte a posé le problème de la création du salaire maternel. Seriez-vous favorable à cette mesure ?

Introduction : « Tout travail mérite salaire », dit-on. Si la maxime reste incontestée tant qu'il s'agit des rapports sociaux et économiques, qu'en advient-il lorsqu'on l'applique aux rapports familiaux : une femme qui reste au foyer pour élever ses enfants mérite-t-elle salaire ? Juger de l'intérêt d'une telle mesure revient à se demander si elle permettrait une meilleure reconnaissance sociale des tâches maternelles, et si les relations familiales s'en trouveraient ou non améliorées. Enfin, une telle initiative serait-elle économiquement supportable ?

Conclusion : Il est certain que la création du salaire maternel présenterait des avantages : la mère sentirait mieux combien son rôle est nécessaire à la collectivité, et elle serait moins dépendante économiquement de son mari. Mais le coût social de cette opération serait trop élevé. De ce fait, ne vaut-il pas mieux s'orienter vers des solutions qui, par une prise en charge sociale plus attentive des enfants, permettent aux femmes de travailler à l'extérieur ?

EXERCICE 2

Le sujet ci-dessous est de type III. Il est suivi d'une introduction et d'une conclusion dont vous repérerez soigneusement les étapes.

Sujet : Dans *Les Damnés de l'opulence*, G. Elgozy déclarait : « Culture n'est pas érudition. C'est la formation équilibrée que l'homme acquiert par son intelligence, son expérience, sa réflexion. Cette synthèse confère à l'individu un équilibre de jugement et de volonté dont profite la collectivité ».
Êtes-vous d'accord avec ce que dit cet auteur ? Comment définissez-vous la culture et qu'apporte-t-elle à l'être humain et à la collectivité humaine ?

Introduction : Les formations actuelles de jeunes et d'adultes insistent toujours plus sur l'acquisition de savoir-faire que sur l'accumulation de connaissances ; mais ce n'est pas un débat nouveau, puisqu'au XVIe siècle déjà Montaigne souhaitait pour son précepteur idéal « Plutôt la tête bien faite que bien pleine ». Cela correspond en fait à une certaine conception de la culture, celle que défend G. Elgozy dans *Les Damnés de l'opulence*, lorsqu'il dit que « culture n'est pas érudition », mais le résultat de l'« intelligence », de l'« expérience » et de la « réflexion », qui peut ainsi être mis au service de la « collectivité ». Pour définir la culture et son apport, il est possible de suivre la démarche d'Elgozy lui-même, en réfléchissant d'abord à ce que n'est pas la culture, puis à ce qu'elle est, pour comprendre ensuite quelles richesses elle offre aux hommes individuellement et collectivement.

Conclusion : En résumé, la culture la plus efficace n'est pas celle de l'érudit qui de toute façon est concurrencé par les machines nées de la révolution informatique ; la culture dont les hommes d'aujourd'hui et de demain ont besoin, c'est celle qui permet de s'adapter très vite à un monde qui se transforme sans cesse, celle qui permet aux collectivités humaines de conserver leur dynamisme et leur cohésion. Si la culture a une telle importance, on conçoit mieux le risque que ferait courir à nos sociétés modernes une déculturation de la masse. Avons-nous, individuellement et collectivement, la volonté suffisante de nous cultiver pour que s'écarte de nous cet incontestable danger ?

EXERCICE 3

Les deux introductions et les deux conclusions qui sont données à la suite du sujet ci-dessous comportent toutes une ou deux erreurs graves : lisez-les attentivement et expliquez en quoi consistent ces erreurs.

Sujet

« Étrange époque, où il est plus facile de désintégrer l'atome que de vaincre un préjugé ». Commentez et discutez ces propos d'Einstein.

(Bac. F., Acad. de Lyon)

Introduction 1 : Einstein dit : « Étrange époque, où il est plus facile de désintégrer l'atome que de vaincre un préjugé ». Il a raison de s'étonner ainsi et ce qu'il dit est vrai. Nous verrons d'abord combien notre époque a progressé scientifiquement, et ensuite quels types de préjugés hantent encore les esprits de nos contemporains et quelles sont les raisons pour lesquelles ils existent encore.

Introduction 2 : De tout temps les hommes ont eu des préjugés. L'avènement de l'ère scientifique, au XIXe siècle, a été accompagné d'une certaine euphorie : la science allait vaincre les retards intellectuels et moraux de l'homme, et le positivisme s'érigeait en philosophie. Mais le XXe siècle a déchanté et nous constatons qu'à notre époque les préjugés sont encore très tenaces : quels sont-ils ? Quelles sont les raisons pour lesquelles ils sont si solidement enracinés ? Lorsqu'on demande à la science de débarrasser l'homme de ces préjugés, ne fait-on pas fausse route ?

Conclusion 1 : Einstein a raison quand il dit : « Étrange époque, où il est plus facile de désintégrer l'atome que de vaincre un préjugé ». L'homme continuera-t-il à avoir des préjugés au XXIe siècle ? L'avenir nous le dira.

Conclusion 2 : La remarque d'Einstein, même si elle comporte, parce qu'elle se veut une formule frappante, une part d'exagération, n'en est pas moins fort juste : la civilisation de masse dans laquelle nous vivons rend difficile la réflexion personnelle, alors que seule cette réflexion peut permettre à l'individu de vaincre ses préjugés ; les découvertes scientifiques et techniques ne sont que le privilège d'une élite, elles ne font pas progresser la majorité. On peut prendre pour exemple les voyages dans l'espace : alors que les uns envoient des satellites autour de notre planète, d'autres, beaucoup plus nombreux, croient encore que c'est le soleil qui tourne autour de la terre !

EXERCICE 4

Faites la critique précise des deux introductions et de la conclusion qui sont données à la suite du sujet. Puis rédigez vous-même une introduction et une conclusion en conservant les passages corrects de celles que vous avez critiquées, et en composant ou rectifiant ce qui mérite de l'être.

Sujet

« Il n'y a pas de mauvais livre pour le lecteur vorace », déclarait une journaliste à propos du Salon du Livre de 1983. En vous appuyant sur des exemples précis tirés de votre expérience, vous direz si vous partagez ou non cette opinion.

Introduction 1 : Devant le livre, les réactions possibles sont innombrables. On peut chercher longtemps, trouver enfin celui qui convient, et le goûter longuement ; on peut aussi se hâter de dévorer le premier ouvrage venu pour passer plus vite au suivant. Une journaliste du Salon du Livre de 1983, parlant de ce deuxième type de lecteur, disait qu'« il n'y a pas de mauvais livre pour le lecteur vorace ». A-t-elle raison ? Qu'est-ce qu'un lecteur vorace ? Dans quelle mesure est-il bon d'être un lecteur vorace ? Est-il vrai que tous les livres sont valables pour lui ? Ne peut-on pas émettre de sérieuses réserves ?

Introduction 2 : Le Salon du Livre est une excellente initiative. Il donne des idées de lecture et permet d'être au courant des dernières nouveautés parues. Si nous n'y allons pas nous-mêmes, les journalistes nous renseignent. En 1983, une journaliste déclarait : « il n'y a pas de mauvais livre pour le lecteur vorace ». Certes, si subjectivement « le lecteur vorace » peut penser que tous les livres sont bons, on se demandera si cette attitude est objectivement la meilleure possible devant le livre, et s'il ne vaut pas mieux expérer d'un lecteur d'autres réactions plus constructives.

Conclusion : Quand, au Salon du Livre 1983, la journaliste a déclaré qu'« il n'y a pas de mauvais livre pour le lecteur vorace », on a pu se demander si elle avait raison ou non. Et après réflexion on peut se dire qu'elle obéissait plutôt à des impératifs publicitaires de promotion indistincte de tous les livres. Non seulement le « lecteur vorace » ne pense pas toujours lui-même ainsi, mais de plus c'est le développement de la capacité critique qui fait un bon lecteur : les mauvais livres existent, et c'est lire à bon escient qui fera la valeur d'un vrai lecteur. N'est-il pas navrant d'entendre une réflexion aussi contestable à une telle occasion ?

EXERCICE 5

Le texte suivant comporte quatre paragraphes développant chacun un aspect du même sujet. Précisez quel est ce sujet, puis rédigez pour le texte une introduction et une conclusion.

« Tout est orienté pour nous pousser à être attentifs au confort sous toutes ses formes. Le matelas sur lequel on dort mieux, la brosse à dents avec dentifrice incorporé, la mousse à raser qui économise un effort, des gestes, des minutes d'un temps prétendu précieux, et laisse une impression de satisfaction détendue, l'allume-gaz qui évite de sortir une boîte d'allumettes, sans oublier les gadgets plus fondamentaux comme les cars climatisés, les trains-corail, les machines à laver aux vingt programmes, tout est destiné à notre satisfaction. Tout va dans le sens du moindre effort. Est-ce bon ou est-ce mauvais ?

Il n'est certainement pas mauvais, pour écrire, préparer un dossier technique, méditer sur les problèmes économiques ou politiques, de disposer de conditions matérielles favorables. Il est bon pour un ingénieur, un avocat, un employé fatigué de sa journée, de pouvoir se reposer dans un bon fauteuil, de dormir au calme sur un matelas de rêve. Pour être au mieux de sa forme, un minimum de confort est utile. Les franciscains l'ont bien compris, eux qui ont peu à peu renoncé à leur mode de vie ascétique pour améliorer leur activité intellectuelle et missionnaire.

Mais si la pensée du confort, entretenue à coups de slogans publicitaires, devient une fin en soi, alors c'est un élément de décadence. Je suis persuadé d'ailleurs que beaucoup de jeunes le savent, ou le pressentent, d'où leur inquiétude devant l'évolution de notre monde. Leur attitude de rejet n'est pas entièrement négative. Elle s'accompagne de la découverte de valeurs nouvelles d'une grande importance. Les contraintes que l'on refuse lorsqu'elles apparaissent liées au « système » ou même aux traditions, on les accepte entre soi pour venir en aide aux camarades dans la peine ou dans le besoin ou encore pour une cause que l'on juge attachante et pour laquelle on acceptera de lutter.

Car le confort brise les amorces de la solidarité, crée des égoïsmes redoutables et stérilisants. Il amollit, ronge le caractère, détruit l'idéal. Et un pays qui n'a plus un grand idéal est condamné. Or, quel est donc celui pour lequel nous accepterions aujourd'hui des sacrifices ? »

Louis Leprince-Ringuet, *Le Grand merdier ou l'espoir pour demain.*
Éd. Flammarion

EXERCICE 6

Le texte suivant est la conclusion du journal publié par Darwin lorqu'il est revenu de son unique grand voyage qui a duré cinq ans et l'a mené à 26 ans jusqu'aux îles Galapagos. Cette conclusion dresse un bilan à la fois très précis et très concis de ce que cette expérience lui a permis de découvrir.

1) Relevez toutes les idées émises par Darwin dans ce bilan.

2) De quel sujet ce texte pourrait-il être la conclusion ? Rédigez-en l'énoncé. Puis imaginez une introduction à ce même sujet.

« En résumé, il me semble que rien ne peut être plus profitable pour un jeune naturaliste qu'un voyage dans les pays lointains. Il aiguise, tout en la satisfaisant en partie, cette ardeur, ce besoin de savoir qui, selon sir J. Herschel, entraîne tous les hommes. La nouveauté des objets, la possibilité du succès, communiquent au jeune savant une nouvelle activité. En outre, comme un grand nombre de faits isolés perdent bientôt tout intérêt, il se met à comparer et arrive à généraliser. D'autre part, il faut bien le dire, comme le voyageur séjourne bien peu de temps dans chaque endroit, ses descriptions ne peuvent comporter des observations détaillées. Il s'ensuit, et cela m'a souvent coûté cher, que l'on est toujours disposé à remplacer les connaissances qui vous font défaut par des hypothèses peu fondées.

Mais ce voyage m'a causé des joies si profondes, que je n'hésite pas à recommander à tous les naturalistes, bien qu'ils ne puissent espérer trouver des compagnons aussi aimables que les miens, de courir toutes les chances et d'entreprendre des voyages par terre, s'il est possible, ou sinon de longues traversées. On peut être certain, sauf dans des cas extrêmement rares, de ne pas avoir de bien grandes difficultés à surmonter et de ne pas courir de bien grands dangers. Ces voyages enseignent la patience et font disparaître toute trace d'égoïsme ; ils apprennent à choisir par soi-même et à s'accommoder de tout ; ils donnent, en un mot, les qualités qui distinguent les marins. Les voyages enseignent bien un peu aussi la méfiance, mais on découvre en même temps combien il y a de gens à l'excellent cœur, toujours prêts à vous rendre service, bien qu'on ne les ait jamais vus ou qu'on ne doive jamais les revoir. »

Charles Darwin, *Voyage d'un naturaliste autour du monde*, 1839

EXERCICE 7

Le texte suivant a été écrit au milieu du XIXe siècle par Alexis de Tocqueville, ses réflexions sur la démocratie prennent actuellement une valeur nouvelle à la lumière de ce qui s'est passé au XXe siècle. Après avoir trouvé l'idée directrice et le plan du texte, vous inventerez et rédigerez une introduction et une conclusion.

« Un peuple qui a vécu pendant des siècles sous le régime des castes et des classes ne parvient à un état social démocratique qu'à travers une longue suite de transformations plus ou moins pénibles, à l'aide de violents efforts, et après de nombreuses vicissitudes durant lesquelles les biens, les opinions et le pouvoir changent rapidement de place.

Alors même que cette grande révolution est terminée, l'on voit encore subsister pendant longtemps les habitudes révolutionnaires créées par elles, et de profondes agitations lui succèdent.

Comme tout ceci se passe au moment où les conditions s'égalisent, on en conclut qu'il existe un rapport caché et un lien secret entre l'égalité même et les révolutions, de telle sorte que l'une ne saurait exister sans que les autres naissent. Sur ce point, le raisonnement semble d'accord avec l'expérience.

Chez un peuple où les rangs sont à peu près égaux, aucun lien apparent ne réunit les hommes et ne les tient fermes à leur place. Nul d'entre eux n'a le droit permanent, ni le pouvoir de commander, et nul n'a pour condition d'obéir ; mais chacun, se trouvant pourvu de quelques lumières et de quelques ressources, peut choisir sa voie, et marcher à part de tous ses semblables.

Les mêmes causes qui rendent les citoyens indépendants les uns des autres les poussent chaque jour vers de nouveaux et inquiets désirs, et les aiguillonnent sans cesse.

Il semble donc naturel de croire que, dans une société démocratique, les idées, les choses et les hommes doivent éternellement changer de formes et de places, et que les siècles démocratiques seront des temps de transformations rapides et incessantes.

Cela est-il en effet ? L'égalité des conditions porte-t-elle les hommes d'une manière habituelle et permanente vers les révolutions ? Contient-elle quelque principe perturbateur qui empêche la société de s'asseoir et dispose les citoyens à renouveler sans cesse leurs lois, leurs doctrines et leurs mœurs ? Je ne crois point. Le sujet est important ; je prie le lecteur de me bien suivre.

Presque toutes les révolutions qui ont changé la face des peuples ont été faites pour consacrer ou pour détruire l'inégalité... Écartez les causes secondaires qui ont produit les grandes agitations des hommes, vous en arriverez presque toujours à l'inégalité. Ce sont les pauvres qui ont voulu ravir les biens des riches, ou les riches qui ont essayé d'enchaîner les pauvres. Si donc vous pouvez fonder un état de société où chacun ait quelque chose à garder et peu à prendre, vous aurez beaucoup fait pour la paix du monde.

Je n'ignore pas que, chez un grand peuple démocratique, il se rencontre toujours des citoyens très pauvres et des citoyens très riches ; mais les pauvres, au lieu d'y former l'immense majorité de la nation comme cela arrive toujours dans les sociétés aristocratiques, sont en petit nombre, et la loi ne les a pas attachés les uns aux autres par les liens d'une misère irrémédiable et héréditaire.

Les riches, de leur côté, sont clairsemés et impuissants ; ils n'ont point de privilèges qui attirent les regards ; leur richesse même, n'étant plus incorporée à la terre et représentée par elle, est insaisissable et comme invisible. De même qu'il n'y a plus de races de pauvres, il n'y a plus de races de riches ; ceux-ci sortent chaque jour du sein de la foule, et y retournent sans cesse. Ils ne forment donc point une classe à part, qu'on puisse aisément définir et dépouiller ; et, tenant d'ailleurs par mille fils secrets à la masse de leurs concitoyens, le peuple ne saurait guère les frapper sans s'atteindre lui-même. Entre ces deux extrémités des sociétés démocratiques, se trouve une multitude innombrable d'hommes presque pareils, qui, sans être précisément ni riches ni pauvres, possèdent assez de biens pour désirer l'ordre, et n'en ont pas assez pour exciter l'envie.

Ceux-là sont naturellement ennemis des mouvements violents ; leur immobilité maintient en repos tout ce qui se trouve au-dessus et au-dessous d'eux, et assure le corps social dans son assiette.

Ce n'est pas que ceux-là mêmes soient satisfaits de leur fortune présente, ni qu'ils ressentent de l'horreur naturelle pour une révolution dont ils partageraient les dépouilles sans en éprouver les maux ; ils désirent au contraire, avec une ardeur sans égale, de s'enrichir ; mais l'embarras est de savoir sur qui prendre. Le même état social qui leur suggère sans cesse des désirs renferme ces désirs dans des limites nécessaires. Il donne aux hommes plus de liberté de changer et moins d'intérêt au changement.

Non seulement les hommes des démocraties ne désirent pas naturellement les révolutions, mais ils les craignent.

Il n'y a pas de révolution qui ne menace plus ou moins la propriété acquise. La plupart de ceux qui habitent les pays démocratiques sont propriétaires ; ils n'ont pas seulement des propriétés ; ils vivent dans la condition où les hommes attachent à leur propriété le plus de prix. »

Alexis de Tocqueville, *De la Démocratie en Amérique*, 1835

32 La préparation du commentaire composé

La nouvelle dont est extrait ce texte s'intitule L'accomplissement. *Nous fournissons ensuite le plan du développement d'une étape de commentaire composé.*

1 « Tout un temps, son visage n'avait été qu'un visage de passage, un visage provisoire, un visage qui n'avait pas encore d'importance ni de signification ; et les changements qui s'y imprimaient étaient comme autant d'épreuves d'une figure encore à venir, autant d'essais d'un être inaccompli. Et maintenant, il était trop tard. Sa physionomie s'était brouillée,
5 affadie ; faute d'emploi, ce visage en suspens s'était flétri, comme un fruit à une branche quand il n'est pas cueilli à temps... Oui, brouillée, affadie sous le coup d'une main négligente passant à la surface d'un modelé de glaise. La petite figure pâle de son adolescence avait glissé sous un voile : un souvenir, avant d'avoir véritablement été/. Comme si entre la promesse et le regret il avait manqué à sa vie un moment, une époque. Il avait été jeune, et il avait
10 connu ce sentiment d'attente d'une révélation toujours remise, toujours soumise à d'imprévisibles retards. Mais au terme de ces métamorphoses sans grandeur, l'heure n'avait pas sonné, le dévoilement n'avait pas eu lieu ; seul était venu le déclin. C'était comme d'avoir péniblement gravi une montagne et de se retrouver sur la pente descendante sans avoir pu un moment s'établir en son sommet/. Le déclin, sans qu'il ait connu la plénitude ; le déclin, visible à
15 des marques à peine perceptibles dans son visage en apparence inchangé qu'il scrutait dans la trépidation du train, sur le fond noir d'un tunnel tapissé de tuyaux et de chiffres, de lumières filantes, avec son expression songeuse et ses cheveux plantés bas — subitement défait par le passage d'un train en sens inverse. Visage intact, mais invisiblement détruit, effrondré. Oui, l'heure était passée, rien n'aurait lieu, il s'était trompé. La jeunesse n'avait
20 été qu'un état parmi d'autres, non une étape, et d'autres le suivraient, qui n'auraient pas charge de lui donner un sens. Chacun des êtres qu'il avait successivement été absorbait le précédent, mais il n'en représentait pas l'aboutissement. Tout homme était une galerie de portraits successifs et chancelants, s'abattant l'un après l'autre dans un bruit de foire. »

Annotations en marge : image (l. 5) ; image (l. 7) ; interprétation (l. 8) ; comparaison didactique (l. 13) ; auto portrait (l. 16) ; dérision (l. 23)

Danièle Sallenave, *Un printemps froid*, P.O.L. 1983

Énoncé : *Vous ferez de ce texte un commentaire composé, sans dissocier le fond de la forme. Vous vous attacherez en particulier à mettre en lumière la conception du temps qui s'y exprime.*

Extrait de plan :

Centre d'intérêt analysé : une méditation soutenue par l'observation de son propre visage

1) Situation décrite

— un voyageur observe le reflet de son visage dans la vitre d'un train (champ lexical du regard)

2) Mouvement du texte

— va-et-vient entre l'observation du visage et la méditation

3) Influence de ses pensées sur la description du visage

— peu de notations strictement physiques

— qualification du visage par des termes évoquant l'inaccomplissement, le sens, le déclin

4) Caractérisation finale de la condition humaine

— métaphore : « série de portraits » : penser le temps en terme de métamorphose du visage

Le commentaire composé (sujet de type II) comporte beaucoup de points communs avec l'explication méthodique orale. Même matériau : analyses stylistiques d'un court extrait littéraire, résultant d'une explication détaillée du texte (cf mod 27) ; même impératif majeur : organiser ces analyses, sans séparer le fond de la forme. Néanmoins, le temps imparti étant nettement plus important, le travail de recherche doit être plus approfondi. En outre, il porte sur un texte hors programme. Ne pas hésiter pour autant à opter pour ce sujet si l'extrait proposé séduit bien qu'on n'en connaisse pas l'auteur : la sensibilité littéraire, affinée par la lecture est ici un meilleur atout que quelques idées préconçues sur l'écrivain.

1) Lire le sujet

Le libellé rappelle éventuellement des conseils de méthode valables pour tout commentaire. Il attire aussi l'attention sur quelques caractéristiques majeures de ce passage (thèmes ou trait de style) : en tenir compte, mais sans exclure d'autres approches.

2) Lire le texte

- Dresser un premier bilan : quel est le thème principal ? le type de texte ? l'intention de l'auteur ?
- Élucider le sens littéral.

3) Étudier le texte

- Procéder dans un premier temps de façon linéaire, comme pour une explication de texte (cf mod 27).
- Noter au fur et à mesure, sur un second brouillon, les caractéristiques stylistiques que l'on a rencontrées à plusieurs reprises.
- Mettre à jour d'autres aspects du texte devenant évidents au terme de cette étude.

4) Faire des rapprochements

- Comparer le traitement du thème dominant avec d'autres textes voire avec d'autres œuvres d'art. Souligner les ressemblances et les différences notables. *Par exemple :* l'instabilité du moi, ses métamorphoses (Montaigne), la fuite du temps et le vieillissement.
- Situer lorsque c'est possible, le texte dans son contexte : le replacer dans l'œuvre, le situer dans la production littéraire de son époque, fournir éventuellement un éclairage historique.

5) Élaborer un plan

Différentes possibilités	Démarche d'ensemble
Restituer l'ordre de découverte du texte	• Commencer par une vue d'ensemble du texte. • Poursuivre par des interprétations de plus en plus subtiles, en reliant les aspects du texte contribuant au même effet.
Choisir un ordre expressif	• Déterminer deux ou trois centres d'intérêt en reliant les aspects contribuant à un même effet : dans l'exemple proposé, on fait converger l'étude du mouvement du texte, certaines analyses lexicales, l'examen de la technique des points de vue, l'analyse d'une image. • Terminer par le centre d'intérêt jugé le plus intéressant. *Attention :* ne pas aboutir à privilégier trop subjectivement un aspect secondaire du texte.
Suivre la structure de l'extrait	• Présenter rapidement le mouvement du texte. • Caractériser chaque étape : on a ainsi un centre d'intérêt par étape. • Ordonner les centres d'intérêt en respectant l'ordre du texte. *Ex. :* opposition de deux états du visage (jusqu'à « véritablement été »). analyse d'une espérance trompée (« Comme ni (...) sommet ») bilan implaccable aboutissant à une généralisation (« Le déclin... foire »). *Attention :* chaque étape doit être étudiée méthodiquement et non ligne à ligne ; ce plan ne convient que si la progression est nette.

Chaque étape est une approche partielle du texte : elle étudie un centre d'intérêt qui associe le fond et la forme et comporte plusieurs niveaux d'analyse. Préparer sous forme schématique le développement de chaque centre d'intérêt : réunir, classer et relier les différentes observations de détail qui convergent.

EXERCICE 1

Voici, sans les extraits auxquels ils se rapportent, quatre libellés de commentaires composés.

1) Quelles règles de méthode rappelle chacun de ces énoncés ?

2) Classez les autres indications éventuelles parmi les rubriques suivantes : indications sur les thèmes, tonalité, l'intention de l'auteur, caractérisation d'un procédé stylistique, renvoi à un niveau d'analyse particulier.

Énoncé 1 : « Vous ferez de ce texte un commentaire composé. En étudiant attentivement sa facture, vous pourrez, par exemple, montrer comment le poète mêle habilement l'attrait de l'exotisme à l'évocation nostalgique des lieux et d'une époque qu'il n'a jamais connus ».

(bac, Aix Marseille)

Énoncé 2 : « Sans dissocier l'étude de la forme et celle du fond, vous ferez de ce texte un commentaire composé. Vous pourrez montrer par exemple comment la vision épique de l'océan exprime la complexité de l'image du peuple chez Hugo ».

(bac, Nantes)

Énoncé 3 : Vous ferez de ce texte un commentaire composé. Vous pourrez montrer, par exemple, comment, à travers le mouvement, le rythme, le jeu des oppositions, Victor Hugo exalte la fraternité qui unit les combattants par-delà les idéologies qui les séparent.
Mais ces indications ne sont pas contraignantes, et vous avez toute latitude pour organiser votre exercice à votre gré. Vous vous abstiendrez seulement de présenter un commentaire juxtalinéaire ou séparant artificiellement le fond de la forme ».

(bac, Nice-Corse et académies rattachées)

Énoncé 4 : « Vous ferez de ce texte un commentaire composé en étudiant, par exemple, comment le phénomène de la nuit fait naître une vision angoissante et fantastique de la ville ».

(bac, Besançon et acad. rattachées)

Énoncé 5 : « Vous ferez de ce texte un commentaire composé. Vous montrerez par exemple comment, dans cette fable macabre, s'exprime l'ambiguïté des rapports que le poète entretient avec l'idéal ».

(bac, Pondichéry)

EXERCICE 2

1) Lisez cet extrait de Barbey d'Aurevilly. De quel type de texte s'agit-il ?

2) D'après le libellé, pouvez-vous ne pas étudier les images ?

3) Parmi les six formules suivantes, quelles sont celles qui correspondent au texte ? Dites pour chacune si elle définit le thème, le type de texte ou l'intention de l'auteur.

- **Texte sur les landes du Cotentin.**
- **Dénonciation vigoureuse de la misère des paysans du Cotentin.**
- **Description des landes en comparaison à d'autres paysages.**
- **Planter un décor mystérieux et poétique.**
- **Texte sur la nature dans le Cotentin.**
- **Récit pittoresque des aventures d'un voyageur dans le Cotentin.**

« La Lande de Lessay est une des plus considérables de cette portion de la Normandie qu'on appelle la presqu'île du Cotentin. Pays de culture, de vallées fertiles, d'herbages verdoyants, de rivières poissonneuses, le Cotentin, cette Tempé[1] de la France, cette terre grasse et remuée, a pourtant, comme la Bretagne, sa voisine, la pauvresse aux genêts, de ces parties sériles et nues, où l'homme passe et où rien ne vient, sinon une herbe rare et quelques bruyères, bientôt desséchées. Ces lacunes de culture, ces places vides de végétation, ces têtes chauves pour ainsi dire, forment d'ordinaire un frappant contraste avec les terrains qui les environnent. Elles sont à ces pays cultivés des oasis arides, comme il y a dans les sables du désert des oasis de verdure. Elles jettent dans ces paysages frais, riants et féconds, de soudaines interruptions de mélancolie, des airs soucieux, des aspects sévères. Elles les ombrent d'une estompe plus noire... Généralement ces landes ont un horizon assez borné. Le voyageur, en y entrant, les parcourt d'un regard, et en aperçoit la limite. De partout, les haies des champs labourés les circonscrivent. Mais si, par exception, on en trouve d'une vaste largeur de circuit, on ne saurait dire l'effet qu'elles produisent sur l'imagination de ceux qui les traversent, de quel charme bizarre et profond elles saisissent les yeux et le cœur. Qui ne sait ce charme des landes ?... Il n'y a peut-être que les paysages maritimes, la mer et ses grèves, qui aient un caractère aussi expressif et qui vous émeuvent davantage. Elles sont comme les lambeaux, laissé sur le sol, d'une poésie primitive et sauvage que la main et la herse de l'homme ont déchirée. »

Vous étudierez ce texte sous la forme d'un commentaire composé. Vous pourrez y étudier les images et comparaisons qu'emploie Barbey d'Aurevilly pour caractériser la lande. Ces indications ne sont pas limitatives. Vous organiserez votre commentaire en fonction de l'interprétation que vous en ferez.

Barbey d'Aurevilly, *L'ensorcelée*, 1854
(bac FGH, Bordeaux et académies rattachées, juin 1986)

1. Vallée de Thessalie, en Grèce ; évoquée par les poètes comme un endroit pur et charmant.

EXERCICE 3

1) Lisez ce sonnet plusieurs fois. Dire qu'il a pour thème « l'été » serait trop vague ; soyez plus précis.

2) Le titre donne une indication sur le type de texte ; explicitez-le.

3) Faites une étude linéaire du texte et caractérisez les trois principaux champs lexicaux représentés.

4) Verlaine se disait « saturnien », c'est-à-dire né sous une influence maligne, et il a souvent peint l'indécision de son âme, « pareille / Au brick perdu jouet du flux et du reflux ». On trouve en outre dans un autre de ses poèmes la métaphore suivante : « Votre âme est un paysage choisi » *(Clair de lune).* A l'aide de ces informations, approfondissez vos analyses.

5) Quel passage du sonnet évoque le même phénomène que la plupart des tableaux champêtres impressionnistes ?

Allégorie

« Despotique, pesant, incolore, l'Été,
Comme un roi fainéant présidant un supplice,
S'étire par l'ardeur blanche du ciel complice
Et bâille. L'homme dort loin du travail quitté.

L'alouette au matin, lasse, n'a pas chanté,
Pas un nuage, pas un souffle, rien qui plisse
Ou ride cet azur implacablement lisse
Où le silence bout dans l'immobilité.

L'âpre engourdissement a gagné les cigales
Et sur leur lit étroit de pierres inégales
Les ruisseaux à moitié taris ne sautent plus.

Une rotation incessante de moires
Lumineuses étend ses flux et ses reflux...
Des guêpes, çà et là, volent, jaunes et noires. »

Verlaine, *Jadis et Naguère*, 1885
(bac Polynésie française, FGH, juin 83)

EXERCICE 4

1) Lisez ce texte plusieurs fois et dressez un premier bilan.

2) Illustrez les deux centres d'intérêt suivants par des remarques de détail concernant les niveaux d'analyse indiqués entre parenthèses :

- **évocation lyrique de la lumière (étude lexicale, niveau syntaxique et rythmique, images, pronoms),**
- **description d'une expérience sensorielle qui est quête de l'essentiel (étude lexicale, mouvement du texte).**

3) Comparez cette vision de la lumière d'été à d'autres textes littéraires.

« J'aime la plus belle des lumières, chaude, jaune, celle qui apparaît quelquefois l'après-midi sur le mur d'une chambre face au sud. C'est en elle que je voudrais habiter, pendant des jours, des mois, des années. Souple, tiède, vivante, douce, jaune comme la paille, jaune comme la flamme des allumettes, elle entre par la fenêtre ouverte sans que je sache d'où elle vient, de quels sables, de quels champs de maïs ou de blé mûr. Elle entre, pareille à une chevelure de femme, elle se met à bouger entre les murs de la chambre, d'un mouvement continu qui emplit de bonheur, d'un seul long mouvement qui se déploie et rebondit sans cesse, la belle lumière chaude, la lumière d'été.

Je la sens venir, elle m'enveloppe comme l'air, mais sans rien qui trouble ou attouche, elle regarde chaque parcelle de ma peau, elle me baigne et m'éclaire. Aucune autre lumière ne sait faire cela comme elle. Elle, elle est venue de tous les points de l'espace, poudre des soleils et des étoiles, parfum des astres. Lumière du tabac et des genêts, lumière du cuir, lumière de la bière, lumière des fleurs, lumière de la peau blonde et claire, elle supporte tout cela avec elle, comme une rivière qui coulerait sur elle-même.

On n'entend pas son bruit. C'est à l'intérieur des oreilles qu'elle murmure son chant, c'est à l'intérieur du ventre qu'elle fait tourner sa ronde. Lumière de la paix, et il n'y aura jamais d'autre paix, jamais de bonheur plus grand dans le monde. Les guerres, les crimes, les mensonges, la faim, la soif, la souffrance, tout cela s'efface quand cette lumière emplit l'espace. C'est elle que les hommes veulent voir. »

J.M.G. le Clézio, *L'Inconnu sur la terre*, 1978.
Éd. Gallimard (bac Nancy-Metz, juin 1986)

EXERCICE 5

Réunissez des analyses de détail soulignant le lyrisme de ce texte.

Mes vers fuiraient, doux et frêles,
Vers votre jardin si beau,
Si mes vers avaient des ailes,
Des ailes comme l'oiseau.

Ils voleraient, étincelles,
Vers votre foyer qui rit,
Si mes vers avaient des ailes,
Des ailes comme l'esprit.

Près de vous, purs et fidèles,
Ils accourraient nuit et jour,
Si mes vers avaient des ailes,
Des ailes comme l'amour.

Hugo, *Les Contemplations* (« L'âme en fleur », II), 1856

EXERCICE 6

1) Lisez ce monologue. Le personnage se ment-il à lui-même ? Cette prise de parole – sans interlocuteur – est-elle psychologiquement vraisemblable ?

2) Faites l'étude linéaire de cette scène.

3) Dites pourquoi donner aux observations suivantes le rang de centre d'intérêt serait maladroit :
- **première étape : première fausse alerte**
- **les antithèses**
- **Matamore a peur**
- **champ lexical du courage**
- **exagérations comiques**
- **rythme des alexandrins**

4) Voici trois centres d'intérêt possibles ; réunissez les analyses convenant à chacun :
- **le discours typique du fanfaron**
- **peinture réaliste et satirique de la poltronnerie de Matamore**
- **un monologue théâtral prenant en compte le cadre spatio-temporel et la situation dramatique.**

Matamore, qui se vante d'ordinaire de sa bravoure, craint les représailles des valets de Géronte, le père d'Isabelle.

Scène VII. – Matamore.

Les voilà, sauvons-nous. Non, je ne vois personne.
Avançons hardiment. Tout le corps me frissonne.
Je les entends, fuyons. Le vent faisait ce bruit.
Marchons sous la faveur des ombres de la nuit.
865 Vieux rêveur[1], malgré toi j'attends ici ma reine.
Ces diables de valets me mettent bien en peine.
De deux mille ans et plus, je ne tremblai si fort.
C'est trop me hasarder ; s'ils sortent, je suis mort ;
Car j'aime mieux mourir que leur donner bataille,
870 Et profaner mon bras contre cette canaille.
Que le courage expose à d'étranges dangers !
Toutefois, en tout cas, je suis des plus légers ;
S'il ne faut que courir, leur attente est dupée :
J'ai le pied pour le moins aussi bon que l'épée.
875 Tout de bon, je les vois : c'est fait, il faut mourir :
J'ai le corps si glacé, que je ne puis courir.
Destin, qu'à ma valeur tu te montres contraire !...
C'est ma reine[2] elle-même, avec mon secrétaire ![3]
Tout mon corps se déglace : écoutons leurs discours,
880 Et voyons son adresse à traiter mes amours.

Corneille, *L'Illusion comique*, 1636 (III, sc. 7)

1. Vieux fou ; l'injure est destinée à Géronte.
2. Isabelle, celle qu'il courtise, en vain.
3. Clindor, amant d'Isabelle et serviteur de Matamore.

EXERCICE 7

1) Lisez cet extrait d'un poème en prose de Francis Ponge et dressez le bilan de votre lecture.

2) Voici quelques aspects du texte qu'une étude linéaire a permis de dégager. Regrouper-les afin de déterminer deux à trois centres d'intérêt qui caractérisent la démarche du poète face à l'objet décrit :
- **notations prosaïques et objectives**
- **jeux de mots**
- **donner vie à l'objet**
- **champ lexical de la médiocrité**
- **du mot à la chose**
- **jeux de sonorités**
- **effets de rythme**
- **raisonnements.**

La cruche

« Pas d'autre mot qui sonne comme cruche. Grâce à cet U qui s'ouvre en son milieu, cruche est plus creux que creux et l'est à sa façon. C'est un creux entouré d'une terre fragile : rugueuse et fêlable à merci.

Cruche d'abord est vide et le plus tôt possible vide encore.

Cruche vide est sonore.

Cruche d'abord est vide et s'emplit en chantant.

De si peu haut que l'eau s'y précipite, cruche d'abord est vide et s'emplit en chantant.

Cruche d'abord est vide et le plus tôt possible vide encore.

C'est un objet médiocre, un simple intermédiaire.

Dans plusieurs verres (par exemple) alors avec précision la répartir.

C'est donc un simple intermédiaire, dont on pourrait se passer. Donc, bon marché ; de valeur médiocre.

Mais il est commode et l'on s'en sert quotidiennement.

C'est donc un objet utile, qui n'a de raison d'être que de servir souvent.

Un peu grossier, sommaire ; méprisable ? – Sa perte ne serait pas un désastre...

La cruche est faite de la matière la plus commune ; souvent de terre cuite.

Elle n'a pas de formes emphatiques, l'emphase des amphores.

C'est un simple vase, un peu compliqué par une anse ; une panse renflée ; un col large – et souvent le bec un peu camus des canards.

Un objet de basse-cour. Un objet domestique.

La singularité de la cruche est donc d'être à la fois médiocre et fragile : donc en quelque façon précieuse. Et la difficulté, en ce qui la concerne, est qu'on doive – car c'est aussi son caractère – s'en servir quotidiennement. »

Francis Ponge, *Pièces*. Ed. Gallimard, 1962

EXERCICE 8

1) Lisez cette page de Zola et caractérisez-la globalement.

2) Voici, en style télégraphique, une liste d'analyses de détail sur le premier paragraphe. Organisez ces observations autour des trois centres d'intérêt suivants, valables pour l'ensemble du texte :

- **une description faite du point de vue de Denise**
- **contraste entre l'ancien et le moderne**
- **Zola disciple de Balzac : un « réaliste visionnaire ».**

Liste d'observations :

- **situation temporelle : début de soirée**
- **illusion réaliste : allusion à la fatigue du voyage**
- **situation spatiale : dans la boutique**
- **« elle retrouva » : point de vue de Denise**
- **champ lexical de l'obscurité**
- **passé simple : mise en relief de ce qui concerne Denise**
- **« quelques instants... trottoirs » : rythme ternaire**
- **imparfait descriptif**
- **imparfait duratif « roulaient »**
- **« poisser » : péjoratif**
- **« on ne voyait plus » : point de vue général**
- **comparaison des parapluies à des ailes d'oiseaux**
- **notation des réactions de Denise**
- **champ lexical du froid**
- **atmosphère lugubre**
- **métaphore : « haleine du vieux quartier »**
- **réactions négatives de Denise**
- **champ lexical de l'ancienneté**
- **« il semblait... salpêtre » : longue phrase ; asyndète**
- **« c'était comme une vision... » : conclusion.**

3) Ordonnez ces centres d'intérêt en allant du plus simple au plus complexe.

Denise, une jeune orpheline, vient d'arriver à Paris avec son frère et sa sœur, chez son oncle Baudu. Ce dernier tient une petite boutique de confection, fortement concurrencée par un grand magasin, « Le Bonheur des Dames », construit de l'autre côté de la rue.

« Et elle[1] parla de monter se coucher de bonne heure avec les enfants, car ils étaient très fatigués tous les trois. Mais six heures sonnaient à peine, elle voulut bien rester un moment encore dans la boutique. La nuit s'était faite, elle retrouva la rue noire, trempée d'une pluie fine et drue, qui tombait depuis le coucher du soleil. Ce fut pour elle une surprise : quelques instants avaient suffi, la chaussée était trouée de flaques, les ruisseaux roulaient des eaux sales, une boue épaisse, piétinée, poissait les trottoirs ; et, sous l'averse battante, on ne voyait plus que le défilé confus des parapluies, se bousculant, se ballonnant, pareils à de grandes ailes sombres, dans les ténèbres. Elle recula d'abord, prise de froid, le cœur serré davantage par la boutique mal éclairée, lugubre à cette heure. Un souffle humide, l'haleine du vieux quartier, venait de la rue : il semblait que le ruissellement des parapluies coulât jusqu'aux comptoirs, que le pavé avec sa boue et ses flaques entrât, achevât de noircir l'antique rez-de-chaussée, blanc de salpêtre. C'était toute une vision de l'ancien Paris mouillé, dont elle grelottait, avec un étonnement navré de trouver la grande ville si glaciale et si laide.

Mais, de l'autre côté de la chaussée, le Bonheur des Dames allumait les files profondes de ses becs de gaz. Et elle se rapprocha, attirée de nouveau et comme réchauffée à ce foyer d'ardente lumière. La machine ronflait toujours, encore en activité, lâchant sa vapeur dans un dernier grondement, pendant que les vendeurs repliaient les étoffes et que les caissiers comptaient la recette. C'était, à travers les glaces pâlies d'une buée, un pullulement vague de clartés, tout un intérieur confus d'usine. Derrière le rideau de pluie qui tombait, cette apparition, reculée, brouillée, prenait l'apparence d'une chambre de chauffe géante, où l'on voyait passer les ombres noires des chauffeurs, sur le feu rouge des chaudières. Les vitrines se noyaient, on ne distinguait plus, en face, que la neige des dentelles, dont les verres dépolis d'une rampe de gaz avivaient le blanc ; et, sur ce fond de chapelle, les confections s'enlevaient en vigueur, le grand manteau de velours, garni de renard argenté, mettait le profil d'une femme sans tête, qui courait par l'averse à quelque fête, dans l'inconnu des ténèbres de Paris. »

Zola, *Au Bonheur des Dames*, 1883

EXERCICE 9

Proposez d'autres centres d'intérêt permettant de construire un plan suivant la structure de l'extrait précédent.

1. Denise Baudu.

33 La rédaction du commentaire

Énoncé :

Vous ferez de cette page de Stendhal un commentaire composé. Vous pourrez étudier notamment la manière dont le narrateur rend compte du trouble de Clélia.

Texte

Clélia Conti qui doit épouser un marquis qu'elle n'aime pas est troublée par le manège insistant de Fabrice del Dongo. De la fenêtre de sa cellule, celui-ci tente d'attirer son attention. N'éprouve-t-elle que de la compassion ? Clélia cherche à voir clair dans son cœur.

1 « Fabrice était léger ; à Naples, il avait la réputation de changer assez facilement de maîtresse. Malgré toute la réserve imposée au rôle d'une demoiselle, depuis qu'elle était chanoinesse et qu'elle allait à la cour, Clélia, sans interroger jamais, mais en écoutant avec attention, avait appris à connaître la réputation que s'étaient faite les jeunes gens qui avaient successivement 5 recherché sa main ; eh bien ! Fabrice, comparé à tous ces jeunes gens, était celui qui portait le plus de légèreté dans ses relations de cœur. Il était en prison, il s'ennuyait, il faisait la cour à l'unique femme à laquelle il pût parler ; quoi de plus simple ? Quoi même de *plus commun* ? Et c'était ce qui désolait Clélia. Quand même[1] par une révélation complète, elle eût appris que Fabrice n'aimait plus la duchesse, quelle confiance pouvait-elle avoir dans ses paroles ? Quand 10 même elle eût cru à la sincérité de ses discours, quelle confiance eût-elle pu avoir dans la durée de ses sentiments ? Et enfin, pour achever de porter le désespoir dans son cœur, Fabrice n'était-il pas déjà fort avancé dans la carrière ecclésiastique ? N'était-il pas à la veille de se lier par des vœux éternels ? Les plus grandes dignités ne l'attendaient-elles pas dans ce genre de vie ? S'il me restait la moindre lueur de bon sens, se disait la malheureuse Clélia, ne devrais-je 15 pas prendre la fuite ? Ne devrais-je pas supplier mon père de m'enfermer dans quelque couvent fort éloigné ? Et, pour comble de misère, c'est précisément la crainte d'être éloignée de la citadelle[2] et renfermée dans un couvent qui dirige toute ma conduite ! C'est cette crainte qui me force à dissimuler, qui m'oblige au hideux et déshonorant mensonge de feindre d'accepter les soins et les attentions publiques du marquis Crezcenzi.

20 Le caractère de Clélia était profondément raisonnable ; en toute sa vie elle n'avait pas eu à se reprocher une démarche inconsidérée, et sa conduite en cette occurrence était le comble de la déraison : on peut juger de ses souffrances !... »

Stendhal, *La Chartreuse de Parme*, 1839, ch. 19

1. *Quand bien même.*
2. *Citadelle où est enfermé Fabrice et que dirige le père de Clélia.*

Extrait d'un commentaire composé

Stendhal débute un passage au style indirect libre de manière significative : l'interjection « eh bien ! » ponctue, dans le registre oral, un raisonnement ; le personnage dans les pensées duquel nous voici introduit apparaît d'abord, sinon comme effectivement raisonnable, du moins particulièrement raisonneur. Clélia va tenter en effet de se convaincre que Fabrice ne saurait être le mari dont elle rêve. Comme pour mieux combattre l'inclination de son cœur, elle use à cet effet des ressources de « l'art de persuader » : d'abord, des questions rhétoriques — pour donner du relief à un jugement négatif sur Fabrice par exemple (« quoi de plus commun ? ») ; ensuite, le texte est rythmé par des anaphores soulignant des parallélismes syntaxiques : deux concessives débutant par « quand même », deux questions directes pareillement introduites (quelle...) une première série d'interro-négatives parallèles (« n'était-il pas »). Dans ce passage au style indirect libre, Stendhal attribue à l'héroïne des pensées prêtes à être énoncées clairement. Mais cette éloquence est au service d'une argumentation qui, si on y regarde d'un peu plus près, révèle plus les sentiments de Clélia à l'égard de Fabrice qu'elle ne montre le caractère raisonnable de la jeune fille.

La rédaction du commentaire développe les centres d'intérêts repérés dans le plan. Cette rédaction obéit à plusieurs contraintes : la clarté des analyses, les renvois explicites au passage étudié, une lecture personnelle du texte. La rédaction doit donc, dans une certaine mesure, témoigner de l'impact du texte sur la sensibilité du candidat.

Introduire

Identifier le texte : auteur, type de texte, titre de l'œuvre, voire de l'extrait, date. (Mais ne pas raconter la vie de l'écrivain). Situer l'extrait dans l'œuvre, si l'on connaît celle-ci. Indiquer avec précision le thème principal et si possible, replacer l'extrait dans son contexte culturel : sa place dans la production de l'auteur ou son importance à une époque donnée.
Exemple : Stendhal met en scène un personnage « raisonnable » désorienté par la passion, personnage fréquent dans une littérature occidentale qui oppose le cœur à la raison.

Décrire et analyser

	Ce que doit comporter l'analyse
Le mouvement du texte	• **La délimitation de chaque étape** : fournir des repères précis ; indiquer entre parenthèses les numéros des lignes ou des vers, ou citer le début et la fin du passage concerné, ou se servir des termes suivants : paragraphe, alinéa, strophe, quatrain, tirade, etc. • **La caractérisation de chaque étape**, d'après son thème ou son style. • **La caractérisation de cette structure** : préciser l'intérêt de l'ordre choisi par l'auteur, le type de progression (raisonnement, contraste, etc.).
Le vocabulaire	• **Le mot ou la série de mots à analyser** : les citer en précisant leur nature. • **Leur caractérisation** : ne signaler que le ou les aspects jugés importants, connotation, niveau de langue, fréquence, appartenance à un lexique spécialisé, emploi figuré, figure de style, domaine concret ou thème évoqué. *Exemple :* plusieurs termes soulignent la déraison de Clélia : « raisonnable » (employé ironiquement), « inconsidéré », « déraison » ; le personnage doute avoir « la moindre lueur de bon sens » (ligne 14). • Attention : ne jamais confondre le mot et la chose qu'il désigne.
Une image	• **L'image** : la citer. • **Sa caractérisation** : utiliser un vocabulaire précis et éventuellement indiquer le registre de langue dont relève l'image et le domaine auquel renvoie le comparant. • Attention : ne pas « traduire » l'image par une reformulation.
Un procédé phonique	• **Les termes à commenter** : les citer en soulignant le son sur lequel on veut attirer l'attention. • **L'indication du procédé** : utiliser le terme approprié (rime riche, allitération, paronomase...).
Un procédé syntaxique ou rythmique	• **Des repères** permettant de se reporter au passage analysé (ne pas citer intégralement un long passage). • **La caractérisation du procédé** : utiliser la terminologie grammaticale, étiqueter la figure de style (chiasme, antithèse, anaphore...) ou, au moins, décrire le procédé. Il est commode pour étudier le rythme d'un vers de s'appuyer sur des indications portées sur le vers intégralement cité (coupes et accents).
Les temps verbaux	• **Les termes à commenter** : ne citer que les formes verbales isolées (par ex. l'unique passé simple d'un extrait et pas tous les imparfaits). • **L'analyse de la valeur du temps** et des variations temporelles.
Le ton	• **L'indication du passage** concerné : ensemble du texte ou extrait précis. • **La caractérisation** du ton et sa justification.

Développer chaque centre d'intérêt à l'aide de paragraphes réunissant chacun des analyses de détail qui mettent en évidence un même aspect du texte.

Conclure

1) Faire un bilan. Rappeler les grandes caractéristiques du texte.

2) Porter une appréciation personnelle en indiquant si le texte vous a plu, ou déplu et pour quelles raisons. Bannir l'éloge plat, convenu, passe-partout et peu sincère.

EXERCICE 1

Voici une liste d'informations concernant Aragon. Lesquelles utiliser pour introduire le commentaire du poème ? Lesquelles choisir pour l'analyse ?

- Elsa est le prénom de l'écrivain Elsa Triolet, femme d'Aragon.
- Aragon a participé dans sa jeunesse au mouvement « surréaliste ».
- Ses dates : 1887-1982.
- Aragon était communiste.
- Il est resté fidèle à la tradition lyrique française.
- Il a écrit des romans.
- Il a été résistant.
- Il a publié *Le Fou d'Elsa* en 1964.
- Importance des sonorités.
- Léo Ferré a mis ce poème en musique.

Les mains d'Elsa

« Donne-moi tes mains pour l'inquiétude
Donne-moi tes mains dont j'ai tant rêvé
Dont j'ai tant rêvé dans ma solitude
Donne-moi tes mains que je sois sauvé

Lorsque je les prends à mon pauvre piège
De paume et de peur de hâte et d'émoi
Lorsque je les prends comme une eau de neige
Qui fuit de partout dans mes mains à moi

Sauras-tu jamais ce qui me traverse
Qui me bouleverse et qui m'envahit
Sauras-tu jamais ce qui me transperce
Ce que j'ai trahi quand j'ai tressailli

Ce que dit ainsi le profond langage
Ce parler muet des sens animaux
Sans bouche et sans yeux miroir sans image
Ce frémir d'aimer qui n'a pas de mots.

Sauras-tu jamais ce que les doigts pensent
D'une proie entre eux un instant tenue
Sauras-tu jamais ce que leur silence
Un éclair aura connu d'inconnu

Donne-moi tes mains que mon cœur s'y forme
S'y taise le monde au moins un moment
Donne-moi tes mains que mon âme y dorme
Que mon âme y dorme éternellement. »

Louis Aragon, *Le Fou d'Elsa*, 1964.
(Bac. Orléans-Tours, 1984)

EXERCICE 2

Rédiger en quelques lignes l'analyse de chacune de ces images d'Aragon :
– « mon pauvre piège/ De paume et de peur de hâte et d'émoi » (v. 5-6),
– « comme eau de neige » (v. 7),
– « miroir sans image » (v. 15).

EXERCICE 3

Rédigez en quelques lignes chacune des analyses lexicales suivantes (à propos du poème d'Aragon) :
– le vocabulaire de la parole.
– le vocabulaire de l'émotion et du sentiment.

EXERCICE 4

Rédigez en quelques lignes l'analyse des procédés phoniques suivants (à propos du poème d'Aragon) :
– les rimes,
– une allitération.

EXERCICE 5

Rédigez quelques lignes d'analyse des procédés rythmiques et syntaxiques suivants relevés dans le poème d'Aragon :
– les anaphores.
– les enjambements de la cinquième strophe.
– le rythme des cinquième et sixième vers.

EXERCICE 6

Critiquez cet extrait d'un commentaire du poème d'Aragon : relevez les formulations trop vagues, les erreurs dans l'emploi du vocabulaire stylistique, la paraphrase, le mauvais usage des citations, les défauts dans l'organisation des propos.

« Le poète exprime son angoisse. On trouve en effet les mots "inquiétude, solitude, peur". Mais il veut échapper à cet état. Il supplie Elsa de lui confier ses mains, comme l'indique la répétition de "donne-moi" dans le premier et le dernier paragraphe : ex : "Donne-moi tes mains que mon cœur s'y forme... donne-moi tes mains que mon âme y dorme". Il ressemble alors à un chasseur qui tend un piège aux mains qui sont comparées à une proie. Mais il n'y a pas de violence ; le mot "pauvre" qui caractérise le piège insiste plutôt sur la faiblesse et la souffrance du poète. Notons ici l'assonance en "p" (pauvre piège de paume). De plus, les mains ne sont pas longtemps captives comme le prouve l'expression "un instant tenue". Ce piège est personnalisé puisque les doigts "pensent" et qu'ils se taisent (cf. "leur silence"). Le poète se demande en outre si Elsa le comprendra (v. 9) ».

EXERCICE 7

Commentez en une demi-page cohérente cette description qui ouvre un roman de Roger Ikor.

« Le fleuve coulait vers la mer.

Le peuplier soudain se haussa sur ses racines, puis se coucha, écrasant sa ramure. La Seine s'aplatit, plus large, plus grise, sauvage. Brutalement découverts, les champs nus tressaillirent, et aussitôt perdirent leur âme ; par la brèche, on ne vit plus qu'une plaine qui s'étendait, anonyme, industrielle, entre un fleuve et une forêt. »

Roger Ikor, *Les Eaux mêlées.*
Éd. Albin Michel, 1955

EXERCICE 8

Renaud Camus débute son roman par l'évocation de l'été 1940 dans un pays imaginaire.

1) Étudiez ce texte et déterminez deux centres d'intérêt que vous développerez chacun en une demi-page environ.

2) Dites en quelques phrases si ce début de roman est de ceux qui vous engagent à poursuivre votre lecture.

« L'été du désastre fut le plus beau, parmi tous ceux dont le pays se souvînt, à perte de mémoire. La mort poussait, le long des routes du Nord, ses chars entre des arbres au feuillage immense, lourd, somptueux parmi les blés qui appelaient précocement de leur imprudente richesse, les moissons. Elle jetait ses avions dans un ciel depuis des semaines oublieux du moindre nuage, et les éclats de ses bombes, ou bien les fumées de ses incendies, étaient seuls à troubler, si peu, vers les franges, l'indifférent azur. Et lorsque ses régiments casqués entraient dans les villes, au pas cadencé, les soldats vainqueurs se demandaient si les rues désertes, les places vides et tous les volets clos disaient l'humiliation des habitants, leur douleur, leur mépris, leur haine, ou seulement l'écrasante chaleur. »

Renaud Camus *Roman roi.*
Éd. P.O.L., 1983

EXERCICE 9

1) Présentez ce poème en quelques lignes.

2) Analysez de près le mouvement du texte.

3) Montrez en une demi-page cohérente que ce poème est un hymne à la liberté.

La liberté

« Elle est venue par cette ligne blanche pouvant tout aussi bien signifier l'issue de l'aube que le bougeoir du crépuscule.

Elle passa les grèves machinales ; elle passa les cimes éventrées.

Prenaient fin la renonciation à visage de lâche, la sainteté du mensonge, l'alcool du bourreau.

Son verbe ne fut pas un aveugle bélier mais la toile où s'inscrivit mon souffle.

D'un pas à ne se mal guider que derrière l'absence, elle est venue, cygne sur la blessure, par cette ligne blanche. »

René Char, *Fureur et mystère.*
Éd. Gallimard, 1962

EXERCICE 10

Montrez en deux paragraphes que dans cet extrait d'une nouvelle de science-fiction évoquant un voyage interstellaire, Gérard Klein a réalisé l'un de ses projets : « faire de la poésie en prose ».

« Et nous nous agitons. Nous parlons. Nous essayons d'imaginer le soleil et l'espace, et notre course, et ce qui change, et ce qui reste. Et nous disons que nous ne bougeons pas vraiment dans l'espace ; mais que nous voyageons dans le temps. Voyager veut dire : suivre une longue route sinueuse et voir se succéder les arbres dans un tambourinement de verdure et pointer son regard sur une colline lointaine avalée irrésistiblement par ce qui s'étend en arrière. Il n'y a rien de tel ici. Mais tandis que nous attendons, notre cerveau court sur un chemin tortueux, et il imagine, il sent, il tend et détend nos doigts et palpe, s'arrête, se précipite, voyage. Nous abaissons les paupières, et les pays que nous traversons sont là, à l'intérieur. La lumière y est douce et le ciel et la plaine vastes. La mer est toute proche et nous pouvons courir sur le sable et nous baigner et ne jamais poser nos pieds deux fois à la même place. Et c'est ainsi que sera ce monde lointain quand nous sortirons dans une semaine, un mois ou une année. »

Gérard Klein, *Les Perles du temps,*
« Impressions de voyage ». Éd. Denoël, 1958

EXERCICE 11

C'est par l'extrait suivant que débute un roman policier de Japrisot.

1) Présentez le texte en quelques lignes.

2) Analysez le mouvement du texte.

3) Montrez en une page cohérente comment l'auteur met en relief la souffrance et la peur de l'héroïne.

« Je n'ai jamais vu la mer.

Le sol carrelé de noir et de blanc ondule comme l'eau à quelques centimètres de mes yeux.

J'ai mal à en mourir.

Je ne suis pas morte.

Quand on s'est jeté sur moi — je ne suis pas folle, quelqu'un, quelque chose s'est jeté sur moi — j'ai pensé : je n'ai jamais vu la mer. Depuis des heures, j'avais peur. Peur d'être arrêtée, peur de tout. Je m'étais fabriqué un tas d'excuses idiotes et c'est la plus idiote qui m'a traversé l'esprit : ne me faites pas de mal, je ne suis pas vraiment mauvaise, je voulais voir la mer.

Je sais aussi que j'ai crié, crié de toutes mes forces, et que mes cris pourtant sont restés enfermés dans ma poitrine. On m'arrachait du sol, on m'étouffait.

Criant, criant, criant, j'ai pensé encore : ce n'est pas vrai, c'est un cauchemar, je vais me réveiller dans ma chambre, il fera jour.

Et puis ça.

Plus fort que tous les cris, oui, je l'ai entendu : le craquement des os de ma propre main, ma main qu'on écrasait.

La douleur n'est pas noire, n'est pas rouge. C'est un puits de lumière aveuglante qui n'existe que dans votre tête. Et vous tombez quand même dedans. »

Sébastien Japrisot, *La Dame dans l'auto avec des lunettes et un fusil*
Éd. Denoël, 1966

EXERCICE 12

1) Lisez le poème donné ci-contre et analysez l'énoncé du sujet.

2) Construisez un plan détaillé de commentaire.

3) Rédigez l'introduction en puisant parmi les données suivantes :

- Ce texte, extrait de *Feuilles de route*, est l'un des premiers du recueil et précède les notations prises pendant le voyage proprement dit.
- Cendrars a beaucoup voyagé et a mené une vie aventureuse.
- Il a fréquenté des milieux littéraires parisiens.
- A la forme versifiée, il préféra de plus en plus la prose poétique.
- Baudelaire a écrit deux textes intitulés « Invitation au voyage ».
- Cendrars est né à Paris d'une mère écossaise et d'un père suisse.

Tu es plus belle que le ciel et la mer

« Quand tu aimes il faut partir
Quitte ta femme quitte ton enfant
Quitte ton ami quitte ton amie
Quitte ton amante quitte ton amant
Quand tu aimes il faut partir

Le monde est plein de nègres et de négresses
Des femmes des hommes et des hommes des femmes
Regarde les beaux magasins
Ce fiacre cet homme cette femme ce fiacre
Et toutes ces belles marchandises

Il y a l'air il y a le vent
Les montagnes l'eau le ciel la terre
Les enfants les animaux
Les plantes et le charbon de terre

Apprends à vendre à acheter à revendre
Donne prends donne prends

Quand tu aimes il faut savoir
Chanter courir manger boire
Siffler
Et apprendre à travailler

Quand tu aimes il faut partir
Ne larmoie pas en souriant
Ne te niche pas entre deux seins
Respire marche pars va-t'en

Je prends mon bain et je regarde
Je vois la bouche que je connais
La main la jambe l'œil
Je prends mon bain et je regarde

Le monde entier est toujours là
La vie pleine de choses surprenantes
Je sors de la pharmacie
Je descends juste de la bascule
Je pèse mes 80 kilos
Je t'aime »

Blaise Cendrars (1887-1961),
Feuilles de route, 1924

En un commentaire composé, vous pourriez étudier les procédés par lesquels Cendrars, le poète-voyageur, exprime la plénitude et la spontanéité de son bonheur.

(Bac. F-G-H, Lyon et acad. rattachées, juin 1987)

EXERCICE 13

1) Critiquez la conclusion suivante d'un commentaire du texte de Cendrars (cf. exercice 13) : les informations fournies y ont-elles leur place ? Est-ce convaincant ?

2) Rédigez votre conclusion en évitant les défauts repérés dans l'exemple précédent.

« Cendrars, dans ce poème, fait l'éloge du départ. Partir oblige certes à rompre certaines attaches (« quitte ta femme quitte ton enfant ») mais permet des découvertes comme le montre le vers : « la vie pleine de choses surprenantes ». Cendrars s'exprime de manière très poétique. »

EXERCICE 14

Énoncé : vous ferez de ce texte un commentaire composé mettant en évidence, notamment, la façon dont la romancière évoque la puissance de l'imagination enfantine.

« Alors la réalité, impossible à saisir pendant si longtemps, me sauta brusquement à la figure. Jusque-là, je voyais la création entière comme un puzzle éparpillé, un pays imaginaire à la fois délicieux et désespéré où la violence des rêves déçus tordait les flèches des cathédrales dans un brasier haut à lécher les étoiles, mais le jardin d'Oniroland était aussi celui des supplices, je ne volais aux arbres que des poires en topaze impossibles à croquer, les grains de poivre se métamorphosaient sur mon bifteck en brillants navette volés aussitôt par un aigle qui les emportait dans son repaire de la Vallée des Diamants, moi j'aurais préféré manger une honnête poire Williams et une bavette tout ce qu'il y a de plus bavette, de la vraie bidoche, seulement voilà, la vérité dérapait à tous les coups d'une manière si vertigineuse que je me laissais emporter aussi dans les serres des aigles, sous moi défilaient des passes plus hautes que celles de l'Hindu Kouch et des vallées d'ombre au fond desquelles les oiseaux noirs veillaient sur leurs couvées de bijoux, et pendant que je planais au-dessus du temple d'Enki seigneur de l'abîme, suspendue aux serres de mon rapace et entraînée dans des plongées et des loopings dans le vide, ma mère disait : Lydie ne finira donc JAMAIS son assiette.

Et brusquement le dérapage s'arrêta. Les aigles de Schéhérazade m'avaient transportée dans un autre royaume et posée délicatement sur le sol dans un vrai paysage — on pouvait taper, cogner, les montagnes n'étaient plus en carton ni l'eau un mirage, et cette foutue bon Dieu de réalité, encore plus étonnante que le cauchemar épuisant et fiévreux de mon enfance schizophrène, rêve qui me laissait toujours flouée et étourdie de solitude. »

Muriel Cerf, *Les Rois et les voleurs.*
Éd. Mercure de France, 1975

EXERCICE 15

1) Lisez le texte ci-contre et notez vos premières impressions. Comparez-les si possible à celles que produisent sur vous deux autres célèbres récits de la bataille de Waterloo : vous trouverez ces pages de Stendhal *(La Chartreuse de Parme)* et de Hugo *(Les Misérables)* dans un manuel du XIXe.

2) Commentez ce texte de Chateaubriand en montrant notamment l'intérêt de cette présentation indirecte de l'événement.

XXIII, 16
Bataille de Waterloo

« Le 18 juin 1815, vers midi, je sortis de Gand par la porte de Bruxelles ; j'allai seul achever ma promenade sur la grand route. J'avais emporté les *Commentaires de César* et je cheminais lentement, (5) plongé dans ma lecture. J'étais déjà à plus d'une lieue de la ville, lorsque je crus ouïr un roulement sourd : je m'arrêtai, regardai le ciel assez chargé de nuées, délibérant en moi-même si je continuerais d'aller en avant, ou si je me rapprocherais de Gand (10) dans la crainte d'un orage. Je prêtai l'oreille ; je n'entendis plus que le cri d'une poule d'eau dans des joncs et le son d'une horloge de village. Je poursuivis ma route : je n'avais pas fait trente pas que le roulement recommença, tantôt bref, tantôt (15) long et à intervalles inégaux ; quelquefois il n'était sensible que par une trépidation de l'air, laquelle se communiquait à la terre sur ces plaines immenses, tant il était éloigné. Ces détonations moins vastes, moins onduleuses, moins liées ensemble (20) que celles de la foudre, firent naître dans mon esprit l'idée d'un combat. Je me trouvais devant un peuplier planté à l'angle d'un champ de houblon. Je traversai le chemin et je m'appuyai debout contre le tronc de l'arbre, le visage tourné du côté (25) de Bruxelles. Un vent du sud s'étant levé m'apporta plus distinctement le bruit de l'artillerie. Cette grande bataille, encore sans nom, dont j'écoutais les échos au pied d'un peuplier, et dont une horloge de village venait de sonner les funérailles (30) inconnues, était la bataille de Waterloo !

Auditeur silencieux et solitaire du formidable arrêt des destinées, j'aurais été moins ému si je m'étais trouvé dans la mêlée : le péril, le feu, la cohue de la mort ne m'eussent pas laissé le temps (35) de méditer ; mais seul sous un arbre, dans la campagne de Gand, comme le berger des troupeaux qui paissaient autour de moi, le poids des réflexions m'accablait : Quel était ce combat ? Était-il définitif ? Napoléon était-il là en per- (40) sonne ? »

Chateaubriand, *Mémoires d'outre-tombe.*

LE STYLE AU BOUT DU STYLO

« Trop confus », « maladroit », « trop lourd », « négligé », « trop familier », « pas assez soutenu », « naïf », « plat », ces annotations reviennent souvent à la charge dans les marges de vos devoirs et vous ne savez comment combattre cet ennemi diffus. Et d'abord, pourquoi ces remarques ?

De la nécessité d'avoir du style

Par vos devoirs, vous transmettez vos réflexions à un correcteur. Pour les apprécier, celui-ci doit pouvoir saisir clairement vos idées, sans parasites ni brouillage. Même si « vous vous comprenez », lui peut être découragé par un texte trop confus, surtout si votre copie arrive après quelques dizaines d'autres devoirs ! Il est donc indispensable d'avoir un style clair et aisé pour que les nuances de votre argumentation soient bien mises en évidence.

Avant la rédaction

Ce qui se conçoit aisément s'énonce clairement, cette maxime cent fois répétée doit être votre ligne de conduite quand vous rédigez. Un style embarrassé témoigne toujours d'une pensée elle-même embarrassée. Il est donc indispensable d'avoir des idées nettes sur ce qu'on va écrire avant de commencer à rédiger.

D'où la nécessité de préparer soigneusement chacun des devoirs écrits selon les méthodes qui lui sont propres. D'où la nécessité de faire et d'utiliser des brouillons (voir page 166).

« Trop confus » : mettre de l'ordre dans la phrase

Vous avez écrit au fil de votre plume, vous vous êtes interrompu pour chercher un mot et les compléments d'une proposition sont devenus les sujets d'une autre proposition sans qu'il y ait de mot coordonnant ou subordonnant : « * L'image des musées comme des endroits tristes et poussiéreux provoquent l'ennui ». Le nom d'un groupe complément est devenu sujet : * « Par l'intensité des visions provoque l'émotion... »

La phrase peut être correcte, mais dire néanmoins le contraire de ce que vous voulez dire. « L'auteur diffère la rencontre des héros pour poursuivre sa lecture » : est-ce l'auteur ou le lecteur qui poursuit la lecture ?

Pour éviter ces confusions et ces ambiguïtés, retrouvez chaque verbe et assurez-vous de son sujet.

L'ordre des mots

Souvenez-vous de Monsieur Jourdain rédigeant sa déclaration d'amour : l'ordre le plus simple est bien souvent le meilleur. Un mot placé à un mauvais endroit peut modifier le sens de la phrase.

« Les contradictions apparaissent dans l'utilisation des métaphores de l'écrivain », n'est pas la même chose que « Les contradictions de l'écrivain apparaissent dans l'utilisation des métaphores ».

« Trop de maladresses » : vérifiez la construction et la place des mots

Soyez sûrs de la construction des mots et n'hésitez pas à consulter fréquemment un dictionnaire. « Cette vision est différente *de* celle de... », « ce texte est intéressant *par* les associations qu'il... »

La coordination doit concerner des mots qui ont la même construction surtout s'ils ont un complément commun. « * La publicité s'adresse et séduit les consommateurs » deviendra « La publicité s'adresse *aux* consommateurs et *les* séduit. »

Vérifiez que les pronoms renvoient bien à un nom et que leur genre et leur nombre correspondent à ce nom, en particulier quand vous mettez en évidence un mot en le détachant au début d'une phrase. « Ce retour de la tradition, l'auteur (* la) le montre... »

Les termes collectifs sont repris par un pronom singulier : « La foule, l'auteur nous *la* (et non *les*) présente comme un défilé de pantins. » Vérifiez qu'il n'y a pas d'ambiguïté sur l'antécédent de la proposition relative. « Le *double* du *héros* que le lecteur découvre... »

Ne confondez pas « que », « dont », « auquel » : « Les journées dont il se souvient / les journées qu'il se rappelle ». « La tradition à laquelle se rapporte ce livre », « La tradition dont s'inspire ce livre... », « La tradition qu'évoque ce livre... »

« Trop lourd » : allégez la phrase

Les subordonnées se sont enchaînées et vous en avez perdu la maîtrise. Quand les « qui » et les « que » se multiplient, faites l'analyse de votre phrase pour retrouver le verbe principal. Ne dépassez pas deux subordonnées par phrase. Une subordonnée peut d'ailleurs souvent être remplacée par un groupe nominal, un gérondif, un participe passé ou une proposition infinitive.

« Bien que ce personnage dise peu de choses, il est important dans l'intrigue qu'il va faire évoluer... », « Malgré sa discrétion, ce personnage est important... »

Traquez les répétitions

Pour les termes qui reviennent souvent dans les essais, constituez des listes de synonymes : « l'auteur nous montre, nous invite à découvrir, nous permet d'entrevoir, nous fait partager... »

Évitez les pléonasmes : « l'auteur met clairement en évidence », « la télévision est une bonne distraction, *mais cependant* elle pourrait... » sont des formulations incorrectes.

Bannissez les redoublements d'adverbes en « ment » : cette argumentation est bien évidemment pleinement convaincante... » deviendra « cette argumentation est bien sûr pleinement ou tout à fait convaincante... ».

Évitez certaines locutions composées : « pour ce qui est du langage », « de par son style », « étant donné que ses personnages ne sont que des marionnettes »...

Attention aux interrogations : « Qu'en pense l'auteur ? » et non pas « Qu'est-ce que l'auteur en pense-t-il ? » !

« Trop négligé » : attention aux oublis

Ce qui peut passer à l'oral doit être banni à l'écrit.

Les phrases nominales sont à proscrire. « Pas d'images dans ce texte. » deviendra : « Ce texte ne contient aucune image. ». « L'auteur évoque souvent le passé. « Exemple : il se souvient » deviendra : « Par exemple, il se souvient... » ou « C'est ainsi qu'il se souvient... ».

Une négation comporte toujours deux membres. Le « ne » n'a-t-il pas été oublié après « aucun », « jamais » placés en tête de phrase, après « on » ?

Les abréviations indispensables pour des notes sont à proscrire formellement dans les devoirs : pas de « c.à.d. ».

« Trop familier » : surveillez votre registre de langue

Ce que vous pouvez à la rigueur vous permettre dans une discussion en classe, le « ras-le-bol » par exemple, ne doit pas être écrit ou alors doit être annoncé par une expression du type « pour parler familièrement ».

Exprimez votre avis — positif ou négatif — en termes choisis, même si vous trouvez Chateaubriand « hypergénial ».

« Trop naïf, trop plat » : acquérez de l'aisance, enrichissez votre vocabulaire

La simplicité est une qualité, la simplification un défaut. Des phrases trop plates, construites sur le même modèle (« l'auteur dit que..., puis il dit que... ») sont à éviter.

Évitez l'emploi de termes trop simples : dire, faire, il y a, montrer...

Après la rédaction

Prenez le temps de vous abstraire de votre réflexion pour relire le style de votre devoir. Il n'est pas déshonorant de s'assurer que chaque proposition a un sujet et un verbe en soulignant ceux-ci au crayon gris (pour pouvoir l'effacer après) et en séparant les propositions par des barres verticales. Les plus grosses incohérences seront ainsi évitées.

D'après les remarques de vos professeurs, établissez une liste de vos points faibles et attachez-vous à les dépister systématiquement dans vos écrits.

S'entraîner

Il est plus facile de parler de quelque chose qu'on aime que de composer sur un sujet imposé. Prenez parfois le temps d'écrire sur un concert, un film, un match qui vous ont plu, cela vous aidera à donner votre avis sur un sujet qui ne vous touche guère.

34 La lecture méthodique

Valère et Mariane étaient promis au mariage, mais le père de la jeune fille est revenu sur sa décision et a décidé de prendre Tartuffe comme gendre. Mariane, consternée, mais aussi effrayée par les menaces paternelles, s'irrite que Valère doute de son amour.

Scène IV. — VALÈRE, MARIANE, DORINE.

685 VALÈRE. — On vient de débiter, Madame, une nouvelle.
Que je ne savais pas, et qui sans doute est belle.
MARIANE. — Quoi ?
VALÈRE. — Que vous épousez Tartuffe.
MARIANE. — Il est certain
Que mon père s'est mis en tête ce dessin.
VALÈRE. — Votre père, Madame...
MARIANE. — A changé de visée.
690 La chose vient par lui de m'être proposée.
VALÈRE. — Quoi ! sérieusement ?
MARIANE. — Oui, sérieusement :
Il s'est pour cet hymen déclaré hautement.
VALÈRE. — Et quel est le dessein où votre âme s'arrête,
Madame ?
MARIANE. — Je ne sais.
VALÈRE. — La réponse est honnête.
695 Vous ne savez pas ?
MARIANE. — Non.
VALÈRE. — Non ?
MARIANE. — Que me conseillez-vous ?
VALÈRE. — Je vous conseille, moi, de prendre cet époux.
MARIANE. — Vous me le conseillez ?
VALÈRE. — Oui.
MARIANE. — Tout de bon ?
VALÈRE. — Sans doute.
Le choix est glorieux et vaut bien qu'on l'écoute.
MARIANE. — Hé bien ! c'est un conseil, Monsieur, que je reçois.
700 VALÈRE. — Vous n'aurez pas grand'peine à le suivre , je crois.
MARIANE. — Pas plus qu'à le donner en a souffert votre âme.
VALÈRE. — Moi, je vous l'ai donné pour vous plaire , Madame.
MARIANE. — Et moi, je le suivrai pour vous faire plaisir.
DORINE, *se retirant dans le fond du théâtre.*
— Voyons ce qui pourra de ceci réussir.
705 VALÈRE. — C'est donc ainsi qu'on aime ? Et c'était tromperie,
Quand vous...
MARIANE. — Ne parlons point de cela, je vous prie.
Vous m'avez dit tout franc que je dois accepter
Celui que pour époux on me veut présenter ;
Et je déclare, moi, que je prétends le faire,
710 Puisque vous m'en donnez le conseil salutaire .
VALÈRE. — Ne vous excusez point sur mes intentions :
Vous aviez pris déjà vos résolutions;
Et vous vous saisissez d'un prétexte frivole
Pour vous autoriser à manquer de parole.
715 MARIANE. — Il est vrai, c'est bien dit.

Molière, *Tartuffe, (Acte II, sc. 4)* 1665-1669

Intro	*(II, sc. 4) de* Tartuffe. *Querelle entre M. et V., qui devaient se marier : le père de M. a choisi Tartuffe comme gendre.*
Lecture	*Valère : ironie. Mariane : de l'hésitation à l'invitation.*
Plan	*1) Naissance du malentendu → 698. 2) Dépit amoureux 699 → fin.*
Explication	① *Erreurs d'interprétations : 693/694 695/696* ② *Analyse du ton : cf. stichomythie 700-704*
Conclusion	*Une des scènes de dépit amoureux, particulièrement alerte. Dorine aidera à la réconciliation. Scène qui montre que la « manie » d'Orgon contrarie le mariage des jeunes gens.*

La lecture méthodique d'un court extrait littéraire vise à évaluer la sensibilité l'ittéraire du candidat et son aptitude à communiquer. L'épreuve (environ 10 minutes de préparation et 10 minutes de présentation) porte sur un texte non annoté, d'une quinzaine de lignes, tiré d'une œuvre du programme. Il est interdit de procéder mot à mot.

La lecture du texte

1) Noter dans la marge d'une feuille, en les espaçant suffisamment, les cinq rubriques suivantes : introduction, lecture, plan, explication, conclusion. Les séparer par un trait horizontal.

2) Lire attentivement le texte. Lire en diagonale ce qui précède et ce qui suit pour se remémorer le contexte. Souligner les difficultés (par exemple, les diérèses lorsque le texte est versifié).

3) Remplir la rubrique « lecture » et caractériser rapidement le ton à adopter.

La recherche des centres d'intérêt

Il faut organiser son explication autour de deux ou trois centres d'intérêt.

MÉTHODE CHOISIE	PRINCIPES A RESPECTER
Plan d'explication s'inspirant de la structure du texte	• Suivre le déroulement du texte. • Déterminer autant de centres d'intérêt que d'étapes majeures repérées dans le texte. Les noter dans la case « plan ». *Exemple :* du vers 685 au 698 → naissance du malentendu du vers 699 à la fin → le dépit amoureux.
Présentation synthétique indépendante de la structure du texte	• Choisir des centres d'intérêt prenant chacun en compte l'ensemble de l'extrait. L'un des centres d'intérêt devra mettre en évidence le mouvement du texte. Veiller à ne pas séparer l'étude du fond et celle de la forme et à ce qu'au moins un centre d'intérêt tienne compte du ton et de la spécificité du genre littéraire. • Ordonner les centres d'intérêt du plus simple au plus complexe. *Exemple :* ① une querelle qui s'envenime ② politesse et ironie.

La préparation des notes

1) Pour préparer le développement oral des centres d'intérêt, annoter directement le texte.
Noter, dans la quatrième rubrique les analyses à faire avec des références claires.

2) Rédiger partiellement l'introduction. Indiquer la nature du texte, son thème, et situer le passage. Ne jamais s'attarder sur des considérations générales sur l'auteur ou sur l'œuvre.

3) Rédiger partiellement la conclusion. Rappeler les principales caractéristiques du texte et formuler une appréciation personnelle et précise.

La présentation orale

Suivre l'ordre prévu sur le brouillon	1. Introduire. 2. Lire le texte à voix haute soigneusement. C'est obligatoire. 3. Indiquer la méthode choisie et annoncer les centres d'intérêt prévus. 4. Développer chaque centre d'intérêt en regardant davantage le texte et l'examinateur que son brouillon personnel. 5. Conclure.
Tirer profit du temps donné	• Ne jamais précipiter la lecture. • Sacrifier éventuellement une information secondaire si le temps manque. • Prendre le temps d'insister sur chaque point important.
Tirer profit de ses connaissances littéraires	• Les mettre en évidence avec à propos, sans pédantisme. Rapprocher notamment des passages d'une même œuvre.
Tirer profit des interventions de l'examinateur	• S'il s'agit d'une critique : en tenir réellement compte par la suite. • S'il s'agit d'une question : y répondre rigoureusement, sans faux-fuyant. *Exemple :* Pourquoi le père de Mariane est-il si favorable à Tartuffe ?

EXERCICE 1

1) Lisez ce poème plusieurs fois. Quelles sont les principales liaisons en [z] qu'il serait bon de marquer lors d'une lecture à voix haute ? Quel ton adopter ?

2) Quel vers utilise Nerval ? Quel est son rythme ?

3) Repérez les enjambements. Comment les marquer oralement ?

Fantaisie

« Il est un air pour qui je donnerais
Tout Rossini, tout Mozart et tout Weber[1],
Un air très vieux, languissant et funèbre,
Qui pour moi seul a des charmes secrets !

Or, chaque fois que je viens à l'entendre,
De deux cents ans mon âme rajeunit...
C'est sous Louis treize ; et je crois voir s'étendre
Un coteau vert, que le couchant jaunit.

Puis un château de brique à coins de pierre,
Aux vitraux teints de rougeâtres couleurs,
Ceint de grands parcs, avec une rivière
Baignant ses pieds, qui coule entre des fleurs ;

Puis une dame, à sa haute fenêtre,
Blonde, aux yeux noirs, en ses habits anciens,
Que, dans une autre existence peut-être,
J'ai déjà vue... et dont je me souviens ! »

Gérard de Nerval, *Odelettes*, 1852

1. On prononce *Wèbre*.

EXERCICE 2

Parmi les connaissances suivantes, lesquelles faudrait-il obligatoirement utiliser pour expliquer ce poème ?
■ la structure du sonnet ■ l'origine du sonnet ■ Ronsard poète d'amour ■ Ronsard sensible à la nature ■ Ronsard poète de cour ■ la surdité précoce de Ronsard

« Ciel, air et vents, plains[1] et monts découverts,
Tertres vineux et forêts verdoyantes,
Rivages tors[2] et sources ondoyantes,
Taillis rasés et vous, bocages verts,

Antres moussus à demi-front ouverts
Prés, boutons, fleurs et herbes rousoyantes[3],
Vallons bossus et plages blondoyantes
Et vous rochers, les hôtes de mes vers,

Puisqu'au partir, rongé de soin[4] et d'ire[5],
A ce bel œil Adieu je n'ai su dire,
Qui près et loin me détient en émoi,

Je vous supplie, ciel, air, vents, monts et plaines,
Taillis, forêts, rivages et fontaines,
Antres, prés, fleurs, dites-le lui pour moi. »

Ronsard, *Les Amours de Cassandre*, 1552
(orthographe modernisée)

1. Plaines. 2. Courbé, sinueux. 3. Couverts de rosée. 4. Souci grave. 5. Colère.

EXERCICE 3

Situez ce texte dans l'histoire de la poésie contemporaine, d'après son thème.

Avis

« La nuit qui précéda sa mort
Fut la plus courte de sa vie
L'idée qu'il existait encore
Lui brûlait le sang aux poignets
Le poids de son corps l'écœurait
Sa force le faisait gémir
C'est tout au fond de cette horreur
Qu'il a commencé à sourire
Il n'avait pas UN camarade
Mais des millions et des millions
Pour le venger il le savait
Et le jour se leva pour lui. »

Paul Éluard

EXERCICE 4

1) Lisez ce texte. Quel est son thème principal ?

2) Caractérisez le mouvement du texte en étudiant notamment l'ordre des notations sensorielles. Qu'est-ce qui distingue la dernière strophe ?

3) Faites une explication détaillée des images.

4) Préparez une présentation orale du centre d'intérêt suivant : la métamorphose de la réalité par l'écriture.

Les horloges

« La nuit, dans le silence en noir de nos demeures,
Béquilles et bâtons, qui se cognent, là-bas ;
Montant et dévalant les escaliers des heures,
Les horloges, avec leurs pas ;

Émaux naïfs derrière un verre, emblèmes
Et fleurs d'antan, chiffres maigres et vieux ;
Lunes des corridors vides et blêmes,
Les horloges, avec leurs yeux ;

Sons morts, notes de plomb, marteaux et limes,
Boutique en bois de mots sournois
Et le babil des secondes minimes,
Les horloges, avec leurs voix ;

Gaines de chêne et bornes d'ombre,
Cercueils scellés dans le mur froid,
Vieux os du temps que grignote le nombre,
Les horloges et leur effroi ;

Les horloges
Volontaires et vigilantes,
Pareilles aux vieilles servantes
Boitant de leurs sabots ou glissant sur leurs bas,
Les horloges que j'interroge
Serrent ma peur en leur compas. »

Émile Verhaeren (1855-1916), *Au bord de la route*, 1891. (Bac. Nice, juin 1985)

EXERCICE 5

1) **Lisez cet extrait de Cocteau. Trouvez un équivalent plus soutenu à l'expression « le Sphinx a bon dos ». A qui attribuez-vous cette opinion ?**

2) **Étudiez le texte en détail.**

3) **Sélectionnez trois centres d'intérêt particulièrement pertinents dans la liste suivante et développez-les :**

- **Le comique de situation**
- **Un texte engagé**
- **Les fautes de français**
- **La caricature de deux personnages**
- **La crise**
- **L'émotion tragique chez Cocteau.**

La matrone rencontre le Sphinx, déguisé en jeune fille, qui fait régner la terreur sur la ville de Thèbes (cf. la légende d'Œdipe). Elle lui confie ses déboires domestiques.

« LE SPHINX. - Vos fils se disputent ?

LA MATRONE. — Mademoiselle[1], c'est-à-dire que c'est impossible de s'entendre. Celui de seize ans s'occupe de politique. Le Sphinx, qu'il dit, c'est un loup-garou pour tromper le pauvre monde. Il y a peut-être eu quelque chose comme votre Sphinx — c'est mon fils qui s'exprime — maintenant votre Sphinx est mort ; c'est une arme entre les mains des prêtres et un prétexte aux micmacs de la police. On égorge, on pille, on épouvante le peuple, et on rejette tout sur le Sphinx. Le Sphinx a bon dos. C'est à cause du Sphinx qu'on crève de famine, que les prix montent, que les bandes de pillards infestent les campagnes ; c'est à cause du Sphinx que rien ne marche, que personne ne gouverne, que les faillites se succèdent, que les temples regorgent d'offrandes tandis que les mères et les épouses perdent leur gagne-pain, que les étrangers qui dépensent se sauvent de la ville ; et il faut le voir, mademoiselle, monter sur la table, criant, gesticulant, piétinant ; et il dénonce les coupables, il prêche la révolte, il stimule les anarchistes, il crie à tue-tête des noms de quoi nous faire pendre tous. Et entre nous,... moi qui vous parle, tenez... Mademoiselle, je sais qu'il existe le Sphinx... mais on en profite. C'est certain qu'on en profite. Il faudrait un homme de poigne, un dictateur ! »

Jean Cocteau, *La Machine infernale*, 1934 (Acte II)
Éd. Grasset

1. Telle est l'apparence trompeuse prise par le Sphinx.

EXERCICE 6

En puisant dans la notice introductrice, développez quelques analyses montrant que le texte porte la marque de l'« esprit des Lumières » ; répartissez-les entre les deux centres d'intérêt suivants :

- **le portrait intellectuel de l'Ingénu**
- **un texte didactique**

Indications sur le texte et son contexte

Voltaire est l'un de ces intellectuels engagés du XVIIIe siècle — le siècle des Lumières — désignés par le terme de « philosophes ». L'idéologie des Lumières est un humanisme militant pour le progrès de l'humanité. La raison et la vulgarisation des connaissances doivent permettre de venir à bout des préjugés qui sont souvent la cause de grands maux. Voltaire s'en prendra particulièrement au fanatisme religieux. L'un de ses contes philosophiques, L'Ingénu, *met en scène un jeune sauvage récemment arrivé en France, sous Louis XIV, et qui se retrouve en prison pour complicité avec les Huguenots. Son compagnon de captivité est un religieux érudit appartenant à une tendance du catholicisme persécutée par le pouvoir : le jansénisme.*

Progrès de l'esprit de l'ingénu

« L'Ingénu faisait des progrès rapides dans les sciences[1], et surtout dans la science de l'homme. La cause du développement rapide de son esprit était due à son éducation sauvage presque autant qu'à la trempe de son âme : car, n'ayant rien appris dans son enfance, il n'avait point appris de préjugés. Son entendement, n'ayant point été courbé par l'erreur, était demeuré dans toute sa rectitude. Il voyait les choses comme elles sont, au lieu que les idées qu'on nous donne dans l'enfance nous les font voir toute notre vie comme elles ne sont point. « Vos persécuteurs sont abominables, disait-il à son ami Gordon. Je vous plains d'être opprimé, mais je vous plains d'être janséniste. Toute secte me paraît le ralliement de l'erreur. Dites-moi s'il y a des sectes en géométrie ? — Non, mon cher enfant, lui dit en soupirant le bon Gordon ; tous les hommes sont d'accord sur la vérité quand elle est démontrée, mais ils sont trop partagés sur les vérités obscures. — Dites sur les faussetés obscures. S'il y avait eu une seule vérité cachée dans vos amas d'arguments qu'on ressasse depuis tant de siècles, on l'aurait découverte sans doute ; et l'univers aurait été d'accord au moins sur ce point-là. Si cette vérité était nécessaire comme le soleil l'est à la terre, elle serait brillante comme lui. C'est une absurdité, c'est un outrage au genre humain, c'est un attentat contre l'Être infini et suprême[2] de dire : Il y a une vérité essentielle à l'homme, et Dieu l'a cachée. »

Voltaire, *L'Ingénu*, 1767. Ch. 14

1. Sens général de « connaissances ».
2. Le Dieu de l'univers – le « Dieu horloger », selon les conceptions déistes de Voltaire.

EXERCICE 7

1) Lisez cette page de Balzac et étudiez sa composition, en tenant compte, en particulier, des temps verbaux.

2) Balzac est un romancier « réaliste ». Après avoir cherché la définition de ce terme, faites cinq analyses stylistiques précises portant sur différents passages de ce texte, mettant en évidence le réalisme de l'auteur.

3) Préparez en 10 min une lecture méthodique d'un extrait de ce passage : depuis « L'aspect du dîner... » jusqu'à « contemplant la table ». Aidez-vous des aspects stylistiques soulignés dans les questions précédentes.

4) En vous appuyant sur vos notes, faites-en une présentation orale de 8 min environ.

Excès de table

Un jeune peintre parisien, Joseph Brideau, en séjour à Issoudun avec sa mère, est hébergé par des parents de celle-ci : les Hochon. Voici l'accueil qui leur est réservé.

« Après avoir mis les effets de sa mère et les siens dans les deux chambres en mansarde et les avoir examinées, Joseph observa cette maison silencieuse où les murs, l'escalier, les boiseries étaient sans ornement et distillaient le froid, où il n'y avait en tout que le strict nécessaire. Il fut alors saisi de cette brusque transition du poétique Paris à la muette et sèche province. Mais quand, en descendant, il aperçut monsieur Hochon coupant lui-même pour chacun des tranches de pain, il comprit, pour la première fois de sa vie, Harpagon de Molière.

— Nous aurions mieux fait d'aller à l'auberge, se dit-il en lui-même.

L'aspect du dîner confirma ses appréhensions. Après une soupe dont le bouillon clair annonçait qu'on tenait plus à la quantité qu'à la qualité, on servit un bouilli triomphalement entouré de persil. Les légumes, mis à part dans un plat, comptaient dans l'ordonnance du repas. Ce bouilli trônait au milieu de la table, accompagné de trois autres plats : des œufs durs sur de l'oseille placés en face des légumes ; puis une salade tout accommodée à l'huile de noix en face de petits pots de crème où la vanille était remplacée par de l'avoine brûlée, et qui ressemble à la vanille comme le café de chicorée ressemble au moka. Du beurre et des radis dans deux plateaux aux deux extrémités, des radis noirs et des cornichons complétaient ce service, qui eut l'approbation de madame Hochon. La bonne vieille fit un signe de tête en femme heureuse de voir que son mari, pour le premier jour du moins, avait bien fait les choses. Le vieillard répondit par une œillade et un mouvement d'épaules facile à traduire : — Voilà les folies que vous me faites faire !...

Immédiatement après avoir été comme disséqué par monsieur Hochon en tranches semblables à des semelles d'escarpins, le bouilli fut remplacé par trois pigeons. Le vin du cru fut du vin de 1811. Par un conseil de sa grand'mère, Adolphine avait orné de deux bouquets les bouts de la table.

— A la guerre comme à la guerre, pensa l'artiste[1] en contemplant la table.

Et il se mit à manger en homme qui avait déjeuné à Vierzon, à six heures du matin, d'une exécrable tasse de café. Quand Joseph eut avalé son pain et qu'il en redemanda, monsieur Hochon se leva, chercha lentement une clef dans le fond de la poche de sa redingote, ouvrit une armoire derrière lui, brandit le chanteau[2] d'un pain de douze livres, en coupa cérémonieusement une autre rouelle[3], la fendit en deux, la posa sur une assiette et passa l'assiette à travers la table au jeune peintre avec le silence et le sang-froid d'un vieux soldat qui se dit au commencement d'une bataille : — Allons, aujourd'hui, je puis être tué. Joseph prit la moitié de cette rouelle et comprit qu'il ne devait plus redemander de pain. Aucun membre de la famille ne s'étonna de cette scène si monstrueuse pour Joseph. »

Balzac, *La Rabouilleuse*, 1842.

1. Joseph.
2. Un morceau coupé.
3. Tranche coupée en rond.

EXERCICE 8

1) Étudiez le mouvement du texte, en confrontant l'organisation thématique et la syntaxe du poème aux contraintes formelles du sonnet.

2) Élaborez un plan d'explication épousant le mouvement de ce texte.

« Je vis, je meurs ; je me brûle et me noie ;
J'ai chaud extrême en endurant froidure ;
La vie m'est et trop molle et trop dure ;
J'ai grands ennuis entremêlés de joie.

Tout à coup je ris et je larmoie,
Et en plaisir maint grief[1] tourment j'endure ;
Mon bien s'en va, et à jamais il dure ;
Tout en un coup je sèche et je verdoie.

Ainsi Amour inconstamment me mène ;
Et quand je pense avoir plus de douleur,
Sans y penser je me trouve hors de peine.

Puis quand je crois ma joie être certaine
Et être en haut de mon désiré heur[2],
Il me remet en mon premier malheur. »

Louise Labé, *Œuvres poétiques*, 1555, (orthographe modernisée).
(Bac., Paris, 1987)

1. Ce monosyllabe signifie « lourd, pénible ».
2. Ici « bonheur ».

EXERCICE 9

La comparaison énoncée dès le premier verset vous intrigue-t-elle ? Vous rend-elle particulièrement sensible à certains mots, à certaines images ? Réunissez quelques analyses appuyant votre réaction face à ce poème.

Le martinet

« Martinet aux ailes trop larges, qui vire et crie sa joie autour de la maison. Tel est le cœur.

Il dessèche le tonnerre. Il sème dans le ciel serein. S'il touche au sol, il se déchire.

Sa repartie est l'hirondelle. Il déteste la familière. Que vaut dentelle de la tour ?

Sa pause est au creux le plus sombre. Nul n'est plus à l'étroit que lui.

L'été de la longue clarté, il filera dans les ténèbres, par les persiennes de minuit.

Il n'est pas d'yeux pour le tenir. Il crie, c'est toute sa présence. Un mince fusil va l'abattre. Tel est le cœur. »

René Char, Fureur et Mystère, Collec. Poésie,
La Fontaine narrative, 1947. (Éd. Gallimard)

EXERCICE 10

1) Lisez cette tirade et précisez-en les six étapes.

2) Relevez les expressions désignant Néron et celles qui désignent Junie. Commentez-les, sans dissocier le fond de la forme.

3) D'après cette tirade, faites le portrait de Néron amoureux.

4) Rédigez une introduction convenant à l'explication des vers 573 à 588.

5) Parmi les centres d'intérêt suivants, un ne serait pas pertinent pour une lecture méthodique portant sur le début de la tirade (jusqu'au vers 588) ; lequel ? Pourquoi ? Centres d'intérêt : la politique alibi pour la passion amoureuse, le pathétique, l'art de persuader en graduant ses effets.

L'empereur Néron, qui vient d'accéder au trône, a fait enlever Junie, une jeune fille d'origine illustre, amoureuse de Britannicus, fils de l'empereur Claude mais évincé du pouvoir. Lors de cette première entrevue avec Junie, Néron annonce à celle-ci sa décision de lui choisir un époux : lui-même ! Il justifie ce choix.

NÉRON. — Je vous nommerais, Madame[1], un autre [nom,
Si j'en savais quelque autre au-dessus de Néron.
575 Oui, pour vous faire un choix où[2] vous puissiez [souscrire,
J'ai parcouru des yeux la cour, Rome et l'empire.
Plus j'ai cherché, Madame, et plus je cherche [encor
En quelles mains je dois confier ce trésor,
Plus je vois que César, digne seul de vous plaire,
580 En doit être lui seul l'heureux dépositaire,
Et ne peut dignement vous confier qu'aux mains
A qui Rome a commis[3] l'empire des humains.
Vous-même, consultez[4] vos premières années.
Claudius[5] à son fils les avait destinées ;
585 Mais c'était en un temps où de l'empire entier
Il croyait quelque jour le nommer l'héritier.
Les dieux ont prononcé. Loin de leur[6] contredire,
C'est à vous de passer du côté de l'empire.
En vain de ce présent ils m'auraient honoré,
590 Si votre cœur devait en être séparé ;
Si tant de soins[7] ne sont adoucis par vos charmes ;
Si, tandis que je donne aux veilles, aux alarmes,
Des jours toujours à plaindre et toujours enviés,
Je ne vais quelquefois respirer à vos pieds.
595 Qu'Octavie à vos yeux ne fasse point d'ombrage :
Rome, aussi bien que moi, vous donne son [suffrage,
Répudie Octavie[8], et me fait dénouer
Un hymen que le ciel ne veut point avouer[9].
Songez-y donc, Madame, et pesez en vous-même
600 Ce choix digne des soins d'un prince qui vous [aime,
Digne de vos beaux yeux trop longtemps captivés,
Digne de l'univers à qui vous vous devez.

Racine, *Britannicus*, 1669 (Acte II, sc. 3)

1. Terme respectueux ; mais Junie n'est pas mariée. 2. Auquel. 3. Confié. 4. Examinez attentivement. 5. Empereur précédent, père de Britannicus. 6. De les contredire. 7. Empressement. 8. Première femme de Néron, qu'il se propose de répudier. 9. Approuver.

EXERCICE 11

Faites la lecture méthodique complète (introduction, lecture, développement, conclusion) de la fin de la tirade de Néron (voir exercice 10), c'est-à-dire du vers 589 au vers 602.

COMMENT SE CONSTITUER UNE DOCUMENTATION PERSONNELLE

Vous désirez vous constituer une documentation en organisant vous-même vos informations ? Alors faites des dossiers ! Vous y aborderez des problèmes sociaux, humains, techniques ou artistiques selon vos goûts. Ils seront l'occasion de recherches et de découvertes personnelles enrichissantes, et ils vous offriront des compléments culturels appréciables pour les sujets que vous aurez à traiter.

Le matériel

Pour chaque dossier, il vous faut : une chemise cartonnée, des feuilles de classeur grand format, les unes quadrillées et les autres à dessin. Il vous faut aussi un surligneur, ou un stylo de couleur vive pour souligner ou encadrer des passages.

Trouvez des sujets

Le thème rassemble tout ce qui concerne une notion ou un phénomène : le bonheur, la solitude, la vieillesse, la drogue, le tiers monde, l'argent, la presse, le cinéma, la B.D., etc. Vous pouvez le choisir selon vos goûts si le dossier est libre. Vous prenez celui du cours ou du devoir s'il doit contribuer au travail scolaire du moment. Vous pouvez aussi, si vous n'avez aucune idée *a priori*, feuilleter des annales de baccalauréat et y consulter les sujets proposés en dissertation ou en discussion, jusqu'au moment où l'un d'eux vous fournira le thème et peut-être le sujet sur lequel vous aurez plaisir à vous documenter.

Si le sujet n'est pas donné d'emblée (certains cours ou devoirs), délimitez-le à partir du thème, c'est-à-dire donnez à votre recherche une orientation en posant un problème précis. Cela vous permet d'éviter un dossier trop vaste ou trop descriptif qui serait lassant et intellectuellement peu stimulant. Voici quelques exemples de sujets :
Drogue : permettre la vente libre des drogues douces, est-ce une solution ?
Cinéma : une simple distraction ou un outil culturel ?
B.D. : la B.D. pour adultes a-t-elle sa raison d'être ?

Cernez votre sujet

Commencez par analyser votre sujet, comme un sujet de dissertation.

Précisez les données exactes du problème et les pistes de réflexion. Pour le sujet sur le cinéma, par exemple, définissez distraction et culture ; pensez à ce qu'est le cinéma et à ce qu'il devrait être, aux points de vue des usagers et des producteurs. Rédigez soigneusement cette analyse sur un brouillon que vous conservez dans la chemise cartonnée prévue pour le dossier. Vous le complèterez et éventuellement le modifierez au fur et à mesure de votre recherche.

Cherchez des documents

Passez d'abord au CDI de votre établissement. Son fichier matière vous permet de découvrir très vite les ouvrages, les articles, les dossiers qu'il possède sur la question. Sachez donner toute son ampleur à votre investigation : repérez les divers termes sous lesquels peut figurer votre sujet (ex. : pour *drogue*, voyez aussi *toxicomanie*) et les domaines proches de votre sujet (ex. : pour *cinéma*, voyez aussi *télévision*, des documents pouvant traiter du cinéma à la télévision).

Feuilletez le plus grand nombre possible de journaux et de revues, sans oublier les manuels scolaires.

Allez à la bibliothèque de votre ville, pour y effectuer la même recherche que dans le CDI.

Pensez aussi, selon votre sujet, aux revues spécialisées, aux organismes, aux associations, que vous pouvez contacter pour obtenir des renseignements et une documentation.

Choisissez vos documents

Lisez toujours attentivement le document trouvé, pour décider de son intérêt : vous ne le retiendrez que s'il traite effectivement de votre sujet et s'il offre mieux que des évidences ou des généralités vagues.

Quand vous l'avez retenu, utilisez autant que possible la photocopieuse. Sinon, recopiez-le avec beaucoup de soin.

N'oubliez jamais de conserver les références précises du document (titre du journal ou du livre, nom de l'auteur, année).

L'organisation du dossier

■ La présentation

Sur la chemise cartonnée, recopiez le sujet bien en évidence (grosses lettres, encadrement...). Sur une première feuille quadrillée, rédigez soigneusement l'analyse du sujet que vous aviez conservée sur brouillon.

■ Le plan

Passez maintenant au plan. Commencez par relire attentivement chaque document, et soulignez (encadrez, passez au surligneur) ce qu'il contient d'essentiel concernant le sujet. Puis procédez à l'élaboration du plan : divisez ce que vous apprennent vos documents en plusieurs parties ; efforcez-vous d'instaurer une progression d'une partie à une autre. Et dans chaque partie vous présentez en quelques mots le ou les documents qui concernent cette partie. Recopiez ce plan sur une deuxième feuille quadrillée.

■ Les documents

Collez chaque document sur une feuille blanche dont vous n'utilisez pas le verso. N'oubliez pas de noter les références du document. Puis numérotez ces feuilles dans l'ordre du plan choisi.

■ Le lexique

Sur une nouvelle feuille quadrillée, établissez le lexique de votre recherche. Reportez-y tous les mots, techniques ou non, que vous avez appris en étudiant votre sujet et votre documentation. Notez-en la définition. Vous pourrez aussi enrichir votre carnet de vocabulaire de ces mêmes mots que vous avez su découvrir.

Votre point de vue

La recherche que vous avez effectuée vous a permis d'approfondir votre connaissance du sujet. Vous voilà maintenant capable de mettre en forme l'état actuel de votre réflexion sur la question.

Vous prenez un brouillon, vous y notez vos idées, puis vous les organisez et vous rédigez votre point de vue. Ce que vous avez appris par les documents doit vous permettre de donner une réponse personnelle à la fois approfondie, nuancée, et bien justifiée.

Vous recopiez cette synthèse sur une dernière feuille.

35 L'oral : la question d'ensemble

Exemple de liste pour l'oral

Molière, « Dom Juan »

■ Textes expliqués :
1. Acte I, scène 1.
2. Acte I, scène 2 : l'éloge de l'inconstance par Dom Juan.
3. Acte II, scène 2 : Charlotte et Dom Juan.
4. Acte III, scène 1.
5. Acte IV, scène 6 : les adieux d'Elvire.

■ Questions d'ensemble :
— La construction de la pièce.
— Dom Juan et les femmes.
— Le personnage de Sganarelle.
— La religion dans la pièce.
— Les classes sociales et leurs relations.

■ Lecture personnelle (avec fiches) :
« Tartuffe »

XVIIIe siècle, les philosophes et la religion

■ Textes expliqués :
1. Voltaire, « Candide » : l'autodafé.
2. Diderot, « Pensées sur l'interprétation de la Nature ».
3. « L'Encyclopédie », article Prêtres.
4. Voltaire, « Prière à Dieu ».
5. Rousseau, « L'Émile » : la voix de la conscience.

■ Questions d'ensemble :
— Le refus général du christianisme et ses raisons.
— Le déisme de Voltaire.
— L'athéisme de Diderot.

■ Lectures personnelles (avec fiches) :
« Candide ».
« L'Ingénu ».

Étude thématique d'une œuvre : Les « Fleurs du Mal » de Baudelaire

■ Textes expliqués :
1. L'Albatros.
2. Correspondances.
3. Le Vampire.
4. Invitation au voyage.
5. « Que diras-tu ce soir, ... »
6. Recueillement.
7. La Mort des Amants.
8. L'Ennemi.

■ Thèmes :
— Structure du recueil.
— Fonction du poète.
— La femme.
— La mort.

Violence, non-violence, oppression

■ Textes expliqués :
1. Victor Hugo, « Les Orientales » : l'enfant.
2. Gustave Flaubert, le peuple dans la révolution de 1848.
3. Émile Zola, « Germinal » : la marche des mineurs.
4. Albert Camus, « Les Justes » : scène entre Dora et Kaliayev.

■ Questions d'ensemble :
— Les réactions face à l'oppression : de la résignation à la violence organisée.
— Le cas de conscience du révolutionnaire, ses sacrifices.
— Les réactions de l'écrivain face à la violence de l'opprimé.

■ Lectures personnelles (avec fiches) :
« Germinal », Zola.
« Les Justes », Camus.
« Montserrat », Roblès.

■ Étude complémentaire :
Film « Midnight Express ».

La question d'ensemble est un exposé de 6 à 8 min environ, sur un sujet tiré d'une œuvre ou d'un thème étudiés pendant l'année. Cette épreuve exige une réflexion personnelle quelquefois très importante, puisque la question peut être donnée hors liste. Il faut donc absolument se donner une discipline personnelle et répartir son effort sur toute l'année.

L'approfondissement

L'objectif est d'ajouter au cours des fiches de lecture et des études personnelles (voir page 62).

	ce qu'il faut faire	exemple
Approfondir une œuvre	— Lecture complète de l'œuvre. • relever citations et anecdotes pour illustrer personnellement les thèmes. • aborder d'autres thèmes. — Lecture d'une autre œuvre du même auteur, en retenant pour les fiches les mêmes thèmes ou des thèmes voisins. — Étude éventuelle d'une représentation cinématographique ou théâtrale.	*Dom Juan* On peut étudier l'évolution de Dona Elvire. Dans *Tartuffe*, on peut étudier la construction de la pièce, le rôle de la servante, la religion, l'hypocrisie... On ne manque pas à la télévision la diffusion d'une pièce de Molière.
Approfondir un thème	— Si un des textes étudiés est tiré d'une œuvre importante, lire celle-ci. — Lecture d'ouvrages théoriques, ou étude du thème par d'autres moyens : articles, films...	La lecture intégrale de *Candide* permet de mieux comprendre ce que Voltaire pense de la religion. Lire une documentation sur les différentes formes de croyance et d'incroyance permet de fixer les notions d'athéisme, de déisme, de matérialisme, d'agnosticisme...

La révision intermédiaire

Elle se fait lorsque, sur une œuvre ou un thème, cours et lecture personnelle sont terminés.
Pour les questions d'ensemble qui ont été étudiées, il faut assimiler intelligemment le cours. Une bonne connaissance de l'œuvre permet de trouver soi-même des exemples illustratifs, sans reprendre systématiquement ceux du cours.
C'est le moment de mettre au point sa synthèse personnelle sur les questions non traitées figurant sur la liste. Le plan doit en être le plus rigoureux possible.
Ne pas oublier que le jour de l'examen la question peut être donnée hors liste. Il est donc important de s'entraîner à des exposés sur des sujets originaux.

La simulation d'oral

Il est possible de la faire à trois ou quatre : chacun révise la même partie du cours ; puis le groupe se réunit.
Un sujet est choisi que chacun prépare en 10 min. Ce temps écoulé, un tirage au sort désigne le « candidat », qui fait son exposé devant les autres devenus « jury ». Le « jury » pose ensuite quelques questions ; il est même possible de réaliser ensuite une critique de ce qui a été dit.

La révision finale

Grâce au travail de toute l'année, elle ne sera qu'une relecture attentive de ce qui aura été vu et revu. Les connaissances seront ainsi solides et les défaillances de mémoire évitées.

EXERCICE 1

Voici un plan pour l'étude du personnage de Sganarelle dans *Dom Juan.* Seules les idées vous sont données. Prenez attentivement connaissance de ce plan, puis lisez la pièce et trouvez une illustration (citation, résumé d'un événement...) pour chacune des idées contenues dans le plan. Pourriez-vous éventuellement ajouter des idées, ou proposer un autre plan ?

Introduction : valet de Dom Juan jour et nuit : ses traits de caractère sont liés à cette fonction qui le définit.

I. La dépendance au maître

1) La dépendance économique.
Elle fait de lui nécessairement un lâche puisqu'il ne peut pas se permettre de perdre sa place.
Transition : mais après tout il pourrait aller chercher un autre maître, dans une situation aussi grave ; pourquoi n'en fait-il rien ?

2) La dépendance psychique.
— En bon chrétien, il garde le désir de convertir son maître.
— Il est subjugué par les capacités de son maître : dans un sens, il l'admire et s'identifie à lui.
— Il cherche en fait à sortir de sa classe sociale en se frottant à la noblesse et à la culture de son maître.
Transition : mais il vit une sorte de conflit intérieur, car :

II. Il reste foncièrement un homme du peuple

1) Dans son langage.

2) Dans son incapacité à soutenir un raisonnement philosophique (manque de formation culturelle).

3) Dans ses superstitions religieuses et sa croyance simpliste.

4) De ce fait, il lui arrive de se placer du côté du peuple malgré sa lâcheté.

III. Et il n'est pas toujours le vaincu

1) Dom Juan a besoin de lui.
— Pour avoir un public.
— Pour se sentir fort.

2) Sganarelle marque des points.

3) Sganarelle peut apparaître comme sympathique au spectateur.
Conclusion : importance du personnage joué par Molière lui-même.

EXERCICE 2

Quels renseignements peut vous donner la tirade suivante pour la question d'ensemble : *Dom Juan et les femmes* ? Classez au mieux les informations retenues.

Dom Juan

Quoi ! tu veux qu'on se lie à demeurer au premier objet qui nous prend, qu'on renonce au monde pour lui, et qu'on n'ait plus d'yeux pour personne ? La belle chose de vouloir se piquer d'un faux honneur d'être fidèle, de s'ensevelir pour toujours dans une passion, et d'être mort dès sa jeunesse à toutes les autres beautés qui nous peuvent frapper les yeux ! Non, non, la constance n'est bonne que pour des ridicules ; toutes les belles ont droit de nous charmer, et l'avantage d'être rencontrée la première ne doit point dérober aux autres les justes prétentions qu'elles ont toutes sur nos cœurs. Pour moi, la beauté me ravit partout où je la trouve, et je cède facilement à cette douce violence dont elle nous entraîne. J'ai beau être engagé, l'amour que j'ai pour une belle n'engage point mon âme à faire injustice aux autres ; je conserve des yeux pour voir le mérite de toutes, et rends à chacune les hommages et les tribus où la nature nous oblige. Quoi qu'il en soit, je ne puis refuser mon cœur à tout ce que je vois d'aimable, si j'en avais dix mille, je les donnerais tous. Les inclinations naissantes, après tout, ont des charmes inexplicables, et tout le plaisir de l'amour est dans le changement. On goûte une douceur extrême à réduire, par cent hommages, le cœur d'une jeune beauté, à voir de jour en jour les petits progrès qu'on y fait, à combattre, par des transports, par des larmes et des soupirs, l'innocente pudeur d'une âme qui a peine à rendre les armes ; à forcer pied à pied toutes les petites résistances qu'elle nous oppose, à vaincre les scrupules dont elle se fait un honneur, et la mener doucement où nous avons envie de la faire venir. Mais lorsqu'on en est maître une fois, il n'y a plus rien à dire, ni rien à souhaiter ; tout le beau de la passion est fini, et nous nous endormons dans la tranquillité d'un tel amour, si quelque objet nouveau ne vient réveiller nos désirs, et présenter à notre cœur les charmes attrayants d'une conquête à faire. Enfin, il n'est rien de si doux que de triompher de la résistance d'une belle personne ; et j'ai, sur ce sujet, l'ambition des conquérants, qui volent perpétuellement de victoire en victoire, et ne peuvent se résoudre à borner leurs souhaits. Il n'est rien qui puisse arrêter l'impétuosité de mes désirs ; je me sens un cœur à aimer toute la terre ; et, comme Alexandre, je souhaiterais qu'il y eût d'autres mondes, pour pouvoir y étendre mes conquêtes amoureuses.

Molière, *Dom Juan*, Acte I, scène 2, 1665

EXERCICE 3

Étudiez attentivement le poème suivant : que peut-il vous apprendre sur la conception que Baudelaire se fait de la femme d'une part, et de la mort d'autre part ? Organisez vos deux réponses.

Les métamorphoses du vampire

« La femme cependant, de sa bouche de fraise,
En se tordant ainsi qu'un serpent sur la braise,
Et pétrissant ses seins sur le fer de son busc,
Laissait couler ces mots tout imprégnés de musc :
— « Moi, j'ai la lèvre humide, et je sais la science
De perdre au fond d'un lit l'antique conscience.
Je sèche tous les pleurs sur mes seins triomphants,
Et fais rire les vieux du rire des enfants.
Je remplace, pour qui me voit nue et sans voiles,
La lune, le soleil, le ciel et les étoiles !
Je suis, mon cher savant, si docte aux voluptés,
Lorsque j'étouffe un homme en mes bras redoutés,
Ou lorsque j'abandonne aux morsures mon buste,
Timide et libertine, et fragile et robuste,
Que sur ces matelas qui se pâment d'émoi,
Les anges impuissants se damneraient pour moi ! »
Quand elle eut de mes os sucé toute la moelle,
Et que languissamment je me tournai vers elle
Pour lui rendre un baiser d'amour, je ne vis plus
Qu'une outre aux flancs gluants, toute pleine de pus !
Je fermai les deux yeux, dans ma froide épouvante,
Et quand je les rouvris à la clarté vivante,
A mes côtés, au lieu du mannequin puissant
Qui semblait avoir fait provision de sang,
Tremblaient confusément des débris de squelette,
Qui d'eux-mêmes rendaient le cri d'une girouette
Ou d'une enseigne, au bout d'une tringle de fer,
Que balance le vent pendant les nuits d'hiver. »

Baudelaire, *Les Fleurs du Mal*, 1857

EXERCICE 4

En étudiant de façon comparative le poème de l'exercice deux et ceux donnés ci-dessous, (tous appartiennent à la liste de la p. 208), bâtissez une question d'ensemble traitant du thème de la femme chez Baudelaire. Organisez un plan bien structuré, en puisant des exemples dans les trois textes. Vous pouvez aussi vous aider de la biographie de l'auteur et de la lecture d'autres poèmes.

« Que diras-tu ce soir, pauvre âme solitaire,
Que diras-tu, mon cœur, cœur autrefois flétri,
A la très-belle, à la très-bonne, à la très-chère,
Dont le regard divin t'a soudain refleuri ?

— Nous mettrons notre orgueil à chanter ses louanges :
Rien ne vaut la douceur de son autorité ;
Sa chair spirituelle a le parfum des Anges,
Et son œil nous revêt d'un habit de clarté.

Que ce soit dans la nuit et dans la solitude,
Que ce soit dans la rue et dans la multitude,
Son fantôme dans l'air danse comme un flambeau.

Parfois il parle et dit : « Je suis belle, et j'ordonne
Que pour l'amour de moi vous n'aimiez que le Beau ;
Je suis l'Ange gardien, la Muse et la Madone. »

Baudelaire, *Les Fleurs du Mal*, 1857

La mort des amants

« Nous aurons des lits pleins d'odeurs légères,
Des divans profonds comme des tombeaux,
Et d'étranges fleurs sur des étagères,
Écloses pour nous sous des cieux plus beaux.

Usant à l'envi leurs chaleurs dernières,
Nos deux cœurs seront deux vastes flambeaux,
Qui réfléchiront leurs doubles lumières
Dans nos deux esprits, ces miroirs jumeaux.

Un soir fait de rose et de bleu mystique,
Nous échangerons un éclair unique,
Comme un long sanglot, tout chargé d'adieux ;

Et plus tard un Ange, entr'ouvrant les portes,
Viendra ranimer, fidèle et joyeux,
Les miroirs ternis et les flammes mortes. »

Baudelaire, *Les Fleurs du Mal*, 1857

EXERCICE 5

Voici de larges extraits de cinq textes du thème « les philosophes du XVIIIe siècle et la religion » (liste p. 208). Étudiez-les avec précision et traitez les deux questions d'ensemble suivantes :
– Quelles sont les ressemblances et les divergences dans les positions des différents philosophes ?
– Quels sont les reproches faits par les philosophes à la religion chrétienne ?

Texte 1. Voltaire : l'autodafé

« Après le tremblement de terre qui avait détruit les trois quarts de Lisbonne, les sages du pays n'avaient pas trouvé un moyen plus efficace pour prévenir une ruine totale que de donner au peuple un bel autodafé ; il était décidé par l'université de Coïmbre que le spectacle de quelques personnes brûlées à petit feu en grande cérémonie est un secret infaillible pour empêcher la terre de trembler.

On avait en conséquence saisi un Biscayen convaincu d'avoir épousé sa commère, et deux Portugais qui, en mangeant un poulet, en avaient arraché le lard ; on vint lier après le dîner le docteur Pangloss et son disciple Candide, l'un pour avoir parlé, et l'autre pour l'avoir écouté d'un air d'approbation : tous deux furent menés séparément dans des appartements d'une extrême fraîcheur, dans lesquels on n'était jamais incommodé du soleil ; huit jours après ils furent tous deux revêtus d'un san-benito et on orna leurs têtes de mitres de papier : la mitre et le san-benito de Candide étaient peints de flammes renversées et de diables qui n'avaient ni queues ni griffes ; mais les diables de Pangloss portaient griffes et queues, et les flammes étaient droites. Ils marchèrent en procession ainsi vêtus, et entendirent un sermon très pathétique, suivi d'une belle musique en faux-bourdon. Candide fut fessé en cadence, pendant qu'on chantait ; le Biscayen et les deux hommes qui n'avaient pas voulu manger le lard furent brûlés, et Pangloss fut pendu, quoique ce ne soit pas la coutume. Le même jour la terre trembla de nouveau avec un fracas épouvantable. »

Voltaire, *Candide*, 1759

Texte 2. Diderot : pensées sur l'interprétation de la nature

« J'ai commencé par la Nature, qu'ils ont appelée ton ouvrage ; et je finirai par toi, dont le nom sur la terre est Dieu.

O Dieu ! je ne sais si tu es ; mais je penserai comme si tu voyais dans mon âme ; j'agirai comme si j'étais devant toi.

Si j'ai péché quelquefois contre ma raison, ou ta loi, j'en serai moins satisfait de ma vie passée ; mais je n'en serai pas moins tranquille sur mon sort à venir, parce que tu as oublié ma faute aussitôt que je l'ai reconnue.

Je ne te demande rien dans ce monde ; car le cours des choses est nécessaire par lui-même, si tu n'es pas, ou par ton décret, si tu es.

J'espère à tes récompenses dans l'autre monde, s'il y en a un, quoique tout ce que je fais dans celui-ci, je le fasse pour moi.

Si je suis le bien, c'est sans effort ; si je laisse le mal, c'est sans penser à toi.

Je ne pourrais m'empêcher d'aimer la vérité et la vertu, et de haïr le mensonge et le vice, quand je saurais que tu n'es pas, ou quand je croirais que tu es et que tu t'en offenses.

Me voilà tel que je suis, portion nécessairement organisée d'une manière éternelle et nécessaire, ou, peut-être, ta créature.

Mais si je suis bienfaisant et bon, qu'importe à mes semblables que ce soit par un bonheur d'organisation, par des actes libres de ma volonté, ou par le secours de ta grâce ?...

Il n'appartient qu'à l'honnête homme d'être athée. »

Diderot, *Pensées sur l'interprétation de la Nature*, 1724

Texte 3. Diderot, l'article « Prêtres »

« Les peuples eussent été trop heureux si les *prêtres* de l'imposture eussent seuls abusé du pouvoir que leur ministère leur donnait sur les hommes ; malgré la soumission et la douceur, si recommandée par l'Évangile, dans des siècles de ténèbres, on a vu des *prêtres* du Dieu de paix arborer l'étendard de la révolte ; armer les mains des sujets contre leurs souverains ; ordonner insolemment aux rois de descendre du trône ; s'arroger le droit de rompre les liens sacrés qui unissent les peuples à leurs maîtres ; traiter de tyrans les princes qui s'opposaient à leurs entreprises audacieuses ; prétendre pour eux-mêmes une indépendance chimérique des lois faites pour obliger également tous les citoyens. Ces vaines prétentions ont été cimentées quelquefois par des flots de sang : elles se sont établies en raison de l'ignorance des peuples, de la faiblesse des souverains et de l'adresse des *prêtres* ; ces derniers sont souvent parvenus à se maintenir dans leurs droits usurpés ; dans les pays où l'affreuse inquisition est établie, elle fournit des exemples fréquents de sacrifices humains, qui ne le cèdent en rien à la barbarie de ceux des *prêtres* mexicains. Il n'en est point ainsi des contrées éclairées par les lumières de la raison et de la philosophie, le *prêtre* n'y oublie jamais qu'il est homme, sujet et citoyen. »

L'Encyclopédie

Texte 4. Rousseau : la voix de la conscience

« Il n'y a pas un être dans l'univers qu'on ne puisse, à quelque égard, regarder comme le centre commun de tous les autres, autour duquel ils sont tous ordonnés, en sorte qu'ils sont tous réciproquement fins et moyens les uns relativement aux autres. L'esprit se confond et se perd dans cette infinité de rapports, dont pas un n'est confondu ni perdu dans la foule. Que d'absurdes suppositions pour déduire toute cette harmonie de l'aveugle mécanisme de la matière mue fortuitement. Ceux qui nient l'unité d'intention qui se manifeste dans les rapports de toutes les parties de ce grand tout, ont beau couvrir leur galimatias d'abstractions, de coordinations, de principes généraux, de termes emblématiques ; quoi qu'ils fassent, il m'est impossible de concevoir un système d'êtres si constamment ordonnés, que je ne conçoive une intelligence qui l'ordonne. Il ne dépend pas de moi de croire que la matière passive et morte a pu produire des êtres vivants et sentants, qu'une fatalité aveugle a pu produire des êtres intelligents, que ce qui ne pense a pu produire des êtres qui pensent.

Je crois donc que le monde est gouverné par une volonté puissante et sage ; je le vois, ou plutôt je le sens, et cela m'importe à savoir. Mais ce même monde est-il éternel ou créé ? Y a-t-il un principe unique des choses ? Y en a-t-il deux ou plusieurs ? Et quelle est leur nature ? Je n'en sais rien, et que m'importe ? A mesure que ces connaissances me deviendront intéressantes, je m'efforcerai de les acquérir ; jusque-là je renonce à des questions oiseuses qui peuvent inquiéter mon amour-propre, mais qui sont inutiles à ma conduite et supérieures à ma raison.

Souvenez-vous toujours que je n'enseigne point mon sentiment, je l'expose. Que la matière soit éternelle ou créée, qu'il y ait un principe passif ou qu'il n'y en ait point, toujours est-il certain que le tout est un et annonce une intelligence unique ; car je ne vois rien qui ne soit ordonné dans le même système, et qui ne concoure à la même fin, savoir : la conservation du tout dans l'ordre établi. Cet être qui veut et qui peut, cet être actif par lui-même, cet être enfin, quel qu'il soit, qui meut l'univers et ordonne toutes choses, je l'appelle Dieu. Je joins à ce nom les idées d'intelligence, de puissance, de volonté, que j'ai rassemblées, et celle de bonté qui en est une suite nécessaire : mais je n'en connais pas mieux l'être auquel je l'ai donné, il se dérobe également à mes sens et à mon entendement ; plus j'y pense, plus je me confonds : je sais très certainement qu'il existe, et qu'il existe par lui-même ; je sais que mon existence est subordonnée à la sienne, et que toutes les choses qui me sont connues sont absolument dans le même cas. J'aperçois Dieu partout dans ses œuvres ; je le sens en moi, je le vois tout autour de moi ; mais sitôt que je veux le contempler en lui-même, sitôt que je veux chercher où il est, ce qu'il est, quelle est sa substance, il m'échappe, et mon esprit troublé n'aperçoit plus rien.

Pénétré de mon insuffisance, je ne raisonnerai jamais sur la nature de Dieu, que je n'y sois forcé par le sentiment de ses rapports avec moi. »

Rousseau, *Émile*, Livre IV,
« Profession de foi du vicaire savoyard », 1762

Texte 5. Voltaire : « Prière à Dieu »

« Ce n'est plus aux hommes que je m'adresse ; c'est à toi, Dieu de tous les êtres, de tous les mondes, et de tous les temps : s'il est permis à de faibles créatures perdues dans l'immensité, et imperceptibles au reste de l'univers, d'oser te demander quelque chose, à toi qui as tout donné, à toi dont les décrets sont immuables comme éternels, daigne regarder en pitié les erreurs attachées à notre nature ; que ces erreurs ne fassent point nos calamités. Tu ne nous as point donné un cœur pour nous haïr, et des mains pour nous égorger ; fais que nous nous aidions mutuellement à supporter le fardeau d'une vie pénible et passagère, que les petites différences entre les vêtements qui couvrent nos débiles corps, entre tous nos langages insuffisants, entre tous nos usages ridicules, entre toutes nos lois imparfaites, entre toutes nos opinions insensées, entre toutes nos conditions si disproportionnées à nos yeux, et si égales devant toi ; que toutes ces petites nuances qui distinguent les atomes appelés *hommes* ne soient pas des signaux de haine et de persécution ; que ceux qui allument des cierges en plein midi pour te célébrer supportent ceux qui se contentent de la lumière de ton soleil ; que ceux qui couvrent leur robe d'une toile blanche pour dire qu'il faut t'aimer ne détestent pas ceux qui disent la même chose sous un manteau de laine noire ; qu'il soit égal de t'adorer dans un jargon formé d'une ancienne langue, ou dans un jargon plus nouveau ; que ceux dont l'habit est teint en rouge ou en violet, qui dominent sur une petite parcelle d'un petit tas de la boue de ce monde et qui possèdent quelques fragments arrondis d'un certain métal, jouissent sans orgueil de ce qu'ils appellent grandeur et richesse, et que les autres les voient sans envie : car tu sais qu'il n'y a dans ces vanités ni de quoi envier, ni de quoi s'enorgueillir. »

Voltaire, *Traité sur la tolérance*, 1763

COMMENT CONVAINCRE A L'ORAL

Le baccalauréat comporte plusieurs épreuves orales, dont une en littérature française. Il faut donc s'entraîner régulièrement même si l'on possède une certaine aisance « naturelle ». Savoir s'imposer en public, convaincre par la parole sera d'ailleurs un atout dans votre vie sociale et professionnelle.

Les objectifs à atteindre

Ils peuvent être multiples.

- Faire la preuve de la solidité de ses connaissances dans un domaine donné.
- Mettre en évidence ses capacités d'organisation.
- Montrer que l'on maîtrise bien une langue (français, langue étrangère).
- Persuader autrui du bien-fondé de l'opinion qu'on défend.
- Témoigner de la « consistance de sa personnalité » : montrer qu'on a vraiment une approche personnelle, que l'on est capable de réflexion et de sensibilité.

Les circonstances

Qui convaincre ? Prendre en considération le nombre d'interlocuteurs, le rôle qu'ils jouent à cette occasion (examinateur, auditeur, employeur...), leur statut social. Tenir compte de ce qu'ils sont supposés savoir et de ce qu'ils escomptent apprendre en écoutant.

En combien de temps ? Respecter impérativement le temps imparti. Se fixer soi-même des limites si aucune durée n'est imposée : ne jamais abuser de la patience des interlocuteurs et ne jamais oublier de parler suffisamment fort pour être entendu.

Comment s'entraîner ?

Observez les prises de paroles d'autrui : analyser leurs points faibles et leurs qualités permet une prise de conscience de l'aspect technique de l'« art de persuader ». Si vous disposez d'un magnétophone, enregistrez-vous : s'écouter est souvent désagréable mais aide à analyser puis à corriger ses prises de paroles. « Répétez » devant un camarade attentif et critique. Profitez des occasions offertes de prendre la parole publiquement, voire sollicitez-les au lieu de les fuir : c'est en communiquant qu'on apprend à communiquer !

Les types de prises de parole

- Les oraux préparés : exposé, oral du baccalauréat ; ces prises de paroles s'apparentent à un monologue assez long. La maîtrise du temps, l'utilisation des notes préparatoires, et la nécessité de maintenir l'attention de l'auditoire sont les principales difficultés de ces exercices.
- Les interventions improvisées : entretien à la suite d'un oral, interrogation sur un cours, participation en cours, débat ; ces interventions sont plus ponctuelles ; il est essentiel de saisir rapidement les propos d'autrui, d'en tenir compte, de s'exprimer brièvement et clairement ; il faut aussi savoir prendre l'initiative d'un dialogue.

Le corps et la voix

Adoptez une posture à la fois polie et confortable : buste droit, épaules détendues, stabilité. La respiration n'en sera que plus facile ; contrôlez cette dernière : cette technique aide à conjurer le tract. Surveillez vos gestes : pas de gestes parasites détournant l'attention (mouvement des mains agitant un stylo...). Utilisez le langage des gestes : un mouvement de l'avant-bras et de la main peut en particulier ponctuer efficacement les temps forts d'un discours ; mais attention aux excès et aux « tics ». Articulez et adoptez un débit soutenu et non monotone : pas de précipitation, pas de longs « blancs », mais des pauses pertinentes aux moments importants, et des accents d'intensité sur des mots clefs.

Comment s'exprimer ?

• La clarté : la précision, la correction et la richesse de la langue sont des facteurs déterminants pour la bonne transmission d'un message.

• Le code oral : tenez compte des particularités de la communication orale, sans pour autant recourir à un registre familier : il faut en particulier se répéter, en reformulant les idées les plus importantes ; ne parlez pas « comme un livre » et ne lisez pas des notes trop rédigées.

• La réthorique : plusieurs procédés contribuent à rythmer le discours et à solliciter l'attention : anaphores (recours à une structure déjà utilisée), reprise de la question posée *(vous me demandez si...)*, question réthorique *(comment expliquer...)*, fausses objections *(vous allez me dire que...)*.

• L'organisation : pour qu'une prise de parole assez longue puisse être suivie sans trop de difficultés, il est indispensable de la structurer ; soulignez les articulations logiques prévues dans le plan, en les verbalisant : ne pas dire *petit 1*, mais *d'abord* ou *le premier point que j'aborderai...*

Le sens de la communication

• Établissez le contact : selon les cas, présentez-vous, captez l'attention par une anecdote, etc.

• Regardez fréquemment celui ou ceux à qui vous vous adressez.

• Soyez vivant : impliquez-vous dans votre sujet, parlez-en avec conviction ; faites preuve éventuellement d'un humour de bon aloi, mais ne pas prendre à partie l'auditoire !

• Faites preuve d'ouverture d'esprit et sachez écouter. Adaptez-vous aux circonstances et observez les réactions de l'interlocuteur.

• Concluez : rien n'est plus inconfortable pour l'auditeur que d'ignorer si vous avez ou non terminé.

A consulter

Comment répondre ? Quelles questions poser ? Comment être écouté ? Comment préparer son oral ? Quelles erreurs ne pas faire devant le jury ? Quels gestes éviter ? Un livre répond à toutes ces questions et à bien d'autres : *La Communication orale*, collection « Repères pratiques Nathan ». Le guide indispensable de l'oral.

REPÈRES CHRONOLOGIQUES

Siècle	Événements politiques		Littérature	
XVI	**1515** François 1er	deuxième partie des guerres d'Italie qui opposent la France à la Maison d'Autriche		1518 Marot, poète officiel 1542
			1532 Rabelais, *Pantagruel*	
	1534 Affaire des Placards		**1534** Rabelais, *Gargantua*	
			1546 Rabelais, *Le Tiers Livre*	
			1549 *Défense et Illustration de la langue française*	
			1550–**1556** Ronsard, *Odes, Amours et Hymnes*	
	1559 François II Traité de Cateau-Cambrésis			
	1560 Charles IX			
	1562 Massacre de Wassy	guerres de Religion		1560 Ronsard poète officiel 1574
			1563 Ronsard, *Discours sur les misères de ce temps*	
	1572 La Saint-Barthélemy			
	1574 Henri III			
	1576 Fondation de la ligue			
			1577 D'Aubigné commence *Les Tragiques*	
	1589 Henri IV			
	1598 Édit de Nantes			
	1610 Assassinat de Henri IV			
XVII	**1618** **1624**	guerre de Trente Ans		1605 Malherbe poète officiel 1628
			1636 Corneille, *Le Cid*	
			1637 Descartes, *Discours de la Méthode*	
	1643 Mort de Louis XIII		**1643** Corneille, *Polyeucte*	
	1648–**1653** La Fronde			
			1656 Pascal, *Les Provinciales*	
	1659 Paix des Pyrénées			
	1661 Début du gouvernement personnel de Louis XIV	1672 guerre de Hollande 1678		
			1665 Molière, *Tartuffe*	
			1667 Racine, *Andromaque*	
			1668 La Fontaine, *Les Fables (I-VI)*	
			1674 Boileau, *Art Poétique*	
			1677 Racine, *Phèdre*	
			1678 La Fontaine, *Les Fables (VI-XI)*	
	1682 Installation à la cour de Versailles			
	1685 Révocation de l'Édit de Nantes	1689 guerre de la ligue d'Augsbourg 1697		
			1688 La Bruyère, *Les Caractères*	
			1691 Racine, *Athalie*	

Siècle	Événements politiques			Littérature	
XVIII			1701 guerre de succession d'Espagne 1713		
	1715	Mort de Louis XIV		1715	Lesage commence *Gil Blas*
				1721	Montesquieu, *Les Lettres persanes*
	1723	Début du règne personnel de Louis XV	Régence		
				1730	Marivaux, *Le Jeu de l'Amour et du Hasard*
				1734	Voltaire, *Lettres philosophiques*
	1748	Traité d'Aix-la-Chapelle		1747	Voltaire, *Zadig*
				1750	Rousseau, *Discours sur les Sciences et les Arts*
				1751	Voltaire, *Le Siècle de Louis XIV*
	1756		1756 guerre de Sept Ans 1763	1759	Voltaire, *Candide*
				1761	Rousseau, *La Nouvelle Héloïse*
				1762	Rousseau, *L'Émile, Le Contrat social*
	1769			1765 1770	Rousseau, *Les Confessions*
	1774	Mort de Louis XV		1775	Beaumarchais, *Le Barbier de Séville*
				1776	Rousseau, *Les Rêveries du promeneur solitaire*
				1782	Laclos, *Les Liaisons dangereuses*
				1784	Beaumarchais, *Le Mariage de Figaro*
	1789 1791	La Constituante		1787	Bernardin de Saint-Pierre, *Paul et Virginie*
	1791 1792	La Législative			
	1792 1795	Convention	1796 premières campagnes de Bonaparte 1799	1794	Chénier, *Les Iambes*
XIX	1799 1802	Le Consulat		1802	Chateaubriand, *René, Le Génie du Christianisme*
	1804		L'Empire	1804	Senancour, *Oberman*
	1805	Trafalgar, Austerlitz		1809	Chateaubriand, *Les Martyrs*
	1810	Mariage avec Marie-Louise		1810	Mme de Staël, *De l'Allemagne*
	1814		La Restauration	1816	Constant, *Adolphe*
	1824	Avènement de Charles X		1820	Lamartine, *Méditations poétiques*
				1827	Hugo, *Préface de « Cromwell »*
				1829	Balzac, début de la *Comédie humaine*
	1830	Révolution de Juillet	La Monarchie de Juillet	1830	Hugo, *Hernani*
				1831	Stendhal, *Le Rouge et le Noir*
				1835	Musset, *Lorenzaccio*
				1839	Stendhal, *La Chartreuse de Parme*
	1848	Révolution de Février	La Seconde République		
	1851	Coup d'État du 2 décembre			
	1852	Napoléon III empereur	IIᵉ Empire	1852	Leconte de Lisle, *Poèmes antiques*
	1854	Guerre de Crimée		1853	Hugo, *Les Châtiments*
				1856	Hugo, *Les Contemplations*
				1857	Beaudelaire, *Les Fleurs du Mal*
	1870	Chute de l'Empire			
	1871	La Commune	IIIᵉ République	1873	Rimbaud, *Une saison en enfer*
	1875	La Constitution		1876	Mallarmé, *L'après-midi d'un faune*
				1881	Verlaine, *Sagesse*
				1884	Huysmans, *A rebours*
	1894	Condamnation de Dreyfus		1896	Jarry, *Ubu-roi*

		Événements politiques			Littérature
XX	1897	Début de la révision du procès de Dreyfus		1900	Péguy fonde les *Cahiers de la Quinzaine*
				1903	R. Rolland, *Jean-Christophe*
	1905	Séparation des églises et de l'État	1905–1907 1re crise marocaine		
	1906				
		Rupture du Bloc des gauches	1911 2e crise marocaine	1912	Claudel, *L'Annonce faite à Marie*
	1914–1918	Union sacrée	PREMIÈRE GUERRE MONDIALE	1917	Barrès, *La Colline inspirée*
			1919 traité de Versailles	1922	
		Instabilité	1925 pacte de Locarno	1924	Manifeste surréaliste
				1925	Gide, *Les Faux-monnayeurs*
				1929	Claudel, *Le Soulier de satin*
	1932	Crise du régime (scandales)		1933	Malraux, *La Condition humaine*
	1934			1935	Giraudoux, *La guerre de Troie n'aura pas lieu*
	1936	Gouvernement du Front populaire	1936 guerre civile espagnole	1938	Sartre, *La Nausée*
	1939		DEUXIÈME GUERRE MONDIALE		
	1940	Gouvernement de Vichy		1942	Camus, *L'Étranger*
	1944			1944	Anouilh, *Antigone*
	1945	QUATRIÈME RÉPUBLIQUE		1948	Montherlant, *Le Maître de Santiago*
		Instabilité	1946–1954 guerre d'Indochine	1951	Beckett, *En attendant Godot*
				1953	Saint-John Perse, *Amers*
				1957	Butor, *La Modification*
	1958	Crise du régime et CINQUIÈME RÉPUBLIQUE le général De Gaulle président de la République	1954–1962 guerre d'Algérie	1960	Ionesco, *Rhinocéros*
				1964	Sartre, *Les Mots*
	1968	Les événements de Mai			
	1974	Valéry Giscard D'Estaing Président		1975	M. Tournier, *Les Météores*
	1981	François Mitterrand Président			

Index des notions définies dans l'ouvrage

(les chiffres renvoient aux numéros des pages)

N

O

P

Q

R

S

T

U

V

Index des auteurs

(les chiffres renvoient aux numéros des pages)

A

B

C

D

E

F

G

H

I

J

K

L

M

N

P

R

S

T

V

Z

Nº d'éditeur T 60610 III (DO VII) PFC. - Imprimé en France. Mars 1990.
Achevé d'imprimer sur les presses de Jean-Lamour (Groupe Berger-Levrault), 54000 Nancy - Nº 715587-03-90.